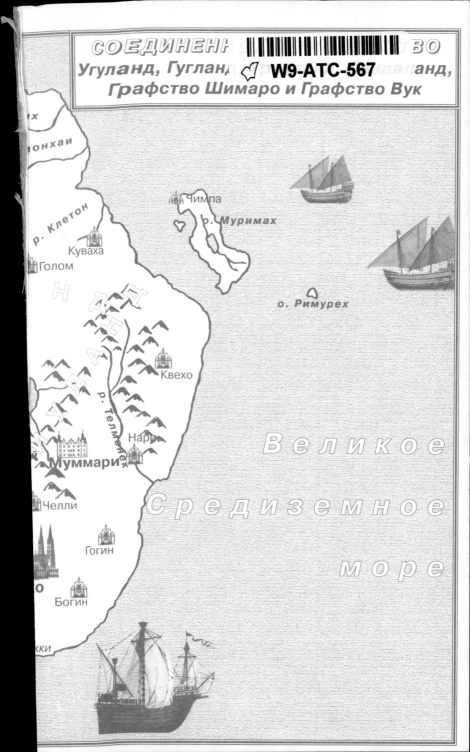

нх

онхаи

р. Клетон

Куваха

Голом

Н

р. Телмет

Квехо

Нари

Муммари

Челли

Гогин

Богин

о

кки

Чимпа

о. Муримах

о. Римурех

Великое

Средиземное

море

МАКС ФРАЙ

ВОЛОНТЕРЫ ВЕЧНОСТИ

Магахонские лисы

**Корабль из Арвароха
и другие неприятности**

Очки Бакки Бугвина

Волонтеры вечности

Санкт-Петербург
Издательство «АЗБУКА»

Москва
Издательство «ОЛМА-ПРЕСС»
2001

УДК 882
ББК 84 Р7
Ф 82

Иллюстрации И. Степина
Оформление Ю. Радошовецкой
Оформление переплета М. Крютченко, В. Пожидаева

Фрай М.
Ф 82   Собрание сочинений. Волонтеры вечности: Роман. —
СПб.: Азбука; М.: ОЛМА-ПРЕСС, 2001. — 576 с.

ISBN 5-7684-0739-1 (Азбука)
ISBN 5-224-00624-4 (ОЛМА-ПРЕСС)

        Иногда мертвецы возвращаются в мир живых; иногда живые
уходят по тропам мертвых и возвращаются обратно. Их глаза
видели ад, поэтому ничто не сравнится с силой их любви к жизни. Власть над другими — тяжелейшая ноша, а плата за могущество может оказаться слишком высокой. Но нет места для
пустых сожалений в сердце того, кто по доброй воле стал волон-
тером вечности.

Магахонские лисы

Аппура Блакки

Бубута Бох

Меламори Блимм

Мадам Жижинда

Джуффин Халли

Шурф Лонли-Локли

Макс

Поздравляю, Макс! У вас с Мелифаро праздник, один на двоих! — Сэр Джуффин Халли просто лучился от ехидства.

— Что, Тайным Сыщикам официально разрешили иметь гарем? Вышел специальный Королевский Указ? — равнодушно спросил я. Признаться, я был немного не в духе, так, ни с того ни с сего, со мной это бывает...

— Хуже, парень! Гораздо хуже! Наш великолепный Бубута, кажется, выздоравливает.

— Вот и славно! — хмыкнул я. — Рано или поздно это все равно должно было случиться. Пусть его подчиненные скорбят. А я даже соскучился... Он так мило меня боится! К тому же за время его отсутствия Городская Полиция стала, на мой вкус, чересчур приличной организацией.

— Правда? Тем более ты будешь рад... Дело в том, что Бубута до сих пор задыхается под грузом благодарности, все забыть не может, как вы с Мелифаро уберегли его драгоценную тушу от превращения в паштет... В общем, он прислал вам официальное приглашение. Завтра на закате вы вступите в святая святых Соединенного Королевства — в резиденцию генерала Бубуты Боха. Ты счастлив?

— Ох!.. Джуффин, как вы думаете, а может быть, я завтра буду занят? Могу принести вам на блюде голову какого-нибудь мятежного Великого Магистра или создать пару-тройку новых Вселенных... Хотите? Я мигом, честное слово! Вот только на вечеринку к сэру Бубуте, пожалуй, не успею. Какая жалость!

— Ага, размечтался!.. Нет уж, за свои ошибки надо платить. Если вас с Мелифаро угораздило спасти генерала Бубуту, теперь расхлебывайте!.. И не надо делать такое страдальческое лицо, Макс. Ничего страшного, побеседуешь с ним о сортирах, он это любит. А потом придешь и в лицах перескажешь мне содержание вашей поучительной беседы, ты это любишь... В общем, все будут довольны, просто не одновременно, а по очереди. И только я — непрерывно. Вот так-то!

— А Мелифаро уже знает, какое счастье ему уготовано?

— Да, разумеется... И не ухмыляйся так зловредно, он ужасно рад. Как представит тебя за Бубутиным столом, у него от восторга аж дух перехватывает.

— Послушайте, Джуффин, вы меня уже сделали... А теперь скажите, неужели это действительно так уж обязательно — идти к Бубуте?

— Не то чтобы очень... — Сэр Джуффин задумчиво пожал плечами. — Но бедняга сильно сдал после этой истории с паштетами и так надеется на ваш визит... Знаешь, Макс, он ведь очень чувствительный парень в глубине души.

— Ага... Небось руки в кровь сотрешь, пока докопаешься до «глубины его души»! — проворчал я. — Ладно, схожу... А то ведь Мелифаро плакать будет весь день в приемной — что о нас люди подумают?!

— Вот и славно... А ты чего такой надутый, Макс? Что с тобой творится?

— А Магистры меня знают! — Я пожал плечами. — Вроде бы все хорошо, ан нет! Может быть, это сезонное явление? Как брачные пляски птицы сыйсу?.. Я ведь очень примитивно устроен!

— Птицы сыйсу вовсе не устраивают никаких брачных плясок, — неожиданно возмутился Куруш. — Люди иногда говорят о птицах такие странные вещи!

Я виновато погладил буривуха по мягким перьям:

— Извини, милый. Я — невежественный пришелец, а ты — мудрый хранитель знаний. Будь великодушен!

— Ну-ну... — Джуффин изумленно покачал головой. — Кстати, ты не ложишься спать без головной повязки Великого Магистра...

— ...Ордена Потаенной Травы?! — уныло подхватил я. — Представьте себе, нет! Я в последнее время вообще ни о чем не забываю. Я гашу свет в уборной, не выхожу на улицу голым, делаю дыхательную гимнастику имени

Лонли-Локли по утрам, ем шесть раз в день... и вообще у меня все в порядке.

— Нет, Макс. Не все. Что, снится что-то не то?

— Вообще ничего не снится! — мрачно буркнул я. — Путешествие в Кеттари вытрясло из меня способность к сновидениям. Напрочь!

— Вот это уже теплее... Только не преувеличивай, парень! Ничего из тебя не «вытрясло», просто... Одним словом, хорошо, что у тебя есть такая защита!

— А что, в моем кинотеатре намечался месячник фильмов ужасов? — оживился я.

— Выражайся понятнее, будь так добр! Эти твои метафоры...

— Я просто хотел сказать, что все кошмары Мира вышли на охоту за моим скальпом.

— Без тебя понял, — зловредно ухмыльнулся Джуффин, — да, что-то в этом роде. Не переживай, им надоест. Все к лучшему: у тебя наконец-то появилась возможность уделять немного больше внимания тому, что с тобой происходит наяву.

— Например, визит к сэру Бубуте! — расхохотался я. — Вы правы, Джуффин, зачем мне другие кошмары?

— Уже лучше, — с облегчением улыбнулся мой шеф, — гораздо лучше! Продолжай в том же духе. Не позволяй никаким чудесам портить твой легкий характер!

— А он у меня легкий? — польщенно переспросил я.

— Да, вполне. Особенно после пятой рюмки бальзама Кахара... Ладно уж, чудо, приступай к своим непосредственным обязанностям!

— А что, вы посылали в «Обжору» за ужином? — невинно спросил я.

— За пирожными! — хладнокровно уточнил Куруш. Сэр Джуффин схватился за голову, я зловредно рассмеялся. Собственное заявление, что я «не в духе», начинало казаться некоторым преувеличением.

Да нет, я действительно был в порядке, просто несколько дюжин дней без единого сна... Я к этому как-то не привык и иногда начинал ощущать себя благополучным мертвецом, который очень неплохо устроился в своем загробном мире...

— Кажется, сегодня нам предстоит получить море удовольствия! Или еще больше, — задумчиво рассуждал Мелифаро. Он непринужденно возлежал на собственном рабочем столе, закинув ногу на ногу и уставившись в потолок. Я сидел в его кресле и не мог избавиться от смутного ощущения, что мне сейчас придется продегустировать это странное парадное блюдо, элегантно завернутое в ярко-бирюзовое лоохи. — О его доме ходят такие слухи!.. Да, а ты вообще знаешь, что про генерала Бубуту Боха есть масса анекдотов? Про него и его подчиненных.

Я удивленно помотал головой.

— Какой же ты все-таки необразованный, Ночной Кошмар! О чем только думали твои родители, позор на их седины...

— Так им и надо, — ухмыльнулся я, — ты лучше давай рассказывай!

Мелифаро уже надоело лежать на столе, он спрыгнул на пол, немного поозирался по углам и наконец удобно устроился на подоконнике.

— Сидят Бубута и Фуфлос в сортире в соседних кабинках, опорожняют свою утробу. Фуфлос закончил, глядь — а подтереться нечем. Ну он, бедняга, стучит к Бубуте: «Шеф, у вас нет лишней салфетки?» Тот говорит: «А у тебя что, скаба короткая?»

Я хихикнул скорее удивленно. Поскольку... Неужели случайность?..

— А еще?

— Ишь разбежался! Сначала пойди и купи билет на представление!.. Ну ладно, вот тебе еще. Приходит капитан Фуфлос к Бубуте и спрашивает: «Что такое дедуктивный метод?» — Я уже начал хихикать, опять-таки больше от неожиданности. Мелифаро продолжил: — Бубута надулся, побагровел, мыслит... Через полчаса говорит: «Объясняю для идиотов. Ты вчера обедал?» — «Да». — «Ну, значит, у тебя и задница имеется!» — «Ой, шеф, а как вы догадались?» — «Объясняю еще раз, для полных идиотов. Если ты вчера обедал, значит, сегодня ходил в сортир. Если ходил в сортир, значит, у тебя и задница имеется... Вот это и есть дедуктивный метод». Ну, Фуфлос, счастливый такой, идет по коридору и встречает лейтенанта Шихолу. Спрашивает: «Ты вчера обедал, Шихола?» Тот говорит: «Нет, не успел». — «Ну, значит, у тебя и задницы нет!»

Я был по-настоящему поражен. Я отлично знал эти анекдоты! Правда, я слышал их давным-давно, в своем

Мире. Конечно, там действовали другие персонажи... И все же ошибиться было невозможно: анекдоты те же самые, один к одному! По всему выходит, что бродячие сюжеты путешествуют между Мирами куда легче, чем их сочинители и интерпретаторы...

— О, — весело провозгласил Мелифаро, — к нам делегация. Лучшие из лучших, краса и гордость Городской Полиции и нашего Белого Листка. Лейтенант Камши и лейтенант Шихола. Ну да, конечно, это можно было предсказать... Что, ребята, челобитную принесли? Вам к сэру Максу. Дайте ему хорошую взятку, и он плюнет в вашего шефа прямо за праздничным столом.

— Размечтались! — проворчал я. — Я неподкупен, как...

— Как кто? — с интересом спросил Мелифаро.

— Не знаю. Думаю, я вообще один такой во Вселенной!

— Все в порядке, ребята! — с облегчением вздохнула моя «дневная половина». — Он его бесплатно укокошит!

— Вам хорошо смеяться, господа, а мы действительно находимся в затруднительном положении, — вздохнул Камши. Сэр Шихола сделал скорбное лицо.

— Разумеется, в затруднительном! — ухмыльнулся Мелифаро. — Грядет явление великолепного генерала Бубуты Боха! Уж если он решил, что пришло время начать подлизываться к этому извергу, — непочтительный кивок в мою сторону, — значит, он собрался в Дом у Моста. Кончились ваши веселые денечки, ребятки! Сочувствую.

— Рано или поздно это должно было случиться! — вздохнул лейтенант Шихола. Он был похож на узника, годами ожидающего приведения в исполнение смертного приговора и успевшего смириться с этой мыслью. — Но именно сейчас он настолько некстати!

— Интересно, когда это пришествие Бубуты может оказаться кстати? — хмыкнул Мелифаро. — А что у вас стряслось, господа? Что-то любопытное?

— Да не то чтобы любопытное... В Магахонском лесу объявились разбойники.

— Опять? Да, действительно, это уже попахивает традицией! — мечтательно протянул Мелифаро. — Еще и тридцати лет не прошло, как Мир избавился от этого шутника Джифы и его ребятишек... А теперь — нате вам: появляются достойные продолжатели их дела!

Наверное, над кроватью их предводителя висит портрет сэра Джифы: в полный рост, увешан трофеями... Какая прелесть!.. Да, и что?

— А то, что пока у нас очень неплохие шансы их накрыть, — печально заявил Камши. — Пока сэр Бубута пребывает дома, а его заместитель сэр Фуфлос шляется по трактирам, мы с Шихолой можем действовать по своему разумению. Но что получится, когда генерал Бох заявится на службу? Он же начнет отдавать приказы, и нам придется их выполнять... Господа разбойники будут просто счастливы, я полагаю?

— Ну да, ну да, — понятливо покивал Мелифаро, — но мы-то чем тут можем помочь? Наложить на Бубуту заклятие, чтобы ему расхотелось командовать? Боюсь, это невозможно!

— Да, разумеется... Просто нам показалось, что тяжелая работа может подорвать хрупкое здоровье сэра Боха, — мечтательно сказал лейтенант Камши. — Может быть, и вам так кажется, господа? И вы можете пошептаться об этом с леди Бох? Или, еще лучше, просто рассказать генералу Бубуте, как вы за него боитесь...

— Я могу сказать ему, что все свое свободное время посвятил изучению паштета, которым он отравился, — задумчиво сказал я. — И эксперименты показали, что несчастным жертвам этого... как его там... «Короля Банджи»... нельзя переутомляться. Ни в коем случае. Иначе... А почему вы не попытаетесь подкупить господина Абилата? Он же лечит вашего шефа!

— Потому что он неподкупен, как и вы, сэр Макс. — Лейтенант Камши отвесил поклон в мою сторону, надо отдать ему должное, ехидства в этом поклоне почти не было, разве что совсем чуть-чуть. — Думаю, что на самом деле бедняге уже смертельно надоело лечить сэра Бубуту.

— Бедный Бубуточка, никто его не любит, — печально вздохнул я, — совсем как меня. Усыновить его, что ли? Буду покупать ему сладости, сажать на горшочек... Правда, здорово?

Мелифаро сложился пополам в приступе дикого хохота. Несчастные полицейские смотрели на нас почти с испугом.

— Ладно, ребята, мы постараемся! Будем ужасаться его бледности, интересоваться работой его многострадального желудка, сэр Макс прочтет небольшую, доступную пониманию лекцию о вреде переутомления, как и обещал, — вздохнул обессиленный собственным ржанием Мелифаро. — Темные Магистры свидетели, мы — на вашей стороне. Идите, ловите своих разбойничков — наслаждайтесь жизнью, одним словом...

— Думаю, Камши не засидится в полиции, — задумчиво сообщил мне Мелифаро после того, как тяжелая дверь закрылась за нашими озабоченными гостями. — Сэр Марунах Антароп уже очень стар, а должность коменданта тюрьмы Холоми — довольно хлопотная работа, как ни странно. Так что...

— А почему ты думаешь, что именно Камши?..

— Я?! Я ничего не думаю, но сэр Джуффин однажды предположил, что Парень вполне подходит для того, чтобы присматривать за стенами Холоми... Как ты думаешь, кто назначает людей на такие должности?

— Ни секунды не сомневаюсь, что Джуффин! Оно и к лучшему...

— А то!.. Ну что, ты готов к веселой вечеринке?

— Нет. И никогда не буду готов к подобному мероприятию. Но если нам уже пора, можем отправляться...

Особняк Бубуты Боха, большой, как крытый стадион, громоздился на самой окраине респектабельного Левобережья, там, где земля подешевле, а соседей поменьше: на Левом берегу, как правило, селятся только те, кого уже совершенно не интересуют цены на землю и вообще цены как таковые. Так что желающих сэкономить находилось не так уж много: поодаль виднелось еще несколько домов, и зеленели рощи. Кажется, именно здесь и заканчивался Ехо.

— С размахом дядя живет! — одобрительно сказал Мелифаро. — Ну и казарма!

— На мой вкус, все в Ехо живут с размахом, — проворчал я. — Помнишь мою квартиру на улице Старых Монеток? По мне, так и она была великовата!

— Тоже мне эксперт по недвижимости! — проворчала моя «светлая половина». — Тебя послушать, так квартира должна быть размером с холл!

— Ты не поверишь, но что-то в этом роде у меня и было совсем недавно. Как я там помещался — ума не приложу!

— Наверное, тогда ты был еще более тощим! — усмехнулся Мелифаро. — И спал стоя.

— Наверное! — вздохнул я.

Генерал Бубута Бох встретил нас на пороге. Он здорово похудел и побледнел, так что стал вполне похож на человека. Уже не Карабас-Барабас, а этакий игрушечный Карабасик-Барабасик, не способный испугать даже младенца.

— Добро пожаловать в мой дом, господа! — почтительно сказал Бубута. Голос его стал неправдоподобно тихим — нормальный человеческий голос! Мы с Мелифаро изумленно переглянулись. И этот милейший дядя держал в страхе всю свою половину Дома у Моста?! Что с ним стало, с беднягой? Ясно, что он должен пытаться быть вежливым, поскольку мы спасли его жизнь, но... Все это было как-то чересчур!

Обменявшись приветствиями, мы вошли в дом, где угодили в объятия хозяйки. Странное дело, женушка Бубуты не была ни бой-бабой, ни тихим забитым существом. Насколько я знаю жизнь, буйные грубияны типа Бубуты при выборе жены, как правило, кидаются в одну их этих крайностей. А леди Бох оказалась милой, все еще красивой рыжеволосой дамой средних лет, приветливой и снисходительной одновременно. Мы снова переглянулись.

— Спасибо, что спасли моего старика, мальчики! — благодарно улыбнулась она. — Не в моем возрасте менять привычки, а я так привыкла засыпать под его храп.

— Перестань, Улима! — смущенно буркнул Бубута.

— Молчи уж, горе мое! Забыл, как у нас заведено? Ты приглашаешь гостей, а я их развлекаю, поскольку наоборот мы уже пару раз пробовали, выходило как-то не очень... Прошу вас, господа!

Нас провели в гостиную, где мне снова предстояло удивиться. Я уже упоминал, что у нас, в Ехо, для освещения улиц и помещений нередко используют особенные светящиеся грибы, которые выращивают в специальных сосудах, заменяющих абажуры. В доме генерала Бубуты явно предпочитали именно этот способ освещения...

В центре гостиной стоял огромный прозрачный сосуд. Полагаю, что среднестатистическому киту он показался бы тесноватым, но все же у кита были все шансы там

14

поместиться. В сосуде произрастал гигантский светящийся гриб. Те экземпляры, что я видел до сих пор, редко превосходили размерами хорошо знакомые мне шампиньоны. Огромный гриб не только светился теплым оранжевым светом, но и тихо гудел, как сердитый шмель. Я был по-настоящему ошарашен! Мелифаро, судя по всему, тоже, во всяком случае он затаил дыхание.

— А... Вы удивлены? Это — мой любимец, моя гордость! — непривычно тихим голосом сообщил нам Бубута. — Он такой умный, вы себе не представляете! Видите, господа, он начал светиться, как только мы вошли в гостиную. А ведь я не прикасался к выключателю! Он сам понимает, что нужно светить.

— Боюсь, что гриб просто ненавидит моего мужа! — шепнула мне леди Улима. — Когда в гостиную заходит кто-то другой, поганец и не думает светиться. Лично мне всегда приходится поворачивать выключатель!

— Думаю, мой гриб — единственный в Мире, — гордо заключил генерал Бох.

— Да и вы сами — тоже единственный в Мире, сэр! — с подхалимским энтузиазмом подхватил Мелифаро.

— Спасибо, сэр! — вежливо поклонился Бубута. — А здесь, господа, еще одна семейная реликвия. — Он торжественно указал на стену, где висело чудовищное батальное полотно, размером этак семь на четыре. На переднем плане бравый генерал Бубута Бох в какой-то странной форменной одежде, с ног до головы увешанный разнообразными побрякушками, мужественно прикрывал своей грудью невысокого пожилого человека с сияющим лицом и развевающимися на ветру белоснежными волосами. Откуда-то из темного нижнего угла картины тянулись худые смуглые руки с хищно растопыренными пальцами, Бубута грозил им палашом. На заднем плане многочисленные бравые ребята уверенно побеждали каких-то несимпатичных господ... В общем, я счел картину ужасной. На беднягу Мелифаро было просто жалко смотреть: он мужественно боролся с очередным приступом смеха. Наш трогательный хозяин тем временем продолжил лекцию:

— Эта картина принадлежит кисти самого Гальзы Илланы. Мне очень повезло: сэр Иллана был Старшим Мастером Изображений при дворе Его Величества

Гурига Седьмого, да хранят его Темные Магистры!.. И уж кому, как не ему, следовало запечатлеть это выдающееся событие. Я ведь действительно спас жизнь Его Величества в битве при Кухутане!.. Это был поворотный момент войны, Его Величество Гуриг Седьмой именно так и выразился... Правда, отличная картина, господа? Не чета всем этим нынешним мазилкам, им бы только дерьмо по собственной заднице размазывать! — Самое потрясающее, что даже эту фразу, такую характерную для старого доброго генерала Бубуты, наш гостеприимный хозяин произнес все тем же тихим бесцветным голосом, так что его заявление прозвучало вполне интеллигентно.

— А что это за украшения? — с любопытством спросил я. — Амулеты?

— Совершенно верно, сэр Макс. Охранные амулеты, изготовленные для нас, Королевских Гвардейцев, Орденом Семилистника, Благостным и Единственным. Без них в то время было просто невозможно обходиться. Ведь с кем мы сражались? С магическими Орденами! А против них с одним хорошим мечом и храбрым сердцем не попрешь! Если бы не эти амулеты...

— Радость моя! — ласково сказала леди Улима. — Тебе не кажется, что гостей надо накормить? Для того они, собственно, и приходят, чтобы есть!

— Правильно, дорогая! — Бубута смущенно повернулся к нам. — Вам понравилась картина, господа?

Мы с Мелифаро молча покивали. Еще немного — и наше непочтительное ржание могло бы испоганить образовавшуюся идиллию, но мы мужественно терпели. И за это нас наконец повели ужинать!

Ужин был не столь удивителен, как прелюдия. Все чин чином, отлично сервированные блюда, безупречно светская болтовня леди Улимы, осторожные поддакивания бравого Бубуты. Устав мучиться в одиночку, я послал зов Мелифаро: «Интересно, он дома всегда такой или это последствия отравления?»

«С такой-то женушкой... Очень даже может быть, что и всегда. А уж на службе отводит свою горемычную душу!» — Кажется, моя «светлая половина» уже успела растаять под строгим взглядом леди Улимы.

У моего организма свои представления о хороших манерах. Ему всегда казалось, что если уж ты обедаешь в гостях, то где-то в самый разгар пиршества просто необходимо отлучиться в уборную. На протяжении долгих лет я вел с ним героическую, но безнадежную борьбу, а потом махнул рукой на это бессмысленное сопротивление. Торжественный обед у генерала Бубуты не был исключением. Во всяком случае сейчас я мог не слишком переживать: где-где, а уж в этом доме подобный поступок мог вызвать только одобрительное понимание со стороны хозяина. Так что я покинул гостиную, не слишком извиняясь.

Спустившись вниз, я получил превосходную возможность еще немного поудивляться... Разумеется, я давно привык к тому, что в любом столичном доме имеется никак не меньше трех-четырех бассейнов для омовения. Как правило, их гораздо больше, что превращает мытье в основательную физзарядку. Но вот дюжина унитазов разной высоты, добродушно приветствующих посетителя туалета нестройным журчанием... Даже сэр Джуффин Халли, величайший сибарит всех времен и народов, обходился одним, что уж говорить об остальных обитателях столицы! Но Генерал Полиции Бубута Бох оказался оригиналом. Большой души человек, одним словом!

В гостиную я вернулся в некоторой растерянности. Мои коллеги во главе с безупречным Шурфом Лонли-Локли не раз читали мне занудные лекции о том, что человек должен хоть как-то пытаться скрывать свои чувства от окружающих, но мое лицо всегда обладало завидной подвижностью. А посему не нужно обладать особой проницательностью, чтобы ознакомиться с полным списком обуревающих меня эмоций.

Леди Улима внимательно посмотрела на меня и звонко расхохоталась:

— Гляди-ка, дорогой! Оказывается, и господ Тайных Сыщиков можно удивить!

— Позоришь ты нашу организацию, сэр Макс! — хмыкнул Мелифаро. — Что, с тобой это случилось впервые? А раньше ты и не подозревал, что люди время от времени это делают?

— Молчи уж! — буркнул я. — На себя бы посмотрел... — И я воспользовался безмолвной речью, чтобы закончить объяснение: «У него там дюжина унитазов, парень! Честное слово!»

Мелифаро недоверчиво поднял брови и заткнулся. На всякий случай.

— Никаких секретов, господа! — все еще улыбаясь, сказала леди Улима. — Дорогой, расскажи им...

— Когда я был молод и только поступил на службу в Королевскую Гвардию, то есть примерно лет двести назад, — тихим бесцветным голосом начал Бубута, — мне довелось жить в казарме. Это были славные времена, и мне не на что жаловаться. Но одно происшествие...

Леди Улима снова рассмеялась. Она явно знала эту сагу наизусть и теперь предвкушала продолжение. Генерал Бубута смущенно потупился:

— Вас не шокирует, что мы затрагиваем такую неаппетитную тему за столом, господа? Я могу продолжить и после обеда.

Мы с Мелифаро переглянулись и изумленно заржали, не в силах больше сдерживаться, так что составили неплохую компанию все еще хихикающей леди Улиме.

— Ты что, не видишь? Этих ребят одними разговорами не шокируешь! — заявила прекрасная генеральская женушка. — Впрочем, даже если ты перейдешь от слов к делу... Не знаю, не знаю... Вряд ли!

Успокоенный таким образом, хозяин дома продолжил свою легенду:

— Это и происшествием-то не назовешь... Был у меня сослуживец Шарци Нолла, отличный парень, настоящий великан, на голову выше меня, да и комплекция соответствующая. Однажды мы с ним получили День свободы от забот и отправились к его тетке. Мадам Каталла в то время держала отличный трактир, так что Шарци у нас был везунчиком: кормили его там на славу... Ну и мне досталось, раз уж я с ним пришел. И на радостях мы немного перебрали, одним словом, обожрались. Вернулись утром в казарму, и Шарци засел в уборной, то есть успел занять ее раньше меня. А у нас ведь как было? Жили в казарме по четыре человека в одной спальне, и сортир, простите, один на всех... Терпел я, терпел... Полчаса, час, мерзавец не выходит! Потом говорил, что скрутило его, но, я думаю, это он нарочно устроил... В общем, не утерпел я тогда!

На Мелифаро было страшно смотреть — бедняга побагровел от сдерживаемого хохота, я даже испугался: как бы его удар не хватил!

— Вы не стесняйтесь, сэр Мелифаро! — сжалилась леди Улима. — Это действительно смешная история!

— И вот тогда я решил, — торжественным тоном закончил Бубута, — решил, что, если разбогатею, у меня в доме непременно будет дюжина этих чертовых сортиров!

Тут и я не выдержал. Мы с Мелифаро хохотали как сумасшедшие. Сэр Бубута Бох тем не менее взирал на нас весьма благосклонно. Вероятно, мы были далеко не первыми «друзьями дома», ржущими над этой поучительной историей.

Обед подошел к концу, и я решил, что пора. И торжественно извлек из-под складок своей Мантии Смерти коробку гаванских сигар. Я обзавелся ими еще в Кеттари, совершенно непреднамеренно: случайно извлек эту роскошь из таинственной «щели между Мирами», откуда до тех пор таскал только сигареты. С того дня я никогда не знаю, что именно добуду из грешной «щели» в следующий раз. Впрочем, в моем «кулацком» хозяйстве всему находится применение... Ну, почти всему. Сигары я, к величайшему своему позору, никогда не любил, вернее, не очень-то умел их курить. Мои коллеги оказались еще безнадежнее, так что на Бубуту была последняя надежда.

— Что это, сэр Макс? — с почтительным любопытством спросил Бубута.

— Это предназначено для курения, — важно объяснил я. — Мне недавно прислали из Кумона, столицы Куманского Халифата. У меня там, видите ли, родня... — Я очень полюбил ссылаться на Куманский Халифат, когда был вынужден объяснять происхождение многочисленных странных вещиц, которые в последнее время слишком часто обнаруживались в моих многострадальных карманах. Куманский Халифат так далеко, что поймать меня на вранье мог только сэр Манга Мелифаро, автор знаменитой восьмитомной «Энциклопедии Мира» и не менее знаменитого девятого тома — моего потрясающего коллеги.

— Аж в Куманском Халифате? — изумленно переспросила леди Улима.

— Да, — вздохнул я, — уж если у меня и обнаруживаются родственники, они непременно норовят поселиться где-нибудь на краю Мира, от греха подальше...

Генерал Бубута тем временем раскурил сигару. Кажется, у него даже руки дрожали, честное слово!

— Сэр Макс! — восторженно выдохнула несчастная жертва моего жестокого эксперимента. — Я и вообразить никогда не мог, что существуют такие штуки! Это все мне, правда?

— Правда, правда! — кивнул я. — Если вам так понравилось, я попрошу их прислать еще. По мне, они чересчур крепкие, но дело вкуса, конечно...

— Это... это... — Бубута, видимо, не мог подобрать соответствующее цензурное слово, чтобы выразить свой восторг. Я тоже. Этот «Бармалей» со здоровенной сигарищей в руках... То еще зрелище, одним словом! Выдержка Мелифаро, так и не высказавшегося по этому поводу, заслуживает отдельных похвал. Вот уж не ожидал от него!

Кажется, мы с генералом Бубутой Бохом все-таки стали лучшими друзьями. Я так и не смог решить для себя: это хорошо или как?.. Но смирился. А что еще мне было делать, скажите на милость?!

Уже перед уходом я вспомнил, что ребята из Полиции умоляли...

— Сэр, — осторожно начал я, — вы уже чувствуете себя здоровым?

— Да, сэр Макс, благодарю вас за внимание к моему здоровью...

Я вздохнул. Бедные господа полицейские!.. Впрочем, Бубута, кажется, стал таким безобидным!

— Так что, вы собираетесь вернуться в Дом у Моста?

— Да, через дюжину-другую дней... Улима, знаете ли, считает...

Я снова вздохнул, теперь с облегчением. Ничего и делать не придется: все утрясается само собой.

— Вы совершенно правы, леди Улима! — внушительно сказал я. — «Король Банджи» — не такая штука, с которой можно шутить! Малейшее переутомление или, скажем, нервы... И процесс может повернуть вспять! Поверьте моему опыту!

— Опыту? — растерянно переспросила леди Улима. — Вы что же, сэр Макс, тоже ели эту гадость?

— Хвала Магистрам, не ел. Но уделял немало времени пристальному наблюдению за чужими несчастьями. Так что...

— Ты слышал, дорогой? — встревоженно спросила эта чудесная женщина. — Думаю, что тебе не стоит
браться за дело до Дня Середины Года, если не дольше.

Камши с Шихолой, кажется, были спасены...

— Подбросишь меня домой, Макс? — устало спросил Мелифаро, плюхаясь на заднее сиденье моего амобилера. — Джуффин просто обязан освободить нас от
службы на полдюжины дней. Давно я так не уставал!

— Да? — ехидно переспросил я. — От чего ты устал,
интересно? Считать Бубутины унитазы? Оно и понятно,
пальцев-то на руках не хватает!

— Издеваешься? Ну-ну... Не выношу я этих «семей-
ных обедов», они меня в могилу загонят когда-нибудь!
У нас дома, я имею в виду дом, где я вырос, каждый
ест, когда проголодается, в том числе и гости. Поэтому
в столовой всегда кто-нибудь жует, разве что ночью там
пусто... Я так привык! А то сиди тут три часа за светской
беседой с набитым ртом! Я-то думал, они будут смешными, а они такие зануды... хотя леди Улима, конечно,
прелесть, и гриб — это нечто! — Мелифаро сам не заметил, как развеселился. — Да, грибочек — это событие,
будет о чем рассказать ребятам!

— А портрет?! — хихикнул я. — А дюжина унитазов?
А «фамильная легенда» о том, как Бубута в юности
полные штаны навалил? Каково, а!

Мелифаро уже ржал так, что амобилер подпрыгивал.
Через четверть часа я благополучно выгрузил его возле
дома на улице Хмурых Туч, в самом сердце Старого
Города, завистливо посмотрел ему вслед и отправился
в Дом у Моста. Мне ведь еще и работать полагалось,
между прочим!

Работа мне предстояла нелегкая: поудобнее устроить
свою задницу в кресле, аккуратно водрузить ноги на
священный стол сэра Джуффина Халли и приниматься
за героическое истребление бесконечных потоков камры. Бедняги курьеры едва успевали бегать в «Обжору»
и обратно!

Подмога подоспела вовремя. Куруш флегматично же-
вал третье по счету пирожное. Кажется, он начинал испытывать внезапное отвращение к сладкому. А я как раз начинал понимать, что сейчас действительно лопну. И тут
в дверях замаячил роскошный нос лейтенанта Шихолы. Конечно, господа полицейские так распереживались,

куда уж им домой!.. «Это же надо: всю жизнь служить под началом генерала Бубуты и все равно так любить свою работу!» — с восхищением подумал я. И обратился к носу:

— Заходите, заходите! Для вас — море камры и только хорошие новости!

— Вы не заняты, сэр Макс? — тактично спросил владелец этого великолепного носа, давнишнего предмета моей черной зависти.

— А вы не видите? — усмехнулся я. — Дел по горло, только успевай поворачиваться... или переворачиваться с боку на бок... Поскольку кресло мое не такое уж мягкое, как кажется поначалу. Ужас, да?

Лейтенант Шихола наконец появился целиком. Впрочем, при всем своем шикарном росте и почти атлетическом сложении, парень все равно казался необязательным приложением к собственному непостижимому носу...

— А где же сэр Камши? — поинтересовался я. — Пошел вешаться? Зря! Надежда должна умирать последней!

— Он так устал за последние три дня, что ему уже все равно. Поэтому Кам просто пошел спать.

У Шихолы была очень милая манера встречать самые дикие из моих высказываний этакой растерянной полуулыбочкой. Она годилась на все случаи жизни: если я действительно пошутил, то вот вам и улыбка; а если этот странный сэр Макс просто сказал глупость... Ну что ж, и улыбки-то, собственно, никакой не было!

— Ладно, — усмехнулся я, — пусть спит, бедняга! Значит, все хорошие новости достанутся вам одному. И вся моя камра заодно. Видеть ее уже не могу!

— Макс всегда так говорит, — бесстрастно заметил Куруш, — а потом заказывает еще один кувшин. Вы, люди, — очень противоречивые существа!

— Твоя правда, умник! — согласился я. И снова повернулся к Шихоле: — С вас причитается, друг мой!

— Так что сэр Бубута?..

— Во-первых, вы бы его не узнали! Милейший человек, говорит чуть ли не шепотом... Или он дома всегда такой? Вы случайно не в курсе?

— Какое там! — махнул рукой Шихола. — Одна леди Улима с ним справляется... да и то через раз! Но вы же знаете, сэр Макс, как он к вам относится!

— Да, но тем не менее это уже слишком! Когда за столом зашел разговор о его сортире, он спросил, не шокирует ли нас эта тема.

— Это действительно слишком! — Бедняга лейтенант просто поверить не мог в свое счастье.

— Ну, на вашем месте я бы не слишком радовался. Может быть, это всего лишь временные последствия отравления. И у несчастного есть шанс выздороветь... Впрочем, как бы то ни было, Темные Магистры все равно играют на вашей стороне: Бубута не собирается возвращаться на службу раньше чем через дюжину-другую дней, а теперь леди Улима не отпустит его до Дня Середины Года, я полагаю...

— Сэр Макс, о вас действительно не зря рассказывают чудеса! Вы...

— Окажите услугу, Шихола, скажите, что же это за «чудеса» обо мне рассказывают? — встревоженно спросил я.

— Ох!.. А то вам сэр Кофа не говорил! — Парень не на шутку растерялся. — Не при Куруше же все эти глупости повторять!

— А я все равно сплю... — как бы между прочим сообщил буривух.

Я рассмеялся. Куруш — мудрейшая из птиц, но иногда такое брякнет! Длительное общение с людьми никому не на пользу...

— Вот видите, лейтенант! Куруш спит, так что колитесь. Сэр Кофа, знаете ли, щадит мои бедные нервы!

— Говорят, что вы незаконнорожденный сын сэра Джуффина, — смущенно начал Шихола, — ну да это вы, наверное, и без меня знаете, потом еще говорят, что вы пятьсот лет просидели в Холоми за зверское убийство всех живых представителей древней Королевской династии, отрекшейся от престола в пользу первого из Гуригов... Это действительно было, только виновников так и не нашли, что бы там ни думали люди... Еще говорят, что вы — самый первый из Великих Магистров древности, вы ожили, выкопались из могилы, украли одну из многочисленных душ сэра Джуффина...

— Ого! Чем дальше, тем любопытственнее! — Еще одна цитата, понятная только мне самому, так и прыгнула на язык. — Ну-ну, а еще?

23

— Ну и все в таком роде... Говорят, что вы еще почище Лойсо Пондохвы, просто пока не вошли в полную силу, поскольку для этого вам требуется убить всех живых Магистров... Ну, в смысле, бывших Магистров, тех, кто еще остался... Поэтому, дескать, вы и пошли в Тайный Сыск.

— Ох! — только и сказал я. — «Почище Лойсо Пондохвы», это ж надо! А я ведь такой славный парень, милый и безобидный! Ну, не без причуд, конечно... И что, люди в это верят?

— Разумеется, верят! — пожал плечами Шихола. — Их же хлебом не корми, дай приблизиться к чуду, пусть даже самому ужасному. Жизнь так однообразна!

— Вы молодец, Шихола! — грустно сказал я. — У вас на все есть простое объяснение. Мне бы так!

— Вы смеетесь надо мной, сэр? — осторожно спросил Шихола.

— Какое там смеюсь! Я вам завидую!.. Расскажите мне лучше про этих ваших разбойников, а еще лучше — про их предшественников. Это что, какая-то романтическая история?

— Да, вполне романтическая... Банда рыжего сэра Джифы, Магахонские Лисы. Ребята вполне тянули на то, чтобы стать легендой. Начать с самого сэра Джифы Саванха. Он из очень знатной семьи, дальний родственник Короля, между прочим! А такие господа не каждый день идут в разбойники... Впрочем, начинал он в Смутные Времена, тогда еще и не такое творилось! Тогда Магахонские Лисы охотились на мятежных Магистров, поодиночке пробирающихся в Ехо из провинциальных резиденций своих Орденов, на Младших конечно: Старшие им были не по зубам, но и это было хорошим подспорьем для сторонников Кодекса... А потом, после принятия Кодекса, сэр Джифа почему-то не пожелал возвращаться в столицу и пожинать заслуженные лавры. Думаю, он просто вошел во вкус, так часто бывает.

— Да уж, — усмехнулся я, — святые слова, Шихола! И чем же занялись эти милые мальчики?

— Понятно чем: продолжили свою охоту. Только теперь их больше интересовали простые люди... простые и богатые. Купцы, например. Сначала Джифу пытались урезонить. Гонцы из Королевского дворца к нему чуть ли не дюжину лет мотались, пока до старого Короля не дошло, что это — безнадежный номер. И тогда Джифу сотоварищи объявили вне закона. Но и после этого за ними пришлось погоняться. Сэр Джифа был выдающимся мастером скрытности, он и людей своих научил. Ребята умели становиться невидимками. В буквальном смысле слова невидимками, сэр Макс! Потом, когда их все-таки поймали и обнаружили их укрытие... Знаете, они скрывались под землей, там у Джифы был чуть ли не дворец. И целая система подземных коридоров, каждый из которых имел выход где-то в Магахонском лесу. Лисы — они и есть лисы, даже жили в норах... Неудивительно, что за ними гонялись пять дюжин лет с лишком!

— А что они делали с награбленным добром? — с любопытством спросил я, памятуя легенду о Робин Гуде, которой зачитывался в детстве.

— Как что? Складывали по углам в своей норе! — пожал плечами Шихола. — А что еще делать с сокровищами, если живешь в лесу?! Впрочем, кое-что Джифа все-таки прокутил в столице: поначалу у него хватало наглости и везения совать свой конопатый нос в Ехо. Но после того, как его чуть не поймали, рыжий Джифа совсем зарылся в свою нору...

— Ясно, — вздохнул я. Никакой дележкой сокровищ между обнищавшими представителями окрестного населения тут и не пахло! Впрочем, насчет Робин Гуда у меня тоже всегда были некоторые смутные сомнения...

— При жизни старого Короля дело так и не утряслось, — продолжил Шихола. — Уже при нынешнем была объявлена большая Королевская охота на Магахонских Лис. На этот раз Его Величество призвал на помощь кучу бывших Магистров, не мятежных, конечно, а тех, кто продолжает мирно жить в Ехо... У ребят были свои, особые претензии к рыжему Джифе: все-таки в свое время он собственноручно прирезал немало их близких друзей... Это еще один милый штрих к его портрету: парень обожал работать с холодным оружием, просто голову терял!..

— Фу! — искренне сказал я, припоминая свой скудный, но печальный опыт неадекватного обращения с режущими предметами. — Какая безвкусица!

— Не скажите, сэр Макс, в этом есть определенное очарование! — задумчиво высказался Шихола, к моему величайшему изумлению. «Вот так-то, сэр Макс: век живи — век учись! — напомнил я сам себе. — И не забывай, что в этом Мире тебя окружают в высшей степени интересные люди...»

— Ну и чем закончилась эта романтическая история?

— Ясное дело чем... Магистры получили специальное разрешение на использование какой-то там запредельной ступени магии, так что «лисички» сами вылезли из своих норок на их зов — стреляй не хочу!.. Надо отдать должное Джифе: парень был не промах. Он и еще несколько ребят сопротивлялись до последнего. Джифа — человек старой школы, так что на каждое заклинание мог ответить своим. Но Магистров было много, а Джифа — один. Эти ребята, что с ним остались, звезд с неба не хватали, прямо скажем... Так что одолеть его было всего лишь вопросом времени. И его выманили. Напоследок рыжий успел пристрелить четверых «охотников», пока наконец и его не угомонили.

— Хороший конец... Для того, кто хочет стать настоящей легендой, конечно, — вздохнул я. — По мне, лучше просто жить долго и счастливо, без всякой там романтики.

— Дело вкуса! — Шихола пожал плечами. — А вы, часом, не лукавите, сэр Макс?

— Разумеется, нет! Я очень прагматичный человек, типичный обыватель, разве не заметно?.. Ладно, лейтенант. Ловите спокойно своих Магахонских Лис, благо грозный Бубута вам пока не страшен. А когда поймаете, непременно расскажите мне эту новую легенду, ладно? Вы — отличный рассказчик.

— Спасибо, сэр Макс. Разумеется, я буду держать вас в курсе происходящего, если вам действительно интересно.

— Мне все интересно, — задумчиво сказал я. — Все понемножку. Хорошей ночи, лейтенант. Замучил я вас, вы же с ног валитесь! Это у нас тут не жизнь, а тихий час какой-то!

Повеселевший Шихола допил мою камру и отправился на отдых. Я посмотрел на Куруша:

— Он все правильно изложил, умник?

— В целом правильно, — подтвердил буривух. — Хотя упустил довольно много подробностей...

— Только подробностей мне не хватало! — проворчал я. — Это же легенда!

Остаток ночи я провел с еще меньшей пользой, чем ее начало: даже свежих газет не нашлось. Я уже дюжину дней давал себе слово выяснить, кто из младших служащих убирает в кабинете: у парня была отвратительная привычка вместе с мусором выбрасывать еще не прочитанные экземпляры «Королевского голоса». Разумеется, я все время забывал это сделать...

Незадолго до рассвета явился сэр Кофа Йох, на этот раз он выбрал для странствий по трактирам настолько нелепую круглую курносую физиономию с маленькими глупыми глазками, что я не мог не рассмеяться.

— И ты туда же! — проворчал Кофа. — Рожа как рожа, между прочим, не всем же быть красавцами... — Он задумчиво провел руками по щекам, и его собственное роскошное лицо вернулось на место. — Иди домой, Макс, корми своих кошек, дои их, стриги... или что там вы, начинающие фермеры, любите проделывать на рассвете с несчастными зверюшками? Я все равно буду ждать Джуффина, так что...

— Ладно, — вздохнул я, — секретничать собираетесь?

— Делать нам нечего — секретничать... Просто я устал, а у меня дома буйствует разгневанная женщина. Нужно же мне немного поспать хоть где-то?!

— Разгневанная женщина? У вас дома? — изумленно спросил я. До меня вдруг дошло, что я не имею ни малейшего представления о семейном положении своего коллеги. Насчет остальных я уже все выяснил, а вот сэр Кофа Йох до сих пор оставался белым пятном в моей «записной книжке сплетника».

— Ну да. Моя собственная экономка, между прочим... Вчера я снова отказался на ней жениться, она утверждает, что этот отказ был юбилейным, шестидесятым. Атили — славная женщина, и даже более того, но я ненавижу подобные церемонии! И почему некоторым людям кажется, что такие глупости способствуют прочности чувств?!

— Сэр Кофа! — нежно сказал я. — Я на вашей стороне, честное слово!

— Догадываюсь. У тебя отвращение к официальным церемониям на лбу написано. Вот такими буквами! — Сэр Кофа широко развел руки, пытаясь наглядно объяснить мне непостижимый размер этой гипотетической надписи. — Иди домой, Макс! Ты — непрерывный праздник в моей неудавшейся жизни, но, честное слово, я так устал...

— Понял, исчез! — И я стремительно вылетел за дверь. Пусть отдыхает, бедняга! А мне следовало ловить за хвост свою удачу: кто знает, когда у меня еще появится шанс привести в порядок собственную квартиру.

Вопрос о генеральной уборке стоял уже давно и с каждым днем становился все острее. Мои котята, Армстронг и Элла, умели поставить все с ног на голову, когда хотели, а хотели они этого всегда... Разумеется, я мог вызвать какого-нибудь специального человека, из тех невезучих ребят, что зарабатывают себе на жизнь, отскребая дерьмо от чужих задниц... Но мне не нравилась эта идея. Придет в мой дом какой-нибудь бедняга, будет ползать по гостиной с мокрой тряпкой, я буду им командовать, потом он пероет мои шкафы, выбросит нужные бумаги, разобьет пару безделушек, а остальные расставит не так, как надо... Кошмар!

Так что близился страшный час расплаты за мои не в меру либеральные убеждения. «Не хочешь держать слуг — не надо! Но будь добр, сделай хоть что-то!» — этим внутренним монологом я начинал каждое утро с момента возвращения из Кеттари. А потом терпеливо объяснял себе, что «я все обязательно уберу, но попозже, когда будет время!» Бардак тем временем набирал обороты... В общем, сегодня или никогда! Под этим девизом я ехал домой отнюдь не так быстро, как обычно. Пожалуй, даже помедленнее, чем кое-кто из столичных лихачей. Но до дома я все равно добрался: некоторые вещи просто невозможно предотвратить!

К новой квартире на улице Желтых Камней я так и не успел толком привыкнуть. Меня было слишком мало для шести огромных комнат. Одна их них стала моей гостиной, еще одна, на втором этаже, — спальней, а остальные четыре служили испытательным полигоном для весьма однообразных, но поучительных экспериментов, после целой серии которых я пришел к выводу, что два хорошо откормленных годовалых котенка могут находиться в состоянии непрерывного стремительного передвижения никак не меньше дюжины часов кряду... Странное дело: пока мы обходились двумя комнатами на улице Старых Монеток, Армстронг и Элла были удивительными лежебоками. Видимо, бескрайние пустые пространства весьма способствуют быстрому одичанию всех живых существ!

Впрочем, с пустыми комнатами я разобрался быстро: мокрая тряпка в умелых руках — страшная сила! Спальня моя была почти в порядке, все-таки большую часть проведенного там времени я спал, так что у зловредного бардака были не слишком хорошие шансы в этом регионе! А небольшой беспорядок даже способствовал созданию уюта. Мне пришлось только вытереть пыль с подоконника и распахнуть окно свежему ветру и миллионам новых пылинок заодно... Порочный круг какой-то! Я с нежностью посмотрел на кровать, вздохнул и строго сказал себе:

— Нет, дорогуша, в твоем дворце есть еще и гостиная, ты не забыл?

Потрясенный собственной жестокостью, я отправился вниз, в гостиную, ради которой, собственно, и затевался весь этот переполох. По дороге подумал, что небольшой, но плотно уставленный поднос из «Жирного индюка» не помешает утомленному герою, и отправил зов его хозяину. Вообще-то в такую рань «Жирный индюк» еще закрыт, но чего не сделаешь для постоянного клиента, особенно если этот постоянный клиент имеет обыкновение шастать по городу в черно-золотой Мантии Смерти!.. Ох! До меня наконец дошло, что, если уж занимаешься уборкой, неплохо бы и переодеться, поэтому пришлось вернуться в спальню. Тонкая домашняя скаба сделала мою жизнь вполне сносной. Лучше поздно, чем никогда, конечно...

В гостиной меня ожидало более чем прискорбное зрелище: дорожная сумка, с которой я ездил в Кеттари, все еще стояла в самом центре комнаты, сумасшедший Армстронг жизнерадостно гонял по полу мою волшебную подушку, не испытывая никакого священного трепета перед чарами сэра Мабы Калоха, а Элла меланхолично теребила краешек драгоценного кеттарийского ковра, который все еще стоял в углу бесполезным громоздким рулоном, к величайшему моему позору. Это, разумеется, далеко не полный список моих домашних бед!

Суровые будни Тайного Сыска сделали меня настоящим героем, что правда, то правда! Так что я не дрогнул, а взялся за дело. Через полчаса мой обеденный стол был чист, как небо над пустыней. Это показалось мне хорошим началом: еще недавно его поверхность была равномерно покрыта толстым слоем какой-то мелюзговой чепухи, у которой хватало наглости считать себя нужными вещами. И у меня недостало мужества просто закрыть глаза и выкинуть эту ерунду к Темным Магистрам, так что пришлось ее разбирать...

В дверь осторожно постучали. Разумеется, это был мой ужин в сопровождении перепуганного заспанного курьера из «Жирного индюка». У меня даже хватило благородства сказать ему «спасибо», так что парень с грехом пополам пережил нашу встречу. Все к лучшему: славное заведение этот «Жирный индюк», мне вообще везет на хороших соседей!

Немного перекусив, я подвергся жестокому натиску нового приступа лени, но стиснул зубы и яростно взмахнул тряпкой. Моя битва за чистоту продолжалась! Еще через два часа, когда дело действительно подходило к концу, а я чувствовал себя так, словно последнюю тысячу лет посвятил добросовестному труду на каменоломнях, в дверь снова постучали.

— Заходите, не заперто! — рявкнул я. — Мальчика нашли двери вам открывать! — Физический труд никогда не способствовал улучшению моего характера. Скорее наоборот... Кроме того, какой смысл быть душкой, если все население Ехо все равно принимает тебя за какого-то запредельного монстра, да к тому же еще и дохлого... Все-таки поучительная беседа с лейтенантом Шихолой оставила неизгладимый след на нежной поверхности моей смешной души!

Я услышал звонкий хлопок двери, быстрый перестук шагов в холле, и в дверях появилось изумительное создание природы, пингвинью округлость которого не скрывали даже тяжелые складки не по сезону теплого лоохи. Впрочем, под темным тюрбаном скрывалась весьма привлекательная физиономия. Где-то я уже ее видел.. Ах, ну да, конечно! Незнакомец был ужасно похож на портрет поэта Аполлинера, в этом Мире никому не известного. «Неужели тоже поэт? — саркастически подумал я. — Ну-ну, посмотрим... Только поэта мне сейчас и не хватает, если подумать!»

— Служишь у сэра Макса, парень? — жизнерадостно спросил мой гость. Грешные Магистры, он еще и картавил! Впрочем, у него получалось довольно обаятельно. — И как тебя угораздило, ты хоть сам-то впиливаешь?

— Что-что я делаю? — заинтересованно переспросил я, приступая к предпоследнему на сегодня обряду очищения — быстрой пробежке с мокрой тряпкой по почти чистой гостиной.

— А, ты не впиливаешь?.. Не понимаешь?

— Я не врубаюсь! — усмехнулся я. Теперь была его очередь удивленно заморгать своими прекрасными миндалевидными глазами: вот и нашла коса на камень, встретились сленги двух разных Миров! Мне захотелось снять шляпу перед лицом такого исключительного исторического события, но на мне даже тюрбана не было.

— Кто ты, радость моя? — равнодушно процедил я, приступая к восьмому подоконнику. Дырку в небе над этим грешным дворцом и над сэром Джуффином Халли, присмотревшим для меня эту «скромную квартирку»!

— Я — сэр Андэ Пу, ведущий репортер «Королевского голоса»! — гордо заявил пришелец. — Ты впиливаешь, парень? Не из какой-нибудь «Суеты Ехо», а...

— Ведущий? — с сомнением спросил я. Что-то не помнил я такой фамилии, при моей страсти к истреблению макулатуры это было довольно странно... Впрочем, все может быть: у меня плохая память на имена!

— Ну, один из ведущих, какая разница! — смущенно пожал плечами мой пингвиноподобный друг. — Наш редактор, сэр Рогро Жииль, попросил меня написать о кошках сэра Макса, которые когда-нибудь станут родителями первых Королевских кошек, и я решил, что мне просто необходимо встретиться с сэром Максом, хотя эти плебеи рассказывают про твоего господина страшные вещи... А не надорвешься угостить меня камрой, дружище?

Обернувшись, я с удивлением обнаружил, что это чудо природы уже восседает за моим столом и сумбурно переставляет чашки. Стоило наводить порядок!

— Посмотри в кувшине! — буркнул я. — Может быть, там что-то осталось, не помню!

Тихое бульканье положило конец моим сомнениям. Я тяжело вздохнул и приступил к последнему акту увеселения: начал разворачивать тяжеленный кеттарийский ковер. Если уж у меня хватило дури привезти с собой эту махину, то так мне и надо!

— А сэр Макс скоро придет? — с набитым ртом поинтересовался Андэ. Черт, он еще и мой завтрак прикончил!

— Не знаю, — сердито сказал я. — Когда захочет, тогда и придет! А я иду спать, так что...

— Да расслабься! Я могу остаться внизу и подождать его в гостиной! — с энтузиазмом заявил Андэ. — Заодно познакомлюсь поближе с этими кошками... Где они, кстати?

— Полагаю, что у меня в постели! — вздохнул я. — А тебе не приходит в голову, что ты можешь просто прийти попозже?

— Ты не впиливаешь! — в панике затараторил Андэ. — Я должен показать свою работу редактору не позже чем завтра, а если вечером сэра Макса не будет дома — это караул!.. — В его глазах было столько печали, что мое каменное сердце дрогнуло. Я призывно загрохотал пустыми кошачьими мисками, с лестницы немедленно раздался тяжелый топот коротких лапок. Мои звери никогда не упускали возможности лишний раз заморить червячка.

— Вот они! — гордо сказал я, наполняя миски. — Наблюдай, изучай, только не вздумай покушаться на их пищу: за это они и убить могут. Вцепятся в горло — и хана!

— И что? — переспросил Андэ.

— Хана! В смысле — финиш! Не врубаешься?

— А-а... В смысле — дело плохо? Ты где учился, парень?! У нас в Высокой Школе в таких случаях говорили: конец обеда! Но я впиливаю! — печально сказал Андэ. — А вообще, как у вас в доме с едой? Я имею в виду, сэр Макс — богатый парень и, наверное, потянет...

— Он-то потянет! — рассмеялся я. — Только ты вряд ли найдешь в этом доме что-то съедобное. Я уже нашел и съел все, что было! — Бедняга Андэ стал таким невыразимо печальным, что я растаял. — Ладно уж, можно еще попробовать. — Я задумчиво засунул руку под стол: у меня появился неплохой повод лишний раз провернуть мне самому до сих пор не понятный фокус со «щелью между Мирами»...

Этот Андэ был везучим парнем: на этот раз я выудил из-под стола не сломанный зонтик и не очередную бутылку минеральной воды, которая почему-то попадалась мне особенно часто, а здоровенную сковородку, на которой еще шипела горячая яичница, посыпанная тертым сыром... Черт, такого я сам от себя не ожидал!

— После того как съешь, обязательно убери со стола! — строго сказал я. — Когда сэр Макс видит беспорядок на своем столе, он сначала плюет ядом в первую попавшуюся жертву, а потом уже начинает искать виноватого!.. И мой тебе совет, не стоит его дожидаться. Тебе велели написать о кошках? Вот тебе кошки, пиши на здоровье и уноси ноги, радуй своего грешного редактора. Ясно? А я пошел спать. — Не было у меня сил его выпроваживать, ни на что у меня уже не было сил.

— Я не впилил, откуда ты достал эту еду? — спросил ошарашенный гость у моей усталой спины.

— Из-под стола, откуда же еще! — безапелляционно заявил я.

— Полный караул! — восхищенно сообщил Андэ.

Не обращая внимания на его бурное одобрение, я поднялся в спальню, привычным движением напялил на шею могущественную «тряпочку», пардон, головную повязку пресловутого Великого Магистра Ордена Потаенной Травы — засыпать без нее мне с некоторых пор настоятельно не рекомендовалось — и отрубился.

Хвала всем Магистрам! Мне наконец-то приснился сон! Какой-то сумбурный и пустяковый, но на безрыбье... А посему я проснулся незадолго до заката, ощущая себя самым счастливым человеком во Вселенной. Вот теперь все стало на свои места!

В гостиную я спустился в самом благодушном состоянии. Этот смешной парень, как его там... Андэ Пу, он все еще сидел за столом, прежний бардак был уже почти возрожден, разумеется, несмотря на все мои угрозы. Кокетка Элла нежно мурлыкала у него на руках. Армстронг флегматично теребил полу его лоохи.

— Сэр Макс так и не пришел! — грустно сообщил Андэ. — Я могу расслабиться. Полный конец обеда!

— В смысле — финиш? Тоже мне новость! — усмехнулся я. — Тебе здорово повезло, дружище. Он бы тебя точно прикончил! Что ты сделал со столом?

— Расслабься, малыш! Я не знаю, куда убирать все эти предметы. И потом, это все-таки твоя работа, тебе, наверное, за нее хорошо платят, так что не надорвешься...

— Ни хрена мне не платят! — весело сообщил я. — В живых оставляют, и то ладно! Видишь вон ту дверь?

Там — холл, если ты еще не забыл. В холле стоит жаровня, здоровенная такая. Просто принеси ее сюда и сложи на нее все, что в данный момент стоит на столе. Ты тоже не надорвешься, надеюсь!

— Да нет, ничего страшного... — растерянно согласился обнаглевший было, а теперь снова поникший гость.

И я пошел умываться. Мое хорошее настроение было несокрушимо.

Когда я вернулся в гостиную, мой несчастный посетитель брезгливо перекладывал грязную посуду на толстый лист легкого металла. На его лице застыло оскорбленное выражение, кроме того, при таких темпах он мог бы продолжать до позднего вечера. Я вздохнул и одним движением смел на жаровню остатки начинающегося беспорядка. Потом лихо щелкнул пальцами правой руки, этому фокусу я научился совсем недавно и не упускал возможности сорвать аплодисменты, тем более что Запретной Магией тут и не пахло... Горка предметов на жаровне задымилась, позеленела и исчезла, к моему неописуемому облегчению.

— Вот так! — гордо сказал я.

— Это Запретная Магия? Караул! Ну ты лихо живешь, парень! Все могут расслабиться! — уважительно отозвался единственный свидетель моего скромного чудотворства.

— Ты не врубаешься! — ухмыльнулся я. — Ничего запретного! Обыкновенная ловкость рук...

В дверь постучали.

— Отлично! — сказал я. — Это или сэр Макс, в чем я сильно сомневаюсь, или моя утренняя порция камры, на что я надеюсь. Сейчас посмотрим!

Мой гость приосанился, оправил складки лоохи. «М-да, героический народ эти журналисты! Даже такого монстра, как я, не боятся!» — одобрительно подумал я и пошел навстречу своему завтраку.

Разумеется, мне пришлось поделиться с Андэ. Впрочем, для него мне и камры было не жалко: парень так понравился Элле! Но кажется, он собирался сидеть в гостиной до конца своей непутевой жизни, а мне пришла пора идти на службу, так что бедняга сам напрашивался на небольшой шок!

Покончив с камрой, я отправился наверх, где не без некоторого злорадства закутался в Мантию Смерти. Если уж из тебя сделали страшилище, надо постараться получить от этого максимум удовольствия! А потом я торжественно спустился вниз.

— Ой, как же я не впилил! — с испуганным энтузиазмом заявил Андэ. — Так это ты... вы и есть сэр Макс? Я могу расслабиться! Полный конец обеда!

Я расхохотался. Эта его фразочка насчет «конца обеда» была чудо как хороша. К тому же его жизнерадостное нахальство бальзамом пролилось на мое бедное сердце, основательно измученное перманентным священным трепетом рехнувшихся от страха горожан.

— Теперь-то врубился? — улыбнулся я. — Ну, что ты там хотел узнать про моих кошек? Только быстро, мне пора на службу.

— Кошки смертельные! — уважительно откликнулся Андэ. — Ну, я пойду, пожалуй, если вы спешите... Я и так засиделся, извините, но я не впилил... Надеюсь, я вам не слишком помешал? — Кажется его храбрость постепенно улетучивалась.

— Не слишком, — великодушно улыбнулся я. — Ладно уж, можешь прислать мне зов, если будут вопросы.

— Можно? Спасибо, сэр Макс, я обязательно... — Андэ был уже в холле, дверь деликатно хлопнула, так что мне не посчастливилось узнать, что же он «обязательно»?! Я пожал плечами и отправился в Дом у Моста. У меня еще были шансы пробежаться с сэром Джуффином до «Обжоры» и обратно.

— Отлично выглядишь, Макс! — весело заявил мой шеф. — Общение с Бубутой явно пошло тебе на пользу! Может быть, тебе стоит навещать его почаще?

— Я знал, что вы это скажете! — гордо ответил я. — Издевайтесь на здоровье, мне теперь ничего не страшно. Сегодня я видел сон!

— Да? — Джуффин поднял брови. — На твоем месте я бы не спешил радоваться...

— А, дырку в небе над всем светом! — Я махнул рукой. — Во-первых, никаких кошмаров, а во-вторых, еще вчера я был согласен даже на кошмар!.. А вы уже знаете про Бубутин гриб?

— Только не вздумай рассказывать мне эту историю! — Паника моего шефа выглядела почти натурально. — В восемнадцатый раз я этого не переживу!

— Мелифаро рассказал про гриб всего пять раз, Джуффин, — вмешался Куруш. — Иногда вы имеете обыкновение преувеличивать.

— Нет, радость моя! — нежно возразил Джуффин. — Пять раз при тебе, в этом кабинете, и еще двенадцать раз в других местах, он просто по пятам за мной ходил и все талдычил про этот грешный гриб...

— Мелифаро меня опередил, паршивец! — вздохнул я. — Вы много потеряли, Джуффин! Я бы рассказал лучше...

— Ни на секунду не сомневаюсь. Но с меня действительно хватит! Пошли в «Обжору», у меня есть для тебя разговор поинтереснее...

— Какая роскошь!

— Да нет, не роскошь, так, по мелочам... Как ты любишь свою работу, однако!

— Я ее ненавижу! — с достоинством сказал я. — Просто я — бессовестный карьерист и пытаюсь выслужиться, разве вы еще не поняли?

Дело кончилось тем, что кроме отличного завтрака я получил задание доставить в Дом у Моста одного типа: сэр Кофа уже несколько дней с удовольствием наблюдал его эксперименты за карточными столами столичных трактиров. Парень вовсю баловался с Белой Магией запрещенной шестой ступени, что изрядно способствовало его удаче. Сэр Джуффин считал, что мое участие в процедуре ареста сделает эту церемонию более впечатляющей: по городу поползут всякие темные слухи, так что все картежники Ехо с перепугу заделаются самыми что ни на есть честными людьми... на ближайшие пару недель, конечно, но и это лучше, чем ничего! Мелкие преступления вообще легче предупреждать, чем расхлебывать. Я, конечно, для порядка брезгливо покрутил носом и прочитал своему боссу короткую, но емкую лекцию о гвоздях, которые не следует забивать микроскопом. Сэр Джуффин выслушал меня с восхищенным вниманием, после чего молча кивнул на дверь.

— Намек понял! — покорно усмехнулся я. — Уже иду.

— Не дуйся, Макс. Надо же чем-то забивать эти окаянные гвозди, — заметил Джуффин. — Хорошего вечера, сэр «микроскоп»!

Я и не дулся, разумеется. Приятная прогулка по трактирам Ехо в компании сэра Кофы — тоже мне бедствие! Просто для полного счастья мне иногда необходимо немного повозмущаться, и хвала Магистрам, когда есть повод, хоть и плохонький...

В Дом у Моста я возвращался около полуночи. Не то чтобы арест Тойи Баклина — а именно так звали обнаглевшего шулера — занял так уж много времени. Просто мое общество улучшало аппетит сэра Кофы Йоха, и наоборот... Так что возвращался я в невероятно благодушном настроении. Если кому-то срочно требовались веревки, ему следовало вить их из меня немедленно: самый подходящий момент!

Я уже собирался заворачивать за угол, туда, где находилась наша Тайная дверь, но мое внимание привлек до боли знакомый пингвиний силуэт, подпирающий раскидистое дерево шотт возле входа для посетителей. Я удивленно присвистнул. Господин Андэ Пу собственной персоной. Это уже интересно!

— Готовишь криминальный репортаж, дружок? — приветливо спросил я. — А как же мои кошки? Уже закончил?

— Хорошая ночь, сэр Макс, — мрачно сообщил Андэ. — Я вас три часа жду. Думал, что уже могу расслабиться...

— Тебе еще повезло, — успокоил я беднягу. — Обычно меня ждут гораздо дольше. Мы даже собираемся поставить кровати для ожидающих прямо у входа... Да, а почему ты, собственно, ждешь на улице? У нас отличная комната для посетителей, там можно сидеть в кресле, курить и... да, если разобраться, больше ничего там делать нельзя. Но все лучше, чем на улице!

— Не нравится мне ваше заведение, — доверительно сообщил Андэ. — Слишком много грызов...

— Кого-кого? — переспросил я.

— Грызов! — упрямо сказал этот уморительный парень. До меня начало доходить.

— А, копов? Да, многовато... С другой стороны, надо же им где-то находиться. И если ребятам кажется, что их место в Доме у Моста, кто я такой, чтобы лишать их этой иллюзии?! А ты что, их боишься?

— Не боюсь, а не люблю. Я не надорвусь, конечно, но... Вы не впиливаете, сэр Макс...

— Я врубаюсь! — расхохотался я. — Ты не поверишь, но я в свое время тоже их не выносил, да и побаивался, если честно, одно другому не мешает. Не так уж давно это было, между прочим!.. Пошли уж, «четвертая власть»!

— Что? Как вы меня назвали? — Бедняга совсем растерялся.

— Ничего. Просто пошли ко мне в кабинет. Будем пить камру и есть печенье. Теперь я понятно выражаюсь?

Андэ заметно приободрился, и мы зашли в Дом у Моста. Парень шел за мной след в след, стараясь укрыться от строгих глаз Бубутиных подчиненных в тени моей Мантии Смерти. Забавно: меня-то он вроде бы совсем не боялся!

— Так что у тебя случилось? — спросил я, устало падая в свое кресло. — Или просто соскучился? Да ты садись. Бери кресло и садись, в ногах правды нет... Интересно, а в каких частях тела есть правда? Ты, часом, не знаешь? Вы, журналисты, народ осведомленный...

Андэ с любопытством оглянулся на дремлющего на спинке кресла Куруша, повертелся, рассеянно смахнул со стола мои сигареты, даже не удосужившись полюбопытствовать, что это за дрянь и откуда она взялась. Сомневаюсь, что он их вообще заметил. Курьера с подносом он тоже не удостоил вниманием, зато, когда на столе появился кувшин камры, парень тут же спустился с неба на землю и наполнил свою кружку. После второй кружки Андэ наконец соизволил вывалить на меня свои проблемы.

— Сэр Макс! — торжественно заявил он. — Мой редактор, сэр Рогро Жииль, ничего не впиливает. Думаю, он сошел с ума. Полный конец обеда!

— Да? — равнодушно переспросил я. — А что он натворил? Убил и съел дюжину подающих надежду сотрудников или что-нибудь пооригинальнее? В любом случае в Доме у Моста ему никто не поможет. Нам самим не помешал бы хороший доктор!..

— Я впиливаю, сэр Макс! — восхищенно сказал Андэ. — Ну и шуточки у вас — караул! Все могут расслабиться!

— Приятно встретить настоящего ценителя! — улыбнулся я. — Вообще-то сегодня я сытый, добрый и довольный, а посему не в форме... Ну так что там с вашим редактором?

— Он не хочет печатать мою статью! — возмущенно сообщил Андэ. Я рассмеялся, скорее от неожиданности.

— Про моих кошек? Какое безобразие!

— Да нет, про кошек он взял и даже обещал заплатить... завтра... или через год, с ним никогда нельзя быть уверенным. Иногда он может потянуть, иногда — нет... Но он не взял другую статью.

— Здоров же ты писать! — уважительно сказал я. Впрочем, к услугам всех писателей и бюрократов Соединенного Королевства существовали самопишущие таблички, так что было бы в голове не слишком пусто, а уж за скоростью дело не станет!

— Я написал о вас, сэр Макс. Это будет такая сенсация, что все эти крестьяне от бумаги могут расслабиться...

— Какая сенсация? Что я сам мою пол в своей гостиной? Да сэр Джуффин Халли за такую лирическую прозу голову твоему редактору откусил бы и тебе заодно!

— Да ладно... Делать мне нечего — про ваш пол писать! — Андэ внезапно заговорил с интонациями королевы, которую пытается оскорбить целая дюжина конюхов. Он поочередно продемонстрировал мне брюзгливую складку у рта, высокомерный взгляд, гордый поворот головы и медальный профиль. А потом сник, так же внезапно, как и возмутился. — Вот, не надорветесь посмотреть? — Он протянул мне две самопишущие таблички. Я пригляделся. Статья называлась «Наедине со Смертью». Простенько и со вкусом... Содержание полностью соответствовало заголовку. Андэ не пожалел эпитетов, чтобы правдоподобно описать мое «зловещее коварство» и собственное головокружительное мужество. Ужас какой-то!

— Забери! — грозно сказал я. — И выкини. Ты славный парень, Андэ, но, если это появится хоть в одной газете, я в тебя сам плюну. Лично!.. Разве что можешь рассказывать эту пургу своим девушкам, святое дело, не возражаю!

— Вы не впилили! А я думал, вам понравится! — грустно вздохнул Андэ. — Думал, что вы пошлете зов сэру Рогро, и он расслабится...

— Ты собирался просить меня помочь тебе обнародовать эту пакость? — Я расхохотался. — За кого ты меня принимаешь, дружище? Думал, я читать не умею, или как?

— Я думал, что вам понравится, — еще раз вздохнул Андэ. — А вы не впилили... Ничего страшного, бывает.

Извините за беспокойство, сэр Макс. Я вам не очень помешал? — На беднягу смотреть было жалко.

— Будешь ужинать? — великодушно спросил я. Андэ тут же оживился, трагическая глубина куда-то слиняла из его темных глаз, теперь они сладострастно блестели. — Конечно будешь! И чего я, дурак, спрашиваю?! — И я послал зов в «Обжору».

— Еда из «Обжоры Бунбы»? — тоном знатока спросил Андэ, принюхиваясь к содержимому своего горшочка. — Можно расслабиться! Хорошее местечко. Как я там погулял в свое время! Все могут откусить! У меня тогда короны из карманов сыпались, а я брезговал подбирать их с пола. Оставлял этим потным плебеям, пусть нагибаются!

— Да? — Я был удивлен. Парень не походил на богача, пусть даже и бывшего.

— А, сэр Макс, вы же ничего не знаете! — махнул рукой Андэ. У него было скорбное лицо короля Лира. — Думаете, я всю жизнь пишу эти грешные репортажи? Можете расслабиться! Мне не было и девяноста, когда я стал Мастером Тонких Высказываний при Королевском дворе. Я только закончил учиться, у меня были такие перспективы... Вурдалак меня дернул напиться в компании этого пройдохи из «Суеты Ехо»! Как мы с ним зажигали, караул!.. Я просто здорово расслабился и поболтал с ним, как приятель с приятелем, рассказал ему пару придворных сплетен, а на следующее утро вышла статья. Парень не надорвался состряпать сенсацию, весь Ехо дюжину дней на ушах стоял... Полный конец обеда! Вы впиливаете, сэр Макс?

— Грустная история! — сочувственно кивнул я. — Так бывает. Не переживай, Андэ, сейчас у тебя тоже хорошая профессия.

— А, дерьмо это, а не профессия! — махнул рукой этот неудавшийся придворный. — Писать для всяких потных плебеев, которые и читают-то по слогам, если вообще читают... Вы думаете, мне за это что-то платят? Можете расслабиться! Вонючие потертые гроши, да и то... Я бы мог стать настоящим писателем. Уехать в Ташер и послать всех к Темным Магистрам...

— Почему именно в Ташер? — удивился я. О солнечном Ташере я знал только со слов капитана Гьяты, моего «вечного должника», которого я совершенно случайно спас от самой омерзительной смерти, когда сэр Джуффин довольно бесцеремонно пытался освободить беднягу от роскошного пояса, жуткого ювелирного изделия сумасшедшего Магистра Хроппера Моа. Между прочим, капитан Гьята все еще околачивался в Ехо: он заявил, что обязан отплатить мне добром за добро, а пока не уплатит этот «долг чести», домой и не сунется. Я несколько раз пытался придумать для него какие-то пустяковые просьбы, но не в меру проницательный, на свое же несчастье, капитан сурово говорил: «На самом деле тебе это не нужно!» Надо отдать ему должное: парень видел меня насквозь. Впрочем, умница капитан неплохо прижился в Ехо, такие ребята, как он, нигде не остаются без хорошего заработка, так что, возможно, все к лучшему... Я никогда не упускал возможности поднабраться знаний о почти незнакомом мне Мире, в котором не так уж давно поселился, поэтому ташерскому капитану пришлось немало поработать языком в моем присутствии. И из его рассказов отнюдь не следовало, что Ташер — такое уж великое прибежище интеллектуалов. Скорее наоборот!

— Вы не впиливаете, сэр Макс! Там тепло, — мечтательно вздохнул Андэ. — К тому же я слышал, что в Ташере даже просто грамотный человек, умеющий читать и писать, пользуется огромным уважением... Все эти плебеи ползают перед ним на карачках. Впиливаете, как там должны относиться к писателям? Караул!

— Логично! — рассмеялся я. — Вполне логично...

— К вам можно, сэр Макс? — В дверях замаячил роскошный нос лейтенанта Шихолы. — Ох, простите! У вас посетитель?

— Скорее приятель, — задумчиво сказал я. — Но это поправимо... Возвращайтесь через несколько минут, ладно?

— Конечно! — кивнул Шихола и бережно извлек свой нос из моего кабинета.

Миндалевидные глаза Андэ снова преисполнились печали. Бедняга явно надеялся на продолжение нашего увлекательного разговора... и на то, что даровой ужин плавно перейдет в завтрак, я полагаю.

— Подожди меня в приемной, дружище! — Давно я не был таким покладистым парнем, честное слово! Околдовал он меня, что ли?

— В приемной? — хмуро спросил Андэ. — Спасибо, сэр Макс, но я лучше пойду. У вас, наверное, дела, а я хочу заглянуть к Чемпаркароке. От хорошей тарелки супа Отдохновения я бы не надорвался. Все эти грешные воспоминания, знаете ли... Кстати, сэр Макс, как у вас с деньгами? Я имею в виду, не могли бы вы одолжить мне корону? Надеюсь, что сэр Рогро все-таки потянет заплатить мне за статью о ваших кошках, как и обещал, и я смогу отдать вам этот долг уже завтра...

— Кажется, у меня есть даже больше одной короны. Какой я богатый, с ума сойти можно! — усмехнулся я, нашаривая в ящике стола несколько монеток. Вряд ли они принадлежали именно мне, хотя тут уже ни один Древний Магистр не смог бы сказать наверняка. Мы с сэром Джуффином регулярно выкладывали в стол все содержимое наших карманов перед тем, как выйти куда-нибудь серьезно поразмяться, поскольку, когда в самый ответственный момент из карманов лоохи Тайного Сыщика начинает сыпаться мелочь, это выглядит несколько легкомысленно и не внушает преступникам священного трепета...

— Спасибо, сэр Макс. Вы все впиливаете, караул! Я завтра же... или на днях...

— Можешь не отдавать. Считай, что это гонорар за твой отвергнутый опус. Кстати, советую тебе больше никуда с ним не соваться. Я — славный парень, меня даже можно не называть «сэром», и все такое... Но за публикацию этого безобразия я действительно могу убить. Ты мне веришь?

— Возьмите себе таблички! — великодушно предложил Андэ. — Пусть будут у вас, раз уж вы не надорвались за них заплатить. Не выбрасывать же! Жалко...

— Вот и славно! — с облегчением вздохнул я. — Так всем будет спокойнее. Хорошей ночи, Андэ.

— Хорошей ночи, Макс! — весело сказал мой новый приятель. Со словом «сэр» он расстался легко и быстро, как и положено расставаться с такими пустыми формальностями. Меня подобное отношение к жизни всегда подкупало, так что парень нашел кратчайший путь к моему сердцу...

Пингвинообразное чудо наконец временно исчезло из моей жизни. А на его месте мгновенно образовался лейтенант Шихола.

— Вы действительно не были заняты, сэр Макс? — тактично уточнил он.

— Действительно, действительно... Так что у вас?

— Ничего особенного. То есть ничего такого, чтобы отвлекать вас от дел, но если у вас нет никаких дел... Одним словом, я пришел пересказать вам парочку слухов, поскольку...

— Опять обо мне? — усмехнулся я. — Знаете, пока, пожалуй, хватит. Я чрезвычайно впечатлительный молодой человек, и мне лучше не слишком много нервничать и вообще хорошо думать о людях. В интересах общественного спокойствия и государственной безопасности, сами понимаете!

— Нет, сэр Макс. Не о вас. Об этих грешных разбойниках, которыми мы сейчас занимаемся... Все это звучит довольно дико, но, наверное, вам лучше знать и о таких пустяках. Я сперва хотел побеседовать с сэром Халли, но... Не со сплетнями же к нему идти, он — человек занятой!

«Как же, как же! — ехидно подумал я. — „Занятой" он, видите ли! Особенно в последнее время. То зевнуть надо, то камры попить, то с Курушем побеседовать!» Но это рассуждение не относилось к тем, которые стоит высказывать вслух, поэтому я важно покивал, соглашаясь со своим собеседником.

— Со сплетнями — это ко мне, все правильно! И что же у вас за сплетни? Не тяните, Шихола, я уже умираю от любопытства!

— В последнее время мы с Камши допросили немало пострадавших. Я имею в виду тех бедняг, которым в Магахонском лесу помогли быстро и без всякого похмелья избавиться от довольно крупных сумм. И тех счастливцев, которым удалось благополучно удрать и остаться при своем... Они выдали нам целую гору информации, полезной и бесполезной, впрочем, это не важно... И знаете, четверо из них утверждают, что во главе разбойников стоит недоброй памяти сэр Джифа. Такой же рыжий, тот же ужасный шрам от переносицы до середины груди...

— Мертвый сэр Джифа? — задумчиво спросил я. — Да, и так бывает, насколько я знаю.

— Думаю, что на самом деле все гораздо проще, — с надеждой в голосе сказал Шихола. — Понимаете, все пострадавшие заметили, что предводитель разбойников очень похож на Джифу... Очень похож, но гораздо старше. Этому вполне можно верить, поскольку, во-первых, бывают и не такие совпадения, а во-вторых, что еще вероятнее, новый магахонский атаман очень хочет быть похожим на прежнего. Этот его шрам... Знаете, еще в эпоху Орденов в Гугонском лесу орудовала шайка Ганаговы Пеструшки. В одной драке парень остался без уха. Потом его убили, и атаманом стал его сын, Ганагова Картежник. Так он сам отрезал себе ухо, чтобы больше походить на папеньку. Эта история с отрезанным ухом продолжалась еще несколько веков, из поколения в поколение, их было еще четверо, этих Ганаговов, и все резали себе уши, пока шерифом Гугона не стал толковый мужик, который навел там порядок раз и навсегда... Так что господа разбойники — весьма романтичный народ, а рыжий Джифа для них — то же самое, что сэр Лойсо Пондохва для ваших клиентов...

— Ну да, символ! — покивал я. — Думаете, парень покрасился в рыжий цвет, чиркнул себя по физиономии, и все такое?

— Скорее всего, — пожал плечами Шихола. — Джифа никогда в жизни не проходил по вашему ведомству, куда уж ему ожить после смерти! И все же...

— Что?

— Я решил, что вам лучше быть в курсе. Знаете, все эти ребята, которые в голос орут, что Джифа ожил, в свое время неплохо его знали. Одного из них Джифа уже раньше грабил, с другим, напротив, на славу погулял в «Золотых баранах»... А те, кто говорит о простом сходстве, знают Джифу только с чужих слов... Не нравится мне это совпадение, сэр Макс! Вы бы рассказали сэру Халли!

— Запросто! — улыбнулся я. — Вы уверены, что хотите от меня только этого? Договаривайте, Шихола! Вам ведь будет гораздо спокойнее, если с вами отправится кто-то из наших?

Шихола смущенно пожал плечами:

— Еще бы! Но...

— Но вы не имеете формального права обратиться к нам с официальной просьбой, — закончил я. — Потому как в отсутствие вашего восхитительного шефа такие полномочия имеет только его не менее восхитительный заместитель, сэр Фуфлос. А его нужно сначала извлечь из трактира, что еще полбеды... И растолковать этому дивному человеку, в чем, собственно, дело, что уже ни в какие ворота не лезет! Даже таким умницам, как вы с Камши, эта задачка не по зубам! Я правильно излагаю?

— Вы просто ясновидец, сэр Макс! — грустно улыбнулся Шихола.

— Ага... Сам иногда поражаюсь! — усмехнулся я.

— И вы можете нам помочь?

— Знаете, лейтенант, если бы моими начальниками были Бубута с Фуфлосом, я бы уже давно мирно дремал в гамаке где-нибудь в загородном приюте безумных. А вы не только не рехнулись, но еще и пользу какую-то пытаетесь приносить. Да я перед вами просто преклоняюсь!.. Ох, не подумайте только, что я издеваюсь, это просто дурацкая манера выражаться... В общем, для вас я в лепешку разобьюсь, хотя мне не кажется, что это понадобится. Сэр Джуффин, насколько я знаю, тоже из числа ваших болельщиков. Так что все будет хорошо... Когда вы планируете начать генеральную уборку Магахонского леса?

— «Генеральную»... что начать? — растерянно переспросил Шихола.

— Ну, эту вашу операцию по борьбе с терроризмом в отдельно взятом лесу? Я имею в виду, когда вы собираетесь охотиться на новых Магахонских Лисят? Год, день, час?.. Я не так уж любопытен, но сэру Джуффину Халли это будет очень интересно! Расставаться с горячо любимым сотрудником, знаете ли...

— Спасибо, сэр Макс! — просиял Шихола. — Вы считаете, он разрешит?

— А вы сами как думаете? Сэр Джуффин обожает всяческие нарушения официальной процедуры и прочие романтические истории...

— Мы с Камши планируем отправиться на границу Магахонского леса завтра ночью, чтобы послезавтра утром быть на месте. Остальные ребята уже там. Они покидали Ехо поодиночке, теперь ночуют в близлежащих деревнях, собирают информацию, осматриваются... Если в одном селении появляется команда из двух дюжин здоровенных ребят, это выглядит подозрительно, да? А если в каждую из окрестных деревень забредает по одному парню... Ничего особенного, правда? Хвала Магистрам, на окраине нашей провинции не знают в лицо даже вас, что уж говорить о столичных полицейских!.. Мы соберемся все вместе только послезавтра утром, и уж тогда надо начинать действовать незамедлительно!

— Вы все здорово спланировали... А почему именно рано утром? — с любопытством спросил я. — Ваши люди неважно ориентируются в темноте?

— Опять шутите, сэр Макс? В темноте все ориентируются, даже полицейские! — с заметной обидой в голосе возразил Шихола. — Просто, знаете ли, эти разбойники чаще всего появляются по утрам. Вечером их видели всего несколько раз, да и то... — Шихола махнул рукой. Я так и не понял, что «да и то», но спросить почему-то постеснялся. Со мной бывает!

Вместо этого я великодушно наполнил камрой чашку лейтенанта Шихолы и выжидающе уставился на него. Парень, кажется, не на шутку задумался.

— Мы с Камши выезжаем завтра ночью. Туда езды часа четыре, а то и больше, — наконец сказал он после долгой паузы. — Если сэр Джуффин согласится... Знаете, сэр Макс, неловко об этом просить, но нам с Камши было бы спокойнее, если вы сами сможете... Словом, если сэр Джуффин отпустит с нами именно вас.

— Меня?! — изумился я. — А я-то вам зачем? На мой вкус, сэр Шурф Лонли-Локли — именно тот парень, с которым можно чувствовать себя совершенно спокойно! Мой вам совет...

— Да, конечно, вы правы. Но с человеком, который однажды спас жизнь самому сэру Шурфу, можно чувствовать себя еще спокойнее. И потом, с вами очень легко иметь дело, несмотря на...

— На мои дурацкие шуточки? — хмыкнул я. И тут же с интересом спросил: — А с чего вы взяли, что я кого-то там спасал? Новая городская сплетня?

— Мы с сэром Шурфом живем по соседству! — неожиданно улыбнулся Шихола. — Знаете, тайны тайнами, но его жена — лучшая подружка моей сестрички, так что... Между прочим, я вовсе не хотел сказать ничего плохого о вашей манере выражаться. Я имел в виду совсем другое: когда человек носит Мантию Смерти, от него трудно ожидать, что он будет вести себя как нормальный парень. Тем не менее именно это вы и делаете...

— А посему меня приглашают на пикник в Магахонский лес! За хорошее поведение. — Я здорово развеселился. — Думаю, что Джуффин меня отпустит. Он просто обожает коллекционировать приключения, причем на мою задницу, а не на свою. Ну а если уж я сам найду очередное... Да он вам еще и корзинку с пирожками в дорогу приготовит на радостях!

— Вы действительно думаете, что сэр Халли согласится? — на всякий случай переспросил Шихола. Для полной ясности.

— Ага, — кивнул я, — сами увидите!

Разумеется, я мог бросать службу и открывать частное бюро предсказаний... Джуффин был счастлив узнать о моих планах касательно отъезда их в Ехо в компании бравых полицейских, словно я был его старой тещей, а не горячо любимым сотрудником.

— Славно, славно, сэр Макс! — Джуффин мечтательно улыбался. — Много свежего воздуха, веселая компания умников из Городской Полиции, робко заглядывающих тебе в глаза... Сам бы поехал!

— Так поезжайте! — ехидно предложил я. — За чем дело стало?

— Меня не приглашали, — пригорюнился Джуффин. — Эти гадкие злые полицейские забыли позвать меня на пикник. А я очень гордый, так что проситься не стану!

— А чего вы так радуетесь? — не выдержал я. — Неужели я вам настолько надоел? Я-то думал, что со мной веселее...

— Еще бы! — прыснул Джуффин. — Просто я боялся, что ты скоро запросишься в длительный отпуск, ну а после такого развлечения тебе просто совесть не позволит. Да и у меня будет отличный повод послать тебя подальше со всеми твоими планами на лето...

— Запрошусь в отпуск? Я? Какой ужас! — Я с отвращением поморщился. — Нет уж! Больше трех дней я без работы не выдерживаю. Начинаю хандрить, болеть, скорбеть о своем разбитом сердце и загубленной юности... Так что на этот счет можете быть спокойны!

— Тем лучше, тем лучше... Послушаю, что ты через пару лет запоешь!

— То же, что и вы, сэр. Когда вы в последний раз были в отпуске? Лет пятьсот назад, да и то по молодости, по глупости, я полагаю?

Джуффин удивленно хмыкнул:

— Скажешь тоже! Никакие не пятьсот, а... Ладно уж! Ты все-таки там поосторожнее, в этом грешном лесу. Если вам навстречу действительно вылезет какая-нибудь сдуру ожившая мертвая харя, я за тебя спокоен. Кажется, в последнее время это становится твоей основной специальностью...

— Спасибо! — хмыкнул я. — Тоже ничего себе профессия, если разобраться... Кстати, я вам говорил, что мой хваленый яд мертвых ребят не берет? Просто аккуратно и безболезненно продырявливает, и все...

— Говорил, говорил! Возьми с собой побольше лимонов.

— Что? Зачем лимонов?

— Ну сам подумай! Лимоны способствуют обильному слюновыделению...

— Ну вы даете, Джуффин! — Я наконец понял и расхохотался. — Вы хотите, чтобы я заплевывал беднягу, пока он не превратится в одну сплошную дырку?

Сэр Джуффин ехидно улыбнулся. Потом внимательно посмотрел на меня и покачал головой:

— В общем, если дело плохо, ты выкрутишься, я уверен! А вот если это самая обыкновенная банда разбойников... Они начнут палить из своих рогаток, в общем, сущее безобразие! Очень тебя прошу: не выпендривайся, ладно? Не лезь на линию огня, не пытайся повести за собой ряды восхищенных полицейских. Стрелять из бабума ты все равно не умеешь, а мишень из тебя не хуже, чем из любого нормального человека... Впрочем, я почти уверен, что дело все-таки нечисто!

— Почему? — спросил я. — У вас какое-то предчувствие?

— Еще чего не хватало! Просто я знаю историю рыжего сэра Джифы. Он ведь когда-то просился ко мне в помощники, было дело... Еще в те времена, когда меня называли Кеттарийским Охотником, а не сэром Почтеннейшим Начальником, разумеется. Очень романтичный был мальчик... и совершенно бесталанный. Абсолютно непригодный к делам такого рода. Так что я его отшил.

— Хотел бы я хоть раз посмотреть на Кеттарийского Охотника! — мечтательно вздохнул я. — Даже вообразить себе не могу...

— Что, любопытно? Можешь не переживать: я — человек привычки. Так что никаких существенных перемен со мной с тех пор не произошло, разве что спать стал больше, — усмехнулся Джуффин. — А основная порция впечатлений всегда достается несчастным жертвам, так что тебе в любом случае не светит...

— Ладно уж, переживу... Ох, вечно я вас перебиваю! Вы бы мне по морде дали при случае или еще чего... Вы говорили про историю «бесталанного» рыжего Джифы. Что за история?

Джуффин комично пожал плечами:

— Можно и по морде, если тебе так уж сильно хочется... А что касается Джифы... Знаешь, Макс, такие люди никогда добром не кончают. Сначала он с энтузиазмом пытался колдовать, в меру своих ограниченных возможностей, потом понял, что не тянет, и вовсе пошел вразнос: с горя убивал каких-то несчастных Младших Магистров, ну а потом прижившиеся при новых порядках бывшие Магистры долго и нудно убивали его самого... У парня все шансы на какой-нибудь прискорбный постскриптум в конце биографии! — Мой шеф взъерошил перья на загривке задремавшего было буривуха. — Куруш, умница моя, что мы с тобой знаем о смерти сэра Джифы Саванха? Ну давай, просыпайся!

Куруш недовольно нахохлился и неохотно открыл круглые глаза.

— Вы, люди, очень нетерпеливы! — сварливо заявила мудрая птица. — Я хочу пирожное!

— Сейчас! — улыбнулся Джуффин. — Тебе, Макс, тоже парочку, я полагаю?

— Парочку? Не меньше трех! — злорадно откликнулся я.

— Сейчас принесут, — нежно сообщил Джуффин Курушу, — честное слово! Давай рассказывай, умник! Меня, собственно, интересует только одно — имена тех участников карательной экспедиции, которые имеют отношение к древним Орденам. Давай, не тяни!

— Сэр Пефута Йонго, Младший Магистр Ордена Дырявой Чаши, — важно начал Куруш.

Джуффин усмехнулся:

— О, бывший коллега нашего Лонли-Локли. Надо будет поболтать о нем с сэром Шурфом за чашечкой камры... Продолжай, мой хороший!

— Сэр Хонти Туфтон и сэр Абагуда Ченлс, Младшие Магистры Ордена Часов Попятного Времени...

— О, а это бывшие юные питомцы нашего друга Мабы! Какая прелесть! — с энтузиазмом прокомментировал Джуффин.

— Сэр Пихпа Шун, — невозмутимо продолжил Куруш, — Младший Магистр Ордена Лающей Рыбы. — Джуффин недовольно поморщился, но промолчал.

— Сэр Бубули Джола Гьйох, Младший Магистр Ордена Потаенной Травы, сэр Атва Курайса, Младший Магистр Ордена Решеток и Зеркал, сэр Йофла Кумбайа, Младший Магистр Ордена Спящей Бабочки, сэр Алтафа Нмал, Младший Магистр Ордена Медной Иглы. Это все. Где пирожное? — спросил Куруш.

— За дверью, милый! — сообщил Джуффин.

Дверь послушно открылась, заспанный курьер поставил на стол поднос с камрой и пирожными. Куруш был доволен. Мы, впрочем, тоже.

— Ну и?.. — с набитым ртом спросил я минут через пять.

— Что «ну»? — с невинным видом откликнулся шеф. И снова принялся за еду.

— Вам уже что-то стало понятно или?..

— Что-то стало, что-то не стало... Поезжай спокойно на свой пикник, Макс. Если там у тебя возникнут какие-то вопросы — пожалуйста, для этого и существует Безмолвная речь. Но сначала ты должен понять, есть ли у тебя вообще какие-нибудь вопросы. Может быть, и спрашивать-то будет не о чем. Выяснится, что у лейтенанта Шихолы просто разыгралось воображение, с ним это бывает...

— Ладно, — сказал я, — не хотите, чтобы я стал умным, — не надо! Кстати, Куруш, радость моя, а что ты знаешь о некоем господине по имени Андэ Пу? Он журналист, один из ведущих репортеров «Королевского голоса», если не соврал конечно...

— Люди часто говорят неправду, — флегматично согласился Куруш, — думаю, что он не является одним из ведущих репортеров, поскольку я ничего о нем не знаю. А у меня хранится краткая информация обо всех значительных персонах в Ехо. В любом случае тебе надо обратиться в Большой Архив, Макс. Я пустяками не занимаюсь.

— Какие вы оба важные, с ума сойти можно! — вздохнул я. — А Большой Архив сладко спит до полудня, так что ничего мне там не светит... Уйду я от вас к своей подушечке, будете знать!

— Давно пора! — сочувственно сказал Джуффин. — У тебя уже круги под глазами. Видеть тебя не могу, так что брысь!

— Это последствия генеральной уборки, — гордо сообщил я. — Вы не поверите, но вчера утром я это сделал! Вот этими вот руками!

— Почему же не поверю? Вот если бы ты сказал, что вызвал уборщика, как делают все нормальные люди, тогда бы я засомневался... Хорошего утра, Макс! Заходи вечером попрощаться... и вообще, заходи!

— Куда я от вас денусь!

Спалось мне сладко, и опять что-то снилось, какая-то восхитительная ерунда. К моменту пробуждения мое хорошее настроение приближалось к критической отметке. Кажется, я готов был взорваться.

Спустившись вниз, я обнаружил у себя в гостиной все того же Андэ Пу. Он робко сидел на кончике стула, укутанный в старенькое теплое лоохи, и жалобно сверлил меня своими прекрасными глазами. Элла вовсю мурлыкала у него на коленях, Армстронг задумчиво сидел в ногах. Кажется, мои зверюги не только влюбились в этого парня, но и решили храбро защищать его от моего возможного гнева, если понадобится. Я вздохнул.

— Ребята, я вам не очень мешаю? Или мне все-таки пора переезжать? — грозно спросил я у этой троицы. Элла нежно мяукнула, Армстронг лениво подошел ко мне и снисходительно потерся о мою ногу. Дескать, не переживай, Макс, ты, конечно, зануда, но мы согласны с тобой смириться, если нас немедленно покормят!

— Я прошу прощения, сэр Макс, я впиливаю, что приходить без приглашения очень некрасиво, но мне было просто необходимо...

— Ладно уж! — Я махнул рукой. — Сейчас я умоюсь и снова стану хорошим парнем. Вообще-то ты здорово рисковал: по утрам я еще ужаснее, чем думают люди... Твое счастье, что эта дрянная девчонка без ума от тебя. — Я кивнул на совершенно счастливую от своей подлой измены пушистую Эллу. И пошел умываться. Все к лучшему, по крайней мере мне больше не угрожал взрыв от чрезмерно хорошего настроения: первые полтора часа после пробуждения я не самый компанейский человек во Вселенной. «Сейчас он скажет, что ему, в сущности, негде жить, а у меня столько пустых комнат, — мрачно думал я, — а еще он скажет, что хочет есть, а потом попытается одолжить мою зубную щетку... И никакая Мантия Смерти мне не поможет!»

К тому моменту, как я перелез в пятый по счету бассейн, мое раздражение начало угасать. В шестом бассейне я уже был вполне сносным парнем, а в седьмом — подумал, что хорошая компания за чашечкой камры мне не повредит... А в восьмой бассейн я не полез, поскольку чертовски устал от водных процедур. Я поднялся в гостиную.

Теперь на коленях у Андэ сидели оба котенка. Как он только выдерживал эту тяжесть, бедняга! Я окончательно растаял и послал зов хозяину «Жирного индюка». Разумеется, потребовал двойную порцию камры и печенья. А что мне еще оставалось?!

— Ну? — весело спросил я. — Тебе «было просто необходимо...» Что дальше? Что тебе было необходимо, я не... не «впиливаю», правильно?

— Правильно! — просиял Андэ. — Сэр Макс, я...

— Мы же договорились вчера, что можно обходиться без всяких там «сэров»! — дружелюбно сказал я. — Кстати, в любом случае это не способ поднять мое настроение!

— Ну вы даете! — изумился Андэ. — Аристократы так себя не ведут. Они не тянут!

— А я не аристократ. Я — еще круче! — высокомерно заявил я. — Так что мне все можно!.. Ну, что там у тебя стряслось? Опять статью не берут? Кстати, никакой ты не ведущий репортер «Королевского голоса», я справлялся... Не переживай, я бы и сам на твоем месте прихвастнул, так и надо! Просто учти на будущее, что мне врать необязательно. Остальным — пожалуйста!

Андэ звонко отхлебнул хороший глоток камры и вздохнул:

— Не мог же я заявить, что пришел с улицы, да еще по собственной инициативе! Стали бы вы со мной говорить! Решили бы, что я какой-нибудь очередной крестьянин от бумаги... Я действительно иногда пишу для «Королевского голоса», можете мне поверить, эти плебеи надорвутся написать так, как я! Ясное дело, они такого обо мне наговорили сэру Рогро, что он никогда не потянет подписать со мной долгосрочный контракт! В общем, конец обеда!.. Они давно собирались написать о ваших кошках, но никто не хотел соваться к вам домой. А я подумал, что не надорвусь! В конце концов, терять мне нечего! Я в свое время еще и не так зажигал, можете мне поверить! — Андэ мечтательно покачал головой, печально улыбаясь каким-то неведомым воспоминаниям.

— Ладно! — Я с наслаждением потянулся до хруста в суставах и подлил себе камры. — Давай, выкладывай свою проблему. Я же как-никак деловой человек, мне на службу надо, людей убивать!

— Ну вы даете! — опять восхитился Андэ.

Я так и не понял: то ли он действительно оценил шутку, то ли ему так понравилась гипотетическая причина моей занятости. Потом парень начал с деловитой рассеянностью переставлять мои чашки. Через несколько минут на столе красовалась довольно замысловатая композиция из посуды и остатков еды. Я терпеливо ждал.

— Я, собственно, как раз собирался рассказать вам, что я не... Словом, сейчас у меня появился шанс действительно стать ведущим репортером «Королевского голоса».

— Правда? — Кажется, я начал понимать. — Ты раззвонил им, что подружился со мной? Да не бойся ты, чудо! Говори как есть, что сделано, то сделано...

— Знаете, я подумал, что это мой единственный шанс, — виновато сказал Андэ. — Если бы вы знали, как жирно живут все эти проходимцы, которым удалось накарябать свои плебейские имена на постоянном контракте! Особенно светская хроника и криминальные репортеры. Большое жалованье, да еще и гонорары. Им платят за каждую букву столько, сколько я получал за строчку... Поэтому сегодня утром я пошел к сэру Рогро Жиилю и сказал ему, что вполне потяну на то, чтобы встречаться с вами хоть каждый день.

— Как ты сказал? «Каждый день»? — с ужасом переспросил я.

— Ну, я так сказал, чтобы он впилил... Разумеется, каждый день это необязательно! — успокоил меня Андэ. — Но сэр Рогро надорвался мне поверить! Опять вмешался эта скотина Йофла Дбаба, мой бывший однокашник... Когда-то в Высокой Школе он тихо сидел в углу и ждал, когда его пошлют в трактир за «Джубатыкской пьянью», а теперь парень старательно вылизывает тощую задницу сэра Рогро... Если бы не его сплетни, контракт был бы в моем кармане уже дюжину лет назад. А сегодня он нашептал сэру Рогро, что я все придумал, что я вас и в глаза не видел, а о кошках разузнал от ваших соседей.

— Он не учел, что у меня нет никаких соседей! — сердито буркнул я. Это была чистая правда: дома́ по соседству со мной пока пустовали. Улица Желтых Камней — одна из самых новых улиц в Ехо... Мне стало противно: есть вещи, которые я люблю, и есть вещи, которые я ненавижу, иногда они меняются местами, но ребята типа этого Дбабы всегда будили во мне жажду крови, поскольку в свое время подлили немало дегтя и в мою жизнь... Я внимательно посмотрел на Андэ и подумал, что на этот раз он, пожалуй, ничего не выдумывает. У таких странных парней, как мой новый приятель, всегда полным-полно недоброжелателей, это уж точно!

— В общем, сэр Рогро заявил, что ему нужны доказательства! Я сказал, что он может послать вам зов и спросить, но он не потянул. Думаю, что он вас тоже боится, полный караул! — грустно закончил Андэ.

— Правильно делает, — грустно усмехнулся я. — Меня все боятся!.. Ладно, чего ты хочешь, душа моя? Чтобы я сам с ним поговорил?

— Вы впилили! — обрадовался Андэ. — Вы пошлете ему зов?

— Чтобы у бедняги случился разрыв селезенки с перепугу? Отличная идея! Так и сделаю! — хмыкнул я.

— Вы все впиливаете, Макс! Абсолютно все! — Андэ вздохнул восхищенно и печально. Честное слово, мне было чертовски приятно услышать этот комплимент!

Я допил свою камру, поставил чашку на стол и напрягся. Сэра Рогро Жииля я видел всего один раз, да и то мельком: в Последний День года он заходил в Управление Полного Порядка, чтобы лично присутствовать на церемонии вручения Королевских наград. Тоже мне событие!.. Столь поверхностное знакомство не слишком способствует установлению Безмолвного контакта, особенно с моим-то опытом в такого рода фокусах. Но я здорово постарался, и у меня получилось.

«Сэр Рогро, с вами говорит Макс, Малое Тайное Сыскное Войско Ехо, — сухо сообщил я. — Я действительно встречался с господином Андэ Пу. И считаю возможным время от времени делать это и в дальнейшем. Надеюсь, моего свидетельства достаточно?»

«Разумеется, сэр Макс. Позвольте поблагодарить вас за внимание к постоянному сотруднику моего издания». — Сэр Рогро Жииль — та еще штучка, как я погляжу! Во всяком случае тон его Безмолвного послания был отнюдь не подобострастным, а более чем сдержанным. Корректная лаконичность, с которой мне дали понять, что судьба моего протеже уже решена самым благоприятным образом, свидетельствовала о незаурядном опыте работы с подачей информации...

«Отлично, сэр Рогро! — Мои интонации потеплели, потому что парень начинал мне нравиться. — Я очень сожалею, что был вынужден побеспокоить вас. Возможно, вы удивитесь, но я ненавижу несправедливость!»

«Я сам виноват, надо больше доверять людям!» — философски заметил сэр Рогро.

«Лучше не надо! — Я не сдержал улыбку. — Это редко работает! Хорошего вечера, и еще раз прошу прощения за беспокойство».

«Ну что вы, сэр Макс! Это большая честь для меня! Хорошего вечера и вам!» — Кажется, мы расстались почти друзьями.

— Все! — решительно сказал я. — Пошли, парень! Я человек занятой, ты теперь — тоже... Иди, подписывай свой контракт. И смотри, чтобы твое жалованье было как минимум в два раза больше, чем у прочих: я дорого стою, надеюсь... Да, и не вздумай публиковать свои шедевры без моего ведома! Какая-нибудь прелесть вроде давешнего «Наедине со Смертью» — и я тебя самолично прикончу. Ясно?

— Да ладно! — надменно отмахнулся Андэ. И тут же преисполнился благодарности. — А вы лихо зажигаете, Макс! Мы с вами еще всем дадим откусить! — Он аккуратно ссадил на пол зевающего Армстронга и совсем было задремавшую Эллу. Котята внимательно посмотрели на нас немигающими синими глазами, убедились, что их нового любимчика никто не обижает, и вперевалку направились к своим мискам.

Мне его еще и подвозить пришлось, разумеется. От моего особнячка в Новом Городе до редакции «Королевского голоса» часа два пешком... Я не отказал себе в удовольствии развить максимально возможную в условиях города скорость, так что Андэ сполна заплатил мне за не в меру хлопотное начало дня! Впрочем, парень держался молодцом: даже не пискнул, молча замерев на заднем сиденье. Молился он, что ли? Хотя столичные жители совершенно не религиозны. Я думаю, зачем беднягам еще какой-то бог при такой-то веселой жизни?!

Наконец мне удалось распрощаться со своим новым приятелем. Он отправился в редакцию пожинать совершенно заслуженные лавры, а я поехал в Дом у Моста: все мои дороги вели в Дом у Моста, как ни крути...

— Хороший день, Макс! — Леди Меламори привстала было с кресла мне навстречу, потом передумала и шмякнулась обратно. — Говорят, ты едешь за город с ребятами из Полиции?

— Правильно говорят, — кивнул я. — А кто говорит-то?

— Да они сами и говорят. Все уши прожужжали... Думаешь, там действительно что-то интересное?

— Я ничего не думаю. Думать — не моя профессия. Мне бы чего попроще, ты же меня знаешь! — усмехнулся я. — В общем, поживем увидим... Хочешь, поехали с нами! Пикник во всяком случае гарантирую. Полагаю, Джуффин тебя отпустит. По крайней мере встанешь на их след, поможешь ребятам... Раз уж мы взяли над ними шефство!

Меламори посмотрела на меня так печально и растерянно, что у меня защемило сердце. Время все лечит, разумеется, но так медленно, черт, слишком медленно!

— Отпущу, отпущу! — Вездесущий сэр Джуффин уже возник в Зале Общей Работы. — Немного практики тебе определенно не помешает, леди. И не смотри так на Макса. Он дело предлагает. Если уж мы взялись им помогать, нужно работать красиво! А то будет наш грозный сэр Макс вместе с бравыми полицейскими год по кустам шастать, искать этих красавцев...

— Что вы меня уговариваете? Конечно я поеду. С удовольствием! — Никогда бы не подумал, что человек может говорить таким скорбным голосом с таким счастливым лицом! Но у леди Меламори это получилось блестяще.

— Иди отдыхай, Меламори, — спокойно сказал я. — Мы выезжаем за час до рассвета. Не лучшее время для того, чтобы выскакивать из постели и куда-то ехать, но не я создавал этот Мир... Могу угостить бальзамом Кахара всех участников экспедиции!

— Моим конечно же! — вставил Джуффин. — Свою бутылку ты всегда оставляешь дома. Якобы по рассеянности!

— Есть такое дело! — Я постарался изобразить виноватое лицо.

— А Камши говорил, что вы собрались выезжать часа через два после полуночи... — растерянно сказала Меламори.

— Мало ли что он говорил! Ему не пришло в голову, что я поведу амобилер. А это значит, что мы будем ехать как минимум в четыре раза быстрее. Сто двадцать — сто тридцать миль в час, так что...

— Ну да, а потом амобилер разваливается на вот такие малюсенькие кусочки! — Сэр Джуффин сложил пальцы в щепоть, пытаясь наглядно показать всему Миру, насколько малы эти грешные кусочки. — Это мы уже видели! Как наш великолепный гонщик спешил домой из Кеттари!

— Ну что вы, Джуффин! Тогда я выдал все триста, я полагаю, — мечтательно улыбнулся я. — Спешил доставить домой сэра Шурфа, пока он не удрал в какой-нибудь вертеп... Ладненько, я пошел в Большой Архив. Хочу понять, кого я пригрел на груди.

— Тот парень, о котором ты спрашивал у Куруша? — заинтересовался Джуффин. — Откуда он взялся на твою голову?

— Вот и я думаю: откуда?! — вздохнул я. — Схожу к Луукфи, узнаю... Такой смешной дядя этот господин Андэ Пу, с ума сойти можно!

— Ну раз смешной, тогда, конечно, сходи, все разузнай! — кивнул мой шеф. — Потом расскажешь.

— Я вам его еще и покажу при случае! — хмыкнул я. — Получите море удовольствия!.. Увидимся ночью, Меламори! Я за тобой заеду.

— Хорошо, — кивнула я, — заезжай, только пораньше. Я ведь и проспать могу. И не забудь свой бальзам Кахара, в такую рань действительно не помешает...

— Свой-то я уже благополучно забыл дома, но в столе нашего шефа кое-что найдется! — усмехнулся я и обернулся к сэру Джуффину. Быстренько стукнул указательным пальцем правой руки по кончику собственного носа: раз и еще раз. Знаменитый кеттарийский жест, самые сливки вековой мудрости практичных обитателей запредельного городка Кеттари: «Два хороших человека всегда могут договориться». Джуффин расплылся в улыбке и дважды стукнул по своему носу. Меламори с недоумением наблюдала за этим «масонским» ритуалом. Кажется, ей очень хотелось отвести нас к доктору.

На том мы и расстались. Я поспешил в Большой Архив, пока солнышко не уползло за горизонт. Не знаю, чем уж там занимаются наши буривухи после заката, но только не служебными делами!

— Сэр Макс, какая неожиданность! Давненько не заглядывали! — Луукфи Пэнц радостно спешил мне навстречу, опрокидывая стулья... Вообще-то мы виделись не далее как позавчера, но, возможно, наш Луукфи воспринимает время не как все прочие люди?

— Хороший вечер, Луукфи, хороший вечер, умники! — Я вежливо поклонился буривухам. — У меня к вам исключительно корыстный интерес, как всегда, такой уж я деловой человек, самому противно... Луукфи, будьте так добры, разузнайте у этих маленьких мудрецов, что им известно о некоем господине Андэ Пу. В свое время он подвизался при Дворе, потом вылетел оттуда со страшным скандалом, если я его правильно понял... Я только что посадил это приключение на шею Рогро Жииля, так что мне ужасно интересно, что же я натворил? И не будет ли сэр Рогро разыскивать меня по всему Ехо, чтобы набить мне лицо?

— Ну что вы, сэр Макс! Кто же станет с вами драться?! К тому же сэр Рогро уже давно ни с кем не дерется и вообще остепенился... — совершенно серьезно заявил Луукфи. Потом он подошел к одному из буривухов: — Шпуш, расскажи сэру Максу о господине Андэ Пу. Ты же хранишь информацию обо всех бывших придворных, если я не ошибаюсь...

— Ты никогда не ошибаешься! — важно кивнула птица. — Досье на господина Андэ Пу. Родился в Ехо, в 222-й день 3162 года эпохи Орденов.

Я быстренько прикинул в уме: эпоха Орденов закончилась в 3188 году, сейчас у нас 116-й год эпохи Кодекса. То есть парню чуть больше ста сорока лет. Немного старше Мелифаро. Забавно: я привык думать, что Мелифаро чуть-чуть младше меня, но, если учесть, что уроженцы Мира расстаются с юношескими прыщами лет в девяносто, Мелифаро и был в каком-то смысле младше меня, как ни дико это звучит! Так что Андэ вполне тянул на моего «ровесника», хотя от всех этих запредельных расчетов вполне можно было рехнуться, честное слово!.. Итак, ровесник и, кажется, такой же неудачник, каким я был в свои тридцать лет в своем Мире. Надо же! Я умиленно покачал головой.

Буривух между тем продолжал:

— Его дед Зохма Пу и отец Чорко Пу прибыли в Ехо в 2990 году эпохи Орденов откуда-то с островов Укумбийского моря. Не представляется возможным навести справки об их прошлом, однако, поскольку все взрослые укумбийцы в той или иной степени являются пиратами, логично предположить, что оба старших Пу...

— Морганы какие-то! — прыснул я.

— Что такое «Морганы»? — неожиданно заинтересовался Луукфи.

Я вздохнул:

— Ничего особенного. Были такие разбойники у нас, в Пустых Землях, тоже целая семейка... Извини, Шпуш! Продолжай, пожалуйста.

— Ничего страшного, — снисходительно сказал буривух, — вы, люди, всегда перебиваете... Сначала господа Пу купили двадцать второй дом на улице Острых Крыш и жили на свои сбережения. В 3114 году Чорко Пу стал старшим поваром при резиденции Ордена Зеленых Лун...

— Это тот, где Магистром был Менер Гюсот? — припомнил я. — Ну, этот любитель разводить фэтанов и чуть ли не главный враг Ордена Семилистника? Он еще потом покончил с собой, а резиденцию их Ордена сожгли, правильно?.. Я же жил напротив его дома на улице Старых Монеток и получил море удовольствия от этого соседства!

— Совершенно верно, — важно подтвердил буривух. — Рассказывать дальше или вы уже узнали все, что хотели?

— Ох, конечно нет! Рассказывай, милый! — виновато попросил я.

— Великий Магистр Менер Гюсот весьма почитал укумбийскую кухню, поэтому общественное положение

Чорко Пу весьма возросло. В 3117 году его отец Зохма Пу стал его помощником, поскольку число членов Ордена возросло и Чорко понадобилась помощь. В 3148 году Чорко Пу женился на госпоже Хезе Рума, уроженке Ехо. Ее семья...

— Магистры с ней, с ее семьей, Шпуш! — сказал я. — Давай перейдем к самому Андэ.

— Господин Андэ Пу родился в 222-й день 3162 года, как я уже говорил выше. С момента рождения находился в доме родителей госпожи Хезы, поскольку присутствие детей на территории резиденции любого Ордена недопустимо... В 233-й день 3183 года резиденция Ордена Зеленых Лун была сожжена объединенными силами Короля и Ордена Семилистника. Зохма и Чорко Пу и госпожа Хеза Рума погибли в огне. Андэ Пу остался жить в доме родителей своей матери. Во 2-м году эпохи Кодекса вышел знаменитый Королевский Указ Его Величества Гурига Седьмого о специальных Королевских льготах для родственников погибших в Смутные Времена. Благодаря этому указу Андэ Пу получил возможность в том же году поступить в Королевскую Высокую Школу. Считался одним из лучших студентов, закончил с отличием в 62 году...

Я присвистнул. Ничего себе! Ребята учились в этой своей школе 60 лет, рехнуться можно! Но я воздержался от комментариев.

Буривух продолжал:

— Андэ Пу блестяще выступил на последнем выпускном экзамене и был особо отмечен представителем Двора. В конце того же года он получил приглашение занять место Мастера Тонких Высказываний при Королевском Дворе Его Величества Гурига Седьмого.

«Так-так, здесь он ничего не приврал, — удивленно подумал я, — совсем ничегошеньки!»

— В 68 году господин Андэ Пу был обвинен в разглашении малых тайн Двора и освобожден от Королевской службы без права на восстановление, а также без права на пенсию. В этом деле также фигурировал господин Куом Манио, репортер светской хроники газеты «Суета Ехо». Однако ему не было предъявлено никакого обвинения, поскольку он выполнял свои служебные обязанности, которые, собственно, и заключаются в сборе информации о происходящих событиях... С 68 года господин Андэ Пу проживает в двадцать втором доме на улице Острых Крыш, который получил по наследству от отца. Постоянного заработка не имеет. До 88 года жил на средства, полученные по наследству. С тех пор как его счет в Канцелярии Больших Денег был исчерпан, вынужден сдавать половину своего дома семейству Пела. Время от времени пишет для «Королевского голоса». Несколько раз был задержан Городской Полицией Ехо за недостойное поведение в общественных местах. В более серьезных преступлениях не был замешан и никогда ни в чем не подозревался. Все. — Буривух повернулся к Луукфи: — Будь так любезен, дай мне орехов!

— Спасибо, Шпуш. — Я поднялся со стула. — Могу пополнить твое досье. Какой сегодня день?

— 113-й, сэр Макс! — тут же ответил Луукфи.

— Да, действительно... В 113-й день 116-го года господин Андэ Пу зачислен на должность постоянного репортера в газету «Королевский голос» по личному приказу сэра Рогро Жииля, ее главного редактора. Информация свежайшая! К тому же, увы, моих рук дело... Еще раз спасибо, господа! Заходите на чашечку камры по дороге домой, Луукфи. Вас не пригласишь, вы ведь и не зайдете!

— Спасибо, сэр Макс! — заулыбался Луукфи. — Вы бы все-таки выбрались как-нибудь к нам с Варишей. Ее «Толстяк на повороте» действительно один из лучших трактиров в Ехо, я никогда не стал бы преувеличивать достоинства заведения моей жены, если бы не был уверен в собственной правдивости...

— Ох, какое же свинство с моей стороны! — Я сокрушенно покачал головой. — Давно нужно было это сделать. Тем более теперь мы почти соседи. Во всяком случае, я тоже живу в Новом Городе, так что выберусь непременно, как только вернусь из Магахонского леса...

— А вы собрались в отпуск? — одобрительно поинтересовался Луукфи.

— Да, почти в отпуск... На охоту. В компании леди Меламори и двух дюжин полицейских. Правда, здорово?

— У вас такая интересная жизнь, сэр Макс! — восхитился Луукфи. На этой оптимистической ноте мы и распрощались.

Я пошел ужинать в обществе сэра Джуффина Халли и в течение часа развлекал своего шефа сагой о господине Андэ Пу. Кажется, Джуффин получил море удовольствия, вот только не знаю, что именно его так насмешило: Андэ или я сам...

После ужина сэр Джуффин отправился домой, поэтому в Дом у Моста я вернулся в одиночестве. В Зале Общей Работы я застал Лонли-Локли. Парень неторопливо вышагивал из угла в угол: бесстрастное выражение на невозмутимой физиономии, руки в огромных защитных рукавицах скрещены на груди, белоснежное лоохи струится до земли — в общем, красота да и только. Я с удовольствием покачал головой:

— Где ты пропадал, Шурф? Уже полдюжины дней тебя не видел!

— Нигде я не пропадал! — пожал плечами Лонли-Локли. — Сидел в своем кабинете, занимался делами. Это ты носился по всему Ехо, как укушенный, даже к сэру Боху в гости тебя занесло... Собираешься в Магахонский лес, Макс?

— Сам знаешь, что собираюсь!

— Знаю. Чего я не знаю, так это что ты будешь делать, если окажется, что там действительно появился мертвый Джифа? Плеваться? Но твой яд хорош только для живых... Как ты собираешься выкручиваться?

— Понятия не имею! — усмехнулся я. — Лично я с самого начала настаивал на твоей кандидатуре, но этот сумасшедший Шихола вбил себе в голову, что со мной ему будет спокойнее. Могу представить себе его разочарование, в случае чего!.. А Джуффин тоже не стал возражать, полагаю — из чистого ехидства!

— Сэр Джуффин хочет, чтобы ты учился, и это правильно, конечно, — задумчиво сказал Лонли-Локли. — Но у меня с утра неспокойно на сердце, так что я решил тебя дождаться. Пойдем ко мне в кабинет, Макс. Покажу тебе кое-что. Может быть, освоишь, от тебя всего можно ждать!

— С удовольствием! — согласился я. — Обожаю новые фокусы!

Шурф укоризненно покачал головой, но промолчал. И мы пошли к нему в кабинет. Рабочий кабинет сэра Шурфа Лонли-Локли — это отдельная история! Огромный совершенно пустой зал, самое просторное помещение на нашей половине Управления Полного Порядка. В дальнем углу приютились крошечный письменный стол и удивительно неудобный жесткий стул.

— Садись, Макс. — Шурф гостеприимно указал на пол. — Садись, садись, ничего с твоим задом не случится!

— Надеюсь! — хмыкнул я, усаживаясь на корточки.

Лонли-Локли тем временем извлек из-под лоохи отлично знакомую мне дырявую чашку, а из ящика стола — крошечную керамическую бутылочку. Немного подумал, потом протянул мне чашку:

— Держи, Макс. В Кеттари ты смог из нее пить, значит, и сейчас сможешь.

Я послушно взял чашку. Шурф аккуратно налил в нее немного темной жидкости из бутылочки. Жидкость, как всегда, не вылилась из дырявого сосуда, я, как всегда, очень этому удивился, скорее по привычке...

— Это просто древнее вино, Макс. Никакой особенной магии при его приготовлении не применялось, но почтенный возраст и моя чашка приведут к хорошему результату, я полагаю. Хотя с тобой никогда не знаешь... Ладно уж, пей, хуже не будет!

Я послушно выпил. Древнее вино показалось мне довольно заурядным и даже слишком терпким, впрочем гурман из меня всегда был некудышный!

— Сейчас я опять перестану ходить по земле, как в Кеттари? — весело спросил я.

— Надеюсь, что нет. Я дал тебе очень маленькую порцию, — пожал плечами Шурф. — Встань и проверь — что ты меня спрашиваешь?

Я встал и с легким разочарованием убедился, что мои ноги твердо стоят на полу. Никакой победы над гравитацией!

Лонли-Локли тем временем аккуратно снял сначала защитные рукавицы, а потом свои знаменитые смертоносные перчатки, подошел к столу и бережно спрятал их в шкатулку. Потом вернулся ко мне.

— Видишь? — спросил он, поднимая левую руку. Пальцы были сложены особенным образом, своего рода щепотью. — А теперь вот так! — Почти незаметным, но мощным движением он прищелкнул пальцами. Маленькая белоснежная шаровая молния вспыхнула у его кисти, я и заметить не успел, как она прокатилась по огромной комнате и рассыпалась фонтанчиком искр, ударившись о противоположную стену. Шурф обернулся ко мне: — Повтори! Не думай, как это у меня получилось, просто попытайся щелкнуть пальцами таким же образом...

Видимо, глоток вина из дырявой чашки действительно сделал меня вундеркиндом, потому как этот замысловатый щелчок удался мне с первой же попытки. Крошечный сияющий шарик, но не белый, как у Шурфа, а пронзительно, невыносимо зеленый, с треском понесся по комнате, ударился о противоположную стену, на какое-то мгновение он стал огромным и прозрачным, а потом исчез.

— Первый раз в жизни такое вижу! — Шурф был близок к тому, чтобы по-настоящему удивиться, это даже настораживало. — Да, у тебя отлично получается, но твой Смертный Шар какой-то не такой!

— Ты же знаешь, у меня все не как у людей! — вздохнул я. — Интересно, а он может убить? Как, ты говоришь, эта штука называется? «Смертный Шар»?

— Ну да... Боюсь, тебе предстоит самостоятельно выяснить эффективность собственного удара не позже чем завтра. Ладно, как бы там ни было, рыжий Джифа никогда не был ни Великим Магистром, ни просто приличным колдуном, так что живой он или мертвый, а ты с ним справишься... В любом случае хорошо, что теперь ты умеешь еще и это! Кстати, не забудь рассказать мне, как действует этот твой зеленый Шар, когда выяснишь. Весьма любопытное явление природы!

— Кто, я?

— Вообще-то я имел в виду зеленый цвет твоего Шара, но ты сам, Макс, разумеется, еще более любопытное явление, надо отдать тебе должное!

— Какой ты стал ироничный, с ума сойти можно! — хмыкнул я.

— Сам виноват, нечего было избавлять меня от Кибы Аццаха! В следующий раз будешь сначала думать, а потом уже делать! — с неожиданной теплотой улыбнулся Шурф. — Ладно, Макс, все это хорошо, на мой вкус, даже слишком, но дурные предчувствия на твой счет меня не покидают. Довольно странно, если учесть, что предстоящее тебе путешествие действительно не представляется мне слишком опасным. Береги голову от рогаток, ладно?

— Ладно! — покорно кивнул я. Признаться, слова Шурфа меня встревожили. — А у Джуффина, кажется, нет никаких дурных предчувствий...

— Да, если бы были, он и не подумал бы тебя отпускать, — согласился Лонли-Локли. — А может быть, дело вовсе не в этой грешной поездке?

— Все может быть! — вздохнул я. — Возможно, мне просто предстоит пережить страшное расстройство желудка, и твое чуткое сердце уже предчувствует эту катастрофу... Надо запастись туалетной бумагой на всякий случай!

— Это тоже не помешает! — серьезно кивнул Шурф. Иногда просто невозможно понять, шутит он или как?!.

Добравшись наконец до своего кабинета, я удобно устроился в кресле, вытянул ноги, аккуратно уложил их на сверкающую чистотой столешницу. Думать о предчувствиях Шурфа и других малоприятных вещах не хотелось. Зато хотелось камры. Я не видел причины отказать себе в этом маленьком капризе...

Когда я приступил ко второй чашке, в дверях появилась рожа курьера, как всегда перепуганная.

— Сэр Макс, вас спрашивает какой-то странный человек! Он стоит у входа и отказывается заходить. Что делать?

— Толстый, укутанный в зимнее лоохи? — со вздохом спросил я.

— Да, сэр. — Наверное, бедняга курьер принял меня за ясновидящего.

— Скажи ему, что я у себя в кабинете. Не хочет заходить — не надо! Пусть себе топчется у входа. Раньше полуночи я с места не встану. Если передумает, проводи его сюда... И да помогут мне Темные Магистры! — Последнюю фразу я адресовал потолку.

Потомок укумбийских пиратов появился на пороге моего кабинета ровно через минуту.

— Я пришел, чтобы еще раз поблагодарить вас, Макс! Все прошло, словно жиром смазали! — заявил он, без приглашения устраиваясь в кресле напротив. — Я подумал, все равно вы сидите, скучаете, а я не надорвусь... Вот! — Он извлек из-под лоохи какую-то пыльную бутылку. — Это вам не какое-нибудь плебейское пойло, это еще из дедовских запасов.

— Каких времен запасы? — поинтересовался я. — Это добро из трюмов взятых на абордаж кораблей или из подвалов Ордена Зеленых Лун?.. В любом случае — спасибо.

— А откуда вы знаете?..

— Оттуда! Я же какой-никакой, а Тайный Сыщик, ты не забыл?.. Кстати, почему ты не хотел заходить, сэр Морган-младший?

— Там полно грызов! — помрачнел Андэ. — А как это вы меня назвали?

— Морган-младший! — любезно повторил я. — Эта шутка из тех, которые никому, кроме меня, не кажутся смешными, у меня таких много, не переживай!.. Кстати, тебе надо завязывать со своими юношескими комплексами насчет полицейских. Мало ли что когда было! Все меняется... Как, интересно, ты собираешься заниматься криминальной хроникой, если в Управление Полного Порядка заглянуть боишься?

Андэ печально молчал. Я тем временем вытер пыль с древней бутылки, подвинул к нему кружку с камрой. И тут меня осенило.

— Тебе дали какое-нибудь поручение, парень? Или ты свободен как птица?

— Я должен отдавать им статью о вас или о Тайном Сыске вообще не реже чем раз в дюжину дней. Ерунда!.. Я и каждый день не надорвался бы!

— Отлично! Значит так, Андэ. Сегодня ночью я еду в Магахонский лес. В компании одной милой леди и кучи этих... как ты их смешно называешь... «грызов»! Поедешь с нами. Во-первых, мне будет весело, во-вторых, подружишься с ребятами и, в-третьих, получишь массу впечатлений и напишешь целое море статей о нашей совместной победе над магахонской бандой... Если в тебя никто не попадет из бабума, конечно, но жизнь сложна и непредсказуема!

— А вы не шутите? — настороженно спросил Андэ. — Грызы не потянут согласиться, чтобы я с вами ехал.

— А кто их спрашивать будет? — усмехнулся я. — Ты чего, парень? Как ты вообще себе представляешь мои с ними взаимоотношения?

— А вы ими командуете, да? — До парня наконец начало доходить. Видимо, после нескольких задержаний «за недостойное поведение в общественных местах», которые, безусловно, произвели на беднягу неизгладимое впечатление, Андэ решил, что Бубутины подчиненные и есть самая грозная сила в Соединенном Королевстве...

Мне выпала завидная честь лишить его этой мрачной иллюзии.

— Командую, командую... Так что не бойся! Впрочем, особо выпендриваться тоже не советую. Главное — это не доставать меня самого, а я ненавижу склоки. Так что вы у меня подружитесь как миленькие!.. В общем, решай сам. Хочешь — поехали, не хочешь — не надо, мое дело предложить.

— Да ладно! — поджал губы Андэ. — Думаете, не потяну?

— Если бы я думал, что ты «не потянешь», я бы тебя и не приглашал. — Я пожал плечами. — В общем, иди собирайся, отсыпайся. Приходи сюда часов через пять после полуночи... А твою бутылочку откроем, когда вернемся. Завтра тяжелый день, а мне еще и амобилер вести!

— Ну, по стаканчику не надорвемся! — возразил Андэ.

— Надорвемся, можешь мне поверить. Меня должны окружать трезвые и бодрые люди, мне это нравится... И вообще, все должно быть, как я хочу! — усмехнулся я. — Не переживай, Андэ, мы с тобой еще будем «зажигать», как ты выражаешься, просто чуть-чуть попозже.

— Я впиливаю! — конфиденциально сообщил Андэ. — А вы, наверное, лихо погулять можете, Макс!

— Я?! Не думаю. Честно говоря, давно не пробовал. Хотя... Поживем увидим!

Потомок поваров и пиратов благополучно убрался из моего кабинета. Удивительное дело: он даже не попросил меня проводить его к выходу через этот страшный, переполненный пресловутыми «грызами» коридор Управления. Наверное, постепенно входил в роль приятеля «страшного сэра Макса»... Кажется, моя идея насчет того, чтобы взять с собой это чудо, была очень даже ничего. Он всем устроит веселую жизнь, и мне самому — в первую очередь!

Что меня сейчас действительно радовало, так это мысль о том, что с такой обузой на шее у меня просто не останется ни сил, ни времени скорбно сверлить тоскливым взором леди Меламори. Андэ Пу был мне позарез необходим в этой поездке, как леденец за щекой необходим человеку, пытающемуся бросить курить... Хотелось бы, конечно, чтобы от парня было хоть немного больше пользы, чем от дурацкого леденца!

Около четырех часов утра, вооружившись бутылкой с бальзамом Кахара из Джуффинова стола, я постучал в дверь дома Меламори. Она открыла мне сразу же, словно с вечера стояла на пороге.

— Уже едем? — Меламори успела одеться и даже причесаться. У нее было такое усталое лицо — дальше некуда.

— Ну, как тебе сказать... Вообще-то я предполагал, что мне придется силой вытаскивать тебя из постели. Так что в нашем распоряжении еще час. Можем вернуться в Дом у Моста, там и перекусим. Понимаю, что тебя тошнит при слове «завтрак», но сейчас это пройдет. — Я вручил Меламори бутылку.

— Спасибо, это здорово. У меня дома бальзама Кахара как-то не оказалось. Глупо, правда?.. А я ведь так и не ложилась, если честно.

Я виновато пожал плечами. Меламори сделала хороший глоток тонизирующего напитка и заметно повеселела.

— Действительно, поехали в Управление, — бодро сказала она. — Завтрак — не самая ужасная вещь в Мире, если задуматься!

В амобилере мы молчали. Правда, поездка заняла не больше трех минут: я летел как сумасшедший, благо ночью дороги пусты, как напрасные хлопоты...

Зов в «Обжору» я послал еще на пороге дома Меламори, так что наш завтрак уже красовался на столе в Зале Общей Работы (в наш с Джуффином кабинет курьер так и не рискнул соваться). Меламори оживленно занялась содержимым своей тарелки.

— Я припас хорошее развлечение для всех участников карательной экспедиции, — многообещающе сообщил я. — Оно скоро заявится, я надеюсь... — И я вкратце пересказал Меламори историю отпрыска местных корсаров. Это был воистину сокрушительный успех в области разговорного жанра: моя прекрасная леди хохотала как ненормальная. — Боюсь, что я оказал не лучшую услугу бедному сэру Рогро! Ясное дело, свинство, но мне было так приятно стать добрым дяденькой и устроить на теплое местечко обиженного судьбой пингвинчика! — этим заявлением я торжественно завершил свое предрассветное шоу.

— Кстати, а ты знаешь, что за парень этот Рогро? — весело спросила Меламори. — Когда-то он лихо «зажигал», по выражению твоего нового приятеля... Ты знаешь, что он был послушником в Ордене Семилистника? И героем Смутных Времен. Этот парень лез в любую заварушку, лишь бы подраться на дармовщину, так что сдуру совершил немало бессмертных подвигов. А потом, почти сразу после принятия Кодекса, угодил на десять лет в Холоми за применение недозволенной магии, чуть ли не шестидесятой ступени, в уличной драке... Из Ордена его сразу же выперли, разумеется, хотя все наши в голос выли: Рогро пользовался всеобщей любовью. Но тогда с этим было очень строго, даже военные заслуги ему не помогли... Да, а уже в Холоми Рогро придумал газету, написал письмо старому Королю, тот пришел в восторг... Так что сэр Рогро вышел из Холоми солидным человеком и главным редактором им же изобретенного «Королевского голоса». До этого в Ехо никогда не было никаких газет! Странно, правда?

— Правда! — кивнул я. — Мир без газет... Представить себе не могу. Без чего угодно, только не без газет! Так это сэр Рогро придумал? Ничего себе! Вот это дядя, настоящий гений!

— Ну да, он такой! — кивнула Меламори. — Сейчас уже не верится, но поначалу газеты раздавали бесплатно, потому что никто из горожан не понимал, зачем они нужны. За все платил Король... А потом люди так привыкли читать газеты, что не смогли отказаться от этой макулатуры, даже когда сэр Рогро начал требовать за нее деньги. А потом появилась «Суета Ехо». Вообще-то официально считается, что ее издают другие люди, но за всем этим стоит тот же Рогро, можешь мне поверить. Отец с ним дружит, так что я в курсе этих дел. С «Суетой» получилось еще лучше: они пишут всякие глупости, люди это любят, сам знаешь!

— Знаю... Спасибо за информацию, Меламори. Джуффин давно мне советовал заглянуть на досуге в досье сэра Рогро, говорил, что я получу море удовольствия. Что ж, он был прав, как всегда... Замечательный дядька этот редактор!

— Да, еще бы! — Меламори внимательно посмотрела на меня и осторожно спросила: — Макс, а почему ты вдруг решил, что я должна с вами ехать?

Я пожал плечами:

— Ну, во-первых, я регулярно делаю всякие глупости, объяснить которые не в силах никто... Во-вторых, твоя помощь действительно может пригодиться. Не испытываю ни малейшего желания «годами шастать по кустам», как изволил выразиться сэр Джуффин. Если уж мы едем охотиться на этих ребят, для начала будет неплохо быстро их найти, а Магахонский лес велик, если я ничего не путаю... Ну а в-третьих... — Я совсем растерялся от той чепухи, которая крутилась у меня на языке, и полез в карман за сигаретами.

— Что в-третьих? — упрямо спросила Меламори.

— Знаешь, если уж судьба, и смерть, и все Темные Магистры стоят на страже нашей с тобой нравственности, и все такое... В общем, я подумал: ну нельзя так нельзя. Но может быть, в обнимку ловить магахонских разбойников — не такая уж плохая альтернатива? Я имею в виду, что в Мире существует немало способов получить удовольствие от каких-то совместных занятий, так что стоит попробовать, как ты думаешь?

— Я думаю, что ты — самый замечательный парень во Вселенной! — с облегчением рассмеялась Меламори. — Особенно когда открываешь рот. Впрочем, это твое нормальное состояние... Ты ведь наверняка и во сне разговариваешь!

— Во сне я грязно ругаюсь! — усмехнулся я. — Спроси у Лонли-Локли, он тебе перескажет один из моих монологов. Благо записал на память...

— Он уже рассказывал! — Меламори окончательно развеселилась, к моему неописуемому восторгу.

— Извините, Макс, я вам не помешаю? — тактично осведомился Андэ. Он застыл на пороге, оценивающе разглядывая Меламори и одаривая меня многозначительными понимающими улыбками. — Я могу подождать там, ничего страшного!

— Не надо нигде ничего ждать, Андэ! — Я сделал символический глоток бальзама Кахара и поднялся с места. — Меламори, это он и есть!

— Я поняла! — улыбнулась Меламори.

— Андэ, это леди Меламори Блимм, Мастер Преследования затаившихся и бегущих. Если тебе и следует кого-то бояться в этом здании, так это не бедненьких маленьких полицейских, а ее. Ну и немножко меня, конечно... чтобы мне не было обидно!.. Пошли, ребята.

Думаю, Камши с Шихолой уже часа два кружат по своему кабинету. Нервничают, бедняги. После того как я сообщил Шихоле, в котором часу мы выезжаем, он чуть в обморок не грохнулся. Не верят, глупые, в мой талант гонщика!

— Они верят, Макс, — успокоила меня Меламори. — А волнуются на всякий случай. Должен же кто-то волноваться перед началом такой грандиозной операции!

— Резонно... Ладно, пошли, все равно пора.

Лейтенант Камши уже сидел в служебном амобилере, Шихола методично описывал круги вокруг этого чуда техники. Они действительно были как на иголках.

Я сразу же уселся за рычаг, к их неописуемому облегчению.

— Это господин Андэ Пу, ребята. — Я кивнул на своего протеже. — Мой личный летописец. В последнее время я стал жутко тщеславным, а знахари это не лечат. Даже сэр Абилат от меня отказался. В общем, прошу любить и не обижать, он вашего брата и так терпеть не может. Надеюсь, это быстро пройдет... Андэ, это сэр Камши и сэр Шихола, они не кусаются, что бы ты сам ни думал по этому поводу... Меламори, садись рядом со мной, поскольку сзади будет тесновато. Наш сэр Андэ — не самый хрупкий мальчик в столице!

Никто и рта не успел открыть, а я уже рванул с места. Шихола восторженно охнул.

— Да, пожалуй, мы действительно приедем вовремя, — сдержанно сказал лейтенант Камши.

— Нет, — возразил я, — мы приедем раньше, чем нужно. Ровно на полчаса. В городе я всегда езжу медленно и осторожно. Вот за городскими воротами вы узнаете, что такое скорость!

Когда я дорываюсь до рычага амобилера, я становлюсь совершенно невыносимым, что правда, то правда! Стоило нам оказаться за городом, я действительно дал себе волю. Несся так, словно удирал от смерти. Ребята на заднем сиденье прижались друг к другу, как осиротевшие детишки на благотворительном вечере. Совместно перенесенные страдания вообще способствуют взаимной симпатии, а из «товарищей по несчастью» со временем получаются не худшего качества просто «товарищи»...

— Ну он дает! — прошептал за моей спиной Андэ. — Полный конец обеда!

— Точно! — сдавленным голосом сказал Камши.

— Наши гонщики могут уходить на пенсию. Все до единого, — сообщил им Шихола. Я надулся от гордости и прибавил еще чуть-чуть...

Меламори обеими руками держалась за сиденье. Я покосился на нее: как там, жива еще? И обалдел: такого счастливого лица за ней раньше не водилось. Ее глаза горели, на губах блуждала какая-то запредельная улыбка. Кажется, от восторга она и дышать перестала.

— Я тоже хочу так ездить, Макс! — решительно шепнула она. — Научишь?

— А тут и учить нечему! — тоже шепотом сказал я. — Амобилер едет с той скоростью, о которой мечтает возница, так ведь? Когда сядешь за рычаг, просто вспомни эту поездку. Ты еще меня перегонишь, не сомневаюсь.

— Перегоню! — уверенно заявила Меламори. — Не сразу, конечно. Но перегоню! Через дюжину лет точно перегоню! Или даже раньше.

— То есть не позже, чем через двенадцать лет? Ладно. На что будем спорить? — усмехнулся я. Водилась за «первой леди Тайного Сыска» такая маленькая слабость!

— Пока не знаю... На деньги неинтересно: у нас с тобой их все равно много, хвала сэру Донди Мелихаису и его казначейству! Давай так: кто выиграет, тот и решит!

— Давай! — Я легкомысленно пожал плечами. — Но учти: я могу еще быстрее.

— Ну так давай! — восторженно предложила Меламори.

— Ребят жалко. Потом как-нибудь.

— Ладно, договорились, — серьезно сказала Меламори. — Только обязательно! — И снова восторженно уставилась в одну точку. Я был просто счастлив оттого, что мое прогрессирующее помешательство на больших скоростях оказалось таким заразительным.

— Мы приближаемся, ребятки! — заявил я минут через сорок. — Теперь командуйте, я же понятия не имею, где это ваше место встречи!

У лейтенанта Камши хватило хладнокровия быстренько сориентироваться, так что еще через пять минут мы были на месте. Как я и обещал, на добрых полчаса раньше, чем требовалось. Жертвы моего психоза

72

выкатились из амобилера. Сожаление по этому поводу испытывала только Меламори. Оба лейтенанта и Андэ обессиленно опустились на траву. Я вздохнул и полез за бутылкой с бальзамом.

— Держите! — ворчливо сказал я, протягивая им сосуд с волшебной жидкостью, которая, по моему глубокому убеждению, помогала абсолютно от всего на свете. — Неужели все так ужасно, ребята? Я-то хотел доставить вам удовольствие.

— У тебя получилось! — мечтательно протянула Меламори. Леди была в полном порядке! Остальные участники забега смотрели на нее как на сумасшедшую.

— Это был полный караул! — вяло сообщил Андэ. — Все могут пойти и откусить... И я тоже. — Он улегся на траву и задумчиво уставился в небо. Даже глоток бальзама Кахара не смог вернуть бедняге его обычную оживленность. Полицейские молча прилегли рядом. Меламори тем временем бодро разувалась. Ей не терпелось приступить к поискам.

«В этом и заключается разница между Тайными Сыщиками и остальными людьми! — подумал я, глядя на счастливую Меламори. — Говорил же мне как-то Шурф, что „абсолютно нормальный человек попросту не подходит для нашей работы". Думаю, что он был прав! Стоит посмотреть на этих нормальных ребят и на эту слегка чокнутую леди, и сразу хочется пару раз стукнуться головой о ближайшее дерево, для полной уверенности, что меня никто никогда не вылечит, потому как наше безумие — отличная штука...»

— Я пойду помотрю, что тут можно обнаружить! — нетерпеливо сказала Меламори. — Я буду очень осторожна. И вообще, не сунусь дальше этой полянки, честное слово.

— Если не дальше этой полянки — на здоровье! — великодушно согласился я. — Только не вздумай встать на чей-нибудь след и рвануть в глухомань, ладно?

— Ну ты даешь, Макс! Я же не маленькая! — сурово отрезала Меламори. Я недоверчиво хмыкнул. Леди всегда была образцом осторожности, пока дело не доходило до ее любимой работы.

— По этой полянке давным-давно никто не ходил! — сообщила Меламори через несколько минут. — Макс, я думаю имеет смысл...

— Прогуляться чуть-чуть подальше, да? — продолжил я. — В общем-то, пожалуйста, но только в хорошей компании. — Я обернулся к полумертвым после поездки полицейским: — Ребята, вы живы еще? Тут одна леди очень хочет погулять по темному лесу.

Галантный Камши начал потихоньку отрывать свой зад от сырой травы.

— Макс, я прекрасно справлюсь! — упрямо заявила Меламори.

— Разумеется, ты справишься. Если кто-то и не справится, так это я. Со своими нервами. Буду сидеть здесь и представлять тебя в лапах этих ужасных разбойников. Так что я о себе забочусь.

— Ну, если о себе... Ладно уж, пошли, Камши! — вздохнула Меламори. — Чем дольше я работаю в этой странной организации, тем больше у меня начальников. Вам не кажется, что это нелогично?

— Я вас прекрасно понимаю, леди Меламори! — поддакнул этот истинный джентльмен. Впрочем, он-то говорил искренне: вспоминал, наверное, своих собственных начальничков. И ему было о чем вспомнить, бедняге!

Парочка благополучно скрылась в зарослях. Я недоуменно пожал плечами. Мог бы и сам с ней пойти, между прочим! Так нет же... Когда-нибудь это врожденное чувство такта загонит меня в могилу, честное слово!

В это время за моей спиной зашуршали листья. Я молниеносно развернулся.

— Все в порядке, сэр Макс, это ребята начинают собираться, — тихо сказал Шихола.

— И это правильно! — заявил я. — Уже светает... Как ты там, внук капитана Флинта? Оживаешь?

— Полный конец обеда, Макс! — вяло отозвался Андэ. На этот раз он даже не обратил внимания на свое очередное прозвище. — Меня укачало — это караул! Мне бы еще глоточек вашего бальзама.

— Запросто. Все равно он не мой! — улыбнулся я, протягивая ему бутылку. — Вы тоже глотните, Шихола. Вид у вас не ахти! Выше нос, дружище, мы же собирались веселиться!

— Собирались, наверное, — растерянно сказал Шихола. — Спасибо за бальзам, сэр Макс! Дорогая штука!

— Ага. И поэтому я таскаю его из стола своего шефа, — доверительно сообщил я.

Наша маленькая компания постепенно разрасталась. Полицейские, все как на подбор здоровущие симпатичные парни, бесшумно выходили откуда-то из туманных сумерек. Их глаза слегка фосфоресцировали: глаза коренных угуландцев, прекрасно видящие в темноте, неприметные зеленоватые лоохи были мокрыми от росы, в волосах запутались крошечные клочки тумана и какая-то нежная зелень весеннего леса... «Это же не Бубутины подчиненные, а эльфы какие-то! Эльфы, всерьез увлекающиеся культуризмом!» — восхищенно подумал я. Почему-то именно сейчас до меня окончательно дошло, что я — совсем чужой в этом Мире... И это было так прекрасно, что дух захватывало!

Покончив с лирическим отступлением, я с любопытством уставился на их оружие. Забавно, но до сих пор у меня так и не было повода подробно ознакомиться с самым распространенным огнестрельным оружием своей новой родины. Рогатки бабум, которыми пользуются все полицейские и не без ложного высокомерия пренебрегаем мы, Тайные Сыщики, заслуживают самого пристального интереса. Бабум — это действительно просто довольно большие металлические рогатки, стреляющие мелкими взрывными шариками. Эти несолидные, но грозные снарядики хранят в специальном кожаном мешочке, наполненном вязким жиром. Такая осторожность просто необходима, поскольку шарики вполне могут взорваться даже от трения, я уже не говорю об ударах. У каждого стрелка также имеется специальная перчатка, чтобы доставать заряды из сумки... Несмотря на легкомысленность конструкции, рогатка бабум — довольно грозное оружие, в чем я не раз убеждался. Раны от взрывающихся шариков весьма опасны, заживают они долго, да и то только благодаря запредельным заклинаниям местных знахарей, ну а выстрел в голову — это верная смерть. А мало-мальски опытному стрелку ничего не стоит попасть в чью-нибудь голову: меткость у этих ребят просто фантастическая! Кроме того, все три конца рогатки заострены, так что, если у вас вышли снаряды, с такой штукой наперевес можно смело идти в рукопашную. Замечу, что у настоящих мастеров это получается удивительно красиво...

«Макс, здесь очень плохой след! — Панический зов Меламори настиг меня так неожиданно, что я вздрогнул. — Но я вполне могу на него встать, только мне от этого так паршиво!»

«Ни в коем случае не делай этого!» — Никогда не подозревал, что, пользуясь Безмолвной речью, можно так орать, но оказалось, что можно.

«С удовольствием! — честно сказала Меламори. — А что делать-то? Возвращаться к вам?»

«Лучше подожди меня. Я сейчас!» — И я ринулся в густые заросли, на ходу посылая зов Шихоле: «Оставайтесь здесь, мы скоро вернемся, если будет надо, позовем!»

Я несся напролом, ничего не видя вокруг. Как мне удалось не напороться на какой-нибудь сучок или не грохнуться в канаву, до сих пор остается для меня полной загадкой. Кажется, я здорово перепугался... Думаю, этот забег продолжался не дольше минуты: с такой скоростью я еще никогда не бегал, и вряд ли мне когда-нибудь удастся повторить этот рекорд! В финале я сбил с ног беднягу Камши и с трудом затормозил возле присевшей на корточки Меламори. Наша грозная леди дрожала всем телом, но падение несчастного лейтенанта, возвестившее о моем появлении, заставило ее слабо улыбнуться.

— Ты и это умеешь, Макс? — печально сказала она. — Почему ты никогда не говорил?

— Что я умею? Ронять на землю больших и красивых мужчин?.. Ох, Камши, простите меня, кретина, если можете! Я так спешил, что немного перестарался! Вы в порядке?

— Да, разумеется. Пустяки, сэр Макс, не переживайте! Счастье, что вы шли пешком, а не ехали на амобилере. — Камши аккуратно отряхивал щегольское лоохи, наглядно демонстрируя всему Миру свою дипломатичную улыбочку.

Я с облегчением вздохнул и повернулся к Меламори:

— Что за след? Что с тобой? Неужели так паршиво?

— Да, довольно паршиво. Да ты сам попробуй!

— Как это, интересно, я могу попробовать? — сердито спросил я. — Кто у нас Мастер Преследования?

— Ты что, опять не ведаешь что творишь? — устало поинтересовалась Меламори. — Что ты, по-твоему, только что сделал?

— Я?! Испугался за тебя и понесся к вам через бурелом, как сумасшедший лось. И как только жив остался?!

— Сэр Камши, я думаю, что Шихола и ребята не должны оставаться одни, — тихо сказала Меламори. — Мы сейчас тоже вернемся, только разберемся с этим грешным следом.

— Разумеется, леди! — невозмутимо кивнул Камши. Через несколько секунд его силуэт растаял в серебристом сумеречном далеке. Я восхитился железным характером лейтенанта. Хотел бы я сам оставаться таким же спокойным, когда мне предлагают убираться к такой-то матери в самый интересный момент!

— Ну а как ты нас нашел, Макс? — тихо спросила Меламори. — Можешь ты мне это объяснить?

— Не могу! — озадаченно признался я. — Ну, нашел же как-то... Ты сказала про плохой след, я здорово перенервничал и прибежал сюда. Интуиция, наверное!

— Ага, интуиция, как же! Ты не человек, а вечный сюрприз — вот что я тебе скажу!.. Ты еще не понял? Ты встал на мой след, причем не разуваясь, а это уже высший пилотаж! За что я тебе действительно признательна, так это за скорость. Еще немного, и... Никогда больше так не делай, Макс, ладно? Очень хочется верить, что это случилось со мной в первый и последний раз. Омерзительное состояние!

— Интересно, как у меня это вышло? — растерянно спросил я. — Лонли-Локли говорил, что у меня может получиться, но я думал, что таким вещам все-таки надо учиться, а Джуффин меня учить не захотел и Шурфу запретил, не знаю уж почему.

— Не знаешь почему? — ехидно переспросила Меламори. — Да когда ты становишься на след, сердце перестает биться! Это вообще годится только для того, чтобы убивать! Чему тебе действительно надо учиться, так это НЕ становиться ни на чей след, и чем скорее, тем лучше!.. Ладно уж, давай действительно посмотрим на мою находку, только осторожно, ладно?

— Какой я зловещий, самому тошно! — горько вздохнул я. — Извини, Меламори. Бежал сюда тебя спасать, а что вышло! Ужас какой-то! И как с этим бороться?

— Элементарно! Просто прежде чем вдохновенно броситься кого-то искать, спрашивай у него, где он сейчас находится, как это делают все нормальные люди. И все будет путем! — Меламори наконец улыбнулась с неожиданным облегчением. — Чего ты расстроился? Такой дар лучше иметь, чем не иметь! Хотела бы я, чтобы у меня тоже так получалось!

Она встала и осторожно подошла к старому пню на краю тропинки. Нерешительно потопталась там и обернулась ко мне:

— Я больше не хочу становиться на этот грешный след. С меня на сегодня хватит! Попробуй сам, у тебя точно получится!

Я немного походил вокруг пня и растерянно посмотрел на Меламори:

— Ничего не чувствую, хоть убей!

Меламори задумалась, потом пожала плечами:

— Ну, даже и не знаю, что тебе сказать! Ты ведь должен очень захотеть его найти. И ни на секунду не сомневаться, что у тебя это получится... Да что я объясняю! Просто вспомни, как ты только что несся сюда, и все!

Я описал еще несколько кругов вокруг пня, пытаясь вспомнить, что же я чувствовал, когда летел «спасать» Меламори... Да ничего я тогда не чувствовал, просто очень хотел до нее добраться, и чем скорее, тем лучше! «Ага, — подумал я, — а теперь мне надо так же сильно захотеть добраться до неизвестного хозяина этого „нехорошего" следа. Боюсь, мне не будет хватать искренности!» Тем не менее я попытался. Подумал немного о том, что этот парень наверняка опасен, раз уж Меламори так смутил его след, решил, что мне просто необходимо найти этого мерзавца, который бродит по лесу, оставляя такие поганые следы...

Все это смахивало на дрянной любительский спектакль в театре одного актера. Тогда я расслабился и перестал думать о разной ерунде. Просто ходил, прислушиваясь к ощущениям в ступнях. Описывал круги вокруг этого дурацкого пня, прогонял из головы ненужные мысли... И вдруг замер, как громом пораженный. Я не мог сдвинуться с места, честное слово! Я стоял, медленно, но верно превращаясь в статую, вот уже и дыхание начало замедляться, язык с трудом поворачивался во рту, но я все-таки успел!

— Меламори, быстро спихни меня с этого места! — онемевшими губами пробормотал я. Повторять просьбу, хвала Магистрам, не пришлось: резкий удар ее ступни под коленки — и я оказался на земле. Разумеется, мне повезло, как всегда: я умудрился удариться и локтями, и коленями, так что больно стало в четырех местах сразу.

— Спасибо! — простонал я, с удовольствием отмечая, что язык, а потом и все тело постепенно начинают функционировать нормально. — Ну и здорова же ты драться, дорогуша!

— Надеюсь, что так! — гордо сказала Меламори. — Видишь, у тебя получилось, только ты влип еще хуже, чем я. Мне просто стало тошно... и страшно, если честно, но это все. Видимо, наш дар — палка о двух концах: чем сильнее ты сам, тем круче получаешь по башке в случае чего!.. А что это такое, ты знаешь, Макс?

— Как что? След мертвеца! — неожиданно для себя брякнул я. И тут же понял, что наверняка не ошибся. А что это еще могло быть?

— Точно? — испуганно спросила Меламори. — Но это же невозможно! Мертвые не оставляют следов!

Я пожал плечами:

— Боюсь, что твоя информация устарела, леди. Как видишь, иногда оставляют... Это след рыжего Джифы, я полагаю! Хорошенькое дело, паренек все-таки выкопался из своей могилки, соскучился по веселой лесной жизни, могу его понять!.. Хотел бы я только знать, где он вербовал новых Магахонских Лисичек — по окрестным деревням или на соседнем кладбище? Жаль, что я не могу пойти по этому следу: сам начинаю умирать, ты же видишь!

— Да уж, напугал ты меня, Макс! — кивнула Меламори. — У тебя даже лицо посинело, пока ты на нем стоял.

— Какой я был красивый, правда? — кокетливо спросил я. — Ну и что мы с тобой будем делать?

— Как что? Тебе действительно не стоит повторять этот эксперимент. Знаешь, все бы ничего, но синий цвет лица плохо сочетается с твоим костюмом, жуткая безвкусица... Зови ребят, сэр Макс, делать нечего, я сама пойду по этому грешному следу.

— Выдержишь такое удовольствие? — с сомнением спросил я. Мне очень не хотелось затевать это дурацкое мероприятие, но что я мог сделать?

— А куда я денусь! — пожала плечами Меламори. — Ну погрущу немного, не впервой!.. Будем идти очень быстро, ладно?

— Еще бы! Мы будем бежать сломя голову! — нежно пообещал я.

— Вот и ладно. — Меламори жалобно улыбнулась и уткнулась носом в мое плечо. Так мы и стояли, пока из колючих зарослей с треском не вывалились первые из героев грядущей битвы. Шествие замыкал Андэ Пу. У парня было такое перепуганное и восхищенное лицо, что я невольно улыбнулся. Меламори тоже хихикнула. Вот теперь мы действительно были готовы!

— Идем за леди Меламори, чем быстрее, тем лучше, — сказал я своему грозному отряду. — Советую приготовиться к худшему. Один из них мертвый, это точно! Насчет остальных не уверен. В общем, постарайтесь не растеряться в случае чего. Пошли!

Меламори решительно встала на след, тут же поморщилась, ссутулилась, обхватила себя руками, словно ей стало холодно. Мне очень хотелось ей помочь, но чем тут поможешь?! Она сделала несколько неуверенных шагов, потом решительно тряхнула головой и побежала. Мы ломанулись следом. Я изо всех сил старался держаться сбоку от невидимой опасной тропинки. Только возни с моим дурацким, не в меру способным ко всяким мерзостям организмом сейчас не хватало!

К счастью, это был забег на довольно короткую дистанцию. Через несколько минут Меламори внезапно остановилась на краю неглубокого оврага, немного постояла, потом спрыгнула вниз, опустилась на четвереньки и вдруг завыла. У меня мороз пошел по коже от этого жуткого нечеловеческого звука.

— Ты чего? — хрипло спросил я, спрыгивая следом за ней на дно оврага.

— Ничего. Здесь след заканчивается, вернее, здесь какая-то нора, след туда уходит. Я... это я позвала его, Макс. Не спрашивай почему, сама не знаю... Нет, знаю: след мне сказал, что так надо! — жалобно сообщила Меламори. — Помоги мне выбраться отсюда, пожалуйста! — Ее голос снова стал нормальным, поверить невозможно, что эта милая барышня только что выла, как хор безумных вурдалаков... Разумеется, я помог ей вскарабкаться наверх и сам тоже вылез.

— Макс, он скоро придет, — тихо сообщила Меламори. — Знаешь, одно из двух: или он один, или... Одним словом, кроме его следа, вообще нет никаких следов!

— Вы поняли, господа? — глупо хихикнул я. — Сейчас из этого оврага вылезет целая толпа мертвецов. Нервных просят отвернуться!

— Вы с ними справитесь, сэр Макс? — с надеждой спросил лейтенант Шихола.

— Откуда я знаю?! — гнусно усмехнулся я. — Поживем увидим, если еще поживем, конечно!.. Говорил же я вам, что с Лонли-Локли будет спокойнее, а вы не верили. Так вам и надо! — И я снова уставился в сумрачную щель оврага. Почему-то мне стало скорее смешно, чем страшно, хотя «великим героем» я никогда в жизни не был. Кем угодно, только не героем! Кажется, я просто не мог поверить в реальность происходящего...

Наконец мне удалось разглядеть хоть что-то подозрительное: в овраге кто-то определенно зашевелился.

— Магахонские Лисы жили в норе, верно, Шихола? — деловито переспросил я. — Кажется, эти ребята заняли пустующую квартирку. Это хорошо: значит, вылезать будут по одному. Нора — она и есть нора!.. Меламори, ты сказала, что «позвала его», так?

Меламори молча кивнула. Вид у нее был не очень-то бодрый.

— Скажи, ты знаешь, к чему это приведет? Я имею в виду, тому, кого ты позвала, придется выйти именно из этой норы, а не из какой-то другой? Обязательно?

— Да. Но он может появиться не сразу. Если захочет, он будет сопротивляться довольно долго, но рано или поздно все равно выйдет... Ой!

— Вот именно, что «ой»! — весело согласился я, поднимая левую руку и эффектно прищелкивая пальцами: свеженький фокус, только что полученный в подарок от самого Лонли-Локли, спешите видеть! Крошечная шаровая молния не подвела, она появилась как миленькая, сверкнула невыносимым зеленоватым светом и с влажным чмоканьем впилась в темноту оврага. Я увидел перекошенное от страха совсем юное лицо, моя молния угодила парню точнехонько между бровей, тот глухо охнул... Бедняга вроде бы остался цел и невредим. Зато мой удар, которому теоретически полагалось быть смертоносным, здорово прибавил ему прыти. Он рванул ко мне со скоростью спортивного амобилера, не прошло и секунды, как незнакомец ухватился за крошечный колючий кустик, росший у самых моих ног, подтянулся и...

Городская Полиция не подкачала: первый выстрел из рогатки бабум немного замедлил его продвижение, еще бы, взрыв разворотил ему щеку и нос! Не думаю, что это можно назвать легким ранением, однако дядя упорно продвигался вперед. Не слишком долго раздумывая, я плюнул в ужасное, изуродованное выстрелом из бабума лицо. Если бы к моменту нашей встречи парень был жив, на этом его биография могла бы считаться завершенной: мой яд убивает мгновенно... Ничего подобного не случилось. На лбу несчастного появилась приличных размеров дырка. Ясное дело: мой «пациент» был мертв, как нерв в гнилом зубе!

Потом началось нечто невообразимое. Это искалеченное мертвое существо подняло на меня свои мутные очи и с восторгом заявило:

— Я с тобой, хозяин!

От неожиданности я подскочил и снова плюнул в своего свежеиспеченного «раба». На этот раз я продырявил ему плечо, но парень не обратил ни малейшего внимания на сию досадную мелочь. Живой мертвец топтался возле меня, преданно заглядывая мне в лицо. Нервы полицейских не выдержали этого умилительного зрелища, так что град снарядов из бабума разнес его в клочья, но даже кусочки давно умершего тела все еще пытались ползти в моем направлении.

— Я с тобой, хозяин! — продолжала твердить изуродованная голова. От этого заявления мне было здорово не по себе... но иногда я очень быстро соображаю, если меня припрут к стенке.

— Спокойно, ребята! — тихо сказал я полицейским. — Вы поняли? Кажется, я могу сделать так, что они будут меня слушаться. По-моему, это очень неплохо! Так что не спешите убивать остальных, если они тоже начнут проявлять ко мне нежные чувства. Сейчас посмотрим, так это или... — Внизу снова что-то зашевелилось. Я быстренько щелкнул пальцами левой руки — еще одна зеленая вспышка, гадкий чмокающий звук и слабый надтреснутый голос:

— Я с тобой, хозяин!

Я поежился, но взял себя в руки и спокойно сказал:

— Вот и славно, милый! Стой там, где стоишь. Охраняй меня, предупредишь, когда появится кто-то из твоих приятелей, это приказ!.. И расскажи-ка мне, сколько вас там?

— Нас много! — радостно сообщил мой мертвый вассал. — Почти три дюжины наберется!

— Не так уж страшно. — Я с облегчением обернулся к полицейским. — Три дюжины — это все-таки не три миллиона. Везет нам, ребята! — И я снова спросил у мертвеца: — А вы все мертвые?

— Мы живые, мы никогда не умрем, — равнодушно сказал тот и гордо добавил: — Мы давно вместе!

— Ну-ну, живые так живые... А ты можешь сказать остальным, что меня надо слушаться?

— Они слушаются Джифу! — спокойно сообщил мой собеседник. — А Джифа велел нам разобраться с вами, хотя наше время еще не пришло, через несколько часов мы стали бы сильнее... Хозяин, там идут...

— Спасибочки! — усмехнулся я и метнул в сумрак оврага еще одну зеленую молнию. Как я и ожидал, тут же раздался голос: — Я с тобой, хозяин!

Но в то же мгновение в меня полетел маленький опасный снарядик из бабума. «Какая неожиданность», как сказал бы сэр Луукфи... Мой верный раб совершил дикий прыжок: снаряд летел довольно высоко, но парень умудрился подпрыгнуть чуть ли не на пару метров и подставить смертоносному взрыву собственный лоб. Ему снесло почти полголовы, а я проклял все на свете и прищелкнул пальцами еще несколько раз: сам черт не разберет, сколько их там уже повылазило!.. Мучительно яркие зеленые огоньки растворились в темноте оврага.

— Я с тобой, хозяин! — Нестройный хор то ли трех, то ли четырех голосов убедил меня в правильности этого поступка.

— Всем оставаться на местах и охранять нас от остальных! — Я быстро учился приказывать, надо отдать мне должное... Я весело обернулся к полицейским: — Сейчас быстренько сколочу хорошую банду и уйду от вас в леса. С такими-то молодцами мне сами Темные Магистры не страшны!..

— Спроси про главного, Макс! — тихо сказала Меламори. — У этих ребят нет следа, у них вообще ничего нет... Я шла за кем-то другим, думаю с ним тебе будет не так легко справиться! Я позвала его, он должен выйти, но почему-то не выходит...

— Умница моя, молодец, что напомнила! — восхитился я. — Граждане рабы, ответьте-ка дяде Максу: где ваш Джифа?

— Внизу, — забормотали голоса, — Джифу позвали, но он не хочет идти, он послал нас разобраться...

Между тем народу в овраге прибавилось. Я услышал звуки борьбы: мои «подчиненные» честно пытались обезвредить своих недавних коллег. Пришлось вмешаться. Немного пощелкав пальцами, я убедился, что теперь на страже моих интересов стоит не меньше двух дюжин покойников... Ребята вылезали из норы с похвальной прытью, я еле успевал «приводить их к присяге».

— Макс, — снова подала голос Меламори, — их главный уже идет, я слышу! Это... это что-то сильное, уж не знаю, что оно такое, но посильнее всех остальных! Будь осторожнее, ладно?

— Ладно, буду, — улыбнулся я, — но вообще-то я всегда такой осторожный, что самому противно!

— Осторожный? Вы?! — Кто-то за моей спиной нервно расхохотался. Подозреваю, что это был лейтенант Камши, хотя у меня до сих пор нет никаких доказательств!

— Орлы! — прочувствованно сказал я своим мертвым охранникам. — Любой ценой защищайте меня от вашего Джифы! Ясно?

— Мы с тобой, хозяин! — с вялым энтузиазмом успокоило меня это ужасное воинство. Я вздохнул: съездил на пикник! Нет ничего лучше, чем хорошая компания... и так далее...

— Там еще идут наши, но без Джифы! — сообщили мне из оврага.

— Тоже неплохо. — Я снова защелкал пальцами. Мое дохлое войско росло на глазах. Знали бы бедняги, как мне было тошно от их услужливых пришепетываний!..

Прошло еще несколько минут. Наконец и я почувствовал приближение чего-то нового. Меня охватило смутное облегчение: хоть какое-то разнообразие!

— Вы со мной, Ангелы Ада? — бодро осведомился я у мертвецов.

— Мы с тобой, хозяин! — заверили меня эти симпатяги.

— Ваша работа — схватить Джифу и привести его сюда, поближе. Так, чтобы я его видел. Обязательно! И помните: теперь вы слушаетесь меня, а не его. Ясно?

— Конечно, хозяин!

Слова подкрепились делом: я услышал звуки борьбы, смутные хриплые ругательства... У моих ног появилось удивительно колоритное лицо: когда-то этот парень был настоящим красавцем, ни глубокие морщины, ни даже уродливый шрам, рассекающий его перепачканное землей лицо, не могли окончательно испортить такой прекрасный материал! Роскошная ярко-рыжая грива развевалась на ветру, пронзительные голубые глаза уставились на меня с холодной яростью. Все три дюжины его недавних друзей вцепились в него мертвой хваткой, но и сейчас у меня не было уверенности, что их хватит надолго. Я лихо прищелкнул пальцами левой руки, маленькая зеленая шаровая молния устремилась прямехонько в левое надбровье рыжего Джифы, туда, где начинался этот его ужасный героический шрам... и рассыпалась на тысячу крошечных огоньков, растаяла, не нанося парню никакого вреда. Не тратя времени на удивление, я плюнул в его лицо. Ничего с ним не случилось, абсолютно ничего, словно я зря ношу Мантию Смерти! Если бы не все мои предыдущие подвиги, я мог бы усомниться в собственной профессиональной пригодности.

Рыжий зло расхохотался.

— Ты — плохой колдун, чужак! — сказал он неожиданно высоким ломким голосом. — Может быть, получше, чем я, но мой щит делал великий мастер!

— Он дело говорит, Макс! — неожиданно сказала Меламори. — Сам по себе этот красавчик ничего не стоит, но кто-то сделал ему отличный щит. Ему очень тяжело навредить: не пробьешься! Теперь понятно, почему мне было так трудно идти по его следу, а ты и вовсе...

— И что положено делать в таких случаях, незабвенная? — устало спросил я. — Попросить этих ребят держать его покрепче и сбегать за Джуффином? В случае чего, я быстро — туда и обратно! Или у тебя есть другие предложения?

— Разумеется, есть! — прыснула Меламори. — Твои верные рабы вполне могут объединиться с нашими коллегами и просто связать своего бывшего босса: против крепкой веревки ни один магический щит не помогает... В любом случае нам надо доставить его в Ехо, а уж сэр Джуффин с ним разберется!

— Господа! — торжественно обратился я к полицейским. — Нам нужна веревка, да покрепче: сами видите, какой грозный дядя! Ваши предложения?

— Ремни подойдут, надеюсь? — Капитан Шихола уже начал расстегивать пояс, на котором носил оружие. — Ребята, снимайте ремни, чем больше — тем лучше! Спеленаем его, как младенца!

— Вам нужна помощь? — поинтересовался я у мертвецов.

— Да, хозяин! — жалобно забормотали они. — Нам очень нужна помощь! Мы можем его держать, но пусть твои люди связывают, мы с ним сами не справимся!

— Дохлые куклы! — презрительно бросил Джифа. Он снова пронзительно посмотрел на меня. — Никогда не пытайся оживлять мертвых друзей, чужак! У таких хреновых колдунов, как мы с тобой, это дерьмово получается!

— Я же не полный кретин, чтобы оживлять своих мертвых друзей! — огрызнулся я. — Гадость какая! — и ласково спросил у полицейских: — Что же вы стоите, господа? Моим мальчикам нужна помощь, сами слышали! Понимаю, что сотрудничество с ними довольно неприятно, но, если этот сердитый дядя вырвется, будет еще неприятнее. Можешь не морщиться, Меламори, свою работу ты уже сделала, так что мое приглашение тебя не касается, а вы, ребята, давайте!

— Спасибо, Макс! — горько усмехнулась Меламори. — Как мило с твоей стороны!.. Я, пожалуй, действительно воспользуюсь своим служебным положением. Видеть их не могу, твоих красавчиков!

Полицейские, судя по выражению их лиц, полностью разделяли эту точку зрения. В овраг им не хотелось.

— Что, надорвались? Не тянете? — ехидно картавя, спросил кто-то сзади. Грешные Магистры, это же мой собственный «летописец», совсем было о нем запамятовал! Сэр Андэ Пу тем временем гордо вылез вперед. — Давайте я помогу вашим дохликам, Макс! Я не надорвусь!

— Давай, только быстренько! — У меня не было ни времени, ни сил, чтобы сообщить Андэ, какой он молодец. Надеюсь, что это было написано на моем лице...

Толстяк собрал пояса и с неожиданной грацией скользнул в овраг. Через несколько секунд он уже бодро командовал моими мертвыми помощниками. Джифа хрипел, рычал, скрежетал зубами и ругался так, что меня разбирала черная зависть... Я укоризненно обернулся к полицейским. Камши молча взял оставшиеся ремни и полез следом. Шихола вздохнул и присоединился к нему. Остальные ребята нерешительно потоптались за моей спиной и один за другим неохотно поплелись к оврагу.

— Не забудьте заткнуть ему рот! — напутствовал их я. — Вам же это все слушать...

Не прошло и пяти минут, как рыжий Джифа был аккуратно упакован в настоящий кожаный кокон. Не забыли и про кляп, хвала Магистрам, предводитель разбойников наконец-то заткнулся! Объединенными усилиями его извлекли из оврага и почтительно положили к моим ногам. Три дюжины мертвецов робко топтались поблизости. Важный, как памятник Гуригу Седьмому, Андэ Пу презрительно на них косился.

— Твой дедушка-пират мог бы тобой гордиться, дружище! — одобрительно сказал я. И обернулся к полицейским, брезгливо вытирающим руки о траву. — Все, ребята! Вот вам ваши Магахонские Лисы в полном составе. Делайте с ними что хотите, сил моих больше нет! — И я устало опустился на влажную траву. С удовольствием посмотрел на белесое утреннее небо: там над вершинами деревьев кружила одинокая птица. Сейчас мне казалось, что я люблю эту птицу так, как еще никогда никого не любил...

Мое внимание отвлек странный шум. Я с трудом приподнял голову, пытаясь увидеть хоть что-то, кроме цветных кругов перед глазами. Вокруг меня стояли полицейские, они аплодировали, как аплодируют экипажу самолета перетрусившие во время тяжелой посадки пассажиры, после того как шасси мягко стукнулось о надежную твердь посадочной полосы...

— Да, — прошептал я, — все правильно, я действительно молодец... Где-то у меня была бутылка с бальзамом, никто не знает, где она?

— У тебя в кармане лоохи, Макс! — весело сообщила Меламори. В ее голосе чувствовалось непередаваемое облегчение. — Что, баиньки захотелось?

— Ага... — Я пошарил в кармане. Бутылка с бальзамом Кахара действительно была на месте. Я сделал хороший глоток, немного подождал и понял, что этого недостаточно. Повторил. Противные цветные круги неохотно уплыли в небытие. Мир снова стал похож на себя, все пришло в норму. — Ну что, поехали домой, ребята? — предложил я. — Или вы хотите распаковать свои бутерброды? Завтрак на траве, и все такое... Чувствую, что не хотите!

— Сэр Макс, а что делать с этими? — с ужасом спросил Шихола.

— Ничего не делать! Убить я их не могу, сами видели, а заплевать... Это же до следующего года работы! — Я пожал плечами. — В любом случае они пригодятся! Пусть берут в охапку своего Джифу и следуют за нами...

— Пешком? У нас же только один амобилер, а ребята добирались сюда своим ходом! — растерянно сказал лейтенант Камши. — Можно собрать какой-то транспорт по деревням, но это занятие тоже до следующего года...

— Разумеется, они пойдут пешком. Вернее, бегом. Сядете сами за рычаг, тогда они вполне за нами угонятся... Ну а что еще делать? — Я обернулся к мертвецам: — Пойдете за мной в Ехо, милые? Умеете быстро бегать?

— Мы пойдем за тобой, хозяин! — покорно заявили эти идеальные подчиненные.

— Вот и славно! Пошли, господа, я действительно устал.

— Ты ужасно выглядишь, Макс, — тихо сказала Меламори, — наверное, эти твои молнии отнимают кучу сил.

— Наверное! Хотя это так легко получается...

— Обычно так оно и бывает: за все, что легко получается, приходится очень дорого платить! — кивнула Меламори.

И мы пошли на поляну, где стоял наш амобилер. Мои покойнички дисциплинированно маршировали следом, не выпуская из рук драгоценный сверток — своего бывшего командира. Андэ Пу вышагивал рядом со мной, бросая на мертвецов высокомерные взгляды.

— Мы можем погрузить его в амобилер, — задумчиво рассуждал лейтенант Камши, — тогда вы с леди Меламори быстро отвезете его в Ехо, а мы пойдем в деревню с остальными ребятами...

— Зачем? — Я пожал плечами. — Вернемся, как приехали, все вместе. Делайте, как я говорю! Садитесь за рычаг, поезжайте медленно, чтобы мои мертвые малыши не заработали одышку. Они его отлично донесут... Думаю, Джифе будет приятно побыть в обществе старых друзей напоследок!

— А вы — жестокий человек, сэр Макс! — тихо сказал Камши.

— Да? — удивился я. — Никогда не предполагал... Ну жестокий так жестокий, что же теперь делать! — Я зло усмехнулся. — Эти ребята умерли давным-давно, между прочим! С чего вы взяли, будто знаете, что для них хорошо, а что плохо? Сейчас их интересует только одно: выполнять мои приказы. Когда эти бедняги побегут за нашим амобилером, они будут абсолютно счастливы, это точно!.. А что касается сэра Джифы, так и его тоже давно нет на свете, не забыли? Какая разница, чем занимается мертвое тело, если его хозяина больше нет?!

Камши упрямо покачал головой и пошел к амобилеру. Лейтенант Шихола бросал ему вслед озадаченные взгляды и виновато косился на меня. В конце концов он сердито пожал плечами и пошел отдавать последние распоряжения своим подчиненным: им еще предстоял долгий самостоятельный путь в столицу... Меламори осторожно прикоснулась к моему плечу:

— Не обращай внимания, Макс. Кам — парень со странностями, всегда таким был... А ты совершенно прав.

— Прав я или нет — какая разница! — улыбнулся я. — Все равно спасибо, дружок! Испортил он мне настроение, а почему — сам не знаю.

— Просто ты устал. Тебе сейчас испортить настроение — раз плюнуть! — усмехнулась Меламори. — Попробуй поспать по дороге, если получится.

— Получится! — уверенно сказал я. — Только это у меня сейчас и получится!.. Ты все-таки поговори с Джуффином, ладно? У меня сейчас сил нет зов ему посылать... Спроси у него: может быть, я действительно перегибаю палку?

— Ладно! — Меламори присела на траву, уставилась в одну точку. Через минуту она обернулась ко мне и подмигнула. — И ты еще сомневался, Макс? Наш шеф просто в восторге от твоей идеи. Говорит, что такого зрелища столица еще не знала! Толпа мертвецов, марширующая через весь Ехо за казенным амобилером Управления... А благородный сэр Камши может съесть знаменитый гриб своего начальника! — Она начала смеяться. Передать не могу, с каким облегчением я присоединился к ее звонкому смеху! И мы пошли к амобилеру.

Камши уже сидел на месте возницы, он покосился на нас и хладнокровно спросил:

— Поехали?

— Поехали! — кивнул я. — Андэ, дружище, садись вперед, уж больно ты много места занимаешь, не обижайся!

— Да, меня много! — важно кивнул Андэ. — Ничего страшного, я никогда не обижаюсь, поскольку только необразованные плебеи способны обижаться на простую констатацию факта...

— Вот так-то! Съел, сэр Макс? — прыснула Меламори. Лейтенант Шихола помедлил несколько секунд и тоже рассмеялся. Андэ посмотрел на них с высокомерным изумлением. Тогда улыбнулся и я, совсем чуть-чуть, у меня и на это сил уже не было! А потом я уютно свернулся клубочком на заднем сиденье, положив голову на колени леди Меламори, а ноги мои уперлись в бедро бедняги Шихолы. Я понимал, что это хамство, но изменить что-либо было не в моей власти: меня не стало. Я уже сладко спал, несмотря на непомерную порцию бальзама Кахара и волнительные коленки Меламори под моим левым ухом...

Впервые после возвращения из Кеттари я уснул, не обмотав шею знаменитой головной повязкой Великого

Магистра Ордена Потаенной Травы. Сэр Джуффин Халли настоятельно рекомендовал мне никогда не делать подобных экспериментов, а я не испытывал ни малейшего желания рискнуть и выяснить, что будет. Но сейчас я даже не вспомнил о своем амулете. Отрубился, и все тут!

Понятия не имею, что мне снилось, но проснулся я не слишком бодрым, что само по себе довольно странно, если учесть, какое количество бальзама Кахара я перед этим выдул.

— Мы уже почти в Ехо, Макс! Так что просыпайся. — Меламори непочтительно потянула меня за нос и ворчливо добавила: — Я теперь и шагу сделать не смогу: твоя голова весит дюжину тонн, если не больше!

— Конечно, там же хранятся мои умные мысли! — гордо сказал я, с трудом разгибая затекшую спину. — Сколько я спал?

— Часов пять, если не больше! Камши не ехал, а полз, как пьяный старик, щадил твоих верных рабов, я полагаю...

— Я просто не хотел, чтобы они от нас отстали! — упрямо возразил Камши. — Сэр Макс, она мне всю дорогу покоя не давала, скажите хоть вы ей, что быстрее никак было нельзя!

— Если вы думаете, что я — крупный специалист в области оптимальных скоростей пеших переходов живых мертвецов, вы здорово ошибаетесь, господа! Вы что, полагаете, что со мной такие вещи каждую дюжину дней случаются? — сонно проворчал я, нашаривая в кармане бутылочку со спасительным бальзамом и с отвращением оглядываясь на бредущую за нами ужасающую процессию. — Никто не отстал? А то бегай потом за ним по проселочным дорогам!

— Никто не отстал, сэр Макс, я всю дорогу на них смотрел, — с готовностью сообщил лейтенант Шихола.

— Всю дорогу? Бедняга! — искренне посочувствовал я. — Могли бы все-таки иногда отворачиваться... Я ваш вечный должник, Шихола!

— Ну, иногда я отворачивался, ненадолго конечно, — честно признался Шихола.

— И правильно делали! Так и с ума сойти недолго... Как дела, Морган-младший? — Я положил руку на круглое плечо своего героического «летописца».

— Статья уже готова, все могут расслабиться! — весело отчитался Андэ. — Почитаете? Вы впилите, Макс, я уверен!

— Еще бы! — прыснула Меламори. — После такой статьи нам с тобой поставят по памятнику, Макс! Тебе — побольше, мне — поменьше... Ну а самый большой — сэру Андэ, разумеется! Так что памятник Гуригу Седьмому придется переносить куда-нибудь на задворки: он не потянет!.. Я правильно впилила, сэр Андэ?

— Да, девочка все впиливает! — печально восхитился Андэ, скорее всего, он обращался не к кому-то из нас, а к лучшему из собеседников — к себе, любимому.

— Ну и как? — спросил я у Меламори. — Это можно публиковать?

— Еще бы! Не можно, а нужно... Разумеется, после того, как сэр Рогро уберет оттуда несколько рискованных пассажей насчет нежелания полицейских лезть в овраг. А он их непременно уберет, гарантирую! Это, конечно, чистая правда, но ребят можно понять, и потом, они же все-таки туда полезли, а это дорогого стоит! Нужно быть великодушнее к людям, сэр Андэ! Все мы в сущности такие хрупкие конструкции...

Андэ пробурчал под нос что-то неразборчивое. Лейтенант Камши покосился на него с явным неодобрением, но промолчал.

— Ничего! — сказал я. — Великодушие — дело наживное, поскольку является прямым следствием приятно проживаемой жизни. А у Андэ в этом плане все пока впереди, насколько я понимаю... — Я похлопал его по плечу. — Не переживай, герой! Если леди Меламори довольна, я и читать ничего не буду. Потом прочту в газете, это приятнее!

— Да ладно! Могли бы и сейчас почитать, ничего страшного! — огрызнулся он. И тут же сменил ворчливую интонацию на восторженную. — А лихо вы там зажигали, Макс! Все герои древности могут откусить! Вы сами не впиливаете, как это было лихо!

— Я врубаюсь. И они тоже! — Усмехнувшись, я махнул рукой в направлении окна. Городские улицы были забиты изумленными горожанами, которые с молчаливым ужасом уставились на скорбную процессию моих послушных покойничков из Магахонского леса. — Никогда не подозревал, что в Ехо столько бездельников!

— Людей можно понять: зрелище стоит того, чтобы бросить все дела, я полагаю! — спокойно заметил лейтенант Шихола. — На их месте и я бы не пропустил этот парад...

— А можно мне выйти здесь, Макс? — осторожно спросил Андэ. — До редакции «Королевского голоса» рукой подать, я еще могу успеть засунуть статью в вечерний выпуск.

— Разумеется, можно. Почему ты спрашиваешь? Ты — свободный человек, хвала Магистрам! — внушительно заявил я.

Камши на секунду остановил амобилер, Андэ с удивительным проворством выскочил на мостовую, уже на ходу крикнул нам: «Хорошего дня» — и исчез в толпе.

— Ну, как тебе моя находка? — весело спросил я у Меламори.

— Просто чудо! Первые полчаса он действительно писал свой опус, а потом развлекал меня историями своих студенческих и придворных похождений... Он так мило картавит! Я бы погибла от тоски, если бы не твой сэр Андэ. Ты дрых, Шихола скорбно пялился на твое воинство, а Кам делал вид, что очень занят дорогой... Да на такой скорости амобилер может ехать и вовсе без возницы!

Лейтенант Камши ничего не сказал, только устало пожал плечами. Думаю, эта дискуссия его здорово достала!

Не знаю, как моим спутникам, а мне было чертовски приятно увидеть старые стены Дома у Моста. Здесь было хорошо и спокойно, здесь был сэр Джуффин Халли, который наверняка мог избавить меня от кошмарной толпы послушных покойников... Мне почему-то было на редкость паршиво от созерцания результатов собственных подвигов. Я и сам не мог понять почему...

Сэр Джуффин даже соизволил выйти нам навстречу. Окинул ехидным взором нашу замысловатую компанию, хмыкнул, покачал головой и начал командовать, к моему величайшему облегчению.

— Меламори, марш домой отдыхать! Этот изверг в Мантии Смерти совсем тебя загонял. Будешь нужна —

вызову... Макс, прекрати делать такое скорбное лицо. Если ты немедленно не улыбнешься, я пошлю за знахарями! Да, и не забудь спрятать это сокровище в маленькой камере возле нашего с тобой кабинета... Я имею в виду Джифу, а не леди Меламори. Потом вернешься к своим любимчикам, поможешь Шурфу с ними разобраться. А вы постойте здесь несколько минут, мальчики, постерегите добычу... Кстати, кто из вас додумался пригласить на этот пикник сэра Макса? Весьма любопытно... Ты, Камши?

— Нет, Шихола. Это его идея, Я настаивал на том, что мы должны действовать сами, поскольку Магахонские Лисы никогда не проходили по вашему ведомству. И вообще, я так долго готовил эту операцию, мне очень хотелось сделать все своими силами, — честно признался Камши.

— Да? Ну молодец, лейтенант Шихола! Делаешь успехи, такая интуиция дорогого стоит... А ты чего ждешь, сэр Макс? Давай, давай, положи сэра Джифу куда следует, сними камень с моего сердца!

— Ты и ты, — я поманил к себе мертвых разбойников, в руках у которых был сверток с пойманным, но непобежденным Джифой, — идите за мной. Всем остальным стоять здесь, ждать меня! Ясно? Вперед, командос!

— Ясно, хозяин! — покорно загундосили мои красавцы.

— Здорово! — восхитился Джуффин. — Ты — прирожденный император, Макс, по меньшей мере наследный принц, честное слово! А говорил, что не любишь приказывать...

— Ненавижу! — горько вздохнул я.

— Зато умеешь! Ничего, привыкай, пригодится еще!

— Надеюсь, что нет. Лучше уж просто убивать! — Я не удержался от ехидной усмешки, вспомнив давешнее обвинение в жестокости. Дурак я был, что расстраивался: такая репутация в нашем деле дорогого стоит, ее надо всеми силами поддерживать!

Мы доставили Джифу в маленькую тесную клетушку, тайная дверь в которую находилась в дальнем углу нашего с Джуффином кабинета. Комнатка была что надо, миниатюрный вариант Холоми: ни выйти, ни поколдовать, ни даже зов кому-нибудь послать отсюда было невозможно. Своего рода следственный изолятор для особо крутых вариантов. На моей памяти она всегда была пуста. Джифа был хорошим поводом вернуться к славным традициям начала эпохи Кодекса, когда самая надежная камера Управления Полного Порядка не пустовала ни дня.

— Кладите его на пол, — сказал я своим верноподданным, — вот так, молодцы... Да, чуть не забыл: кляп можно вынуть. Пусть себе ругается, имеет полное право. Я за свободу слова, даже нецензурного. Лишь бы самому не слушать!

Ясное дело, мертвым ребятам мое красноречие было до одного места. Кляп они все же вынули, так что Джифа успел пожелать нам счастливого пути, на мой вкус слишком витиевато...

Остальные мертвецы все еще топтались в коридоре. Сэр Джуффин уже куда-то убежал. А мои бравые лейтенанты с бледными от злости лицами выслушивали сбивчивую речь своего непосредственного начальника, капитана Фуфлоса.

Я с любопытством прислушался. С ума сойти можно: великолепный Фуфлос отчитывал моих героических товарищей за отсутствие форменных ремней. Я ушам своим не мог поверить. Всегда знал, что Фуфлос — кретин, почище Бубуты, но чтобы настолько... Я решил побороться за справедливость, со мной это бывает.

— Думаю, что вам лучше всего просто заткнуться и пойти в трактир, капитан! — дружелюбно сказал я. — Что касается ремней ваших подчиненных, в настоящее время они как раз находятся на запястьях опасного государственного преступника, которого мы с господами лейтенантами только что задержали. Послушайтесь старого мудрого дядю Макса, ступайте в трактир, Фуфлос! Не мешайте людям работать!

Фуфлос оторопело смотрел на меня. Думаю, что он так ничего и не уразумел из моего пламенного выступления. Он понял только одно: его сильно обижают, и изменить тут вроде бы нечего, поскольку обидчик — сам «грозный сэр Макс». Все же бедняга решил немного побороться за свое достоинство.

— Сэр Макс, — начал этот душевный человек, — недопустимо так разговаривать с начальником в присутствии его подчиненных. Это подрывает авторитет...

— Авторитет? — грозно переспросил я. — Да неужели? Из вас такой начальник, как из меня директор космической электроклизмы... Идите в трактир, Фуфлос, не гневите Темных Магистров и меня заодно!

Бедняга капитан ошарашенно посмотрел на меня и тихо икнул, то ли от страха, то ли от умственного перенапряжения. Кожа на низеньком лобике зашевелилась, наглядно иллюстрируя тяжелый мыслительный процесс. Наконец Фуфлос развернулся и вышел, так и не сказав ни слова. Его несчастные жертвы изумленно хлопали глазами.

— Спасибо, сэр Макс! — Невозмутимый Камши опомнился первым. — Спасибо, что покончили с этой омерзительной ситуацией!

— Еще бы я с ней не покончил! Вы такие молодцы, а этот маразматик... Ладно, если будет возникать, я с ним еще поговорю, с глазу на глаз, он у меня станет как шелковый, поскольку я действительно очень жестокий человек! — Я подмигнул Камши, и мы оба с облегчением рассмеялись. Гипотетическая кошка, пробежавшая было между нами, благополучно сдохла!

— Сэр Макс, простите, но я так и не понял, что это за «космическая электроклизма»? — нерешительно спросил Шихола. — И как это у клизмы может быть директор? И зачем?..

— У космической электроклизмы непременно должен быть директор! — важно пояснил я. — Не обращайте внимания, ребята, просто еще одна из моих дурацких шуточек, понятных только мне самому! Это все от усталости...

— Рад тебя видеть, Макс! — Высоченный белоснежный силуэт возник в конце коридора. Сэр Шурф Лонли-Локли собственной персоной! Я радостно обернулся к нему.

— Вот, — виновато сказал я, показывая на толпу покойников, — привез тебе гостинцев, дружище!

— Мы можем идти? — деловито осведомился Камши.

— Разумеется, ребята. Спасибо за хорошую прогулку. Буду держать вас в курсе этого дела, если смогу...

— А вы вряд ли сможете, — понимающе кивнул Камши, — дело-то пахнет каким-то древним Орденом, если я правильно понял ситуацию...

— Поживем увидим! — вздохнул я. — Впрочем, у нас любое дело не обходится без этого пикантного запашка...

Полицейские удалились, мы с Шурфом остались одни, если, конечно, не принимать во внимание моих мертвецов.

— Вот так, оказывается, и действуют мои зелененькие молнии! Тебе нравится? Мне что-то не очень! — Я жалобно посмотрел на Лонли-Локли. — Будь другом, Шурф, разберись с ними, пожалуйста!

— Очень любопытно... — Лонли-Локли внимательно разглядывал преданно уставившихся на меня мертвых разбойников. Он даже подошел к ним поближе. Наконец повернулся ко мне: — Да нет, Макс, с твоими Смертными Шарами все в порядке, они такие же опасные, как и мои, просто... Знаешь, они слишком зависят от твоих желаний, а твои желания пока что очень мало зависят от тебя самого... Ты бы легко мог их убить, просто ты не хотел.

— Я?! Не хотел?! Тоже мне, нашел гуманиста!.. Мне, знаешь ли, не до того было, лишь бы самому уцелеть!

— Да, конечно. Но видишь ли, Макс, ты ведь до сих пор убежден, что убивать — нехорошо. Во всяком случае, убийство представляется тебе из ряда вон выходящим поступком... Поэтому в глубине души ты очень не хотел их убивать. Ты хотел другого: чтобы они стали безопасными, а еще лучше — полезными. И они стали такими, можешь полюбоваться. Ты — очень практичный человек, Макс. На мой вкус, даже слишком!

— Ну-ну... Раз ты так говоришь, значит, так оно и есть. И что мне теперь делать? Пойти на улицу и убить пару дюжин прохожих, чтобы привыкнуть?

— И так привыкнешь со временем. С такими вещами можно не очень торопиться... Да, кстати, до тебя еще не дошло, что ты вполне мог бы не тащить за собой всех этих красавцев?

— Мог не тащить? А что я с ними должен был делать? Отпустить их погулять по лесу?

— Неужели не понимаешь? Они выполняют все твои приказы, так?

— Так. И что?..

— А то, что ты мог просто приказать им умереть, прямо там, в лесу. И не устраивать этот парад. Жители Ехо запомнят его надолго, конечно, но... Ума не приложу, почему сэр Джуффин одобрил твое решение? Впрочем, эта странная шутка как раз в его вкусе...

— Подожди, Шурф, — ошеломленно сказал я, — так ты думаешь, что я им прикажу умереть, и они тут же послушно лягут и умрут?

— Проверь! — хладнокровно пожал плечами Лонли-Локли. — И чем скорее, тем лучше. Не думаю, что им следует и дальше топтаться в приемной Управления Полного Порядка. Это неэтично...

— Неэтично?! — фыркнул я. — Ну и формулировочки у тебя, дружище!

— Давай, Макс, — настойчиво сказал Лонли-Локли, — давай, любое дело нужно доводить до конца, а такое неприятное — тем более.

— Ладно. — Я повернулся к покойникам. — Приказываю: лечь и рассыпаться в прах. Оживать строго воспрещается! — Я кривлялся и дурачился, поскольку почему-то был уверен, что ни хрена у нас на этот раз не выйдет.

Но мои мертвецы послушно улеглись на пол, прошло несколько секунд — и они рассыпались. Я почувствовал настоятельную необходимость вцепиться в руку Лонли-Локли. На мое счастье, он был в защитных рукавицах. Вообще-то хватать за руки сэра Шурфа — это попахивает самоубийством, такая идиотская затея могла родиться только у меня.

— Они исчезли! — нервно хихикнув, сообщил я.

— Разумеется. Ты же им приказал. А что, у тебя были какие-то сомнения?

— Сомнения?! Да я был уверен, что у меня ничего не получится!

— Странно. Когда это я тебя обманывал?

— Никогда, но... Знаешь, Шурф, просто это как-то не вяжется с моими представлениями о собственных возможностях.

— А... Ну, это пустяки. Ни у кого нет реальных представлений о собственных возможностях, это свойственно людям вообще и магам в частности... Не переживай, ты еще и не такое можешь!

— Сегодня утром я нечаянно встал на след Меламори! — грустно сообщил я. — Ей стало очень хреново. А ведь я не собирался ничего такого устраивать!

— Пошли в мой кабинет, Макс! — рассудительно заметил Лонли-Локли. — Тебе не кажется, что там удобнее, чем в коридоре? Кроме того, сейчас сюда придут уборщики.

— Пошли! — покорно согласился я. — Пошли к тебе или ко мне...

— Ко мне. Думаю, что сэр Джуффин привык считать твой кабинет своим. Не удивлюсь, если он сейчас там сидит.

— Ах, ну да, конечно! Сейчас же не ночь... Что-то я становлюсь не в меру рассеянным, ужас, да?

Мы зашли в кабинет сэра Шурфа. Он уселся на свой неудобный стул, я примостился на полу, облокотившись на его стол.

— Ты устал, Макс. Сколько Смертных Шаров тебе пришлось выпустить сегодня утром?

— Дюжины три, наверное. Вообще-то я их не считал...

Лонли-Локли недоверчиво посмотрел на меня:

— Ничего себе! Даже больше, чем я думал... Как ты вообще на ногах держишься?

Я устало махнул рукой:

— Меня уже тошнит от собственной гениальности, Шурф. Мне бы чего попроще, честное слово!

— Что, паршиво? — сочувственно спросил Лонли-Локли. — Не обращай внимания, это просто последствия перерасхода сил. Завтра ты будешь в полном порядке, даже лучше, чем всегда. И голова пойдет кругом от собственного могущества, можешь мне поверить. Что действительно важно, так это не придавать особого значения ни тому ни другому!.. Да, так что ты там говорил насчет того, что встал на след леди Меламори? Что, сэр Джуффин все-таки передумал и начал тебя этому учить?

— В том-то и дело, что нет! — И я вкратце рассказал Шурфу незамысловатую историю своего утреннего «подвига».

— Знаешь, Макс, это уже серьезно! — Лонли-Локли казался очень озабоченным. — При таких головокружительных способностях просто необходимо уметь контролировать свои поступки. Это действительно становится опасным!

— Ну и что мне делать? — устало спросил я, уже в который раз за этот длинный день.

— Что тебе делать? Да хотя бы мои дыхательные упражнения, только несколько чаще, чем до сих пор...

— И все?

— Для начала неплохо во всяком случае. Ты ведь вспоминаешь о них раз в два-три дня, не чаще, так?

— Иногда чаще, иногда реже... — Я виновато пожал плечами.

— Тебе придется обходиться с собой немного строже, — сурово сказал Шурф, — нет ничего хуже, чем настоящее могущество и никакой самодисциплины! Ты уж извини, Макс, но кто-то должен быть занудой, а кроме меня, как всегда, некому. Если ты не возьмешь себя в руки...

— Все правильно, Шурф, все правильно! — вздохнул я. — Было бы неплохо, если бы ты напоминал мне об этом по дюжине раз на дню. Знаешь, кажется, это единственный способ иметь со мной дело!

— Ты уверен, что это тебе поможет? Пожалуйста, я могу напоминать даже чаще, нет ничего проще!

— Не сомневаюсь! — улыбнулся я. — Но дюжины напоминаний в день будет вполне достаточно, честное слово!

— Договорились! — спокойно сказал Лонли-Локли.

Я хмыкнул. Веселенькая жизнь у меня теперь начнется, могу себе представить!..

— А теперь пойдем обедать. — Шурф невозмутимо поднялся со стула. — Сэр Джуффин уже ждет нас в «Обжоре», он только что прислал мне зов, просил принести ему «все, что осталось от сэра Макса». Я дословно цитирую.

— Догадываюсь! — ворчливо заметил я. — Узнаю его стиль...

И мы пошли в «Обжору Бунбу».

— Грешные Магистры, ты мрачен, как голодный вурдалак, Макс! — весело заметил сэр Джуффин, ненадолго оторвавшись от содержимого своего горшочка. — Почему ты постоянно пытаешься пробовать свои силы в жанре высокой трагедии? Это не твоя стезя, поверь мне на слово! — И мой шеф снова занялся едой. Мы последовали его примеру.

— У Макса действительно возникли небольшие проблемы, сэр, — осторожно заметил Лонли-Локли.

— Проблемы?! Мне бы его проблемы! — махнул рукой Джуффин. — Все идет как надо, и даже лучше, чем надо... Гораздо лучше, если задуматься! С чего это ты стал таким пессимистом, сэр Шурф? Никогда за тобой не замечал!

— Предчувствие! — лаконично объяснил Лонли-Локли.

— Да? А вот у меня нет никаких предчувствий... Странно, обычно наши с тобой ощущения совпадают.

Я растерянно смотрел на своих коллег. Мне казалось, что я серьезно болен, и по этому случаю собрался настоящий консилиум. Вот только мнения специалистов разделились.

— Не переживай, Макс, все в порядке... Во всяком случае, в конечном итоге все будет в полном порядке, это я тебе обещаю! — Сэр Джуффин посмотрел на меня с неожиданным сочувствием. — Делай нашу знаменитую дыхательную гимнастику, должен же хоть кто-то в этом Мире ее делать... и ни о чем не волнуйся! Все обычно идет хорошо, пока мы спокойны, это закон природы... Грешные Магистры! Какой кретин применяет Запретную Магию у меня под носом?! Пошли, мальчики, кажется дело пахнет бедой!

Джуффин рванул к выходу, Лонли-Локли одним молниеносным движением оказался на пороге, его белоснежное лоохи хлопало на летнем ветру, как парус. Я и сам не заметил, как тоже очутился на улице. Мой шеф растерянно озирался по сторонам.

— Или я ничего не понимаю, или... Ребята, кажется, это происходит в Доме у Моста! Ничего себе!

И мы понеслись к Управлению.

— Все закончилось! — на бегу сообщил Джуффин. — Это было нечто, за сотую ступень зашкаливало, судя по тому, как меня трясло!

— А вы это чувствуете без всякого индикатора? — изумленно спросил я.

— Приходится! — коротко ответил Джуффин. — Не у тебя одного проблемы с собственными талантами. Знал бы ты, как это иногда бывает некстати, особенно по ночам!..

Мы уже шли по коридору Управления Полного Порядка. Сэр Джуффин уверенно выруливал к нашему кабинету. На пороге он на мгновение замер, потом коротко выругался с неожиданной злостью. Никогда прежде я не слышал в его голосе таких интонаций.

— Грешное дерьмо! — Джуффин посторонился, так что мы с Лонли-Локли смогли получить свою порцию впечатлений. Тайная дверь нашей надежной «тюремной камеры» была открыта настежь. На пороге лежал лейтенант Шихола, кисти его рук были обуглены, на лице застыло мечтательное выражение... Я рванулся к нему, осторожно потряс. Впрочем, я уже тогда знал, что трясти парня совершенно ни к чему: он был мертв — дальше некуда!

Я растерянно обернулся к Джуффину.

— Это Джифа? — тихо спросил я.

— Не совсем. — Джуффин решительно зашел в пустую камеру. — Ему помогли, это ясно.

— Кто? — недоуменно спросил я.

— Как кто? Тот же, кто помог ему вернуться из мира мертвых в его любимый Магахонский лес, кто же еще?! Вот дерьмо! — Джуффин присел рядом с телом лейтенанта Шихола и осторожно положил руки ему на живот. Через несколько секунд он горько вздохнул, поднялся и распахнул окно. — Все ясно, нам всем здорово не повезло! Бедный мальчик был очень способным медиумом. И как я его проглядел?! Таких ребят в Мире — один на тысячу дюжин... Надо же было бедняге оказаться поблизости, при его-то способностях! — Джуффин устало опустился в свое кресло, Лонли-Локли постоял на пороге камеры, задумчиво кивнул, вернулся в кабинет и устроился рядом с шефом.

— Джифа ушел Темным Путем, — хладнокровно сообщил он Джуффину, — мертвого, конечно, можно перенести только миль на пять-шесть, не дальше, но и этого вполне достаточно!

— Да, — покивал Джуффин, потом он немного подумал и неуверенно спросил: — на юг, да?

Лонли-Локли пожал плечами:

— Вы же знаете, я почти никогда не чувствую направления!

Джуффин прищурился и покрутил носом:

— На юг, на юг, это точно!

Я растерянно посмотрел на своих коллег: их диалог показался мне самым запредельным событием этого безумного дня. Немного потоптавшись на пороге, я задумчиво зашел в опустевшую камеру.

— Не надо тебе там ходить, Макс! — сердито сказал Джуффин. — Еще наступишь случайно на Джифин след, чем только Темные Магистры не шутят!

Я послушно вернулся в кабинет и сел на подоконник. Мне очень хотелось заплакать, не то от злости, не то от беспомощности, не то просто потому, что смерть симпатичного лейтенанта Шихолы совершенно не согласовывалась с моими представлениями о том, как должны развиваться события моей единственной и неповторимой жизни... Разумеется, я не заплакал, а просто тупо уставился в одну точку. Между мной и остальным миром образовался какой-то странный барьер, прозрачный, но непроницаемый, даже голос моего шефа звучал где-то непостижимо далеко.

— Джифу оживил настоящий мастер, — задумчиво говорил сэр Джуффин, — на моей памяти это был самый живой мертвец, да еще такие щиты в придачу... Я бы запросто мог его убить, и ты, Шурф, тоже, но больше никто, пожалуй! А вот разговорить и я его не смог бы. Поэтому я собирался отвезти его в Семилистник, там есть парочка старых специалистов, которые могли бы с ним побеседовать... Мелифаро, голубчик, — молодец, что так быстро пришел! Мне нужно получить полную информацию о господах Пефуте Йонго, Бубули Джоле Гьйохе, Атве Курайсе и Йофле Кумбайе. Пожалуй, для начала хватит, остальные участники большой Королевской охоты на Магахонских Лис вряд ли могут иметь какое-то отношение к случившемуся, насколько я знаю...

— Пефута тоже не может, — задумчиво сказал Лонли-Локли. — Время от времени я с ним вижусь, раз в несколько лет в трактире «Толстый скелет», это своего рода традиция... Могу свидетельствовать, что он уже ничего не стоит. Парень растратил свою силу: большая семья, никакой практики, сами понимаете... Кажется, он чувствует себя очень счастливым.

— Да? Ну ладно. Мелифаро, с Пефутой Йонго можешь погодить, займись остальными тремя, и еще быстрее, чем обычно, ладно?

— Конечно.

Когда я наконец поднял глаза, чтобы поздороваться с Мелифаро, его уже не было, только алое лоохи мелькнуло в конце коридора. Я растерянно посмотрел на Джуффина.

— Соберись, Макс! — спокойно сказал он. — У нас много работы. Если бы твоя скорбь могла помочь

Шихоле, я бы сделал все, чтобы она никогда не кончалась! Но поскольку это абсолютно бесполезно...

— Упражнения, Макс! — хладнокровно напомнил Лонли-Локли. — Сейчас самое время.

— Да, конечно. Извините, ребята! — пробормотал я. И попытался привести себя в порядок. Надо отдать должное пресловутой дыхательной гимнастике Лонли-Локли: не прошло и минуты, как исчез проклятый прозрачный барьер, отделивший меня от Мира, а еще через несколько минут я уже был в норме. То есть, конечно, мое настроение нельзя было назвать приподнятым, но соображать это не мешало...

— Этот... кто бы он там ни был, этот воскреситель трупов, он что, приперся сюда? — спросил я. — Тогда нет проблем его найти: он где-то недалеко.

— Ну да, придет он сюда, нашел дурака! — хмыкнул Джуффин. — Да и ни к чему ему такое беспокойство. Знаешь, хороший маг в случае большой нужды может просто пользоваться настоящим медиумом как своим инструментом, расстояние не имеет никакого значения... А в нашем Управлении нашелся один превосходный медиум, к моему величайшему сожалению! Шихоле пришлось открыть эту грешную дверь и выпустить Джифу. Разумеется, посторонний человек не может открыть мою Тайную дверь, не расставшись с жизнью, но того, кто ему приказывал, это вполне устраивало...

— Ясно! — сказал я. — Бедная Меламори!

— Меламори? — Сэр Джуффин нахмурился. — Да, Макс, кроме нее, пожалуй, некому пойти за Джифой... Впрочем, мы немного облегчим ей эту задачу, я надеюсь! Гораздо легче будет идти за хозяином, чем...

— А может быть, еще проще? — Меня уже понесло. — Джифа очень любит свою норку, вам не кажется? Может быть, он просто поперся домой?

— Может быть, и так, а может быть, и нет... Давай просто подождем Мелифаро. Я очень надеюсь...

— Зря надеетесь! — хмуро сказал Мелифаро, алым вихрем врываясь в кабинет. Кто бы мог подумать, этот парень, оказывается, тоже умеет хмуриться!

— Почему «зря»? — изумленно спросил Джуффин. — Ты толком говори!

— Буривухи в Большом Архиве утверждают, что Бубули Джола Гьйох, Атва Курайса и Йофла Кумбайа умерли. В разное время, конечно, но все в течение последних двух лет. Тогда я спросил про сэра Пефуту Йонго, на всякий случай... Тоже умер, еще и дюжины дней не прошло!

— Это мы сейчас проверим. Шурф, ну-ка пошли зов своему старому приятелю! — быстро сказал Джуффин.

— Его действительно нет в живых,— бесстрастно сообщил Лонли-Локли через несколько секунд,— я совершенно уверен! Связаться с его женой? Она может объяснить...

— Да, конечно, сделай это. — Сэр Джуффин рассеянно сжимал и разжимал левую руку на подлокотнике кресла. Раздался громкий хруст: толстенная деревяшка не выдержала такого обращения. Джуффин сердито посмотрел на обломок и швырнул его в угол.

— На всякий случай я узнал об остальных участниках охоты на Магахонских Лис,— тихо сказал Мелифаро.

— Умерли? — равнодушно спросил Джуффин.

— Ага, все. Вы так и думали?

— Еще бы я так не думал... Причины смерти известны?

— Не знаю. Во всяком случае их смерть выглядела естественной, к нам ведь никто по этому поводу не обращался, насколько я помню...

— К нам — никто. А в полицию?

— Ой, какой же я болван! — радостно сказал Мелифаро. — Сейчас... — И он снова исчез в коридоре.

— Ты уже узнал, что случилось с твоим бывшим коллегой, Шурф? — нетерпеливо спросил Джуффин. Лонли-Локли поднял руку в огромной рукавице, давая понять, что его Безмолвный диалог еще не закончен. Шеф раздраженно пожал плечами. Впрочем, через несколько секунд его любопытство было удовлетворено.

— Жена Пефуты говорит, что это был несчастный случай,— сообщил Лонли-Локли. — Немного перебрал на семейном торжестве, пошел в уборную, упал с лестницы, сломал шею... Довольно глупый конец, как мне кажется!

— Ага, несчастный случай, это интересно! — оживился Джуффин. — Ну-ну, подождем Мелифаро, что-то он нам расскажет... Впрочем, я уже догадываюсь! — Он неожиданно резко повернулся ко мне. — А ты, Макс? Что ты об этом думаешь?

— Много настоящих покойников, бывших Младших Магистров разных Орденов, товарищей по Большой Королевской охоте на Магахонских Лис... И среди них один фальшивый, да? — грустно спросил я. — Умер не первым и не последним, причины смерти не вызывают никаких особых подозрений, родственники плачут, все как у людей... Вы это имеете в виду?

— Разумеется! — весело фыркнул Джуффин. — Какой ты умный, с ума сойти можно! Выше нос, сэр Макс! Мое настроение ты уже поднял, молодец, теперь принимайся за свое собственное. Скоро оно тебе понадобится. Почему-то мне очень хочется, чтобы ты сам довел до конца то, что случайно начал по просьбе этого бедняги...

— Мне тоже хочется, — твердо сказал я. Признаться, я не был уверен, что мне это по зубам, но я никогда не бываю уверен в собственных силах. А сейчас я не испытывал никакого желания в очередной раз выпендриваться со своей очаровательной скромностью и напрашиваться на сомнительные комплименты сэра Джуффина. Черт, я был по-настоящему уверен, что действительно должен закончить это дело так или иначе, это уж как получится...

— Это хорошо, что тебе тоже хочется. — Джуффин задумчиво барабанил пальцами по столу. — А у сэра Шурфа имеется ряд возражений метафизического порядка, да?

— Нет, — спокойно сказал Лонли-Локли, — если вы, сэр, считаете, что все будет хорошо, у меня тоже нет никаких возражений.

— Иди домой, Макс! — решительно сказал Джуффин. — Умойся, возьми самые необходимые вещи, надень что-нибудь удобное и неприметное... Да, не забудь свой охранный амулет, думаю, тебе не раз захочется поспать, дело может затянуться... Все, возвращайся часа через два, не позже, ладно? Я вызову Меламори, надеюсь, она успела немного отдохнуть, и чем раньше вы начнете, тем лучше.

— Ладно, я туда и обратно! — Мне показалось, что человеку, который сидит на подоконнике первого этажа, совершенно не обязательно бродить по коридорам в поисках дверей, поэтому я просто развернулся, свесил ноги и спрыгнул на мозаичный тротуар улицы Медных Горшков. До земли было никак не больше полутора метров, но почему-то прыжок подействовал на меня, как хороший электрический шок. Неприятные ощущения прошли мгновенно, но я почти перестал понимать, что происходит. Словно со стороны я наблюдал за тем, как мои ноги медленно делают шаг за шагом, один, другой... Время потекло невероятно медленно, мне казалось, что я угробил целую вечность, чтобы сделать эти несколько шагов.

— Макс! — крикнул Джуффин мне вдогонку. Я обернулся. Мой шеф подошел к окну и поманил меня пальцем. Пришлось вернуться.

— Мои поздравления, чудо природы! — усмехнулся сэр Джуффин Халли.

— Что? — Я непонимающе уставился на него.

— Ничего особенного. Просто из этого окна нельзя выйти на улицу. Как, впрочем, и войти. Никто не может сделать этого, кроме меня конечно. В свое время я здорово попотел, накладывая на него заклятие. Неужели ты думал, что окно в моем кабинете — просто обыкновенное окно?.. Грешные Магистры, и все-таки ты это сделал! Так что прими поздравления.

— Почему вы мне об этом сказали? — тихо спросил я. — Чтобы я был в курсе насчет собственных выходок? Или чтобы сделать мне приятное?

— И то и другое... Но главное — это хороший знак, Макс. Если уж ты вылез на улицу через мое окно... Знаешь, думаю, ты можешь быть абсолютно спокоен насчет всего остального.

— А я и так спокоен, — честно сказал я. — Нет у меня никаких сил волноваться! Иногда мне кажется, что от меня уже ничего не осталось, так что и переживать не о чем.

— Это отличное настроение, парень! — подмигнул мне сэр Джуффин. — Именно то, что нужно!

— Да? Ну вот и хорошо. — Я выдавил из себя жалкое подобие улыбки и пошел к своему амобилеру. Сэр Джуффин все еще смотрел мне вслед, у меня даже затылок заныл под его изучающим взглядом.

Дома я первым делом разделся и отправился в бассейн. Мои котята настороженно взирали на меня из дальнего угла гостиной. Черт, кажется, я не внушал им особого доверия. Приехали!

Но в четвертом по счету бассейне меня неожиданно отпустило. Словно щелкнул какой-то невидимый выключатель, я снова стал самим собой, со всеми вытекающими последствиями. Я ужасно разнервничался, потом быстро успокоился, потом загрустил из-за дурацкой смерти лейтенанта Шихолы, потом подумал, что мне в компании с леди Меламори предстоит искать мертвого Джифу, и обрадовался несказанно, потом еще немного подумал на эту тему и снова огорчился... В общем, все как положено.

Обрадованный возвращением себя, любимого, я вылез из бассейна и поднялся в гостиную. Армстронг и Элла вперевалочку подошли ко мне и с мурлыканьем потерлись о мои ноги. Я сгреб котят в охапку, уткнулся носом в их мягкий мех и чуть не умер от облегчения. По моей щеке поползла предательская слеза. Я возмущенно помотал головой, взял себя в руки и отправился в спальню собираться. Уже на лестнице я почувствовал мокрую гадость на второй щеке.

«Прекрати немедленно! — сурово сказал я себе. — А то...»

«А то — что?» — ехидно переспросил я сам себя.

«А то дам по башке!» — Я был неумолим.

«Да пожалуйста, тебе же хуже! Башка, между прочим, твоя собственная!» — злорадно оживилась одна из моих составляющих. Я не выдержал идиотизма этого внутреннего диалога и рассмеялся. Да здравствует раздвоение личности — кратчайший путь к душевному равновесию!

Через полчаса я уже бухнул полупустую дорожную сумку на заднее сиденье амобилера. Мой багаж состоял из смены одежды и пачки сигарет. Драгоценная бутылочка с бальзамом Кахара покоилась в кармане лоохи, головную повязку Великого Магистра Ордена Потаенной Травы я на всякий случай сразу надел на шею: не было никаких гарантий, что перед сном меня не скрутит жестокий приступ забывчивости после такого-то денечка! Все остальное я намеревался поискать в щели между Мирами, если очень припечет. Надо же поддерживать форму!

Через несколько минут я уже тормозил возле Дома у Моста. Подошел к распахнутому окну кабинета Джуффина, постоял там, прислушиваясь к ощущениям. Повторять свой подвиг мне явно не хотелось, это точно! Поэтому я не стал выпендриваться, а свернул за угол и зашел в Управление Полного Порядка, как все нормальные сотрудники, — через Тайную дверь... Сэр Джуффин Халли сидел в своем кабинете в полном одиночестве, к моему несказанному удивлению.

— Что, все остальные уже подали в отставку? — весело спросил я. — Решили, что здоровье дороже?

— Ну вот, ты стал похож на себя! — с облегчением сказал Джуффин. — Что ты над собой проделал, если не секрет?

— Искупался, поплакал и пообещал себе, что сейчас получу по башке, — честно признался я. — Отличная методика, весьма рекомендую!

— Мог бы ограничиться одним третьим пунктом! — хмыкнул Джуффин. — У тебя исключительный талант вечно перегибать палку! Ладно, теперь о деле. Мелифаро навел справки в Полиции насчет скоропостижно скончавшихся Младших Магистров. Все это очень мило...

— Что, сплошные несчастные случаи? — спросил я. — Все бывшие участники охоты на Магахонских Лис скончались от «мелкой бытовой травмы»? Не к чему придраться?

— Почти угадал. Но «придраться», как ты выражаешься, все-таки можно. В двух случаях было сильно изуродовано лицо. Сэр Атва Курайса из Ордена Решеток и Зеркал и сэр Йофла Кумбайа из Ордена Спящей Бабочки. Атва Курайса был опознан его сестрой Танной. У сэра Йофлы Кумбайи родственников не обнаружилось, жил он уединенно, так что опознал его курьер из «Веселых скелетиков», который носил ему еду... У обоих равные шансы оказаться нашими клиентами: и Орден Решеток и Зеркал, и Орден Спящей Бабочки в свое время были довольно сильными организациями, так что их Младшие Магистры вполне могли стать счастливыми обладателями каких-нибудь мерзопакостных секретов.

— А зов? — спросил я. — Кто-то посылал им зов? Это же самый простой способ понять, жив человек или нет... Или я что-то путаю?

— Да в общем-то нет, но для хорошего мага ничего не стоит отгородиться от Безмолвной речи. Можно создать хороший щит, идеально имитирующий смерть, ничего сложного... В общем, вам с Меламори придется искать Джифу, это проще. Думаю, они сейчас вместе. А если повезет, рядом с Джифиным следом может обнаружиться след его хозяина. И тогда на него встанешь ты, раз уж все равно научился. Пусть эта скотина вздрогнет!..

— Пусть вздрогнет! — покорно согласился я. — Кстати, а почему вы меня никогда этому не учили, Джуффин?

— Потому что тебя и учить не нужно! — Джуффин с улыбкой посмотрел на меня. — Честно говоря, я просто щадил твою нервную систему. Ты и так учишься слишком быстро, Макс.

— Полностью с вами согласен! — вздохнул я. — Слишком быстро, все слишком быстро... Может быть, это потому, что там, откуда я пришел, живут очень недолго? Я имею в виду, что взял такой разгон с самого начала, что теперь уже и притормозить сложно?

— Может быть, да, а может быть, и нет, — лукаво прищурился мой шеф. — Какая тебе разница?

— Не знаю... Просто когда мне удается найти какое-нибудь приемлемое объяснение происходящему, у меня улучшается аппетит.

— Ну да, а так он у тебя напрочь отсутствует! — хмыкнул Джуффин. — Больше восьми раз в день за стол не садишься, бедный мальчик!

Все было в порядке, все было в полном порядке! Раз уж мы с сэром Джуффином сидели в своем кабинете и с удовольствием мололи всякую чушь, я мог быть абсолютно спокоен: Мир не собирался рушиться, несмотря ни на что!

— С чего мы должны начать, сэр Джуффин? — Леди Меламори медленно перешагнула порог кабинета. — Как я понимаю, здесь нет никакого следа? Он ушел Темным Путем, верно?

— Верно! — улыбнулся ей Джуффин. — Вот с этого грешного следа, которого, собственно, здесь и нет, и нужно начать. Это очень неприятная работа, да? Самая неприятная с момента твоего поступления на службу... Сможешь пойти за ним Темным Путем, как ты думаешь? У тебя должно получиться.

Меламори нахмурилась, потом кивнула:

— Думаю, что у меня получится. Пройти через Темный Путь по обычному следу я, может быть, и не смогла бы, но по ТАКОМУ... Да он сам меня протащит! Неприятно, но просто. Проще простого! — Голос Меламори звучал буднично и спокойно, словно наш шеф предложил ей выпить чашечку камры.

— Мы с тобой пойдем вместе! — неожиданно решил сэр Джуффин. Он резко поднялся из-за стола. — Ты возьмешь след, а я — за тобой. Мало ли какие там могут быть сюрпризы... Оставайся здесь, Макс, я пришлю тебе зов, расскажу, где мы оказались, и ты к нам приедешь. Быстро, как ты умеешь, ладно?

— Спрашиваете! — обиженно заявил я. — Еще быстрее, чем умею, не сомневайтесь.

— Хорошо. Пошли, Меламори. Давай.

Меламори быстро разулась, неуверенно постояла на пороге, удивленно обернулась:

— Он ушел прямо из камеры?

— Разумеется. Когда дверь открыта, это уже не имеет значения. Камера становится таким же заурядным помещением, как все остальные, так что там можно колдовать с таким же успехом, как у себя на кухне. А ты не знала?

— Просто не подумала. — Меламори равнодушно пожала плечами. — Ну, я пошла. — Она помахала мне рукой и неожиданно улыбнулась. — Не переживай, Макс! С сэром Джуффином мне ничего не страшно!

— Учись завоевывать женщин, парень! — усмехнулся Джуффин. — Со мной она — хоть на край света!

— Научите? — весело спросил я.

— Научу. Если будешь себя хорошо вести. — Джуффин дважды легонько стукнул себя по носу указательным пальцем правой руки. Я почувствовал себя настоящим кеттарийцем, когда ответил ему тем же. Сэр Джуффин как никто умел поднять мое настроение...

Меламори быстро прошлась по камере, резко остановилась, приподнялась на цыпочки, вздохнула... и исчезла.

— Лихо! — присвистнул Джуффин. Через секунду исчез и он.

Я растерянно посмотрел на Куруша.

— Меня все бросили! — жалобно сообщил я невозмутимой птице.

— С людьми это бывает! — успокоил меня Куруш.

«Макс, можешь себе представить, мы с Меламори оказались через дорогу от „Старой колючки". — Мой шеф не давал мне заскучать. — Дуй к нам, у нас весело!»

«Весело? — спросил я, поднимаясь с кресла. — Вы что, решили плюнуть на все и пошли в „Колючку" врезать по супчику, так, что ли? Морфинисты несчастные!»

«Не ругайся, Макс. Ну и словечки у тебя иногда, завидки берут!.. Ты уже в амобилере, я надеюсь?»

«Нет, я еще в кабинете».

«Какой ты неповоротливый, ужас! Ладно, не буду тебя отвлекать. Отбой!»

«Отбой так отбой...» — машинально согласился я, выходя в коридор.

Через несколько минут я уже был возле «Старой колючки». Огляделся по сторонам, никого не обнаружил и послал зов Джуффину.

«Ну и где вы?» — обиженно спросил я.

«Ох, Макс! Я собирался выглянуть тебе навстречу, но даже не предполагал, что ты приедешь так быстро... Мы в желтом домике напротив „Колючки", на первом этаже. Здесь столько свежих следов, у Меламори дух захватывает от счастья...»

Я тем временем вылез из амобилера и распахнул дверь указанного желтого дома. Мои коллеги с умным видом слонялись по просторному пустому холлу.

— ...Потому что ей теперь не придется идти по следу этого дохлого зануды! — весело закончил Джуффин, уже вслух.

— Святые слова! — кивнула Меламори.

— Так что пришла моя очередь? Вы же сами предлагали мне попробовать испортить жизнь «этой скотине», да, сэр? — К собственному удивлению, я почувствовал настоящий охотничий азарт. Мускулы моего лица напряглись, а потом выдали такую хищную улыбочку, что я сам испугался.

— Макс, у тебя все замашки Мастера Преследования! — хмыкнул Джуффин. И обернулся к Меламори. — Посмотри на него, милая. И знай: всякий раз, когда ты с энтузиазмом рвешься на поиски очередной жертвы, со стороны это выглядит ничуть не лучше!

— Да? — ехидно изумилась Меламори. — Именно так это и выглядит? Кошмар!

— Можно подумать, все так страшно! — фыркнул я. — Ладно, веселитесь... А я займусь делом. Меламори, покажи мне, глупому, где этот грешный след! Попробую, вдруг опять получится...

— Какой именно след тебе показать? — озабоченно спросила Меламори. — Кроме Джифиного их тут еще два.

— Два? — Я удивился. — Ну ладно, покажи оба.

— Иди сюда. А почему ты?.. Ах, ну да, меня-то ты нашел не разуваясь!

Я подошел к Меламори. Немного потоптался возле нее, прислушиваясь к ощущениям в собственных ступнях. Никакого эффекта!

— Ты меня разыгрываешь, да? — обиженно спросил я. Меламори удивленно помотала головой. И тут я понял, что нашел след, да не один, а оба сразу! Моя левая нога стояла на одном, правая — на другом. Это было похоже на настоящее раздвоение личности, как я себе его представляю. Мне очень хотелось пойти по левому следу. Правый привлекал меня куда меньше. Сердце говорило мне, что идти по этому следу не стоит. А мое сердце редко ошибается!

— Есть! — хрипло сообщил я. — Оба! Тот, что справа от меня, кажется, очень опасный, а левый — самый обыкновенный... Наверное, нас интересует именно правый, да?

— А по-моему, они одинаковые, — растерянно сказала Меламори, — даже чем-то похожи, только я не могу понять, чем именно.

Сэр Джуффин подошел ко мне и легонько пихнул меня в бок. Я посторонился. Он немного постоял возле меня, задумчиво кивнул головой:

— Вы оба правы, ребята. Следы действительно чем-то похожи. И правый действительно гораздо опаснее. Хорошо, что вас двое. Макс будет заниматься левым следом, ты, леди, — правым, раз уж он тебя не настораживает... Ребята уехали отсюда в амобилере, я полагаю. Не полные же они кретины, чтобы отправиться в пеший поход в такой-то ситуации... У тебя нет проблем оставаться на следе, верно?

— Вы же знаете, что нет! — кивнула Меламори. — Думаю, что у Макса их тем более не будет. Если уж он берет след не разуваясь... — Она покосилась на меня с искренней завистью.

— Хорошо, ребята, отправляйтесь за ними, и да помогут вам Темные Магистры!

— Пошли, Макс, — сказала Меламори, — мы и так потеряли кучу времени непонятно почему.

— Это как раз понятно. Во-первых, я хотел, чтобы ты хоть немного отдохнула, — задумчиво сказал Джуффин, — а во-вторых... Кто они такие, чтобы заставлять нас спешить, в конце-то концов!

— Гениально! — восхитилась Меламори. — Вот теперь я действительно чувствую собственную значительность! Спасибо, сэр!

Тем временем я медленно двинулся по следу. Подошел к порогу, вышел на улицу, прошел несколько метров по тротуару. Мой амобилер стоял немного в стороне, но я испытал невероятное желание сесть за рычаг именно в этом месте. Желание было таким простым, ясным и сильным, что вполне могло считаться настоящей манией.

— Сэр Джуффин, вас не затруднит подогнать сюда мой амобилер? — вежливо попросил я. — Боюсь, что я сошел с ума. Я не могу заставить себя подойти к нему, честное слово!

— Ага! Значит, именно здесь и стоял их амобилер! — уверенно сказал Джуффин. — Кажется, у тебя действительно не будет никаких проблем с этим грешным следом. Как ты за него зацепился, кто бы мог подумать!.. Здесь, Макс? Я имею в виду, здесь тебя устраивает?

Я обернулся. Мой амобилер уже стоял рядом со мной, немного позади. Сэр Джуффин гордо восседал за рычагом.

— Еще чуть-чуть ближе, — попросил я, — капельку!

— Вот тебе твоя «капелька»! — ворчливо согласился Джуффин. Амобилер прополз еще метр и снова остановился.

— Отлично! — К тому времени я уже начал тихо подвывать от безумного желания немедленно очутиться за рычагом. Это было похоже на жажду, совершенно непреодолимую. Я пулей взлетел на место возницы, Джуффин еле успел отскочить на соседнее сиденье.

— Всю жизнь мечтал усадить кого-нибудь вроде тебя к себе на коленки! — сварливо сказал он. — Ты просто сгораешь от страсти к этой телеге!

— Дело не в «этой телеге». Знаете, Джуффин, кажется, тот парень, на чей след я встал, тоже сел за рычаг. Я имею в виду, что их амобилером управляет именно он, а не кто-то другой... Что-то заставляет меня... Не могу объяснить! — Я сокрушенно вздохнул.

— А зачем объяснять? Что я, не знаю, как это бывает? — Пожав плечами, Джуффин легко спрыгнул на мостовую. Меламори тем временем устроилась на заднем сиденье. Я удивленно обернулся, хотел спросить, почему она не садится рядом со мной, но вдруг понял: тот, на чей след встала Меламори, сейчас сидит позади возницы. Она поймала мой взгляд и молча кивнула.

— Если они действительно двинулись в Магахонский лес, вам понадобится хороший проводник, — сказал Джуффин. — Я пошлю зов тамошнему лесничему. Сэр Цвахта Чиям — отличный мужик, знает лес как свои пять пальцев... И Джифину норку тоже, что особенно важно! После того как Королевская охота покончила с Магахонскими Лисами, он несколько лет бродил по их норам, изучал. Подозреваю, что Цвахта вынес оттуда немало полезных в хозяйстве сувениров, но лично у меня нет никаких возражений — на здоровье! Так что он вас встретит, в случае чего.

— Неужели вы думаете, что они такие дураки, сэр? — удивилась Меламори. — На их месте я бы рванула куда-нибудь подальше от Угуланда, а еще лучше — из Соединенного Королевства.

— Джифа не сможет существовать вдали от Угуланда. Там заклятия теряют часть силы, — заметил Джуффин. — Все зависит от того, насколько они дорожат его странной жизнью... Ладно, поезжайте. Связывайтесь со мной почаще, хорошо?

— Еще бы! — улыбнулся я. — А может быть, плюнете на все — и с нами?

— Я бы рад, — тихо сказал сэр Джуффин Халли, — Магистры свидетели, я бы хотел отправиться с вами! Но любое дело должен закончить тот, кто его начал. Без посторонних.

— Правильно! — согласился я. — Абсолютно безумно, бессмысленно, нелогично, но правильно! Я понимаю!

115

— Еще бы ты не понимал! — вздохнул Джуффин не то насмешливо, не то печально... И я рванул с места.

На этот раз я ехал даже быстрее, чем обычно, но не получал от этого никакого удовольствия. Меня сжигало одно властное, томительное, непреодолимое желание: догнать того, на чей след я встал. Все остальное не имело значения: ни сумасшедшая скорость, ни головокружительный аромат цветущих деревьев, ни леди Меламори на заднем сиденье, молчаливая, неподвижная и такая же одержимая, как я сам.

Примерно через полчаса я почувствовал невероятное облегчение. От неожиданности я затормозил и изумленно посмотрел на совершенно пустую дорогу.

— Ты что, Макс? — нетерпеливо спросила Меламори.

— Я? Не знаю... У меня такое ощущение, что я уже приехал. Только вот где они?

— А, все ясно. Твой клиент умер! — равнодушно сообщила Меламори. — Неудивительно. Как он еще столько продержался, бедняга?!

— Умер? — удивленно спросил я.

— Ну да. А ты думал, я шутила, когда сказала тебе, что, если ты встаешь на след, сердце останавливается? Это была не метафора, можешь мне поверить! Ладно, давай меняться местами. Твой клиент, может быть, и умер, а мой пока что живехонек!

— Как скажешь. От меня теперь толку мало! — покорно согласился я, перебираясь на заднее сиденье.

Меламори села за рычаг. У этой леди были все шансы когда-нибудь выиграть наш давешний спор! Она сразу же выдала миль пятьдесят в час — не Бог весть что, конечно, но ровно в два раза быстрее, чем ездят жители Ехо. Для начала это было более чем хорошо!

Я устроился поудобнее, с удовольствием закурил и уставился в окно. Немного подумал и послал зов Джуффину.

«Мой клиент, кажется, приказал долго жить! — гордо сообщил я. — Так что теперь вся надежда на Меламори».

«Страсти какие! — уважительно отозвался мой шеф. — Что ж, это неплохо. Когда доберетесь до места, где они вышли из машины, попробуй встать на оставшийся след. Может быть, и второго угробишь. Тогда Джифа станет совершенно бесполезным сувениром, его можно будет брать голыми руками!»

«Ладно, попробую!» — согласился я.

«Вот и ладненько... Да, Цвахта Чиям уже ждет вас на подъезде к Магахонскому лесу. След пока идет в том направлении, да?»

— Меламори, мы едем в сторону Магахонского леса? — спросил я.

— Что?.. А, да, пока туда... — рассеянно кивнула Меламори.

«Вы угадали!» — сообщил я Джуффину.

«Вот и славно, все идет, как должно идти... Ну что, отбой? Вопросов больше нет?»

«Отбой! — согласился я. И тут же вспомнил: — Ох нет! Я же хотел спросить, с самого начала: а чей это был дом?»

«Хороший вопрос, Макс. Но наш Большой Архив выдал совершенно бесполезную информацию: дом принадлежит семейству Хитта, год назад сдан в аренду некой леди Бриссе Хлонн. Бумаги у них в полном порядке... Ха! Можно подумать, бумаги об аренде дома — такой великий документ, что его нельзя подделать! Соседи утверждают, что она там почти никогда не появлялась, между прочим!.. Кто такая эта леди Брисса Хлонн?! В Ехо нет ни одной женщины с таким именем... Я послал Мелифаро разнюхать что можно. Как только узнаю что-нибудь интересное, сразу дам вам знать. Теперь отбой?»

«Теперь отбой!» — вздохнул я. И задумался. «Леди Брисса Хлонн»... Почему-то мне здорово не понравилось это имя! И вообще, при чем здесь какая-то леди?

Еще через час на дороге замаячил высокий силуэт в темно-красном лоохи.

— Сэр Цвахта Чиям, полагаю! — Я положил руку на плечо Меламори. — Притормози на секундочку, ладно?

— Смерти ты моей хочешь! — буркнула она. — Ладно уж, попробую. — И наш амобилер лихо притормозил возле незнакомца.

— Залезайте, быстро! — крикнул я ему.

Парень не заставил просить себя дважды: секунда — и он уже устроился на переднем сиденье, обернулся и молча уставился на меня неподвижным взглядом круглых совиных глаз неопределенного цвета. — Сэр Цвахта Чиям? — неуверенно спросил я. Хорош я был, если бы парень просто собирался в лес за ягодами... Хотя куда уж ему за ягодами с таким отрешенным лицом не то странника, не то убийцы!

Дядя молча кивнул, продолжая внимательно изучать мою собственную физиономию. Кажется, он просто не умел моргать.

— А ты не был уверен? — хмыкнула Меламори. — Ну ты даешь! Надо было сначала разобраться, а потом уже приглашать человека в амобилер...

— Мало ли что надо! — огрызнулся я. — У меня свой метод.

— А это «метод»? Ну-ну...

Услышав голос Меламори, наш новый спутник повернулся к ней. Кажется, до него только сейчас дошло, что в амобилере кроме нас с ним есть еще кто-то. Теперь пришла очередь Меламори подвергнуться тщательному осмотру.

— Вы в курсе нашего дела? — Я попытался завести светскую беседу о служебных проблемах.

Парень снова повернулся ко мне и равнодушно помотал головой.

— Я знаю, что должен показать вам лес или подземелье Магахонских Лис, если это понадобится, — отрывисто сказал он. — Я покажу. — Он снова замолчал и углубился в созерцание моей грудной клетки. Сэр Цвахта Чиям явно не был отягощен комплексами, которые называются «правилами поведения в обществе». Думаю, это очень неплохое воспитание!

Через несколько минут Меламори решительно свернула на узкую, почти непроезжую тропинку, потом нам пришлось продираться через какие-то сумасшедшие колючие заросли, в финале мы торжественно врезались в пустой амобилер, явно принадлежавший объектам нашей общей нездоровой страсти. Легкая неустойчивая конструкция завалилась набок, но с нами, хвала Магистрам, ничего подобного не случилось — отделались несколькими царапинами на передней части амобилера и одной на моей щеке, я не упустил возможности вмазаться своей везучей физиономией в острый край открытого окошка.

— Извини, Макс,— растерянно сказала Меламори,— мне нужно было вовремя притормозить, но...

— Но иногда это не очень получается,— подхватил я,— не переживай, бывает!

Лесничий тем временем вылез из амобилера, прогулялся по поляне и пожал плечами.

— Здесь нет норы,— бесстрастно заявил он и с явным удовольствием уселся на траву.

— Здесь нет, так где-нибудь найдется! — с энтузиазмом сообщила ему Меламори.

— Джуффин предложил мне встать на оставшийся след,— сказал я.— Может быть, и второго Кондратий посетит...

— Кто его посетит? — полюбопытствовала Меламори.— «Кондратий»? Это имя?..

— Имя,— улыбнулся я,— просто имя одного из Темных Магистров. Самого веселого...

— А ты что, с ними знаком? — обомлела она.

— В некотором роде... Не обращай внимания, леди, ты же меня знаешь, я всегда несу чушь, ничего страшного... Лучше покажи мне его след, чтобы я, чего доброго, на Джифин не наткнулся!

— Джифа Саванха? — внезапно оживился лесничий.— Так вы его ищете? Я был уверен, что он умер.

— Разумеется, он умер. В том-то и проблема! — буркнул я. Сэр Цвахта кивнул с таким видом, словно ему наконец-то все понятно объяснили. Я посмотрел на Меламори.— Ну, где это сокровище?

— А как ты думаешь где? У меня под ногами!.. Ты уверен, что так нужно, Макс? Тебе же очень не понравился этот след.

— Мало ли что мне не понравилось... Джуффин просил попробовать,— вздохнул я.

— А если бы он попросил тебя попробовать прыгнуть с крыши замка Рулх? — проворчала Меламори.

— Я бы попробовал, наверное,— задумчиво сказал я,— правда, я очень боюсь высоты...

— Я тоже,— улыбнулась Меламори,— вот тебе и Тайные Сыщики, гроза Вселенной, стыд, да и только!

— А что это за труп, вы случайно не знаете, господа? — вяло поинтересовался лесничий.

— Что?!

— Где? — Мы с Меламори подпрыгнули, как укушенные.

— Вот труп... — Сэр Цвахта небрежно указал на перевернутый нами амобилер.

— Конечно, Макс! — с облегчением сказала Меламори. — Твой клиент, прими поздравления!

— Ага, спасибо! — Я подошел поближе, внимательно вгляделся в правильные черты лица светловолосого мужчины средних лет. — Не знаешь, кто это?

— Нет. Спроси у сэра Джуффина, пошли ему зов... Хотя какая разница?

— Как это какая?! Может быть, Джуффин знает, из какого он Ордена, и скажет, чего можно ждать от второго.

— Никто не знает, чего можно ожидать от кого бы то ни было в критических обстоятельствах! — пожала плечами Меламори. — Нет, ты свяжись с шефом, разумеется, но я не думаю...

И я послал зов сэру Джуффину Халли. «Конечно, конечно, — оживленно откликнулся мой шеф, — светлые волосы, да? А большая родинка на левом веке есть?»

Я проверил и сообщил: «Имеется».

«Ты угробил сэра Атву Курайсу, Младшего Магистра Ордена Решеток и Зеркал... Кстати, Мелифаро до сих пор ничего не разнюхал насчет того домика, так что вы его опередили!»

«Надо же! Никогда бы не подумал, что это возможно: опередить Мелифаро! — фыркнул я и тут же поинтересовался: — И что вы нам теперь посоветуете?»

«Как что? Попробуй таким же образом угробить второго, я тебе уже говорил!»

«А кто это может быть, вы не знаете?» — с надеждой спросил я.

«Понятия не имею. Мало ли с кем он мог спеться! Знаешь, Макс, в Ехо живет довольно много народу. А сколько приезжих! Найдите его, а там увидим... Кстати, вы не разминулись с Цвахтой?»

«Нет, — вздохнул я, — кажется, он — тот еще персонаж!»

«Кто? „Персонаж"? А, ну да, есть такое дело... Ладно, не буду тебя задерживать, отбой!»

Кажется, это смешное словечко стало моим главным вкладом в активную лексику Тайного Сыска столицы Соединенного Королевства...

— Иди сюда, Макс, — сказала Меламори, — вот тебе этот грешный след, наслаждайся!

Я осторожно встал на то место, с которого неохотно сошла Меламори.

— Ну как? — тут же спросила она.

— Пока никак... Знаешь, до меня все довольно медленно доходит. — Я пытался сконцентрироваться на своих ощущениях. Все опять случилось внезапно: только что я ничего особенного не чувствовал, миг — и мои ноги сами понесли меня куда-то в глубь леса, где уже сгущались вечерние сумерки. А сердце снова заныло от нехороших предчувствий, но я твердо решил не давать ему права голоса, во всяком случае до поры до времени. Я летел как на крыльях, Меламори и лесничий не отставали. Но через несколько минут все внезапно закончилось: я снова не знал, куда идти. Я растерянно остановился, неуверенно сделал шаг вперед... И вдруг снова застыл на месте, не в силах ни пошевелиться, ни даже дышать. Меламори, умница, мгновенно поняла, что происходит, и снова врезала мне под коленки, в точности как утром. Мои ноги оторвались от земли, я грохнулся лицом в траву и с облегчением вздохнул. Я снова был жив.

— Я должна была это предвидеть! — виновато сказала Меламори. — Конечно, и как я не сообразила!

— Не сообразила? Что?

— Как что?! Джифа просто взял на руки того, на чей след ты встал, — видимо, парня здорово скрутило... а ты тут же вляпался в Джифин след. Просто и гениально! Они не учли одного: я-то могу пойти и по Джифиному следу, кроме того, я начинаю сердиться!

— Правда? Вот здорово! — Я наконец поднялся с травы, потирая свои многострадальные коленки: второй раз за день, кошмар!

— В это время года в лесу темнеет быстро, — тихо сказал лесничий. — Через дюжину минут будет ночь. Если для вас это имеет значение, нам лучше поторопиться.

— Для нас это не имеет никакого значения, но поторопиться все равно нужно! — решительно заявила Меламори. — Ну, где он, этот грешный след?

Она хмуро оглядела тропинку, решительно встала на нее и быстрой уверенной походкой пошла вперед. Мы с лесничим поспешили за ней. Я глазам своим не мог поверить: еще сегодня утром Меламори так разнервничалась при встрече со следом мертвого Джифы, что и слышать не хотела о повторении этого удовольствия. Да на нее смотреть было больно! А теперь от барышни просто исходило какое-то сердитое веселье.

— Что, ты уже привыкла иметь с ним дело? — спросил я.

— Не знаю... Вообще-то, когда мне удается по-настоящему разозлиться, это всегда помогает. Но, по-моему, он просто стал слабее, Макс. Гораздо слабее. Знаешь, поговори с Джуффином. Ему нужно знать, да?

— Ему все нужно знать, наверное. — Я послал зов нашему шефу. Рассказал ему новости.

«Молодцы, вы у меня просто молодцы!» — Сэр Джуффин обожает хвалить своих сотрудников, «молодцы» мы или нет, а комплиментов на наш век у него хватит! «Знаешь, а я догадываюсь, почему Меламори стало так легко идти по следу Джифы, — вдруг заявил мой шеф. — Знаешь, когда его убили?»

«Знаю. Примерно тридцать лет назад», — брякнул я.

«Да нет, Макс, ну тебя к Магистрам! Я имею в виду время суток. Его убили через час после заката, а сейчас как раз сумерки. Постарайтесь догнать его как можно скорее. К утру он начнет входить в силу, я полагаю».

«А, ясно! — До меня наконец дошло. — А для них это имеет такое большое значение?»

«Совершенно верно. Любой оживший мертвец слабеет в час своей смерти, а потом постепенно набирает силу, до того момента, когда солнце пройдет половину неба... Не хотелось бы мне, чтобы вы поймали его незадолго до полудня! Так что поторопитесь».

«Если бы это от меня зависело!» — вздохнул я.

«А от кого же еще это зависит? — искренне удивился Джуффин. — Только от тебя!»

— Мы почти пришли, — вдруг сказала Меламори. — Здесь нора. Но я не могу позвать его, как утром. Не получается, уж не знаю почему.

«Мы пришли, — сообщил я Джуффину. — В смысле, пришли к норе. Нужно лезть».

«Ничего страшного, с Цвахтой вы там не пропадете, — успокоил меня шеф. — Только присматривайте за ним. Он — надежный парень, но вояка из него никудышный».

«Из меня тоже! — вздохнул я. — Ну что, отбой?»

«Отбой. Желаю приятной экскурсии!»

Я покачал головой. «Приятной экскурсии», видите ли! Иногда формулировочки сэра Джуффина Халли нужно просто записывать в тетрадку!

— Ну, что говорит сэр Джуффин? — озабоченно спросила Меламори. Она присела на корточках возле огромного поросшего мхом камня. Сэр Цвахта с видом знатока разглядывал скрывающееся за этим камнем отверстие.

— Он говорит, что нам повезло, — сообщил я. — Сейчас Джифа слаб, как младенец. Поэтому наша задача — взять его побыстрее. К утру он опять взбодрится.

— Пошли. — Меламори обернулась к лесничему. — Знаете этот вход?

— Какой, этот? Да, конечно.

— Идем, — кивнул я, — Меламори, ты впереди, я за тобой, а вы, сэр Цвахта, идите за мной и следите, чтобы я не потерялся.

— Интересно, как это ты можешь потеряться? — усмехнулась Меламори.

— Видишь ли, я не очень уверен, что умею ориентироваться в темноте, — злорадно признался я, — так что, лучшего кавалера для такой прогулки ты просто не могла найти!

— Ну и шуточки у тебя! — И Меламори решительно полезла в нору, а я последовал за ней, не вдаваясь в дальнейшие объяснения насчет своих так называемых шуточек. Дыхание за моей спиной свидетельствовало о том, что нашему молчаливому проводнику не приспичило срочно вернуться к себе домой и выпить чашечку камры...

Передвижение на четвереньках по узкому подземному проходу стимулирует воображение. Мне пришло в голову, что мы с Меламори поперлись в настоящее Подземное царство, на поиски покойника между прочим... «Оставь надежду, всяк сюда входящий» — и так далее... Я не удержался и украдкой оглянулся на нашего проводника. Его круглые глаза мерцали в темноте

123

каким-то безумным красноватым сиянием, лицо казалось старше и впечатляло куда больше, чем при нормальном освещении. Я даже вздрогнул: на Вергилия этот дядя явно не походил.

— Ты — Харон, сэр Цвахта. Натуральный Харон! — сообщил я проводнику. Мое заявление было предельно идиотским, но, когда я начинаю нервничать, такого рода выходки — верное средство быстро привести себя в порядок.

— Почему вы меня так назвали, сэр Макс? — вежливо спросил лесничий. Кажется, в его голосе было не так уж много любопытства.

— Потому, что ты ведешь нас в подземный мир! — охотно объяснил я.

— А, понятно! — равнодушно согласился сэр Цвахта. Я невольно улыбнулся. Понятно ему, видите ли!..

Проход между тем расширялся, так что можно было встать на ноги и выпрямиться.

— Дальше будет еще просторнее, — прокомментировал сэр Цвахта.

— Надеюсь! — проворчал я, пытаясь вытереть руки, которым не пошло на пользу чересчур бесхитростное начало нашей прогулки в царство Аида. Странно, мне не составляло никакого труда следовать за Меламори, хотя в подземелье было совершенно темно. «Неужели я действительно вижу в темноте?» — изумился я. Мне было трудно понять, что происходит: с одной стороны, вроде бы темень — хоть глаз выколи, а с другой — темнота совершенно не мешала мне видеть то, что мне было нужно. Меламори тем временем молча топала вперед. Я немного забеспокоился: у наших клиентов наверняка уже заготовлена парочка-другая приятных сюрпризов, которые могли бы помочь нам разнообразить вечер...

— Они близко, Меламори? — осторожно спросил я.

— Еще не очень. Но они стоят на месте. Уже никуда не идут, я это чувствую. Готовятся, наверное... А может быть, у Джифы все-таки ухудшилось самочувствие? Может быть, ему сейчас так же паршиво, как мне было утром? Хорошо бы!

— Будь осторожна, ладно? — робко попросил я. — Не как всегда, а по-настоящему. Не нравится мне этот второй! Очень не нравится!

— Наверное, какой-нибудь настоящий мятежный Магистр! — мечтательно промурлыкала Меламори. — Ничего, ты в него плюнешь, и все будет хорошо, правда? Ведь твой яд убивает всех, кроме тех, кто уже умер, так?

— Надеюсь, что так. Главное, чтобы они не начали первыми.

— Они все равно начнут первыми, — пожала плечами Меламори, — ничего, ты ведь еще не знаешь, иногда я могу хорошо подраться!

— Догадываюсь! — усмехнулся я, потирая ушибленный утром локоть.

Тем временем мы повернули налево, потом почти сразу направо, а потом я перестал запоминать: мы петляли по настоящему лабиринту. Теперь я обернулся на нашего проводника с надеждой: — Для вас не составит труда найти обратную дорогу?

— Обратную дорогу? А что, вам уже нужно обратно? — деловито осведомился он.

— Да нет же! Я имею в виду — потом...

— Выберемся как-нибудь, не переживайте! — спокойно сказал сэр Цвахта.

Я пожал плечами. Отсутствие пафоса — отличная штука, но именно сейчас я предпочел бы более акцентированные интонации! Ну да ладно.

Мы выписывали безумные зигзаги по подземелью, Меламори молчала, лесничий, разумеется, тоже. Я очень быстро перестал понимать, где и зачем оказался, просто шагал за Меламори, след в след, словно это было единственной целью нашего сегодняшнего путешествия (да и всей моей жизни заодно)...

— Близко. Совсем близко, — тихо сказала Меламори. — Макс, помоги мне затормозить, пожалуйста. Я действительно очень плохо себя контролирую, а туда нельзя соваться с таким энтузиазмом! Они хорошо приготовились к встрече... вернее, она.

— Она? — Изумление не помешало мне бесцеремонно сгрести Меламори в охапку: грубоватый, но верный способ замедлить ее движение.

Леди раздраженно передернула плечами:

— Спасибо, ты такой старательный, с ума сойти можно... Да, конечно, она. А чему ты удивляешься, Макс? Этот второй — женщина, на таком расстоянии я это чую. Очень плохо!

125

— Плохо?

— Конечно, — вздохнула Меламори, — женщина — это большая проблема. Даже простая горожанка со страху такого может натворить, куда вашему брату! Впрочем, к тебе-то, сэр Макс, это не относится, ты еще похлеще будешь...

— Отлично, значит, мы с ней сейчас посоревнуемся: кто из нас чего может наворотить со страху! — нервно рассмеялся я. — А она красивая, ты не знаешь? Надо же мне как-то устраивать личную жизнь!

— Ага, самое время! — фыркнула Меламори. — А насчет ее красоты сейчас сам выяснишь... — Она попыталась ускорить шаг, несмотря на все мои усилия этому воспрепятствовать, даже легонько пихнула меня локтем в живот.

— Тише, тише, моя милая! — возмутился я. — Сама же просила тормозить...

— Я не твоя и не милая! — неожиданно вспылила Меламори. С ней это бывает...

— Хорошо! Чужая и противная! — покорно согласился я.

Меламори не выдержала, расхохоталась и замедлила шаг.

— Извини, — отсмеявшись, сказала она, — меня действительно несет... Теперь-то ты знаешь, как это бывает!

— Ну, не то что бы знаю... Но уже представляю, — согласился я. — Слушай, а тебе не пора спрятаться за мою широкую спину? Я собираюсь плеваться, и все такое...

— Пошли рядом, — вздохнула Меламори, — никогда не знаешь, кто должен идти первым, если рядом нет Лонли-Локли.

— Да, его присутствие снимает массу проблем! — согласился я. — Жаль, что он не с нами...

— Ничего, обойдемся! — гордо сказала моя прекрасная леди. Неожиданно кокетливым, таким неуместным в данных обстоятельствах жестом она взяла меня под руку, и мы пошли вперед, навстречу другой, еще более странной парочке. Еще один поворот, еще...

Мое счастье, как всегда, было недолгим. Я не успел понять, что происходит, просто что-то обожгло мне шею, на миг остановило дыхание, словно я захлебнулся темнотой... А потом все закончилось так же внезапно, как началось, осталась только боль от ожога на горле, настоящая, реальная, понятная боль, на которую можно было пока не обращать внимания. Меламори вскрикнула странным чужим гортанным голосом, отпустила мою руку и исчезла за поворотом. Я рванул следом. Там, за поворотом, была другая темнота: в отличие от ограниченной низкими сводами темноты бесконечных переходов, это была просторная, почти бесконечная темнота. Но я по-прежнему мог видеть то, что мне было нужно видеть, — босую ножку леди Меламори, вонзающуюся в живот белокурой незнакомки, вытянутые руки которой мерцали странным белесым светом. Это нехорошее бледное сияние уже окутывало голову Меламори... Я замер от ужаса, потому что вдруг понял, что происходит нечто кошмарное. Я не мог это сформулировать, но мне и не требовалось формулировки, вполне достаточно просто знать, что дело плохо, очень плохо!

Через мгновение незнакомая женщина уже лежала на земляном полу: Меламори действительно была классным бойцом! Но этот шикарный удар ничего не изменил, белесый туман вокруг ее головы сгущался... Кажется, я заорал, а затем сделал первое, что пришло в мою сумасшедшую голову: щелкнул пальцами левой руки, метнул в незнакомку свой капризный Смертный Шар. Сейчас я точно знал, чего хочу от этой стервы: она должна спасти Меламори, сунуть в этот грешный туман собственную голову; почему-то я знал, что это — единственный выход...

Крошечная зеленая шаровая молния с отвратительным чвяком разбилась об лоб незнакомки. Леди подняла на меня глаза, полные спокойной непримиримой ненависти, честно говоря, это выглядело просто великолепно! А потом ее взгляд стал мутным и отрешенным, она медленно вытянула перед собой руки, облачко тумана дрогнуло и неохотно рассеялось.

— Не убрать, а взять себе! — рявкнул я, уже занося руку для следующего щелчка: мало ли что?!

Незнакомка вздрогнула, пальцы ее рук зашевелились, белесый туман начал сгущаться вокруг ее головы, потом она обмякла. — Вот так-то лучше! — одобрительно сказал я. — Мне ужасно интересно посмотреть, что будет, честное слово!

— А что вообще происходит, Макс? Ты живой? — удивленно спросила Меламори. Она сидела на земляном полу и растерянно крутила головой, но выглядела вполне нормально, а ее голос был таким счастливым, что у меня дух захватывало!

«Пронесло! — с облегчением подумал я. — А сейчас мы узнаем, от чего именно нас пронесло!»

Говорить вслух у меня пока не было сил.

Сильный толчок сбил меня с ног более чем внезапно: я-то решил, что все уже закончилось! Оглушительный грохот, испуганный крик Меламори... Я с изумлением смотрел на дырку в своем лоохи, кровь, осколки стекла... Грешные Магистры, какая там кровь, по моим пальцам тек мой дорожный запас бальзама Кахара! Нет, кровь тоже была, совсем чуть-чуть: я здорово порезался многочисленными битыми стеклами.

— Кажется, у меня взорвалось сердце! — Я нервно рассмеялся. — Стрессы на работе — ужасная штука, а я такой нежный!

— Ах ты, погань дохлая! — Меламори мертвой хваткой вцепилась в Джифу, о котором я уже успел забыть.— Макс, он просто выстрелил из своего грешного бабума, представляешь?! Я-то ожидала чего угодно, только не этого!

— Я тоже, — признался я, — хотя мы должны были ожидать именно чего-то в этом роде: в конце концов, мы же имеем дело с разбойником, так?

— Ага. С разбойником и красавицей, — согласилась Меламори, с усилием прижимая к земле лопатки вяло сопротивляющегося живого мертвеца. — Что ты с ней сделал, кстати?

— Еще не знаю... Ну-ка, дай мне подойти к вам... Вот так! — Я еще раз прищелкнул пальцами левой руки, зеленая шаровая молния встретилась с Джифиным лбом. Я очень не хотел убивать рыжего разбойника, сначала я хотел с ним поговорить: любопытство всегда было одной из самых больших моих слабостей... Он и не умер, просто обмяк, как я и надеялся. Неужели мои дурацкие желания начали меня слушаться?!

— Я с тобой, хозяин! — поспешно заявил Джифа. Меламори с облегчением вздохнула и оставила беднягу в покое.

— Не работают твои щиты! — злорадно сообщил я Джифе. — А сколько шуму было! Ладно уж, сиди смирно, покойничек хренов... — И я обернулся к женщине. — Ну и как мы себя чувствуем? Надеюсь, что плохо!

— Макс, что ты с ней сделал? — снова спросила Меламори, она уже подошла поближе к нашей прекрасной жертве. В ее голосе слышались истерические нотки.

— Говорю же, что еще не знаю... Ох, мамочка! — Я наконец посмотрел на дело своих рук, и меня передернуло: на земляном полу лежало прекрасное женское тело, закутанное в черное лоохи, вот только голова у нее была птичья, с жалобно открытым хищным клювом.

— Никогда такого не видела! — тихо сказала Меламори. — Как ты это сделал?

— Это не я сделал. Это сделала она сама, — вздохнул я. — Я только убедил ее, что первый эксперимент нужно ставить над собой, а не над посторонним человеком. Думаю, это справедливо... Кстати, посмотри, пожалуйста, что у меня с горлом. Болит зверски!

— Ожог. — Меламори сочувственно покачала головой. — Неприятно, но ничего страшного! Если учесть, что твоя голова уже несколько минут должна лежать за углом, отдельно от тела... Все не так плохо!

— Моя голова... Почему?

— А ты так и не понял, что случилось? Слушай, как ты вообще жив остался?

— А что случилось-то? — Я вдруг здорово испугался, хотя пугаться вроде бы уже было поздно. Скорее уж, радоваться, что все осталось позади...

— Это было... Ох, Макс! В тебя запустили Тонкой Смертью, это же легендарная вещь! Стальная пластинка, гораздо тоньше человеческого волоса, почти невидимая, она сама находит жертву, так что нападающему даже не нужно обладать какими-то особыми умениями... Эта штука всегда отсекает голову, другие части тела ее совершенно не интересуют. В Эпоху Орденов это было знаменитейшее оружие... и все же очень редкое: только в нескольких Орденах хранили традиции его изготовления. Страшная вещь! Так что, когда я увидела радужный блеск вокруг твоей шеи, я совсем потеряла голову... Ох, Макс, хорошо, что с тобой ничего не случилось! — И Меламори неожиданно шмыгнула носом.

— Полностью с тобой согласен! — искренне сказал я, машинально ощупывая свою бедную обожженную шею. И тут до меня дошло. — Слушай, я же самый везучий человек во Вселенной! — Мой голос позорно срывался: у меня слишком услужливое воображение, так что видение собственной головы в нескольких метрах от тела уже стояло перед моим «внутренним взором»...

— Конечно! — согласилась Меламори. — Ты только сейчас понял?

— Ага! Знаешь, что я сделал перед тем, как выйти из дома?

— Что?

— Напялил на шею свой охранный амулет, головную повязку Великого Магистра Ордена Потаенной Травы. Джуффин в свое время снабдил меня этим сокровищем, а после моего путешествия в Кеттари очень настаивал на том, что я не должен засыпать без этой тряпочки... В общем, я подумал, что наша с тобой вылазка может затянуться, мне захочется вздремнуть, так что лучше всего просто напялить амулет заблаговременно — в рамках месячника борьбы со склерозом, и все такое... А теперь ее нет. Подозреваю, что она сгорела вместе с этой «Тонкой Смертью», или как ее там...

— Головная повязка Великого Магистра Хонны? — покачала головой Меламори. — Да, Макс, тебе невероятно повезло, пожалуй это — единственное, что можно противопоставить Тонкой Смерти!

— А его так звали? — удивился я. — В первый раз слышу это имя!

— А его почти никто не знает! — гордо заявила Меламори. — А кто знает, не испытывает желания произносить вслух... Видишь ли, Макс, Орден Потаенной Травы славился своими методами защиты, они вообще были очень миролюбивыми ребятами по сравнению с другими Орденами, конечно. В общем, они никогда не нападали первыми, но знали тысячи способов защиты от чего угодно. В частности, и от Тонкой Смерти, на твое счастье... А что касается имени их Великого Магистра, его можно произнести вслух, только если испытываешь к нему добрые чувства, иначе — умрешь на месте, и знахаря не зови! Одна из его маленьких милых причуд.

— Зачем же ты так рисковала? — встревожился я.

— Я?! Я ничем не рисковала. Во-первых, Великий Магистр Хонна — почти герой моих детских грез, а во-вторых... Поскольку его головная повязка спасла тебе жизнь, да я бы ему задницу поцеловала, если бы он здесь оказался!

У меня дыхание перехватило от этого заявления.

— Спасибо, Меламори, — нежно сказал я, — поцелуй в задницу — это серьезно! А где он сейчас, обладатель грозного имени? Что он делает?

— Никто не знает. Бродит где-то. В самый разгар битвы за Кодекс он вдруг утратил интерес к происходящему, заявил, что невелика заслуга заниматься магией в Угуланде, в самом Сердце Мира, что настоящий маг должен обрести могущество на окраинах Мира, никто так толком и не понял почему... В общем, он все бросил и куда-то ушел, а его ребята расхлебывали эту кашу с войной самостоятельно... Да чего я тебе лекции читаю! Расспроси как-нибудь Мелифаро, у него вся родня в Ордене Потаенной Травы по уши замазана. Если бы не Кодекс, ходил бы уже наш Мелифаро там в Младших Магистрах!

— Расспрошу, — пообещал я. — Слушай, Меламори, а где наш великолепный поводырь, этот потрясающий сэр Цвахта, ты не знаешь, часом?

— Понятия не имею. — Меламори растерянно огляделась. — С ума сойти можно! Неужели он сбежал?

— Джуффин говорил мне, что за ним надо присматривать, потому как «вояка из него никудышный»... Да где уж нам было за ним присматривать! Думаю, парень уже дома.

Меламори звонко расхохоталась. Я оценил ситуацию и составил ей компанию. Мы сидели на земляном полу, рядом с дружеским приветом от древних египтян, сюрреалистическим трупом с птичьей головой, и ржали как сумасшедшие. Остановиться было невозможно, это здорово смахивало на милую маленькую истерику, на которую мы имели полное право после таких-то приключений!

— Этому Цвахте повезло, что ты не убил Джифу! — резюмировала Меламори. — В противном случае, у нас был бы только один способ быстро выбраться отсюда: встать на след этого дезертира! Может быть, все-таки стоит?

— Вообще-то, я — очень мстительный человек! Но наша целеустремленная беготня по чужим следам мне уже порядком надоела, а тебе?

— Не то чтобы очень... Знаешь, я ведь люблю свою работу!

— Не сомневаюсь! — улыбнулся я. — Ну что, пойдем на свежий воздух?

— С удовольствием! Зови своего верного раба.

— Джифа, иди сюда! — строго сказал я. Печальный рыжий покойник, доставивший нам столько неприятностей, послушно приблизился. — Идем на поверхность. Кратчайшим путем, ясно?

— Да, хозяин. — И Джифа медленно пошел куда-то в глубь просторного помещения.

— Подожди! — остановил его я. — А тот путь, которым мы пришли? Он что, длиннее?

— Да, хозяин, — равнодушно согласился Джифа.

— Ну хорошо, пошли! — вздохнул я и помог Меламори подняться с земли. Она еще раз посмотрела на мертвую даму с птичьей головой.

— Макс, — осторожно спросила она, — это она меня хотела превратить в такое, да?

— А кого же еще! Я-то, по ее расчетам, был уже готов! Не переживай, этого же не случилось!

— Здорово, что ты успел! — тихо сказала Меламори. — А как?

— Точно так же, как с покойничками. Если верить версии Лонли-Локли, мой Смертный Шар, знаешь ли, подчиняется моим желаниям... К счастью, наш сэр Шурф — отличный теоретик!

— Да уж. А ты — отличный практик, хвала Магистрам! — И Меламори решительно пошла прочь от мертвой «невесты бога Гора».

— Кто она такая, Джифа? — спросил я у своего верного вассала.

— Это леди Танна Курайса, — покорно ответил тот.

— Сестра Магистра Атвы! То-то она показалась мне знакомой! — ахнула Меламори. — Он втянул ее в это дело. Какое свинство с его стороны!

— Он ее или она его, Джифа? — поинтересовался я. — Кто кого втянул? Расскажи нам, как все было.

— Леди Танна любила меня, — равнодушно сообщил Джифа, — я встречался с ней несколько раз, но не

132

придавал этому большого значения... Когда все эти колдуны извели мою команду, Танна решила, что у нее появился хороший шанс. И заставила своего брата найти способ вернуть мне жизнь... Танна и сама немало умела, даже больше, чем ее брат, она ведь воспитывалась среди женщин Ордена Решеток и Зеркал. Но оживлять мертвых она не умела, женщины Орденов редко учатся таким бесполезным вещам... Сам Атва боялся сестры, очень боялся: сначала она собиралась убить его за то, что он участвовал в охоте на нас, но потом оставила в живых, чтобы он ей помог... Так что Атва вернул мне жизнь, как умел. Но у него плохо получилось. Поначалу я был просто тупой куклой, как все живые мертвецы. Я не был настоящим Джифой Саванхой. Поэтому я не знаю, как жил в первые годы, просто не помню... Но Танна не теряла времени даром. Она очень быстро училась. И понемногу возвращала мне настоящую жизнь, капля за каплей. Так что однажды я снова стал тем человеком, которым был, пока меня не убили. Это было утром, ранним осенним утром, почти шесть лет назад. Я хорошо помню тот день. Дул холодный ветер, такой сильный, что ветки деревьев ломались и падали на землю, во дворе кричала какая-то птица... — Джифа замолчал, а потом тихо добавил: — Теперь Танна умерла, и от меня опять почти ничего не осталось... Наверное, иногда заклинания умирают вместе с колдуном.

— Ну и влип же ты! — сочувственно вздохнул я. — Вот это я понимаю, «любовь до гроба»... и после тоже. Ужас какой-то! Экая всепобеждающая страсть! Ладно, Джифа, с тобой мне все более или менее понятно, ну а кто оживил остальных? Я имею в виду всех твоих головорезов.

— Я, — равнодушно ответил Джифа. — Магистр Атва мне немного помог, это оказалось несложно. Но я не смог сделать их прежними, а Танна не хотела. Ей вообще не нравилась вся эта история.

— Не нравилась? — удивился я. — Она же сама все затеяла!

— Танне был нужен только я, — мрачно сообщил Джифа. — Она решила, что вернет мне жизнь и я останусь при ней навсегда, покорный и благодарный... А я захотел вернуться в Магахонский лес. Мне нравилась наша прежняя жизнь, я тосковал без нее... Мне все время чего-то не хватало для того, чтобы почувствовать себя совсем живым, и я думал...

— Думал, что вернешься в лес, соберешь своих ребят и все будет как раньше? — сочувственно спросил я. — И ничего не вышло?

— Да, — равнодушно согласился Джифа, — ничего не вышло. Глупые куклы — вместо моих прежних веселых ребят, и пустота в груди — вместо моего прежнего веселого сердца. Это самое страшное — знать, что может быть лучше, чем есть... Скажи, теперь ты убьешь меня?

— Убью, наверное, — задумчиво согласился я. — А что еще с тобой делать?

— Это хорошо, — сказал Джифа и замолчал.

Земляные своды тем временем надвигались на нас. Вскоре нам пришлось опуститься на четвереньки, еще несколько минут — и мы оказались на поверхности, в том самом овраге, где развлекались утром, или в другом, очень похожем... Было темно, прохладно и очень сыро. Пока мы бродили по норам Магахонских разбойников, здесь, на земле, прошел дождь. Меня тут же затрясло от холода, Меламори стучала зубами на весь лес, только мертвому Джифе все эти климатические недоразумения были до лампочки.

— Хотела бы я знать, где наш амобилер! — мечтательно сказала Меламори. — Ох, попадись мне этот так называемый проводник!

— У меня там сумка с теплыми вещами! — вздохнул я и повернулся к Джифе. — Идем к той норе, через которую вы с леди Танной зашли под землю в этот раз. Найдешь?

— Как скажешь, — согласился Джифа и решительно зашагал куда-то в чащу. Мы шли следом, мокрые ветки хлестали по лицу, под ногами хлюпала вода.

— Я послала зов сэру Джуффину, Макс, — все еще стуча зубами, сообщила Меламори. — Сказала ему, что уже все в порядке, описала, что случилось, без подробностей конечно. Подробности успеются. Собственно, я хотела узнать, нужно ли везти Джифу в Дом у Моста...

— И что?

— Не нужно, — коротко ответила Меламори.

— Это хорошо. Что он забыл в Ехо, который никогда не любил по-настоящему? Пусть умрет в своем лесу, где уже умер однажды...

Джифа тем временем остановился у огромного камня, прикрывающего лаз.

— Мы пришли, — сказал он. — Это все?

— Подожди немного, — виновато попросил я. — Сначала проводи нас к амобилеру. К тому амобилеру, на котором вы приехали, наш остался рядом. Помнишь, где вы его бросили?

— Помню. — Джифа неторопливо зашагал по тропинке.

— Ты все у него выяснил, что хотел? — спросила Меламори.

— Конечно не все. Молодец, что напомнила!.. Где вы прятали награбленные сокровища, Джифа? В норе?

— Нет. Мы отдавали их Атве, а он их куда-то уносил, я даже не спрашивал куда. А может быть, тратил, не знаю... Нам ведь ничего не было нужно, только вернуться к себе прежним. Поэтому мы и делали то, что привыкли делать...

— А кто убил всех участников Королевской охоты? Ну, всех этих Младших Магистров, которые в свое время убили тебя?

— Их никто не убивал. Танна их прокляла после того, как поняла, что я никогда не стану прежним... и никогда не останусь с ней. После того, как окончательно поняла, что они оказали ей плохую услугу. Женщины Ордена Решеток и Зеркал умеют проклинать! А умерли они совершенно самостоятельно, что правда, то правда... Смерть своего брата Танна инсценировала на всякий случай, чтобы запутать следы: кто-то мог заметить, что из всех охотников на Магахонских Лис остался в живых только Атва. Кроме того, она боялась, что меня поймают и у них с братом будут неприятности... Танна была очень зла на нас с Атвой за то, что мы оживили остальных и занялись грабежами... и все же сегодня она пришла мне на помощь, хотя я не просил ее об этом. Странно, да?.. Наверное, она действительно любила меня, даже такого, каким я стал по ее милости... Она много могла, правда? Атва умер вскоре после того, как ты стал на его след. Он вообще был слабаком. А Танне — хоть бы что, только зубами скрипела от злости! Мы уже пришли, вот амобилеры. А я очень устал. Кажется, меня скоро совсем не станет. Только глупое двигающееся и говорящее тело, как это было с ребятами... Мне страшно. Лучше убей меня сейчас, пока я еще есть.

— Ладно.

Мне не было жаль сэра Джифу: то, что я испытывал, нельзя назвать жалостью. Но я был на его стороне в этой истории. Я ненавижу принуждение, а то, что сделали с ним... Черт, это показалось мне наихудшей разновидностью принуждения, какую только можно себе представить! Я посмотрел на его изрезанное морщинами, изуродованное шрамом, но все еще красивое лицо и грустно усмехнулся про себя: «Да уж, быть женским любимцем — опасная штука! Разные бывают леди, в том числе и очень страстные...» В общем, я принял решение.

— Приказываю: стать настоящим Джифой Саванхой! — Я говорил быстро и твердо, но, признаться, сам не слишком понимал, что я несу. — Приказываю: умереть, исчезнуть из этого Мира и оказаться там, где Джифа Саванха будет счастлив! Давай, парень!

Мутные глаза Джифы вспыхнули злым веселым огнем, он посмотрел на меня с ненавистью и с восхищением одновременно. А потом он рухнул на траву, закричал, не то от боли, не то от восторга... и исчез.

Я грузно осел на землю, вытирая холодный пот со лба. Самочувствие было самое омерзительное.

— Макс, что это все значит? — с ужасом спросила Меламори. — Что ты сделал?

— Не знаю точно... — Я пожал плечами. — Кажется, я просто восстановил справедливость. Наверное, я все сделал правильно, вот только почему мне так паршиво?.. И бутылочка с бальзамом разбилась, по милости нашего рыжего покойника, между прочим... Какой кошмар!

— Что, очень паршиво? — озабоченно спросила Меламори.

— Да нет, не очень, серединка на половинку, просто сил никаких не осталось.

— А зачем тебе силы? Сейчас поедем домой. Я сяду за рычаг, а ты ляжешь на заднем сиденье, поспишь, если захочешь. Все уже закончилось, да?

— Надеюсь, что так. Помоги-ка мне подняться. Голова кружится.

Меламори протянула мне руку и легко, словно я ничего не весил, подняла меня с мокрой травы и помогла забраться в амобилер, потом сама уселась на место возницы. Я с удовольствием вытянулся на заднем сиденье. Ноги пришлось высунуть в окно, но эта поза меня вполне устраивала. Я закрыл глаза и приготовился нырнуть в сладкие дремотные сумерки.

— Макс, он не хочет ехать! — растерянный голос Меламори прервал мое блаженное оцепенение.

— Как не хочет? — удивился я.— Что же с ним могло случиться?

— Наверное, что-то с кристаллом! — вздохнула Меламори.— Он вполне мог разбиться при столкновении. Я посмотрю...

Я услышал хлопок дверцы, какой-то скрежет, несколько нецензурных слов, после чего леди вернулась на свое место.— Так и есть! Разбился, гаденыш паршивый! — сердито сказала она.— А я-то размечталась!

— Плохо дело! — Я с трудом открыл глаза, принял сидячее положение и задумался. В сущности, думать тут было не о чем: магический кристалл — это сердце амобилера, то же самое, что мотор для автомобиля. Без него эта грешная телега и с места не сдвинется.

— Придется послать зов Джуффину, — устало сказал я.— Пусть за нами кто-нибудь приедет. Ничего страшного, собственно говоря, не случилось!

— Все равно обидно! — вздохнула Меламори. И тут же подскочила на месте.— Смотри, Макс! Там кто-то идет!

Я постарался собраться. На всякий случай: мало ли кто там может идти...

— А, вы тут? А куда вы делись? Я вас искал под землей.— Голова лесничего Цвахты просунулась в открытое окно.— Ну что, у вас все в порядке? Хотите орехов? — Мокрые орехи посыпались на мое сиденье, несколько штук упало на пол. Мы с Меламори изумленно переглянулись и рассмеялись.

— У вас есть амобилер, сэр Цвахта? — Меламори оказалась очень практичной барышней, я-то и подумать не успел о такой возможности!

— Есть. Дома, конечно. А почему вы не хотите возвращаться на этом? Вам в нем неудобно?

— Неудобно? — прыснула Меламори.— Грешные Магистры, да у нас просто кристалл разбился!

— Да? Странно, — покачал головой лесничий.— Ну, ладно. Пошли ко мне.

— А это далеко? — жалобно спросил я.

— Близко. Отсюда идти часа полтора, не больше.

— Ну уж нет! — решительно сказал я. — Не могу. При всем желании, просто не могу! Давайте так: вы пойдете домой, возьмете амобилер и приедете за нами, ладно?

— Ладно, — кивнул Цвахта. — Через два часа я приеду. Только больше никуда не уходите без меня. Вы можете заблудиться. — И он быстро зашагал куда-то в темноту.

— Как ты думаешь, он вернется? — нерешительно спросила Меламори. — Или лучше все-таки послать зов сэру Джуффину? Ребята будут ехать сюда часов пять, не меньше, но так надежнее...

— Надеюсь, что он вернется. Мужик совершенно сумасшедший, но Джуффин дал ему отличные рекомендации.

— Думаю, это была шутка! — хмыкнула Меламори. — Очередная милая шутка нашего шефа. Ты слышал? Этот ненормальный спросил, куда мы подевались!

— Будем надеяться, что он вернется! — мечтательно сказал я. — Два часа — не так уж долго... А если я немного вздремну, то, наверное, смогу сам управлять амобилером. Еще час — и мы дома! Или даже быстрее, если я буду в ударе.

— Конечно, попробуй поспать! — сказала Меламори. — А я...

— А ты посиди рядом со мной, ладно? А то вдруг кошмар приснится.

— После такого приключения? Вполне может! — сочувственно согласилась Меламори.

— Да Магистры с ним, с приключением! Но все-таки я остался без амулета, а сэр Джуффин говорил, что... — Моя голова склонилась на мягкое сиденье, и я заснул на полуслове.

На этот раз мой сон завел меня так далеко — дальше некуда...

Мне приснилось, что я оказался в совершенно пустом месте. Там не было ничего. Это невозможно ни описать, ни объяснить, но там действительно ничего не было, не было даже меня, хотя, с другой стороны, я был именно там, где же еще!.. Каким-то образом я знал, что это за место. Оттуда можно было попасть куда угодно, не просто в любой город, а в любой Мир, существующий или не существующий во Вселенной. Нет, не можно, а НУЖНО. Если уж ты попал туда, значит, должен шагнуть в один из этих незнакомых Миров, а если не шагнешь, они сами возьмут тебя. «Двери между Мирами» — так не раз говорили при мне Джуффин и сэр Маба Калох... Черт, здесь не было ничего, кроме этих грешных дверей между Мирами, и все двери были распахнуты настежь. Дескать, «добро пожаловать»!

Я замер в пустоте, с ужасом понимая, что сейчас один из Миров возьмет меня и я никогда не найду дорогу обратно, в Ехо, где мне так хорошо жилось: это был мой Мир, какая разница, где я когда-то родился, это было место, где я хотел остаться, потому что... потому что ТАК ПРАВИЛЬНО!.. Мне нужно было удирать отсюда немедленно. Удирать обратно, в Магахонский лес, где в никуда не годном служебном амобилере Управления Полного Порядка спал сэр Макс, тот я, которым мне очень нравилось быть... Но я не знал, какая дверь в этой бесконечности ведет домой.

Двери притягивали меня уже ощутимо. Я приказал себе хотя бы просто оставаться на месте, если уж я не могу вернуться туда, куда хочу вернуться... Легко сказать, «оставаться»! Миры были намерены взять меня, я чувствовал их иррациональную жадность и невероятную, неумолимую силу, которой не было никакого дела до моих планов на будущее. Что я мог противопоставить этой силе? Только собственное знаменитое ослиное упрямство, которое в свое время чуть не загнало в могилу моих бедных родителей, потому что меня всегда было легче убить, чем заставить делать то, что я не хотел... и еще мою бесконечную нежность к мозаичным мостовым Ехо; и привычку начинать свое утро с чашечки камры; и зашедший в тупик, по милости рехнувшейся судьбы, но самый головокружительный в моей сумбурной жизни роман с Меламори; и бесконечную любовь к моим друзьям, это пронзительное ясное чувство, о котором я до сих пор не подозревал или не задумывался, оно просто было со мной... Не так уж мало, если разобраться, но все равно недостаточно! Миры положили на меня глаз, какой-то из них уже почти взял меня себе...

Звонкая оплеуха мгновенно вернула меня к действительности. Я подскочил, оглушенный, ошарашенный и бесконечно счастливый, вот только я не мог вспомнить, по какому поводу... На меня смотрела Меламори, бледная и перепуганная.

— Что случилось? — жалобно спросил я. — Что, я начал к тебе грязно приставать? Я во сне много чего вытворяю, но до сих пор был уверен, что не способен на такие штучки...

— Извини, что я тебя стукнула, Макс. Но мне нужно было как-то тебя разбудить. Ты... ты начал исчезать! Еще немного — и ты исчез бы окончательно!

— Плохо дело. — Я встряхнулся, пытаясь прийти в себя. — Куда же это я мог деться? Идиотизм какой-то... И как это выглядело?

— Как? Ужасно! Когда ты заснул, мне стало скучно, я послала зов сэру Джуффину, рассказала ему подробно обо всем этом деле, потом мы немного потрепались, ну ты же его знаешь...

— Знаю, — слабо улыбнулся я. — И что было потом?

— Потом? Потом шеф вдруг сказал мне, чтобы я за тобой присматривала, что у него сердце не на месте, потому что ты спишь без своего амулета, и сразу же отключился. Очень вовремя! Когда я посмотрела на тебя, бы был уже полупрозрачный и становился все прозрачнее... Так быстро! Я чуть не рехнулась, а потом подумала, что беда случилась с тобой во сне, и можно попробовать тебя разбудить, может быть тогда ты вернешься... Как видишь, получилось!

— Ага, получилось, — согласился я, машинально потирая ощутимо распухшую скулу, — какая ты умница, Меламори! Со мной действительно случилось что-то паршивое, вот только что?

— Я думаю, тебе нужно вспомнить что, — обеспокоенно сказала Меламори. — Макс, вспомни, пожалуйста!

— Легко сказать... Попробую, конечно! — Я прикрыл глаза, расслабился и позволил себе задремать, не заснуть, а именно задремать, оказаться на хрупком неосязаемом пороге между сном и явью. Это был мой старый проверенный способ вспоминать, что мне приснилось. И он сработал, он просто отлично сработал на этот раз! Я чуть не захлебнулся от обрушившегося на меня потока воспоминаний, еще немного, и они унесли бы меня обратно, в сон, туда, куда я не хотел возвращаться. Но не унесли: я вовремя открыл глаза и решительно помотал головой, разгоняя сладкие остатки дремы.

— Вспомнил? Неужели дело так плохо? — испуганно спросила Меламори. — На тебе лица нет!

— Плохо, наверное... Или нет, не знаю. Пошлю зов Джуффину. Он-то должен знать, что со мной случилось! Кажется, я мог просто исчезнуть неизвестно куда... Можно я возьму тебя за руку? Мне страшно.

Меламори молча закивала и сама обхватила мою ладонь своими ледяными ладошками. Я немного успокоился и послал зов сэру Джуффину Халли.

«Что случилось?» — сразу же спросил он. Я торопливо пересказал ему свой странный сон. Джуффин не перебил меня ни разу, что настораживало.

«Меламори увидела, что я исчезаю. К счастью, у нее хватило ума дать мне по морде, так что я проснулся как миленький». — Я закончил свою исповедь и перевел дух. Кажется, мне никогда прежде не доводилось так долго болтать на Безмолвной речи.

«Я как раз ожидал чего-то в этом роде, — спокойно отозвался мой шеф. — Хорошо, что твой амулет спас тебе жизнь, но очень плохо, что он сгорел. Второго такого у меня нет, поскольку его просто не существует в природе. У Великого Магистра Ордена Потаенной Травы была только одна головная повязка, к сожалению. Он, видишь ли, не любил излишеств... Ничего страшного, Макс, просто теперь тебе придется срочно учиться некоторым вещам. Тебе все равно пришлось бы этому учиться, но я думал, что это случится лет через шестьдесят, не раньше... Ладно, принято полагать, что все к лучшему, может оно и так. А сейчас просто постарайся не засыпать, пока не доберешься до меня, вот и все! Потерпишь?»

«Спрашиваете! — с ужасом сказал я. — Джуффин, а со мной все будет в порядке? Я не хочу никуда уходить из этого Мира!»

«А если другой Мир будет так же прекрасен, как Кеттари? — лукаво спросил Джуффин. — Все равно не хочешь?»

«Навсегда — не хочу, это точно! — решительно заявил я. — Мне нужно быть здесь, в Ехо, я так хочу, это правильно... Мне трудно объяснить, но...»

«Не нужно ничего объяснять, Макс. Я рад, что ты так говоришь, потому что, по большому счету, все зависит только от тебя. С тобой все будет в полном порядке, если ты не завалишься спать, не повидавшись со мной, обещаю!»

«Ни за что! — твердо сказал я. — А отсюда... Отсюда они меня не заберут?»

«Нет, пока ты бодрствуешь, никто тебя не заберет, можешь не переживать. Пока, во всяком случае... Я вас обоих очень жду. Отбой!»

— Что он говорит? — сразу же спросила Меламори. Ее руки нервно сжали мою ладонь.

— Говорит, что все будет в порядке, — с облегчением улыбнулся я, — главное, чтобы я пока не уснул... Как ты думаешь, этот сэр Цвахта скоро вернется? Два часа уже прошло?

— Почти. — Меламори решительно перебралась на заднее сиденье, села рядом со мной и обняла меня за плечи. — Не исчезай никуда, Макс, ладно?

— С удовольствием, — искренне сказал я. — И не подумаю! Так легко вы от меня не избавитесь!

— Вот и хорошо. Знаешь, все — такие пустяки по сравнению с этим! Такая чепуха!.. Ты меня сегодня целых три раза напугал. Сначала эта Тонкая Смерть, потом выстрел из бабума, а теперь еще это... Но ты сидишь здесь, живой, и это так здорово!

— Полностью с тобой согласен. — Я попытался улыбнуться, но вместо этого позорно шмыгнул носом, уже который раз за день, совсем распустился!

Мы с Меламори молча сидели в обнимку, изо всех сил стараясь не разреветься, где-то посередине между бесконечной печалью и невыразимым счастьем. Кажется, даже цвет ночного неба изменился, только я никак не мог понять, какого оно теперь цвета, впрочем мне было абсолютно все равно... Было так хорошо, что мне захотелось остановить время, но я этого не умел, пока во всяком случае...

Шум подъезжающего амобилера вывел нас из головокружительного оцепенения. Большие круглые глаза лесничего изумленно уставились на нас из окна.

— Грустите? — деловито спросил он. — Не стоит так расстраиваться из-за амобилера, да еще и казенного!

Мы с Меламори переглянулись и расхохотались. Сэр Цвахта терпеливо подождал, пока мы успокоимся, потом озабоченно спросил:

— А я обязательно должен ехать вместе с вами в Ехо? Или вы сами доберетесь?

— Разумеется, мы доберемся! — заверил его я. — Спасибо, что выручили! Пошли, леди! — И я быстро уселся за рычаг новенького амобилера лесничего. — Мы завтра же пришлем кого-нибудь, он вернет вашу телегу и заберет это сокровище. — Я махнул в сторону нашего героически погибшего транспортного средства. — Поставит новый кристалл и заберет.

— Ты такой хороший организатор, Макс! — ехидно сказала Меламори. — А ты уверен, что ничего не забыл?

— Кажется, ничего...

— А это? — Она торжественно помахала моей дорожной сумкой.

— Ну да, конечно! — виновато улыбнулся я. — Но для меня это нормально, ты еще не заметила?.. Хорошей ночи, сэр Цвахта, спасибо за помощь.

— А разве я вам помог? — удивился лесничий. — Хорошей ночи, господа. Странный вы народ, Тайные Сыщики!

Меламори прыснула, а я решительно стартовал. По лесу я ехал очень осторожно, гораздо осторожнее, чем обычно: мне очень не хотелось угробить еще и этот амобилер. Но когда мы вырулили на дорогу, я дал себе волю! Кажется, так я еще не разгонялся! Мы не ехали, мы летели, я почти уверен, что колеса амобилера не касались земли. Меламори была счастлива, это точно!

— А так я тоже смогу? — робко спросила она.

— Ты? Ты еще и не так сможешь, я уверен!

Леди заулыбалась от удовольствия:

— Ты правда так думаешь?

— Правда, правда! — заверил я ее.

Весь остаток пути мы оба молчали. Ни в одном языке не существует слов, которые были нам нужны, но сумасшедшая поездка сквозь темноту вполне заменяла разговор. В сущности, это было даже лучше...

— Приехали, — тихо сказала Меламори, когда я свернул на улицу Медных Горшков и лихо притормозил возле Тайной двери Дома у Моста.

— Приехали, — согласился я. — Знаешь, там, откуда я родом, это слово употребляется и в другом значении. Так говорят, когда имеют в виду, что, мол, допрыгались, или «дошли до ручки», или, как сказал бы сэр Андэ Пу, «полный конец обеда»!

— И то верно! — Меламори рассмеялась, и мы зашли в Управление.

Сэр Джуффин Халли неподвижно сидел в своем кресле, уставившись в одну точку. Я всегда побаивался этого его неподвижного взгляда, тяжелого, как старинный утюг. Но, увидев нас, Джуффин заулыбался и даже привстал нам навстречу.

— С Джифой и его пассией вы разобрались отлично! — сразу же сказал он. — Ребятам из Полиции будет приятно узнать, что мы быстро отомстили за Шихолу, а мне было весьма приятно узнать, что ты, Макс, так любишь справедливость... и иногда даже умеешь ее восстанавливать, если повезет! Ты тоже молодец, Меламори, все было просто великолепно, особенно твоя выдержка, так что прими поздравления! Ну, вроде с этим все.

— Чем хвалить, дайте лучше глоточек бальзама! — проворчал я. — Я с ног валюсь! Вам же известна печальная судьба моей бутылки?

— Известна, известна... Надо же! Первый раз ты умудрился взять свою бутылку, а не мою — и на тебе!

— Судьба мудра, — наставительно сказал я, — она ясно дает нам понять, что я должен продолжать расхищать ваши запасы. И тогда все будет хорошо!

— Логика железная! — хмыкнул Джуффин и полез в стол. — Ладно уж, держи, нахлебник!.. Надо похлопотать у сэра Донди Мелихаиса, чтобы выделил нашему отделу специальную статью расходов на твою маленькую причуду...

Я сделал два хороших глотка бальзама Кахара. Восхитительная бодрость хорошо выспавшегося человека, как я люблю это ощущение! Я снова был легок, как ветер, жизнь стала простой и прекрасной. Я восхищенно покрутил головой:

— Здорово! — И обернулся к Меламори. — Очень рекомендую!

— Лучше я просто пойду спать и просплю целые сутки, — устало сказала она. — Тем более что у вас дела. — И повернулась к Джуффину. — Сэр Джуффин, Макс больше не исчезнет? Это точно?

— Точно, — улыбнулся Джуффин. — А если исчезнет, я его отовсюду достану. Это я тебе обещаю. Ты довольна?

— Ага. — Меламори продемонстрировала нам жалкое подобие улыбки, подошла ко мне и неожиданно чмокнула меня в щеку. — Это-то хоть можно, надеюсь! Никаких возражений со стороны стервозной судьбы, орды Темных Магистров и прочей роковой сволочи... Хорошей ночи, господа, я уже стоя сплю!

— Утра! Уже утро, Меламори. Так что хорошего утра, — крикнул ей вслед сэр Джуффин. А я только открывал и закрывал рот, как вытащенная на сушу рыба... Джуффин заинтересованно на меня покосился, я растерянно развел руками. Тема была явно не для дискуссии...

— И что мы теперь будем делать? — спросил я.

— Как что? Ужинать!.. Или завтракать, Магистры с ней, с этой терминологией! Жрать будем, короче говоря... Дождемся ребят, переложим на их крепкие плечи все заботы об этом Приюте Безумных и отправимся ко мне. Ты будешь сладко спать, а я... Я буду петь тебе колыбельную. Маба обещал подпевать, так что можешь быть абсолютно спокоен. После наших песенок ты проснешься там, где положено, а не Магистры знают где. Гарантирую!

— Не сомневаюсь, — улыбнулся я. — А потом? Что, всякий раз, когда мне приспичит поспать, вы с сэром Мабой будете усаживаться возле моей колыбели? Вам же надоест, я вас знаю!

— Ну уж нет! Такую проблему надо решить раз и навсегда... Если уж это место положило на тебя глаз, оно от тебя не отстанет! Тут только один выход — заглянуть во все двери по очереди, с хорошим проводником разумеется. Ты запомнишь все эти двери и все Миры, в которые они ведут. Так что всякий раз, когда эта пустота, этот Коридор между Мирами снова позовет тебя, ты будешь не несчастной жертвой, а веселым путешественником, который сам выбирает, куда ему идти, и сам решает, когда он должен вернуться... Ты пройдешь этот фантастический лабиринт и вернешься домой, вот и все. По-моему, отличное приключение! Тебе действительно невероятно везет, Макс. Я знаю немало могущественных людей, которые потратили целые столетия на то, чтобы просто попасть в это место, но оно не захотело принимать их. А тебя — пожалуйста! Многие господа Магистры лопнули бы от зависти, если бы узнали!

— А потом? — снова спросил я. — Что, я обречен засыпать и попадать в это место? В этот Коридор между Мирами? А как же остальные сны? Возможно, по сравнению с бесконечностью новых Миров они ничего не стоят, но все же мне не хотелось бы их терять. Я ничего не хочу терять, Джуффин.

— Если не хочешь, значит, не потеряешь! — легкомысленно отмахнулся он. — Ты еще не понял, Макс! Ты будешь не узником этого странного места, а его хозяином. Ты еще не знаешь, что это такое!

— А вы? — с замирающим сердцем спросил я.

— Я? Да, я там уже неплохо освоился, — спокойно кивнул Джуффин. — И я знаю, о чем говорю... Жуй, сэр Макс, жизнь прекрасна!

И я послушно уткнулся в тарелку. Аппетит я успел нагулять отменный, что правда, то правда!

Через полчаса к нам присоединился усталый сэр Кофа.

— Ну что, полный разгром Магахонских Лис, мальчик? — приветливо спросил он у меня. — Кажется, ты красиво отыграл свою партию.

— Вы так думаете? — Я расплылся в улыбке. В отличие от Джуффина сэр Кофа Йох никогда не был щедр на комплименты.

— Я так говорю. Что я думаю — это мое дело, правда? — неожиданно усмехнулся наш Мастер Слышащий. И тут же посерьезнел. — Весь город только об этом и говорит. И будет говорить еще невесть сколько. Давно такого шума не было!.. Кстати, ты что, действительно припер сюда мешок с головой рыжего Джифы? Народ уверен, что ты собираешься выставить ее напоказ перед своим домом. Они считают, что у вас, в Пустых Землях, так принято...

— Хорошего утра, господа. — На пороге появился Лонли-Локли, внимательно посмотрел на меня и покачал головой. — Мои предчувствия меня не подвели? — озабоченно спросил он. — Что-то ты больно потрепанный!

— Зато живой! — гордо сообщил я.

— Надеюсь, что так. — Шурф уселся рядом и наполнил камрой свою кружку.

— Вы уже жуете или еще? — В кабинет просунулась сердитая невыспавшаяся физиономия Мелифаро. — В любом случае я тоже хочу! Устал, как не знаю кто! А ты что, правда привез в Ехо голову этого несчастного, Макс? Ты уверен, что это действительно будет смешно?

Я скорбно вздохнул, а Джуффин с Кофой злорадно захихикали.

— Знаете, где была добыча Магахонских Лис? — гордо спросил Мелифаро. — Ночной Кошмар, ты сейчас съешь свою скабу!

— Догадываюсь. — Меня внезапно осенило. — В их амобилере, да? Они же покидали Ехо навсегда, конечно, сэр Атва прихватил с собой добришко! Ну я и хорош: даже не удосужился туда заглянуть!.. А ты-то как узнал? Неужели успел съездить в Магахонский лес? Извини, но не верю!

— Ну да, как же! Не все же такие сумасшедшие гонщики, как ты! Барахло нашел лесничий, этот смешной сэр Цвахта. Подозреваю, что он сначала набил собственные карманы, а потом отправил мне зов, за ним это водится. Ну да ладно! По идее, ему все равно причитается какая-то награда за такое доброе дело, так что... — Мелифаро рухнул в кресло и тут же захрустел поджаристыми пирожками.

— Не огорчайся, Макс, человеку, которого два раза убили, это простительно! — успокоил меня Джуффин. — Ты ведь даже и не вспомнил о награбленном, верно?

— Один раз вспомнил. И даже спросил у Джифы, где оно может быть... а потом сразу же забыл! — виновато признался я.

— Ничего, не переживай. Должен же ты хоть иногда садиться в лужу. А то станешь этаким безупречным совершенством, смотреть будет тошно! — После этого оптимистического заявления Джуффин решительно поднялся с кресла. — Поехали, Макс.

— Поехали. — Я встал и с удовольствием потянулся. — Хорошего утра, ребята. — Я пошел к дверям, но на пороге снова обернулся. — Спасибо вам, что вы есть.

Без вас моя жизнь была бы сплошным недоразумением! — У меня комок стоял в горле, поэтому я быстро вышел в коридор.

Сэр Джуффин догнал меня уже возле выхода.

— Хорошо, что ты это сказал, Макс! — шепнул он. — Такие вещи надо говорить вслух, время от времени. Так лучше...

Амобилер сэра Джуффина Халли ждал нас на улице. За рычагом сидел старый Кимпа. Я мог расслабиться: за этот рычаг меня никогда не пустят, можно спорить на что угодно!

По дороге мы устало молчали. Мне ужасно хотелось поскорее покончить с предстоящим иррациональным приключением. Раз уж избежать его не получится, то чем скорее, тем лучше!

— Добро пожаловать, сэр Макс! — Джуффин отвесил мне комичный поклон, настежь распахнув дверь своей спальни. Я на секунду замер на пороге, потом пожал плечами и решительно вошел в комнату. Что будет — то будет, чего уж там! Поэтому я быстро разделся и с удовольствием устроился под пушистым меховым одеялом. Сэр Джуффин задумчиво сидел где-то далеко, на краю огромной постели. Я закрыл глаза, расслабился. Сколько бы бальзама Кахара я ни выдул, спать хотелось зверски! Несколько минут сладких блужданий между сном и явью — и я отрубился.

Что мне снилось, я до сих пор толком не помню. То есть помню, конечно, множество разрозненных эпизодов, но не могу связать их в единую картину. Боюсь, впрочем, что это вообще невозможно, да и не нужно, если разобраться.

Я заглянул в невероятное множество Миров: настоящих и давно исчезнувших; тех, которые существуют только в воображении каких-то существ, живых или умерших; Миров, похожих на те, которые я знаю, и не похожих ни на что... В одном из Миров я увидел рыжего Джифу, я смог разыскать его, потому что очень хотел убедиться, что с ним все в порядке. Разумеется, я не помню, что это было за место, но вроде бы с Джифой все действительно было в порядке... Мельком я заглянул и в тот Мир, где родился. Он был не хуже и не лучше прочих, просто один из многих, такой, какой есть. Впрочем, я не придал этому никакого значения, потому что тогда я не придавал значения ничему, и это было прекрасно: так легко, так прохладно... Иногда рядом со мной звучали голоса, они говорили мне, куда я должен идти, и я слушался. Я не узнавал эти голоса, но логика подсказывала, что рядом со мной были Джуффин и сэр Маба, как обещали... Впрочем, логика меня часто подводит!

Замерев на пороге одного из Миров, я почувствовал, что устал от бесконечных блужданий и хочу домой. Я понял, что знаю, как найти в этой пустой бесконечности дверь, ведущую домой, в Ехо. И я вошел туда, со вздохом облегчения.

С этим же вздохом облегчения я и проснулся. Немного полежал, не открывая глаз, но яркие солнечные лучи донимали меня и через прикрытые веки. Так что пришлось открывать глаза: терять все равно было нечего! Я немного поморгал и с изумлением огляделся. Это явно не походило на спальню сэра Джуффина, в которой я недавно заснул. Слишком маленькая комната, всего с одним окном, но очень знакомая... До меня вдруг дошло, где я оказался, от изумления с меня слетели остатки сна: это была моя собственная бывшая спальня, моя первая квартира на улице Старых Монеток, которую я, к счастью, оставил за собой, руководствуясь исключительно сентиментальными мотивами... В противном случае — новые хозяева могли бы быть очень недовольны!

Пока я растерянно вертел головой, за моей спиной раздался шорох. Я обернулся и увидел улыбающегося сэра Мабу Калоха.

— Смотри-ка, как ты привязан к этому помещению! — весело сказал он. — И что ты в нем нашел, ты можешь мне объяснить?

— Не могу! — гордо заявил я. — Вы же меня знаете, сэр Маба, я — совершенно сумасшедший тип!

— Не прибедняйся. Ты — один из самых вменяемых зануд из всех, кого я знаю. Просто немного эксцентричный. Оно и к лучшему...

— Что именно к лучшему? Первое или второе? — усмехнулся я.

— Все. Все к лучшему. Ладно, кажется, я могу спокойно отправляться по своим делам, ты действительно в полном порядке... Сейчас сюда заявится Джуффин, сияющий, как новенькая корона. Заодно принесет тебе твое барахло. У тебя же здесь ничего нет, правда?

— Правда! — улыбнулся я. — Спасибо, Маба. Теперь со мной все в порядке, да?

— С тобой? Не знаю, тебе виднее. Но на мой вкус, с тобой всегда все в порядке! Отвернись на секунду, дай мне уйти!

— Да, конечно. А это обязательно — отворачиваться?

— Разумеется, нет. Но когда на тебя не смотрят, исчезнуть гораздо легче, а я очень ленив, знаешь ли...

Я отвернулся, сэра Мабы не стало. А лестница уже скрипела под мягкими сапогами сэра Джуффина. Мой шеф решил не выпендриваться и пришел, как все нормальные люди, — через дверь.

— Ну как, путешественник? — весело спросил он. — Доволен прогулкой?

— Не помню, — я пожал плечами, — доволен, наверное... А почему я проснулся здесь, а не у вас дома?

— Ты так захотел, иначе ты бы здесь не оказался! — развел руками Джуффин. — Мы с Мабой сами удивились. Но ты почему-то очень привязан к этим трущобам! Ужас!.. Молодец, что решил оставить за собой эту квартирку. Теперь ты всегда будешь уходить отсюда и возвращаться сюда. Твоя дверь между Мирами открыта именно здесь! Очень удобно, по-моему, твоя практичность меня просто потрясает... Держи свои тряпки, отправляйся в ванную, и так далее. У нас много дел, например завтрак, а разговоров еще больше! — Джуффин бросил мне мою черную скабу.

Я с облегчением оделся: голый человек, на мой взгляд, — чересчур беззащитное существо, правда, разные бывают обстоятельства и разные габариты... А потом я отправился вниз, приводить себя в чувство. Пока я мылся, мои мысли тоже приходили в порядок, как-то сами собой. Так что, вернувшись в гостиную, по которой нетерпеливо прохаживался Джуффин, я тут же спросил:

— А что это вы говорили о том, что я теперь «всегда буду уходить отсюда и возвращаться сюда»? И насчет моей практичности, и все такое? Вы хотите сказать, что я буду попадать в это странное место только из моей спальни? А в других местах буду просто спать и смотреть мои старые добрые сновидения?

— Совершенно верно! Во всяком случае, на первых порах все будет происходить именно так! Ты очень хотел, чтобы дела устроились таким образом, и Коридор между Мирами уступил твоему желанию, как ни странно. Ты из него веревки вьешь, парень! Впервые вижу, чтобы какой-то мальчишка ставил свои условия непостижимому месту! Умеешь ты удобно устроиться, надо отдать тебе должное... — Джуффин придирчиво осмотрел меня и одобрительно улыбнулся. — Давай надевай свою Мантию Смерти — и вперед, в «Обжору»! Там по тебе уже соскучились!

— Так уж и соскучились! Мы же с вами там вчера обедали! — Я внимательно посмотрел на Джуффина. — Или не вчера? Я что, проспал целые сутки? Или больше?

— Немного больше, — кивнул мой шеф. Лукавое выражение его лица мне ужасно не понравилось.

— Сколько? — спросил я, внимательно разглядывая себя в зеркале.

— Ну, если честно, Макс, ты провел там чуть больше года...

— Что?!

— Что слышал. А чему ты, собственно, так удивляешься?

— И вы еще спрашиваете! Думаете, со мной подобные вещи каждый день случаются?

— А-а... Ну, теперь иногда будут, так что привыкай. Время само решает, как ему течь для того, кто вошел в Коридор между Мирами, так что не обессудь!

— А как же ребята? — растерянно спросил я. — Что вы им сказали? И как вы все это время без меня справлялись, в конце концов?!

Мне почему-то стало обидно. Как в детстве, когда тебя зовут домой обедать, и ты уходишь всего на час, а потом возвращаешься во двор и выясняешь, что твои товарищи прекрасно обходились без тебя и даже успели затеять какую-то новую интересную игру, правила которой тебе неизвестны...

Сэр Джуффин, разумеется, как всегда, был в курсе моих немудреных переживаний.

— Я сказал ребятам, что ты удалился в резиденцию Ордена Семилистника, где выполняешь невероятно секретное поручение, о котором не только говорить, но и думать противопоказано. Они поверили как миленькие. Сказали, что на тебя это похоже, представляешь? — Сэр Джуффин ехидно улыбнулся. — Ну, не дуйся, Макс! Мы все без тебя от тоски выли в голос, методично бились головой обо все стенки Управления, пытались наложить на себя руки и так далее... Можешь мне поверить, что это — почти правда! Кроме того, каждую дюжину дней я складывал твое жалованье в ящик стола, кажется у него уже треснуло дно. Ты проснулся богатым человеком, парень! Теперь ты доволен?

— Да, — важно кивнул я, — меня надо любить и давать мне деньги, это правильно!.. Но я не узнаю вас, сэр! Нужно было придумать что-то смешное. Например, что я попал в Холоми за плевок в Королевскую мантию или что-нибудь в этом роде...

— Я собирался! — вздохнул Джуффин. — Но тогда они целыми днями пропадали бы под стенами Холоми, таскали бы тебе гостинцы... Тебя ведь, между прочим, действительно любят, уж не знаю за что! К тому же в Холоми теперь новый комендант, твой старый приятель Камши. Так что эта версия показалась мне нежизнеспособной!.. Хватит крутиться перед зеркалом, поехали в «Обжору». Ребята уже жуют салфетки, я полагаю!

Трактир «Обжора Бунба» был пуст, только наш любимый столик между стойкой и окном во двор был оккупирован моими коллегами, которые с восторженным ревом повисли у меня на шее. Леди Меламори показала себя настоящим бойцом и сделала это первой, так что Мелифаро получил редкостную возможность облапить нас обоих одновременно. Луукфи, разумеется, опрокинул поднос с камрой, забрызгав нарядное разноцветное лоохи моей «светлой половины». Сэр Кофа, мудрый человек, подошел ко мне сзади, поэтому ему не пришлось принимать участие в сомнительной битве за прикосновение к моим мощам. Лонли-Локли благоразумно стоял в стороне, одобрительно созерцая это зрелище. Оно и к лучшему: с таким внушительным парнем следует обниматься в индивидуальном порядке.

Это было лучше, чем просто хорошо, гораздо лучше! А потом я уселся за стол и принялся их рассматривать. Оказалось, что за год многое может измениться. Мелифаро, например, обзавелся маленьким треугольным шрамом над левой бровью. Надо отметить, что ему это шло.

— Главное — вовремя получить по морде. Самый простой способ обзавестись героическим шрамом, да? — гордо прокомментировал он это изменение. — А то какой из меня был герой?!. Слушай, ты же еще не знаешь, что учудил наш Локки-Лонни. Покажи ему, сэр Шурф! Ему понравится!

— Мелифаро, ты упорно напрашиваешься на второй шрам, — проворчал Лонли-Локли. — Нельзя так долго безнаказанно измываться над моей фамилией. Она мне нравится, знаешь ли!

— А что ты «учудил», Шурф? — с любопытством спросил я.

— Вот, смотри! — Лонли-Локли аккуратно снял защитную рукавицу со своей смертоносной левой руки и показал мне ладонь в сияющей опасной белизной перчатке. В центре ладони сердито щурился пронзительно голубой глаз.

— Это чей? — изумленно ахнул я.

— Одного парня, ты его не знаешь... Это было без тебя. Отличная штука, правда?

— Он что, обладает какими-то необыкновенными свойствами? — с любопытством спросил я. — Что он делает?

Вся компания дружно расхохоталась. Только сам Шурф сохранял ледяную невозмутимость.

— Он подмигивает, Макс! — икая от смеха, сообщил Мелифаро. — Он просто подмигивает — и все!

— Я подумал, что тебе бы это понравилось! — задумчиво кивнул Лонли-Локли. — Теперь, перед тем как пустить в дело левую руку, я всегда медлю, совсем чуть-чуть. За это время моя ладонь успевает подмигнуть жертве... Знаешь, иногда мне кажется, что это — твоя шутка. Ты нашептал мне ее в одном из снов, я в этом просто уверен!

Я польщенно улыбнулся:

— Вообще-то, стиль вполне мой, но я не тяну! Мне еще учиться и учиться!.. Все равно — спасибо!

После самого долгого и самого приятного завтрака в моей жизни я уселся за рычаг амобилера и отправился домой, на улицу Желтых Камней. Мне очень хотелось убедиться, что с моими котятами все в порядке. Черт, я же бросил их на целый год, ничего себе заботливый хозяин!

— Возвращайся на закате, Макс, у тебя куча работы! — крикнул мне вслед сэр Джуффин. Его слова медом пролились на мое сердце...

Замирая от волнения, я вошел в просторный холл своей квартиры. В гостиной царила настоящая идиллия: невероятный бардак, в центре которого восседал закутанный в домашнее лоохи сэр Андэ Пу, у его ног крутилась невероятно растолстевшая Элла, на груди мурлыкал огромный Армстронг. Я изумленно покачал головой, не зная, что я теперь должен сделать — сказать парню спасибо или обложить его десятком-другим словечек позаковыристее.

— Хороший день, Макс! — смущенно картавя, заявил этот зоолог-любитель. — Я впиливаю, что не должен был без спроса у вас оставаться, но ваши кошки очень тосковали, к тому же у меня полдома занимают жильцы: их контракт истекает только через двадцать лет, у этих плебеев четверо детей, и они постоянно орут, а мне надо писать... Полный конец обеда!

Я опустился на пол и с облегчением расхохотался. Голова шла кругом от всех этих безобразий, но голова и должна идти кругом, это ее основная обязанность!

— Так вы впилили? — робко осведомился Андэ, нерешительно улыбаясь левой половиной своего говорливого рта.

Корабль из Арвароха
и
другие неприятности

Нуфлин Мони-Мах

Фило Мелифаро

Гуриг VIII

Анчифа Мелифаро

Кекки Туотли

Теххи Шекк

Мелифаро

— **М**акс, в твоих руках судьба всех полицейских Ехо! — сообщил мне улыбающийся до ушей Мелифаро, удобно устраиваясь на моем рабочем столе. — С тех пор как у Бубуты закончились эти смешные курительные бревна, которые ты ему подарил, его характер стал еще более скверным, чем раньше!

— Это невозможно, — спокойно возразил я, — хуже не бывает, возможности природы отнюдь не безграничны! Ребята просто успели забыть, каким он был до того, как обожрался «Королем Банджи». А теперь дядя окончательно выздоровел, вот и все!

— Значит, у тебя больше нет этих бревнышек? — вздохнул Мелифаро. — Бедный Апурра!

— Нет, так будут, не переживай! А кто такой этот Апурра? — поинтересовался я.

— А, ты же его еще не знаешь! Лейтенант Апурра Блакки, он появился в Полиции после смерти Шихолы. Еще более толковый и почти такой же симпатичный, тебе понравится... А какая барышня завелась в Городской Полиции! Леди Кекки Туотли. Мало того что умница редкостная, хоть к нам переманивай, так еще и настоящая светская дама, ледяная и неприступная. Бубута при ней почти не ругается, представляешь?

— Представляю! — усмехнулся я. — У меня очень богатое воображение. Кроме того, я один раз видел его в домашней обстановке...

— А вот типа, который заменил Камши, тебе лучше вовсе не видеть. Ты его сразу убьешь! — мечтательно улыбнулся Мелифаро.

— Почему? — удивился я. — Что, такая сволочь?

— Ну, не то чтобы сволочь, но шуток лейтенант Чекта Жах не понимает напрочь. Кроме своих собственных, каковые отвратительны, но, к счастью, немногочисленны... Очень серьезный парень. И очень мускулистый. Настоящий герой. Подозреваю, что ты таких терпеть не можешь.

— А-а... Да нет, я всех терплю, если терпеть приходится не очень долго! — Я пожал плечами и в очередной раз удивился. — Ужас, всего год прошел, а все так изменилось!

— Год и сорок восемь дней, — поправил меня Мелифаро. — Можешь себе представить, все время, пока тебя не было, мы делали зарубки на столе в Зале Общей Работы, дни считали!

— С ума сойти! — восхитился я. — Считали?! Ну вы даете!

— Конечно! Это были самые светлые и спокойные дни в нашей жизни. Человек имеет право знать, как долго он был счастлив!

— Ну да! — фыркнул я. — Ладно, побудь счастливым еще пару часов. Между прочим, сейчас полдень, а мне положено работать ночью, так что я пошел.

— Куда это ты пошел? — огорчился Мелифаро. — Небось опять брюхо набивать! Тебя там, в Семилистнике, что, не кормили?

— Ты же знаешь, какие они экономные! Можешь себе представить, за все время своего отсутствия я не поел ни разу, — торжественно сообщил я. Самое смешное, что это было абсолютной правдой: я не умею есть во сне, даже во сне, который продолжается больше года. Да и в том запредельном местечке, где я все это время шлялся и которое сэр Джуффин Халли окрестил «Коридором между Мирами», никаких буфетов вроде бы не было... Так что я здорово осунулся, можно было начинать отъедаться заново — прекрасная перспектива!

— Если ты собрался в «Обжору»...

— Если бы я собирался в «Обжору», я бы так и сказал! — примирительно улыбнулся я. — Мне нужно зайти домой. Знаешь, что творится у меня дома? Пока я отсутствовал, там завелся один милый молодой человек...

— А, твой толстый журналист? Славный парень! Смешной! — В устах Мелифаро эти слова вполне тянули на комплимент.

— Мои кошки тоже думают, что он славный, — согласился я. — Они все были так счастливы без меня! Представляешь, во что эти трое превратили квартиру? Я, конечно, почти аскет, и все такое, но это уж слишком! Сплошные руины! В общем, я нанял каких-то специальных людей, они будут там убирать, ремонтировать и так далее... Их шеф утверждает, что работы там чуть ли не на пару дюжин дней, и я в глубине души с ним полностью согласен, хотя меня это совершенно не устраивает! Хочу пойти посмотреть, кто будет копошиться в моем дворце, ну и вдохновить их на ударный труд своим грозным видом, конечно... В общем, так: через час я вернусь, и мы с тобой пойдем в «Обжору» или еще куда-нибудь, как скажешь. Что-то я сегодня такой хороший, самому противно!

— Да, теряешь форму! — Мелифаро расплылся в улыбке. — Ладно, уговорил, я тебя отпускаю, только возвращайся скорее!

— Ты меня отпускаешь? Правда? Наконец-то сбылось! Спасибо, о великодушный господин! — Я отвесил земной поклон, в духе лучших традиций самого Мелифаро, и пулей вылетел из Управления. Кажется, последнее слово все-таки осталось за мной... или нет? Впрочем, в наших с Мелифаро соревнованиях сами Темные Магистры не разберутся!

Дома все было в порядке, если не считать некоторого недовольства Армстронга и Эллы, которых мне пришлось запереть в спальне. Нечего им слоняться среди лихих угрюмых рабочих, строительных материалов и прочей чепухи!

— Так вам и надо! — мстительно сказал я, нежно почесывая толстые загривки своих котят. — Сюда бы еще вашего драгоценного Андэ запереть! Ничего, с ним мы отдельно разберемся. В следующий раз не будете ломать и крушить все, что попадается на пути! — Впрочем, я здорово подозревал, что еще как будут, дай только волю...

А через два часа мы с Мелифаро действительно засели в «Обжоре Бунбе». Я всерьез намеревался наверстать упущенное!

— И где ты теперь будешь жить? — весело поинтересовалась моя «светлая половина». — В Управлении?

— Ага, — хмыкнул я. — Так что наш отдел временно распускается. Вы будете мне мешать: вы шумные и все время что-то жуете... А вообще-то, у меня есть старая квартира, на улице Старых Монеток, помнишь?

— Эта маленькая? Ну тогда не ешь так много, а то ты там не поместишься... Я почему, собственно, спрашиваю: мое сумасшедшее семейство по тебе ужасно соскучилось и требует привезти в гости. Я долго пытался им объяснить, что они здорово ошибаются и еще пожалеют об этом решении, но мои старики туповаты, знаешь ли, как все фермеры...

Я расхохотался. Злодей Мелифаро ради красного словца никому пощады не давал, даже своим обожаемым родственничкам!

— Это приглашение? — отсмеявшись, спросил я.

— Нет, это последнее предупреждение. Не смей совать свой коварный нос в наше фамильное имение! Ну разве что под моим присмотром... Лично я отправляюсь туда сегодня же вечером. Собираюсь повидать своего старшего братца.

— Этого огромного? — улыбнулся я.

— Что? А, ты имеешь в виду Бахбу? Ну да, ты же его видел... Нет, я говорю об Анчифе. Наша семейная гордость! Кажется, он не просто капитан, а самый настоящий пират. Ну да, а чем еще может заниматься мой брат в мокром, соленом и безбрежном океане? Насколько я знаю, пиратство — это единственное хорошее развлечение, как раз в его вкусе!.. Анчифа вернулся несколько дней назад, и дома сейчас семейные торжества, словом, тоска зеленая. Не дашь мне погибнуть от скуки?

— С тобой хоть на край света, — усмехнулся я. — Но ты же знаешь Джуффина. Он с удовольствием отпустил бы меня в логово разбушевавшихся вурдалаков, но на приятную загородную прогулку... Сомневаюсь!

— Отпустит, отпустит, куда он денется! — махнул рукой Мелифаро. — Я у него уже спрашивал. Шеф даже обрадовался. Ты его уже достал, дальше некуда, полагаю!

— Правда? — удивился я. — Вот это новость! Я-то думал, он меня теперь к креслу привяжет, чтобы ничто не отвлекало от работы!

— Это было бы здорово! — мечтательно сказал Мелифаро. — Надо будет ему посоветовать...

— Жуете, мальчики? — доброжелательно спросил сэр Кофа Йох, внезапно возникнув откуда-то из-за моей спины. — Хорошее дело... А у меня новость специально для тебя, Макс. Тебе понравится!

— Что, новый анекдот сочинили? — вздохнул я. Мне уже пришлось их выслушать не меньше дюжины: кажется, за время моего отсутствия столичные жители изрядно истосковались и начали придумывать анекдоты, в которых фигурировало мое имя, более того, некоторые из них показались мне довольно неприличными. Впрочем, в свое время сия чаша не миновала даже самого сэра Джуффина, так что мне оставалось только смириться...

— Ну да, размечтался! — хмыкнул сэр Кофа. — Ты у нас, конечно, очень важная персона, но не настолько же!

— А что тогда? — с облегчением спросил я.

— Да ничего особенного... Просто я только что арестовал твоего земляка. В «Толстом скелете».

— Моего земляка?! — У меня дыхание перехватило. Однажды в Ехо уже появлялся мой земляк, он оказался банальнейшим маньяком-убийцей, влипшим в куда менее банальную историю: моя первая Дверь между Мирами случайно открылась перед ним. К сожалению, парень использовал это мистическое происшествие только для того, чтобы с удвоенным рвением взяться за любимое дело. В конце концов мне пришлось пошлейшим образом прирезать беднягу. Не могу сказать, что мне это очень понравилось...

— Ну да, а чему ты так удивляешься? — лукаво спросил сэр Кофа. — Графство Вук, конечно, далековато от столицы, но ведь некоторые люди просто обожают путешествовать!

Боюсь, что я не смог скрыть облегчения. Ну разумеется, речь шла о каком-то жителе границы графства Вук и Пустых Земель, которые, по нашей с сэром Джуффином легенде, считались моей родиной. Думаю, что среди моих коллег никто по-настоящему не верил в эту легенду, но ребята тактично помалкивали. Я их вполне устраивал такой, какой есть, — загадочный...

— А что он натворил? — Я попытался изобразить на своей физиономии живое любопытство, поскольку, честно говоря, криминальные похождения жителя границ были мне до фени.

— А, — сэр Кофа пренебрежительно махнул рукой, — ничего он не натворил, если разобраться! Парня подвело махровое невежество.

— Что, он не знал, сколько будет два плюс два? — фыркнул я. — А теперь это карается законом?

Сэр Кофа снисходительно посмеялся, конфисковал мой пирожок, с удовольствием его надкусил и наконец соизволил объяснить, что именно натворил мой, с позволения сказать, «земляк».

— У парня на руке был перстень, позволяющий читать чужие мысли. Ничего особенного, в эпоху Орденов такие игрушки были чуть ли не у всех столичных жителей. Но в начале эпохи Кодекса их конфисковали по специальному Указу Гурига Седьмого: во-первых, это — двадцать четвертая ступень Белой Магии, а во-вторых — вопиющее нарушение двести сорок восьмой статьи Кодекса Хрембера, где говорится, что любой гражданин Соединенного Королевства имеет право на личные тайны... Твоему земляку, разумеется, все эти «личные тайны» и даром не нужны, а перстень ему подарил некий «хороший друг» лет девяносто назад. Подозреваю, что этот «друг» был одним из беглых Младших Магистров: они тогда толпами скитались по окраинам Соединенного Королевства...

— И что с ним теперь будет? — сочувственно спросил я.

— А ничего особенного. Разумеется, тяготомотина со следствием будет продолжаться несколько дней. А потом эта невинная жертва правосудия просто распрощается со своим драгоценным перстнем и отправится восвояси. Больно он нам нужен, в Холоми и без него тесно!

— Навестить его, что ли? — хмыкнул я. — Земляк все-таки! — Мне действительно было чертовски любопытно: как же выглядят мои гипотетические «земляки» и за кого меня, собственно, все это время принимали?!

— Что, истосковался по запаху конского навоза? — Мелифаро наконец оседлал своего любимого конька. — Думаешь пошарить у парня по карманам: а вдруг найдешь кусочек, хоть понюхать? Я твою степную душу насквозь вижу!

— А ведь тебе, пожалуй, придется заняться его делами, — задумчиво промурлыкал сэр Кофа. — Парень приехал в Ехо не один, их тут целый караван! Сердобольные горожане уже сообщили перепуганным провинциалам, что в Тайном Сыске служит их земляк, да он там еще и большой начальник. Так что через часок-другой они заявятся в Дом у Моста валяться в твоих вельможных ногах, если уже не заявились. Представляешь, что тебе предстоит?

— А что, даже интересно! — восхитился я. А потом подумал о возможных последствиях. Дело попахивало полным провалом моей знаменитой легенды, не больше и не меньше! Я озадаченно нахмурился. — Кажется, мне надо повидаться с Джуффином...

— Мне тоже так кажется, мальчик! — понимающе улыбнулся сэр Кофа. — И ему самому тоже кажется... Или скоро покажется, не важно! В общем, извини. Не дал я тебе спокойно поесть.

— Ничего! — улыбнулся я. — От вас, сэр Кофа, я еще и не такое стерплю. — Я решительно встал из-за стола.

— Ты такой занятой, смотреть больно! — завистливо хмыкнул Мелифаро. — Только не вздумай меня бросить. Вечером мы едем!

— Как же я тебя брошу, такого хрупкого и беспомощного? Не переживай, когда это я упускал возможность бесплатно поесть! А у тебя дома отлично кормят.

— Какая целеустремленность! — воскликнул Мелифаро. — Какая глубокая концентрация во имя одной-единственной идеи! Какое самоотверженное служение собственному брюху!

— Да, я такой! — гордо сказал я. — Лонли-Локли в свое время научил меня отличным дыхательным упражнениям. Они помогают сосредоточиться и не отвлекаться от главного. Результат налицо, как видишь! — И я быстро смылся из «Обжоры»: Мелифаро был вполне способен поддерживать нашу поучительную беседу еще лет пять, даже без перерыва на сон и визиты в уборную.

Сэр Джуффин Халли был на месте. Когда я вошел в кабинет, он как раз старательно пытался придать своему лицу серьезное выражение. Получалось не очень: непослушное лицо то и дело расплывалось в ехиднейшей улыбке.

— Ну что? Ты готов к встрече с земляками? — весело спросил мой неподражаемый шеф.

— Сами знаете, что нет! К такому просто невозможно быть готовым... Между прочим, это была ваша идея насчет моей биографии, со всеми вытекающими последствиями. Так что выручайте!

— Только без паники! — улыбнулся сэр Джуффин. — Сейчас мы с тобой быстренько досочиним твою биографию, делов-то! Так... Ну, в общем, ты у нас — сирота, родителей своих не помнишь, тебя воспитывал какой-то старый беглый Магистр, его звали... ну, скажем, он скрывал свое имя от людей, даже от тебя, это бывает, и так даже лучше... Вы жили в маленьком домике в бескрайней степи... а потом он умер, и ты подался в столицу, к старому приятелю своего опекуна, то есть — ко мне. Думаю, этого вполне достаточно.

— Здорово! — восхитился я. — Такая расплывчатая история! И в то же время ни к чему не придерешься! Речь-то у меня наверняка не такая, как у них, да и все остальное тоже. А этот гипотетический беглый Магистр все объясняет: мало ли чему он там меня научил...

— Правильно. Тебе бы еще имя поправдоподобнее. «Макс» — это ни в какие ворота не лезет! Не похоже на их имена, скорее, уж на наши, да и то не очень... А человек должен знать свое имя, правда? Никто не поверит, что у твоего опекуна-Магистра не хватило могущества, чтобы узнать твое настоящее имя!

— Ну, давайте придумаем! — легкомысленно откликнулся я.

— Я тебе придумаю! Нет, Макс, нам бы настоящее имя! Ты, часом, ни одного не помнишь? Ты же третий том Энциклопедии Манга Мелифаро до дыр зачитал!

— Так то когда было! — вздохнул я. — Могу за ним смотаться домой, вы же знаете, я это очень быстро делаю... Нет, подождите, одно имя я все-таки запомнил! Фангахра из земель Фангахра, точно!

— Фангахра? — задумчиво переспросил Джуффин. — Да, это похоже на их имена. Думаю, ты правильно запомнил, а если и неправильно... Да Магистры с ними, с этими сумасшедшими кочевниками! Кто они, в конце концов, такие, чтобы мы с тобой из-за них волновались!

— Действительно! — фыркнул я. — А чего мы с вами вообще этой ерундой занимаемся? Послать их подальше — и все тут!

— Их нельзя послать подальше! Они и так живут далеко — дальше некуда! — печально усмехнулся сэр

Джуффин. — И вообще, их надо любить и беречь. Это политика, мальчик! Наши гости проживают на спорной территории. Самая граница графства Вук и Пустых Земель, а если ты помнишь, Пустые Земли не принадлежат ни Соединенному Королевству, ни кому-либо еще... По мне, так они нам вообще не нужны! Но Его Величество Гуриг Восьмой в последнее время одержим идеей повесить у себя в гостиной новую карту Соединенного Королевства, на которой Пустые Земли уже будут фигурировать как часть нашей территории. Эту карту просто нарисуют — и все. Не воевать же с ними из-за такой ерунды, как их земли, сам понимаешь! А этот арест твоего, извини за выражение, «соотечественника» — событие большой государственной важности. Мы его немного подержим и отпустим. И оформим все как положено. То есть бедняга будет фигурировать в наших протоколах как гражданин Соединенного Королевства. Понимаешь, что я имею в виду?

— Вы очень удивитесь, но я понимаю! Это называется: «создать прецедент», да?

— Рехнуться можно, какой ты умный! — одобрительно хмыкнул Джуффин. — Может, тебе следовало делать карьеру при Дворе?

— Ага, как же! У них жалованье меньше, я знаю!

— А ты жадный, да? — развеселился Джуффин. — Ну ладно, пойди пообщайся со своими «земляками», они топчутся в комнате для посетителей... А потом можешь отправляться к Мелифаро, скатертью дорожка!

— Видеть меня уже не можете, да?

— Я? Нет, еще могу, как ни странно... Ты догадываешься, почему я тебя так охотно отпускаю?

— Нет, — растерянно сказал я. — Если честно, понятия не имею! Вы так долго и обстоятельно объясняли мне, что я теперь должен мало спать и много работать, потому как обходиться без меня стало совершенно невозможно, и вдруг...

— Хочу, чтобы ты немного поспал в комнате его деда, со всеми вытекающими приятными последствиями. Вернешься — будешь как новенький! Ты честно заслужил такую передышку.

— Да, комнатка — что надо! — мечтательно сказал я. — А я и забыл про нее... Хорошая была организация, этот их Орден Потаенной Травы, сам бы в нее вступил, если бы меня взяли, в чем я, впрочем, здорово сомневаюсь... Нет, правда, спасибо вам, Джуффин!

— Не за что! Для себя стараюсь. Кстати, в старые времена тебя охотно взяли бы в любой Орден. Просто из уважения к твоей биографии — я имею в виду твою реальную биографию... Ладно, сходи все-таки к своим «землякам», потом вернешься, расскажешь. Страсть как любопытно!

— Ладненько! — Я поднялся из кресла. — Значит, Фангахра из земель Фангахра, ну и имечко, ужас!

— Подозреваю, что остальные еще хуже! — сообщил мне вслед Джуффин.

Я отправился в приемную, где толпились мои гипотетические «земляки». Странный я человек! До последней секунды я не сомневался, что жители Пустых Земель окажутся раскосыми скуластыми ребятами с иссиня-черными волосами — именно так я с детства представлял себе каких бы то ни было кочевников. Вспомнить, что дело происходит в совсем другом Мире, у меня ума не хватило...

С первого взгляда могло показаться, что в приемной расселись две дюжины обыкновенных столичных обывателей. Это если смотреть только на лица: лица как лица, разные и, в общем-то, вполне заурядные. Уже через секунду я заметил некоторое несоответствие и чуть не расхохотался, когда понял, в чем дело: ребята повязали головы платками, все как один, на тот самый дегенеративный манер, который полностью удовлетворяет эстетические потребности провинциальных старушек на моей «исторической родине». Эти головные уборы удивительно сочетались с короткими широкими штанами чуть ниже колена. Кроме того, мои «земляки» были отягощены огромными сумками, которые носили через плечо. «Мамочка, — весело подумал я, — это же какой-то конгресс сумасшедших почтальонш! Это что же получается: предполагается, что и я так выглядел в дни своей гипотетической юности?! Хорошая же у меня должна быть репутация в столице!»

Я изумленно покачал головой и тут заметил еще одно несоответствие: в приемной было абсолютно тихо. Ребята не просто молчали, они старательно создавали тишину. Кажется, они даже не дышали. «Земляки» внимательно смотрели на меня, молча, изучающе. «Так, —

одобрительно подумал я, — судя по всему, никто не собирается валяться у меня в ногах! Что ж, это как раз приятно». Такое достойное поведение господ кочевников почти примирило меня с их нелепым видом.

Пока я восхищался сдержанностью жителей границ, один из них, совершенно седой и, кажется, действительно самый старший в этой дружной компании, неторопливо вышел вперед.

— Если ты наш, помоги Джимаху, сэр! — хрипло сказал он. — Так велит Закон, а что у нас есть, кроме Закона?!

— Ничего! — машинально согласился я. — Я помогу Джимаху. Солнце несколько раз попрощается с небом, после этого Джимах вернется к вам, обещаю. Прощайте, господа! — Почему-то мне казалось, что изысканное сочетание суровой лаконичности с неуклюжими иносказаниями — именно то, что необходимо кочевникам всех Миров. Высказавшись, я с облегчением развернулся. Дело было сделано, я мог спокойно уходить.

— Позволь нам узнать твое имя, сэр, — нерешительно остановил меня старик. — Мы должны знать достойное имя того, кто чтит Закон даже вдали от родных земель... Я имею в виду твое родовое имя, а не то, которым тебя называют местные варвары.

«Ага, так мы тут, в Ехо, еще и варвары! — возмущенно подумал я. — Какая прелесть!»

— Меня зовут Фангахра из земель Фангахра, — проворчал я. — А теперь прошу прощения, у меня очень... Что вы делаете, господа?! Прекратите немедленно!

Вот теперь все ребята лежали у меня в ногах. Они рухнули на пол дружно и дисциплинированно, как по команде.

— Ты вернулся к своему народу, Фангахра! — восторженно воскликнул старик, взирая на меня снизу вверх блестящими от волнения глазами. — Люди, вышедшие из земель Фангахра, приветствуют тебя!

— Все равно встаньте! — буркнул я. — Ну вернулся я к своему народу, тоже мне событие... — И тут я с ужасом понял, почему вспомнил именно это дурацкое имя. Фангахра — так звали легендарного малолетнего царя кочевников, которого когда-то потеряли в бескрайней степи его склеротичные подданные. После чего бедняги сами себя прокляли, и все такое... Это же

167

была моя любимая история из третьего тома Энциклопедии Мира сэра Манга Мелифаро, того самого, которого я как раз собирался осчастливить визитом в компании его собственного младшего сына! И черт меня дернул вспомнить именно царское имечко! Стать царем-самозванцем, только этого мне сейчас и не хватало...

— Давайте договоримся, — сухо сказал я. — Сейчас вы все встаете с колен, выходите на улицу и неторопливо отправляетесь по своим делам, а я иду заниматься своими. Через несколько дней вы получаете назад своего драгоценного Джимаха, в целости и сохранности. И все! Прощайте, господа! — Я решительно распахнул перед ними входную дверь и окончательно обалдел. Перед Домом у Моста топталось стадо лосей... Ну, не совсем лосей, конечно, но из всех знакомых мне животных так называемые лошади Пустых Земель больше всего походили именно на лосей: такие же огромные, сутулые, рогатые. Рога, кстати, были украшены огромным количеством всяческих сумасшедших побрякушек: тут были и ленточки, и колокольчики, и крошечные кувшинчики, и прочие милые пустяки. Я даже растрогался.

— Не огорчайтесь, ребята, — примирительно сказал я. — Я не хотел вас обидеть... Но я действительно очень занят. Так что давайте поднимайтесь. И больше никогда не становитесь на колени. Ни перед кем. Ясно? Такой хороший маленький гордый народ, вам это не к лицу...

— Твое слово — это Закон! — внушительно сообщил мне седой кочевник. — Ты вернул нам надежду, повелитель!

— Надежда — глупое чувство! — машинально процитировал я фразу сэра Махи Аинти, впрочем теперь я имел полное право на эту цитату. Кажется, я уже успел лично выстрадать его печальную мудрость, хотя бы отчасти. Потом я мысленно выругал себя за неуместное умничанье и постарался примирительно улыбнуться.

— Идите, ребята. — Я повелительно указал на дверь. Кочевники молча вышли, уселись на своих безумных «лосей» и вскоре скрылись за поворотом. Изумленно покачав головой, я пошел удивлять сэра Джуффина.

— Теперь я еще и царь! — мрачно выпалил я с порога. — Сам виноват, дурак. Нашел, какое имечко вспомнить! — И я вкратце пересказал Джуффину историю своего неожиданного возвышения.

— Ничего страшного! — легкомысленно махнул рукой мой великолепный шеф. — Ну царь так царь, подумаешь! Меня вполне устраивает.

— Надеюсь, вы меня не отправите к ним царствовать? — с внутренним содроганием спросил я.

— Не сходи с ума, Макс. За кого ты меня принимаешь?.. Разве что сам сбежишь. Впрочем, тогда я тебя просто поймаю. И оставлю без обеда на неделю. Ясно?

— Какая жестокость! — с удовольствием возмутился я. — Я и так год не ел!

— Зато спал, — равнодушно парировал Джуффин. — Ладно уж, ваше величество, надевайте свою походную мантию и отправляйтесь в набег на сэра Манга Мелифаро. Кажется, именно он и является настоящим виновником твоей беды? Вот и отомсти ему как следует!

— Уничтожу все, что найду на столе! — грозно пообещал я. — Он у меня еще попляшет!

— Вот и славненько, — вздохнул Джуффин. — Только не больше двух дней. Мелифаро там, кажется, что-то бормотал насчет трех, так ты не бери в голову: что он понимает в жизни!

— Ничего он в жизни не понимает, святая правда! Кто же дольше двух дней отдыхает?! — согласился я. На этой оптимистической ноте мы и расстались.

В коридоре я столкнулся с Меламори, она улыбнулась мне приветливо и печально. Думаю, что с моим лицом произошло примерно то же самое.

— Уезжаешь? — спросила она.

— Всего на два дня. — Я виновато пожал плечами. — Такие пустяки по сравнению с вечностью, правда?

— Ты еще не видел, как я теперь езжу на амобилере, — тихо сказала Меламори. — Конечно, до тебя мне пока далеко, но у меня есть шансы выиграть наш спор. Когда-нибудь я перегоню тебя, клянусь всеми Магистрами!

— Не спорю. Ты меня покатаешь?

— Еще бы! — с энтузиазмом кивнула Меламори. — Как здорово, что ты вернулся, Макс!

— А ты сомневалась? — весело спросил я.

— В общем-то, нет, да и сэр Джуффин говорил, что ты обязательно вернешься, но иногда мне казалось, что он сам в это не слишком-то верит... Знаешь, я ведь не раз думала: может быть, мне не стоило придавать такое значение всем этим древним предрассудкам насчет судьбы? Нужно было поступить так, как хочется, а так — будь что будет... Сожалеть о том, что уже сделано, грешные Магистры, что может быть глупее!.. А потом тебя чуть не убили в Магахонском лесу, стоило мне только подумать, что можно попробовать забыть о следящей за нами судьбе. Мне показалось, что это — предупреждение, и тогда я опять испугалась, только уже не за себя, можешь себе представить, и решила, что все должно оставаться как есть. Но все к лучшему: год — это очень долго... Я научилась жить без тебя... и без сожалений.

Я прислонился к стене и вытер взмокший лоб. Ну и разговорчик у нас получился, явно не для коридора Управления Полного Порядка! Или наоборот, именно коридор — лучшее место для такого рода объяснений?

— Проблема в том, что предрассудки, которым придает значение даже Джуффин, мне тоже уже не кажутся просто глупыми предрассудками, — наконец выдавил я. — Мне нравится, что мы оба живы, как бы там ни было, это прекрасно, правда?

Меламори задумчиво покивала, я ненадолго заткнулся. А потом меня понесло.

— Время, — тихо сказал я, — на все нужно время. За последние два года я научился многим удивительным вещам, Меламори. Когда-нибудь я научусь обманывать эту тупую дуру судьбу... Это — не из тех обещаний, которые можно выполнить за день до Конца Года, да?.. Но, наверное, когда-нибудь я сделаю это. Лишь бы не было слишком поздно, конечно...

— Такое никогда не слишком поздно, — твердо сказала Меламори. — Такие вещи всегда случаются вовремя или вообще не случаются... Хорошо, что ты это мне сказал, Макс... И не обижайся, если я буду вести себя так, словно этого разговора никогда не было. Мне надоело жить с пустотой в груди, надо как-то развеселиться. Во всяком случае, я собираюсь попробовать.

— У тебя получится! — подмигнул я. — Вот увидишь!.. И у меня тоже получится... Или уже получилось? — Ох, я и сам этого не знал!

Меламори нерешительно посмотрела на меня, потом лихо тряхнула растрепанной головкой, помахала мне на прощание и скрылась в Зале Общей Работы. Я немного постоял, собрался с мыслями, которых, впрочем, все равно не было, и пошел к своей «светлой половине».

Мелифаро ждал меня за опустевшим столиком в «Обжоре Бунбе», подпрыгивая от нетерпения.

— Где тебя Темные Магистры носили, Ночной Кошмар? — возмущенно осведомился он. — Что, опять за старое взялся? Сколько народу уже прикончил, признавайся!

— Много, — рассеянно ответил я. — Извини, дружище, я был занят. Меня провозгласили царем, а это — довольно хлопотная процедура, сам понимаешь!

— Каким таким «царем»? — Мелифаро захлопал глазами. — Что, опять твой знаменитый абстрактный юмор?

— Нет, сухая констатация факта. — Я пожал плечами. — По дороге расскажу. Поехали, а то сейчас сюда припрутся мои придворные. Будут плакать и проситься с нами. Как я до сих пор обходился без свиты, ума не приложу!

— Шуточки у тебя сегодня! — проворчал Мелифаро. — Заедем сначала ко мне, нужно же собраться.

— А потом ко мне, по той же причине, — кивнул я. — Между прочим, мои подданные мудрее нас с тобой. Они всегда носят с собой все свои вещи. Вот в таких сумках! — Я развел руки как можно шире, несколько преувеличив размеры потрясших меня «почтальонских» сумок, — чего только не сделаешь из любви к своему народу!..

Квартира Мелифаро на улице Хмурых Туч оказалась просторным, роскошно обставленным, но довольно запущенным жилищем. Чувствовалось, что хозяин заходит сюда довольно редко и в основном для того, чтобы поспать. Я одобрительно отметил, что слуг здесь, как и у меня самого, явно не водилось.

— Если хочешь выпить, поройся в книжном шкафу, дня два назад я там что-то видел... — задумчиво сказал Мелифаро, с некоторым недоумением оглядывая свою гостиную.

— Спасибо, обойдусь. Мне же еще амобилер вести... Кстати, до сих пор бытовало мнение, что я — счастливый владелец самого грандиозного бардака на обоих берегах Хурона. Боюсь, что это не совсем так! — Я сделал печальное лицо.

— Нет уж, парень, куда тебе до меня! — гордо ответствовал Мелифаро.

— Ну должен же ты хоть в чем-то быть лучше, бедняга! — ядовито заметил я вслед его удаляющейся наверх спине.

Через минуту Мелифаро вернулся, бодро размахивая полупустой дорожной сумкой.

— Пошли, Макс. Видеть не могу эту замызганную конюшню! Ничего, через два дня здесь будет благодать. Я решил последовать твоему примеру. Вызвал каких-то мистических уборщиков. Они утверждают, что моя берлога еще не безнадежна.

— Хотелось бы верить, — сочувственно вздохнул я. — Хорошее место. Мне здесь нравится.

— Да? Ну, по сравнению с юртами твоего бедного народа мой хлев действительно вполне приличное жилье... Кстати, ты обещал поведать мне историю своего воцарения. Как это случилось?

— А, пустяки! — усмехнулся я. — Я сказал этим милым людям, как меня зовут. Оказалось, что я — их царь, во всяком случае их гипотетического пропавшего царя зовут точно так же. Вот и все.

У Мелифаро отвисла челюсть.

— Ты что, серьезно? Впрочем, с тебя станется!

— Да ну, прекрати! — сердито сказал я. — Я — бедный сирота, без роду без племени, заблудившийся во мраке собственных смутных воспоминаний о прошлом... Ну какой из меня царь?!

Пока мы ехали к моему дому, Мелифаро молчал, что совершенно не вязалось с моими представлениями о его возможностях. Переваривал информацию, полагаю. Впрочем, не так уж долго мы ехали!

У меня в гостиной творилось нечто невообразимое: там сосредоточенно бездельничала чуть ли не дюжина угрюмых рабочих. Их начальник метался по огромной комнате, изо всех сил имитируя бурную деятельность. Я укоризненно покачал головой.

— Знаете, ребята, мне бы очень хотелось, чтобы вы когда-нибудь приступили к работе, — тихо, но внушительно сказал я. — Надо же мне где-то жить, правда?

Рабочие начали медленно пятиться к выходу, их начальник открыл рот, приготовившись к объяснениям.

— Не надо ничего говорить. И тем более не надо пугаться, — примирительно вздохнул я. — Давайте так: вы просто очень быстро приведете эту квартиру в порядок. За два дня. А я плачу вам в три раза больше, чем мы договаривались, за срочность.

— Но это невозможно! — проникновенно сообщил начальник.

— Человеку неведомы пределы собственных возможностей! — поучающе заявил я. — Особенно в критической ситуации. А вы попали в критическую ситуацию, ребята, можете мне поверить. — После этого ультиматума я пошел наверх, собираться.

«Слушай, Ночной Кошмар, у тебя действительно вполне царские замашечки!» — Зов Мелифаро настиг меня на середине лестницы.

«А то!» — гордо согласился я.

Элла и Армстронг дремали в моей постели. Я умилился, потом немного повздыхал, что снова оставляю котят на произвол судьбы. Впрочем, их новый любимец, господин Андэ Пу, разумеется, не даст им затосковать. Этот парень по-прежнему постоянно околачивался в моем доме, впрочем, как правило, только в мое отсутствие... Я легкомысленно махнул на все рукой и начал рыться в шкафу. Сунул в дорожную сумку первое попавшееся лоохи, какую-то темную скабу, пару пачек сигарет из своих почти неиссякаемых кеттарийских запасов, решил, что этого мне вполне хватит, и стремительно побежал вниз. Самый верный способ извести беднягу Мелифаро — это заставить его ждать дольше одной минуты...

Мелифаро пока не умер: он оживленно общался с начальником моих рабочих.

— ...Убьет, как пить дать, убьет! — убеждала несчастного моя «светлая половина». — Сначала убьет, а уже потом будет разбираться... Поэтому у вас один выход: делайте, как он говорит!

— Вот-вот! — кивнул я. — Отличный совет, сэр Мелифаро. Ты такой мудрый, аж завидки берут... Все, поехали! Если я здесь еще немного побуду, то сам скончаюсь... и так неожиданно и печально закончится эта интересная история.

— Какая история? — не понял Мелифаро.

— История моей жизни, экий ты бестолковый! — И я выскочил на улицу: дальнейшее пребывание на этой «стройке века» казалось мне совершенно бессмысленным.

Мелифаро последовал за мной. Кажется, он был очень доволен полноценным общением с местным пролетариатом. Я не стал говорить этому чуду, что оно здорово перегнуло палку: подобные дискуссии давно уже представлялись мне абсолютно бесполезными. Так что я просто уселся за рычаг амобилера и дал себе волю... «Кстати, надо бы действительно покататься с Меламори. Наверняка она даже преуменьшает собственные успехи! — с нежностью подумал я. — Что ж, хоть какая-то от меня вышла польза, а не одно расстройство!»

— Кажется, ты стал ездить еще быстрее. — Мелифаро трещал без умолку. — Теперь я догадываюсь, чем ты занимался весь этот год! Ты был личным возницей Магистра Нуфлина. Старик истосковался по острым ощущениям, верно?

— Да, — равнодушно кивнул я, — но потом его начало укачивать. Плакала моя карьера! Теперь у меня один выход: в цари податься.

Мелифаро тут же выдвинул еще ряд версий касательно моего будущего, по большей части не слишком приличных. Я слушал его вполуха и рассеянно кивал, понемногу увеличивая скорость, и без того бешеную. Так что на сей раз парень сделал меня всухую, эта поездка стала чем-то вроде моего Ватерлоо, но у меня не было никаких сил бороться. Мною овладело какое-то странное оцепенение, в котором не оставалось места ни словам, ни мыслям, только смутные предчувствия чего-то неизбежного, неопределенного, но головокружительного переполняли меня. Состояние скорее приятное, чем наоборот, хотя я и этого не знал наверняка...

— А куда мы, собственно, едем? — ехидно поинтересовался Мелифаро.

— Как это куда? В твое родовое гнездо, если ты не передумал...

— Мне тоже так казалось, но, чтобы попасть туда, мы должны были свернуть еще дюжину минут назад.

— Дырку в небе над твоим домом! — проворчал я, лихо разворачиваясь почти на полном ходу. — Ты не мог сказать раньше?

— Мне было интересно, когда до тебя дойдет эта немудреная истина, — гордо сообщил Мелифаро. — Мой пытливый ум стремится познать непознаваемое. Например, тебя... Но потом я понял, что ты вполне способен доехать до самого Ландаланда, и мне пришлось временно прекратить эксперимент... Ты хоть теперь не пропусти поворот! А то будем мотаться по этой грешной дороге, пока не придет время возвращаться в Ехо.

— Без тебя знаю! — сварливо буркнул я, потом представил себе это суматошное мотание взад и вперед по сельской дороге, не выдержал и рассмеялся. Оцепенение мое как рукой сняло, я снова был в полном порядке... или наоборот, со мной снова что-то было не так? Ох, тут разве что сэр Джуффин Халли разберется, если сильно захочет, что, впрочем, весьма сомнительно...

— Ты сегодня сам не свой! — Мелифаро встревоженно покосился на меня. — Что-то случилось? Корона жмет или мантия узковата?

— Тебе совершенно не идет такое выражение лица! — отмахнулся я. — Свой я, свой, чей же еще! Просто устал. Столько работы навалилось! Такое ощущение, что за время моего отсутствия вы вообще ничего не делали, только свои знаменитые зарубки на столе ставили. Всем коллективом... Ничего, вот посплю в комнате твоего дедушки, и все как рукой снимет.

— Снимет, это точно! — согласился Мелифаро. — Тебя еще не тошнит от собственной таинственности, Ночной Кошмар?

— Тошнит! — кивнул я.

Мелифаро это признание настолько удовлетворило, что он даже заткнулся. На целую секунду, поскольку мы уже приехали и ему пришлось снова открыть рот, чтобы поприветствовать своего великолепного батюшку.

Сэр Манга Мелифаро ждал нас у ворот. Он совершенно не изменился со времени нашей последней встречи, разве что толстенная рыжая коса стала еще длиннее. Удивительно все-таки, как великому энциклопедисту шла эта неадекватная прическа!

— Твой брат окончательно рехнулся! — деловым тоном сообщил он своему младшенькому, после чего повернулся ко мне. — Хороший вечер, сэр Макс! Глазам своим не верю: неужели вы все-таки до нас добрались?

— Я и сам не очень-то верю! — признался я. — Но по всему выходит, что так, к величайшему моему облегчению!

— Слушай его больше! Я трое суток валялся в ногах у этого кошмарного создания, умолял оказать честь нашему дому. Между прочим, только ради тебя, папа, так что ты — мой вечный должник! — тут же встрял в нашу светскую беседу Мелифаро. — Кстати, а который из моих братьев рехнулся?

— Угадай с трех раз! — Сэр Манга с видом мученика закатил глаза.

— Ну, вообще-то, у Анчифы больше шансов, — улыбнулся Мелифаро, — он талантливее, да и жизнь у него поинтереснее. Я угадал?

— Разумеется! — проворчал глава семейства. — Я нарочно вышел вам навстречу, чтобы обсудить одну проблему... Вообще-то, я собирался послать тебе зов, но все откладывал, а потом увидел из окна летящий над землей амобилер и понял, что зов посылать уже поздно...

— «Летящий»? Издеваетесь? — переспросил я. — И вы, сэр Манга, туда же?

— Простите, Макс, но у меня такое впечатление, что его колеса не всегда касались земли, так что мой комплимент основан на реальных фактах.

— И что же натворил мой братик? — с любопытством спросил Мелифаро, явно утомленный нашим выяснением отношений.

— Он привез гостя, из самого Изамона! — печально сообщил сэр Манга. — Но какого! Впрочем, сейчас увидишь, это нечто особенное.

— Гость? Ну, гость как раз в порядке вещей! Это у нас семейное. Ты сам не без греха, да и я вот привел... — Мелифаро бесцеремонно указал на меня.

У меня не было настроения вмешиваться в беседу, поэтому я только укоризненно показал ему кулак, боюсь, недостаточно внушительный: размеры моих рук, увы, никогда не потрясали окружающих.

— Ничего, через полчаса ты поймешь, что я имею в виду! — злорадно пообещал сэр Манга. — Выгонять его нельзя, поскольку у себя на родине он оказал гостеприимство нашему родственнику... не мог этот болван Анчифа на улице переночевать!.. А мы с мамой уже исчерпали свое терпение, она все грозилась, что повидается с тобой напоследок, а потом сбежит в Уриуланд, к своей родне. Знаешь, меня еще никогда не бросали жены. Не в моем возрасте начинать такие эксперименты. Увези его, пожалуйста, в столицу, сынок! Может быть, он там заблудится: Ехо — довольно большой город, правда?

— Что, так достал? — изумился Мелифаро. — Что же это за чудо такое? Мне даже любопытно... В любом случае можешь не волноваться: если нужно, я его увезу. У нас с Анчифой всегда так: он делает глупости, я их исправляю... Да, а что он сам-то думает по этому поводу?

— А как ты считаешь? Разумеется, твой брат совершенно счастлив. Этот парень успешно заменяет ему целую ораву слабоумных матросов, на которых можно испытывать самые грязные ругательства... Впрочем, этому изамонцу Анчифины словечки — как индюку зерно. Он еще и глухой, в придачу к прочим своим достоинствам... Ладно уж, идемте в гостиную. Простите меня, Макс, кажется, я чрезмерно увлекся своими семейными проблемами. Не слишком-то вежливо!

— Зато в высшей степени занимательно! — успокоил я беднягу.

— Выше нос, папуля! Я привез с собой настоящего убийцу, так что теперь все будет в порядке. Угробим этого изамонского варвара и закопаем в саду, благо не впервой! Правда, Макс? — с невинным видом спросил меня Мелифаро.

— Это, конечно, выход, — задумчиво кивнул сэр Манга. — Но только в крайнем случае, если он не примет твое приглашение.

«Грешные Магистры, он даже не счел это шуткой! — Безмолвная речь Мелифаро звучала почти испуганно. — Ну, знаешь ли, Макс, это уже серьезно! Я начинаю волноваться за папино здоровье!»

«А что, разве ты шутил?» — Я постарался задать свой вопрос с максимально серьезным видом. Теперь пришла очередь Мелифаро показывать мне кулак. Я завистливо вздохнул: его кулак выглядел куда внушительнее моего!

В гостиной было пусто. Сэр Манга присел к обеденному столу:

— Нам подозрительно везет. Советую перекусить, мальчики. Вечер короток, так что ловите свою удачу!

— Я всегда слушаюсь старших! — улыбнулся я, с интересом присматриваясь к содержимому многочисленных блюд.

— Экий ты положительный! — фыркнул Мелифаро, с азартом вгрызаясь в какой-то симпатичный крошечный рогалик.

— Только приехал и уже жрешь? Правильно, братишка! Главное — это не оставлять без ночной работы свою задницу!

На пороге появился невысокий худой парень. Впрочем, я тут же понял, что передо мной один из тех тощих жилистых ребят, драться с которыми — весьма неприятное занятие. Его голова была элегантно укутана какой-то роскошной пестрой шалью, концы которой свисали чуть ли не до земли. Простое черное лоохи едва доходило до колен — слишком короткое по столичным меркам. Клетчатая скаба была ненамного длиннее, так что любопытным взорам открывалось великолепное зрелище: какие-то головокружительные черные сапоги, изукрашенные искуснейшим тиснением (мне до сих пор казалось, что такие штуки можно вытворять с деревом, но никак не с кожей). Следом за Анчифой шествовал великан Бахба, старший из братьев, с которым я уже успел познакомиться в свой прошлый приезд. Он вежливо поздоровался с нами, удобно устроился в огромном кресле и сосредоточился на еде. Надо отдать ему должное: Бахба был единственным молчуном в этом милом семействе!

Мелифаро восторженно взвыл и полез обниматься со своим средним братом. Сэр Манга пытался сделать умиленное лицо, у него получалось не очень искренне. Он поймал мой взгляд и комично пожал плечами: дескать, что делать, меня этим не проймешь!

Некоторое время братья сосредоточенно радовались встрече, потом Мелифаро решил нас познакомить.

— Анчифа, это Макс, — торжественно объявил он. — Это такой специальный парень, его взяли на службу только для того, чтобы я иногда мог спать по ночам.

— Да? — удивился я. — А мне всегда казалось, что наоборот!

— Вечно ты все путаешь! — безапелляционно заявил Мелифаро. — Думаю, что ты и без меня догадался, что я только что облобызал грозу всех мелких водоемов, несмываемый позор нашей семьи и единственную оправдавшуюся надежду нашего папочки, сэра Анчифу Мелифаро.

— С чего ты взял, что я догадался? — проворчал я. — Мало ли с кем ты там обнимаешься! Ты такой легкомысленный!

— Один — один! — констатировал сэр Манга, которому наши прения, кажется, доставляли истинное удовольствие.

— А я было подумал, что это — плод твоего юношеского легкомыслия, отец! — хохотнул Анчифа. И обернулся ко мне. — Так вы — не мой новый братик, сэр? Обидно...

— Все может быть! — задумчиво кивнул сэр Манга. — Всего не упомнишь... Сэр Макс, вы случайно не в курсе? Может, парень прав?

— Боюсь, что нет! — вздохнул я. — Я бы с удовольствием пополнил ваш клан, ребята, но не далее как сегодня днем я выяснил, что являюсь потомком царей земель Фангахра... не за столом будь сказано, да и не к ночи!

— Такое дело не грех и отметить! — жизнерадостно заявил Анчифа, откупоривая какую-то гигантскую бутылку синего стекла. Он уже успел взгромоздиться на стол, левая нога в роскошном сапоге удобно улеглась в блюде с печеньем... Мелифаро начинал казаться мне сущим ангелом на фоне своего братца!

— Вы что, последние мозги потеряли? Нет, вы что, совсем рехнулись? — В гостиную заглянул необыкновенно носатый, слегка лысеющий человек, костюм которого чуть не убил меня на месте: дядя был одет в сверкающие красные лосины, которые на моей исторической родине носят разве что артисты балета. Лосины честно предъявляли окружающим его пухлые ляжки и вполне женственный зад. Нелепость этого одеяния прекрасно оттенялась тяжелыми ботинками и короткой кожаной курточкой. Я был бы не я, если бы не начал ржать самым неприличным образом. К моему удивлению, Мелифаро остался совершенно спокоен.

— Ты что, впервые видишь изамонца? — удивился он. — Они все так одеваются!

— Это еще смешнее! — простонал я.

— Некоторым даже идет, — тихо возразил мне сэр Манга. — Но перед нами не тот случай, конечно.

— Нет, у вас окончательно высохли мозги! Просто высохли! — категорически заявил изамонец, усаживаясь за стол. Он отчаянно грассировал, к тому же говорил немного в нос. Дефекты его дикции не способствовали прекращению моего хихиканья. Парень оскорбленно посмотрел на меня. — Нет, вы не смейтесь, сэр! Я не вижу ничего смешного! Вы все растеряли последние мозги! В доме гости, меня не представили, за стол никого не зовут! Я прихожу, а караван уже ушел. Пора прийти в себя! Кто так делает?!

— Я так делаю, — негромко, но твердо заявил сэр Манга.

— Что? Говорите громче, я не слышу!.. Если бы такое случилось у нас в Изамоне, с гор спустились бы старейшины, вот в таких шапках, — парень развел руки, чтобы мы оценили неправдоподобный размер шапок, — они бы спустились, и была бы беда! Просто беда! — Он внушительно покивал головой, потом снова посмотрел на меня. — Так я не понял, что смешного? Приди в себя, парень!

— У меня на родине принято приветствовать любого незнакомца громким смехом! — важно заявил я. — Это символизирует радость встречи. Я просто пытаюсь быть вежливым.

Теперь начали хихикать все представители славного клана Мелифаро.

— Нормально! — одобрил изамонец. — Вот это нормально!.. Меня зовут Рулен Багдасыс, это известное аристократическое имя, вы в курсе?

— А этого господина зовут сэр Макс, — сообщил изамонцу сэр Манга. — Кстати, это царское имя, вы в курсе?

— Я в курсе, мне говорили! — неожиданно согласился Рулен Багдасыс. Он стал жутко серьезным. — Да, нормально... А ты совсем рехнулся, парень! — Он сурово посмотрел на Анчифу. — Кто же сидит на обеденном столе в присутствии такого гостя?

— Я сижу, — лениво ответил Анчифа. — Это право даровано мне специальным Указом Его Величества Гурига Восьмого, за особые заслуги, так что все в порядке. Смотри только, в штаны не навали от почтительности!

— Что? Говори громче, ты же знаешь, что я глухой! — возмутился великолепный изамонец и тут же, утратив интерес к разговору, повернулся к младшему Мелифаро. — Мне сказали, что ты можешь показать мне столицу, да? Пора мне выбраться в Ехо, уже пора. Сколько можно сидеть в этом провинциальном болоте, среди деревенской грязи и вони!

— Я? Да, я тебе покажу столицу! — многообещающе кивнул мой коллега. У сэра Манга было лицо человека, глубоко благодарного доброму Богу.

Таким образом мы развлекались еще часа два. В целом Рулен Багдасыс показался мне довольно милым и забавным. Его непроходимое хамство в сочетании с потрясающей наивностью и некоторой глухотой вполне тянуло на оригинальность. Впрочем, если бы он жил в моем доме, а не в чужом, думаю, я быстро переменил бы мнение.

Наконец сэр Манга удалился в свой кабинет. Заявил, что ему, дескать, надо работать. Я с удивлением понял, что сам смертельно устал: дело только близилось к полуночи, а меня уже клонило ко сну. Тоже мне, «ночной человек»! Впрочем, я уже давно позабыл о своей знаменитой бессоннице, испоганившей первые тридцать лет моей странной жизни...

— Вы мне смертельно надоели, ребята! — нежно сообщил я братьям Мелифаро. — А я вам — еще больше, полагаю. Поэтому я пошел спать.

— Ты?! Спать? Еще и полуночи нет! — Мой коллега выглядел почти испуганным. — Что с тобой все-таки происходит, Макс?

— Ты меня сегодня весь день об этом спрашиваешь. А я весь день отвечаю, что ничего. И это чистая правда! Просто устал, и все тут.

— Наш Почетнейший Начальник тебя в могилу загонит! — сочувственно вздохнул Мелифаро. — Конечно, ты — подлый убийца, распоясавшийся вурдалак и вообще отвратительный тип, но подобная жестокость разбивает мое нежное сердце!

— Чем стенать, лучше проводи меня в спальню! — попросил я. — Я вполне способен заблудиться в вашем родовом гнезде. Буду годами бродить по темным коридорам, питаться слугами и гостями. Меня найдут через десять лет, окончательно отощавшего и обиженного на все человечество...

— Пошли уж, несчастье! — вздохнул Мелифаро, неохотно поднимаясь со стула.

Анчифа покачал головой:

— Все-таки ты вполне тянешь на нашего братишку, парень! Мой тебе совет: допроси свою мамочку-царицу, с кем она в юности по кустам лазила?

— Допрошу, — пообещал я. — Если мне удастся воскресить ее из мертвых. Впрочем, говорят, что это не так уж трудно... Хорошей ночи, ребята!

Крошечная спальня — творение рук сэра Фило Мелифаро, конечный итог многовековой мудрости Ордена Потаенной Травы, — оказалась тем самым убежищем, полным уютного покоя, которого мне так не хватало в последнее время. Здесь тоже сновали чудеса, но только те, о которых я успел истосковаться: милые маленькие чудеса сладких сновидений, знакомые мне с детства. Я вдоволь налюбовался на причудливый узор темных потолочных балок, а потом уснул и увидел все те места, которые любил видеть во сне. Вот только маленький город в горах, с канатной дорогой и крошечными уличными кафе, мне больше не приснился. Что ж, я так и думал: я нечаянно подарил этот прекрасный город другому Миру, теперь он зажил своей непостижимой жизнью неподалеку от милого моему сердцу Кеттари. А подарок не потребуешь обратно, даже если он тебе нужен, верно? Впрочем, все к лучшему, я был почти уверен в том, что все действительно к лучшему...

Проснулся я после полудня. Задание сэра Джуффина Халли было выполнено: я вовсю использовал выпавший мне шанс получить передышку. Теперь можно было не просто жить дальше, а делать это весело и со вкусом.

Счастливый и умиротворенный, я спустился в гостиную. Сэр Манга Мелифаро и его монументальная красавица жена мирно хрустели печеньем.

— А мальчики еще спят! — сообщил мне сэр Манга. — В отличие от вас они угомонились только на рассвете. Не завидуете?

— Нет! — искренне сказал я. — Это была лучшая ночь в моей жизни. Спальня вашего батюшки — это нечто!

— Еще бы! — хором согласилось со мной старшее поколение Мелифаро.

— А где он сейчас, ваш достойный предок? — с любопытством спросил я. Почему-то я был совершенно уверен, что не сморозил бестактность: создатель этой волшебной спальни не мог просто взять и помереть от старости.

— Ищет своего Великого Магистра, дырку над ним в небе! — хмыкнул сэр Манга. — Может, уже нашел, а может и нет... В любом случае он счастлив, я полагаю. Боюсь, что тяга к путешествиям у нас в крови.

— Скорее уж, в каком-то другом месте! При чем тут кровь?! — неожиданно расхохоталась его прекрасная половина, тем самым неопровержимо доказав классическую теорему о наличии чертей в тихом омуте.

«Ты уже проснулся, Макс? — Зов сэра Джуффина Халли пришел довольно неожиданно, я даже вздрогнул. — Мне очень жаль, но вам с Мелифаро придется вернуться пораньше. Честно говоря, я не отказался бы от возможности поприветствовать вас еще до заката».

«Могу разбудить его прямо сейчас! — с садистским удовольствием предложил я. — Хотите?»

«А он еще дрыхнет? Ну ладно, час-полтора в его полном распоряжении, а потом буди... А ты в порядке, Макс? Отдохнул?»

«Отдохнул — это слабо сказано! — прочувствованно сообщил я. И тут же полюбопытствовал: — А что случилось-то?»

«Еще не случилось, но на закате случится. Корабль из Арвароха с нами случится. Впереди море удовольствий, можешь мне поверить!»

«Какого рода удовольствия нам предстоят?» — поинтересовался я.

«...Сам увидишь. Ладно, приедете — еще наговоримся. Отбой!»

«Отбой!» — озадаченно согласился я. И виновато посмотрел на родителей Мелифаро:

— Боюсь, что мне придется сделать гадость. Разлучу вас с вашим сыном на день раньше, чем предполагалось.

— Это прекрасно! — взволнованно заявила леди Мелифаро. — Магистры с ним, с нашим сыном, еще налюбуемся! Он же обещал увезти с собой этого глухого полудурка из Изамона, да, Манга?

— Обещал! — радостно подтвердил тот.

— Неужели все так ужасно? — спросил я. — Честно говоря, мне вчера показалось, что он очень смешной...

— Первые два-три дня он действительно очень смешной! — согласился сэр Манга. — На четвертый день обнаруживаешь, что не все так мило, как казалось поначалу, потому что старейшие слуги дома грозят уйти в отставку, а старший сын под разными предлогами остается ночевать в своей ужасной хижине на дальнем краю пастбища... А примерно через дюжину дней понимаешь, что не можешь думать ни о чем, кроме зверского убийства. Знаете, Макс, все эти законы чести вообще и законы гостеприимства в частности когда-нибудь нас погубят. Я имею в виду не только свое семейство, а все человечество...

— Ничего! Считайте, что все уже закончилось. Разве что он передумает ехать в столицу. Решит, что хочет спать, и вообще от добра добра не ищут...

— Вурдалака вам в рот! — испуганно выругался сэр Манга. — Вы уж простите, Макс, но не нужно говорить такие ужасные вещи в моем присутствии. Они меня шокируют!

— Не буду! — весело пообещал я. — Если что, я его сам увезу отсюда, силой. Есть у меня в запасе один фокус. — Я говорил чистую правду: я действительно мог кого угодно сделать неправдоподобно маленьким, спрятать между большим и указательным пальцами своей левой руки и унести хоть на край света...

Через час я послал зов Мелифаро:

«Душа моя, просыпайся! Нам пора на службу!»

«На какую службу? — сонно отозвался Мелифаро. — Ты бредишь, Макс! Вспомни: все хорошо, ты у меня в гостях, а на службу нам нужно возвращаться только послезавтра утром. Что-то ты совсем расхворался, бедняга!»

«Это не я расхворался. Это сэр Джуффин расхворался, — объяснил я. — Он только что прислал мне зов. Заявил, что „с нами случится корабль из Арвароха". Цитирую дословно. Тебе это что-нибудь говорит?»

«Говорит, — мрачно отозвался Мелифаро. — Накрылся наш с тобой отдых. Лучше бы уж ты сошел с ума, это было бы смешнее... Ладно, я сейчас спущусь в гостиную. Позавтракать успею?»

«Успеешь, — великодушно согласился я. — Ты еще и пообедать успеешь. Ты же знаешь, как быстро я могу ехать, в случае чего».

«Да, и от тебя бывает польза!» — буркнул Мелифаро. Через несколько минут он появился в гостиной, мокрый и взъерошенный после умывания, но уже вполне довольный жизнью.

— А почему такая суматоха из-за этого арварохского корабля? — спросил я у обоих Мелифаро, поскольку не знал, кто из них является более компетентным в этом вопросе. — Я так и не понял: у нас с ними что, война? Или это — великая империя Темных Магистров, от которых следует ждать всяческих неприятностей?

— Империя — это точно. А вот насчет Темных Магистров я здорово сомневаюсь. С магией у них там не очень-то. Их Великий Шаман может идти в мальчики для битья к какой-нибудь столичной знахарке, — задумчиво проговорил сэр Манга. Его младшенький тоже пытался что-то сказать, но с набитым ртом у него получалось как-то невнятно. Сэр Манга тем временем продолжил лекцию. — Арварох — это самый далекий континент Мира. И самый странный, на мой вкус. У них все не как у людей... Странные нравы, странная религия, странная философия, еще более странная логика, даже животный мир какой-то невероятный... Между прочим, у них нет металлов, вообще нет, но ребята выкручиваются, порой весьма оригинальным образом. Сами увидите, вам предстоит получить массу впечатлений! Мы с Арварохом не воюем, разумеется, на их счастье. Куда им тягаться с Соединенным Королевством! Но кроме нас у них нет серьезных конкурентов в этом Мире, к моему величайшему сожалению. Так что Арварох — наша главная головная боль. Если бы не продуманная внешняя политика Ордена Семилистника, у ребят вполне хватило бы задора и нахальства попробовать подчинить себе весь остальной Мир, как в свое время они подчинили собственный континент... В общем, мы-то их не боимся, скорее, наоборот, но... Понимаете, Макс, никому не хочется, чтобы владыки Арвароха начали доказывать собственное превосходство Куманскому Халифату или, например, тому же Изамону. Ребята с ними не справятся, тогда их послы прибудут в Соединенное Королевство и начнут поливать слезами королевские сапоги. После чего в направлении района военных действий отправят пару дюжин подготовленных специалистов из Ордена Семилистника и покажут завоевателям, что бывает с индюком в День Чужих Богов... Будет много Запретной Магии, много крови и много взаимных обид. Хлопотно все это, да и для равновесия Мира опасно! Поэтому внешняя политика Соединенного Королевства по отношению к Арвароху такова: мы всячески опекаем и ублажаем владык Арвароха, нежно заглядываем в их прекрасные храбрые глаза и стараемся выполнить любое желание этих вечных подростков. И постоянно даем им понять, что удовольствие будет продолжаться, пока зона их военных походов, разрушительных действий и прочих глупостей ограничена их собственным грешным континентом... Насколько я понимаю, мы же тайно финансируем тамошних сумасшедших повстанцев, мятежников и прочих великовозрастных хулиганов. Нравы Арвароха весьма способствуют появлению все новых «народных героев» такого рода, так что Владыкам Арвароха постоянно есть чем заниматься. Они находятся в состоянии перманентной гражданской войны чуть ли не с момента рождения Вселенной... и это устраивает абсолютно всех.

— Ненавижу политику! — вздохнул я. — Впрочем, меня никто не спрашивает, да?

— Вот именно! — улыбнулся сэр Манга. — Меня, между прочим, тоже... — Он повернулся к сыну. — Не забудь забрать с собой нашего гостя, мальчик.

— А где он? — осведомился Мелифаро.

— У себя в спальне, полагаю, — пожал плечами сэр Манга. — Судя по тому, что в доме так тихо...

Разбудить Рулена Багдасыса и убедить его в том, что мы уезжаем прямо сейчас, а не через два года, оказалось нелегким делом. Мой коллега вернулся в гостиную чуть ли не через час, изамонца он тащил за шиворот.

— Мы же не можем заставлять представителя царской семьи ждать нас до бесконечности! — Бедняга Мелифаро уже не говорил, а шипел, невежливо тыча пальцем в мою сторону. Я было удивился, а потом вспомнил: да, я же у нас теперь «представитель царской семьи», все правильно!

— Что случилось? Придите в себя! У тебя в голове последние мозги сгнили, сэр! В Изамоне аристократы никогда не встают до заката! И потом, я же не могу отправляться в путь без завтрака! Ты что, совсем рехнулся? — гнусаво возмущался Рулен Багдасыс. — У вас на кухне орудуют какие-то полные уроды, но я должен съесть хоть что-то! От недоедания выпадают волосы, вы что, не в курсе, господа?

Сэр Манга со вздохом поднялся с места и прошел на веранду. Его жена куда-то улизнула еще раньше — при первых же картавых руладах изамонца, донесшихся до нас из коридора. Я выскользнул на веранду следом за хозяином дома.

— Сэр Манга, — шепотом спросил я, — я хочу определенности. Объясните мне: что мы должны делать с этим чудом? Вернуть его вам с Анчифой в целости и сохранности, или посадить на корабль до Изамона, или?..

— Что хотите, то и делайте, хоть съешьте! — зловеще хмыкнул сэр Манга. — Знаете, Макс, у меня такое впечатление, что он не хочет возвращаться в Изамон. Его там никто не ждет. Анчифе тоже здорово поднадоела эта экзотическая игрушка... Грустная история, если разобраться!

— Грустная... или веселая. Ему самому виднее! — Я пожал плечами. — Спасибо за гостеприимство, сэр Манга. И извините, что не успел вам как следует надоесть. Я бы с радостью, да вот дела, дела...

— Это закон природы, сэр Макс. Один из самых отвратительных законов грешной природы, в Тулане даже есть пословица: «Хороший гость всегда приходит ненадолго»!.. Славное местечко этот Тулан, одна из моих любимых стран в нашем веселом Мире!

— А Изамон? — ехидно спросил я.

— Жуткая провинция! — махнул рукой сэр Манга. — Скучное место. Единственное развлечение — разглядывать разноцветные ляжки местных жителей.

— Да, костюмчики у них — что надо! — фыркнул я. И вернулся в гостиную.

— Ребята! — вкрадчиво сказал я. — Теперь нам действительно пора!

Я немного преувеличивал: до заката оставалось еще часов пять, а доехать до Управления я вполне мог минут за двадцать, если очень постараться. Но после дивного отдыха в спальне знаменитого Фило Мелифаро меня так и распирало от чудовищного количества невесть откуда взявшейся энергии. Мне было необходимо срочно начинать ее тратить: иначе я вполне мог взорваться.

— Ясно? — спросил Мелифаро у изамонца, клюющего длинным носом над опустевшей тарелкой. — Беги, собирай свой багаж. Если через полчаса не будешь готов, поедешь без него.

— Что? — заорал тот. — Говори громче, я ничего не слышу!

Я начал терять надежду на благополучный исход нашего мероприятия и наполнил свою тарелку: какое-никакое, а тоже занятие! Тем не менее часа через два мы действительно были готовы. К этому времени в гостиную спустился заспанный сэр Анчифа.

— Я только собирался погулять как следует! — сердито сказал он. — А этот глупый мальчишка уже убегает!

— С Бахбой погуляешь! — злорадно хихикнул Мелифаро.

— Спасибо за совет! — ворчливо отозвался сэр Анчифа.

— А еще лучше приезжай ко мне, в Ехо! — сжалился мой коллега.

— Ага. И что я там буду делать? Бегать по Кварталу Свиданий с криками: «Господа, вы случайно не видели моего брата? Дюжину дней назад он ушел на службу и до сих пор не вернулся!»

— Между прочим, это — далеко не единственное, чем можно заниматься в Квартале Свиданий, — сухо заметил Мелифаро. — Ладно, вольному воля. Если передумаешь — подстилка у входа в твоем распоряжении.

— Может быть, и передумаю, не знаю, — пожал плечами Анчифа. — Кто же спросонок такие вещи решает!.. Кстати, передавай от меня привет этим пучеглазым красавцам из Арвароха. Спроси, как им понравилась наша последняя встреча у Жохийских островов... Или нет, лучше не спрашивай: это будет трагическим концом вашей дипломатии!

Сверху спустился Рулен Багдасыс. Теперь он был в парадных белоснежных лосинах, ботинки и куртка не претерпели существенных изменений, а вот на голове изамонца появилась огромная меховая шапка. И это в середине лета! Я с ужасом отвернулся. Но парень был доволен и горд собой, огромный нос устремился к небу, глаза сверкали, как у победителя какой-нибудь легендарной битвы. Очевидно, меховая шапка была неотъемлемой частью национальной гордости уроженцев Изамона...

— Тебе не будет жарко, дружище? — осторожно спросил я.

— Когда выходишь на улицу, нужно непременно надевать шапку, чтобы мозги не выдуло, — важно объяснил Рулен Багдасыс. Братья Мелифаро дружно расхохотались. Изамонец свысока посмотрел на них, но ничего не сказал.

Наконец я с удовольствием устроился за рычагом амобилера, Мелифаро уселся рядом. Теперь и ему уже не терпелось поскорее попасть в Дом у Моста. Судя по мечтательному выражению его лица, корабль из Арвароха обещал быть веселым приключением!

Рулен Багдасыс устроился сзади. Когда я начал потихоньку набирать скорость, он заорал что-то несусветное насчет моего душевного здоровья и даже попытался перехватить рычаг управления.

— Сиди смирно, дружок! — посоветовал я. — Когда меня хватают за руки, я начинаю плеваться ядом, ты еще не в курсе?

— Я в курсе! — неожиданно согласился изамонец. — Мне говорили... Но кто так ездит? Какие уроды учили вас держаться за рычаг?! Придите в себя! Я могу вам показать, как нужно ездить.

— Дать ему по морде, что ли? — задумчиво спросил Мелифаро.

— А действительно, дай! — согласился я. — Если он будет все время хвататься за рычаг, мы ведь и разбиться можем. Мои возможности не безграничны, между прочим.

— Я же не знал, что у вас так принято ездить! — поспешно сдался Рулен Багдасыс. — Я читал, что класть руку на рычаг нужно ладонью наружу, а вы, сэр, делаете все наоборот...

От неожиданности я рассмеялся. Я-то думал, что изамонца напугала скорость, а его взволновали какие-то технические несоответствия!

— Класть руку на рычаг нужно так, как удобно вознице, тебе это никогда не приходило в голову? — примирительно сказал я и еще немного увеличил скорость.

Стыдно признаться, но мне действительно захотелось напугать этого «умника»! Впрочем, он так и не испугался, надо отдать ему должное. Возможно, парень просто не знал, с какой именно скоростью принято ездить на амобилере... Но потом я по-настоящему увлекся ездой. Несколько дивных минут сумасшедшей гонки, в течение которых Мир почти не существовал для меня, — и мы уже лихо затормозили у дома Мелифаро на улице Хмурых Туч в центре Ехо.

— Это слишком даже для тебя, Макс! — Мелифаро вытирал пот со лба. — Абсолютный рекорд. Как ты нас не угробил, понятия не имею!

— По чистой случайности! — ехидно сообщил я.

— Вот и мне так кажется, — вздохнул Мелифаро. И повернулся к изамонцу. — Ты приехал, Рулен. Я живу здесь. Так что можешь выгружать свои тюки.

Вещей у нашего приятеля действительно оказалось немало. Мелифаро, добрая душа, помог ему занести в дом многочисленные баулы. Я здорово подозревал, что они битком набиты лосинами всевозможных цветов, огромными меховыми шапками и книгами, в которых написано, каким именно образом следует класть руку на рычаг амобилера.

— Осваивайся, — добродушно сказал ему Мелифаро, — или отправляйся на прогулку, как хочешь. Поехали, Макс!

Я рванул с места.

— Приятно иметь дисциплинированного возницу! — ядовито сказал Мелифаро. — Пожалуй, в этом году я тебя не уволю.

— Вот расскажу Лонли-Локли, что ты меня обижаешь, будешь знать, как следует разговаривать с особами царских кровей! — весело огрызнулся я. Настроение у меня было такое роскошное — дальше некуда!

— Лонли-Локли? Нет, ему не надо! — совершенно серьезно отозвался Мелифаро. — Мой папа уже как-то привык к тому, что у него целых три сына. Время от времени он нас пересчитывает, и ему будет трудно смириться с мыслью, что сыновей опять всего двое... Ты хоть здесь не проскочи нужный поворот, ладно?

— Когда это я проскакивал нужные повороты? — нахально заявил я, на полном ходу проносясь мимо улицы Медных Горшков, просто чтобы рассмешить свою «светлую половину». «Половина» действительно ржала как сумасшедшая...

— Неплохо, мальчики! — Сэр Джуффин Халли ждал нас в Зале Общей Работы. — После того как я сказал тебе, Макс, что хотел бы видеть вас обоих до заката, мне пришло в голову, что вы дисциплинированно явитесь ровно за одну минуту до того, как солнце скроется за горизонтом... Признаться, я даже успел смириться с этой мыслью. Сидел здесь и вспоминал, какие ругательства мне довелось выучить за мою долгую жизнь.

— Сколько вспомнили, сэр? — деловито осведомился Мелифаро.

— Всего-то пару тысяч! — Джуффин пожал плечами. — Жизнь была прожита почти зря, как выяснилось!.. Ладно, это все просто прекрасно, но на закате корабль из Арвароха бросит якорь у Адмиральского причала.

— Почему именно у Адмиральского? — рассеянно спросил я, с извращенным удовольствием отхлебнув остывшей несладкой камры из любимой кружки своего шефа.

— Потому что это почетно! — усмехнулся Джуффин. — Да и корабль у них военный, так что и формально тоже все правильно, если разобраться. Но самое главное, что это оказывает им честь... Мелифаро, я не помню, тебе уже доводилось принимать участие в таможенном досмотре кораблей из Арвароха?

— А как же! — кивнул Мелифаро. — Это случилось со мной в первый же год службы. Я тогда чуть сознание не потерял, когда гордый предводитель этих крупнотелых варваров начал перечислять свои титулы, а от меня требовалось выслушивать его маниакальный бред с серьезным лицом. Но я выстоял.

— Да, это был настоящий подвиг! — согласился сэр Джуффин. — Сегодня вам обоим придется его повторить. Вы готовы?

— Вообще-то, не очень, — вздохнул Мелифаро, — но нас никто не спрашивает, да?.. А почему мы, а не Лонли-Локли? Он солиднее. Да и ржать не будет, это уж точно!

— Как это почему? Сэру Шурфу нельзя ступать на борт какого-либо судна: оно сразу же прохудится и пойдет ко дну. Тяжелые последствия его успешной карьеры в Ордене Дырявой Чаши — у всех его бывших коллег до сих пор проблемы с кораблями, вернее, у кораблей проблемы с этими милыми людьми... А ты разве не знал?

— Нет! — фыркнул Мелифаро. — Вот это новость!

— Джуффин, а при чем тут вообще наша организация? — робко спросил я. — У нас же Тайный Сыск, а не Таможенный. Или я ошибаюсь?

— Да нет, не ошибаешься. Но военный корабль из Арвароха — дело особое. Если к ним сунутся настоящие таможенники, как к прочим путешественникам, это будет сочтено смертельным оскорблением. Ребята будут вынуждены попытаться отомстить нашему Королю, не потому что они такие уж злобные, а потому что этого требует их безумная логика... В общем, кошмар! К счастью, в Канцелярии Забот о делах Мира уже несколько тысяч лет лежит огромный талмуд правил хорошего тона, которые следует соблюдать при встрече гостей из Арвароха. Эта священная книга одобрена обеими заинтересованными сторонами, только в отличие от нас граждане Арвароха знают ее содержание наизусть... Не переживай, Макс. Все, что от вас требуется, — это появиться на корабле, обменяться должными приветствиями, произвести беглый досмотр их трюмов... Самое смешное, что у них просто не может быть никакой контрабанды: все в том же пресловутом талмуде записано, что подданные Завоевателя Арвароха обещают не ввозить контрабанду на территорию Соединенного Королевства, а свое слово ребята держать умеют. Но если мы не пошарим в их трюмах, эти сумасшедшие арварохцы решат, что мы не считаем их опасными, а это уже смахивает на очередное смертельное оскорбление... Так что сделайте вид, что вас ужасно интересует содержимое их трюмов. Потом дадите им официальное разрешение на пребывание в Ехо, и дело с концом. Завтра они совершат визит ко Двору, а потом у нас начнется веселая жизнь: мы будем ненавязчиво ходить по пятам за этими беззащитными хрупкими юношами и следить, чтобы их никто не обидел... Знали бы вы, мальчики, как я ненавижу все эти тошнотворные предосторожности! Но Великий Магистр Нуфлин считает, что именно так будет лучше для всех. Не могу же я огорчать старого больного человека, верно?

— Вы? Вы можете, это точно! — хмыкнул Мелифаро.

— Ну, могу... — комично пожал плечами наш шеф. — Но не хочу. А посему — брысь отсюда! Если вы часок потопчетесь на Адмиральском причале в ожидании высоких гостей, это будет вершиной дипломатического искусства... Ну что вы так на меня смотрите? Я же не говорю, что не позволю вам выпить по чашечке камры перед уходом!

— С пирожными! — мстительно сказал я.

— Наш Куруш на тебя дурно влияет, — усмехнулся Джуффин, — замашечки у тебя уже те же, вкусы — тоже, смотри: скоро перья расти начнут!

— Я не против! — с энтузиазмом заявил я. — На мой взгляд, буривухи — куда более совершенные существа, чем люди.

— Возможно, ты прав, — покивал Джуффин, — но представляешь себе, как это будет выглядеть?

— Что?

— Перья. В сочетании с твоей физиономией...

Мелифаро захихикал, что не помешало ему цапнуть пирожное прямо из рук курьера, смертельно озабоченного важностью всего происходящего...

В общем, на Адмиральском причале мы с Мелифаро оказались за полчаса до заката. Мы прибыли рано, но не слишком: изумительный силуэт корабля из Арвароха, огромного, но удивительно изящного, стремительно приближался к нам. На фоне уже потемневшего восточного горизонта корабль казался изумительным призраком, величественным и печальным. У меня дыхание перехватило от этого зрелища.

— Да тебе впору в поэты подаваться, а не в цари, Ночной Кошмар! — улыбнулся Мелифаро, одобрительно разглядывая мою восторженную рожу.

— А, поэтом я уже был когда-то, — отмахнулся я, — не так уж это интересно, особенно в плане оплаты труда...

— Что, ты серьезно был поэтом? — обалдел Мелифаро. — Когда это ты успел?

— Как это когда? Пока носился на своей тощей кляче по бескрайним равнинам между графством Вук и Пустыми Землями. Надо же было чем-то занимать голову!

Мелифаро недоверчиво покачал головой. Кажется, до сих пор у него были несколько иные представления о таинственном процессе поэтического творчества.

Плеск темной воды Хурона у наших ног поведал нам о приближении торжественной минуты: арварохский корабль действительно был совсем рядом.

— Сейчас придется думать о чем-нибудь очень печальном, чтобы не расхохотаться! — вздохнул Мелифаро. — Например, о первой любви.

— Мне это не поможет! — усмехнулся я. — Первая любовь была самым светлым событием моей жизни. Мне не было и года, а даме моего сердца — не меньше нескольких сотен. Она была подружкой моей бабушки и иногда брала меня на руки. Это было нечто!

— И ты это помнишь? — изумился Мелифаро. — То, что с тобой происходило, когда тебе и года не было?!

— Как она брала меня на руки? Да, это я помню, — кивнул я. — А все остальное я узнал из фамильных легенд. То, как от страсти навалил в пеленки и какое у меня при этом было счастливое лицо... — Я не выдержал и рассмеялся. Мелифаро, к моему удивлению, молча покачал головой.

Черным боком корабль нежно потерся о причал. К нашим ногам упала веревочная лестница. Такого оборота дел я совершенно не предвидел, а посему растерялся: еще никогда в жизни мне не доводилось лазать по такого рода приспособлениям. Впрочем, чего только не сделаешь во имя победы дипломатии и торжества внешней политики Соединенного Королевства! Со страху я продемонстрировал чудеса ловкости и проворства: думаю, не прошло и секунды, а мои зловещие сапоги с драконьими мордами на носках уже глухо стукнулись о палубу корабля. Но коленки у меня дрожали, что правда, то правда...

Еще через несколько секунд ко мне присоединился Мелифаро. Я наконец-то поверил, что все самое страшное осталось позади. Можно было расслабиться и осмотреться.

Смотреть, собственно, пока было не на что, разве только на таинственные переплетения парусной оснастки над нашими головами. На палубе было пусто. Тот, кто сбросил нам лестницу, уже успел благополучно спрятаться где-то в загадочном полумраке корабельного интерьера.

— Ничего, ничего! — Мелифаро толкнул меня в бок. — Сейчас свершится торжественное явление кого-нибудь Самого Главного. Так что начинай думать о грустном. Например, о своей второй любви, если первая действительно была такой счастливой, как ты рассказываешь.

Я хотел вывалить на беднягу Мелифаро очередной экспромт, какую-нибудь ошеломительную историю «второй любви», но меня отвлек шум. Не грохот сапог и не лязг металла, а гораздо более деликатный шум: тихое постукивание, шорох, шелест, скрип. Автором этой не в меру модернистской симфонии оказалось человеческое существо такой неправдоподобной красоты, что я впервые в жизни пожалел, что у меня нет фотоаппарата...

К нам приближался настоящий гигант, росту в нем было никак не меньше двух метров, скорее уж больше. Белоснежные волосы были завязаны в узел на макушке, но, даже уложенные таким образом, они достигали пояса. Огромные глаза странного желтого цвета казались почти круглыми. У него был незаурядно высокий лоб, изумительно очерченный овал лица (слишком мягкий для воина, но в самый раз для женского любимца), хищный нос и маленький, почти детский рот — невероятное, но эффектное сочетание! Экипировка незнакомца заслуживает отдельных комментариев: штаны и рубаха самого простого покроя переливались на солнце всеми цветами радуги. Судя по всему, они совершенно не стесняли движений своего обладателя, тем не менее я заметил, что полы широченной рубахи не развеваются на ветру, а лишь слегка колышутся, производя то самое тихое постукивание. Позже я убедился, что нужно обладать незаурядной силой, чтобы просто согнуть руку, когда на тебе надета рубаха из шерсти арварохских овец... Сапоги, напротив, были удивительно мягкими, сквозь тончайшую кожу можно было разглядеть длинные гибкие пальцы ног. К моему изумлению, этих пальцев было целых шесть. Я внимательно посмотрел на руки незнакомца. Нет, с руками все было в порядке — нормальная человеческая пятерня. В довершение ко всему, на плече незнакомца уютно устроилось крупное мохнатое паукообразное существо, впрочем его многочисленные лапки были гораздо короче и толще паучьих. Существо внимательно смотрело на меня восемью парами крошечных глаз, таких же желтых, как у его хозяина. Я не остался в долгу и принялся сверлить его своими двумя, цвет которых давно стал для меня полной загадкой...

Пока я пялился на это удивительное создание природы, счастливый обладатель пушистого паука медленно отстегнул от пояса какое-то странное холодное оружие, здорово напоминавшее мачете. «Мачете» полетело к нашим ногам, я отметил, что звук удара был тихим, глухим. «Ну конечно, ведь сэр Манга говорил, что в Арварохе нет металлов! — вспомнил я. — Хотел бы я знать, из чего же эти белокурые викинги мастерят свое грозное оружие?!» Вслед за «мачете» к нашим ногам полетел и вовсе невероятный предмет, больше всего похожий на гигантскую мухобойку.

Оставшись безоружным, великан приблизился к нам на расстояние вытянутой руки. Некоторое время он нас рассматривал. Очень спокойно рассматривал: ни нахальства, ни любопытства не было в его взгляде. Незнакомец смотрел на нас, как смотрит птица, — настороженно и равнодушно, просто потому, что мы оказались рядом. Наконец он заговорил:

— Я — Алотхо Аллирох из клана Железнобокого Хуба, Владыка Алиурха и Чийхо, Грозноглядящий Повелитель двух полусотен Острозубов, могучий и верный воин Тойлы Лиомурика Серебряной Шишки, Завоевателя Арвароха, повелевающего им до пределов Мира, о чем сказано в песне Харлоха Сдобника, величайшего сказителя среди рожденных...

«Усраться можно!» — Безмолвная речь подлеца Мелифаро чуть не рассмешила меня своей своевременностью. Ценой невероятных усилий я сохранил каменное лицо. Тем временем сэр Алотхо наконец умолк. Боюсь, что информацию о его чинах и званиях были вынуждены принять к сведению чуть ли не все жители Ехо. Голос у дяди оказался что надо: ему бы концерты на стадионах без звукоусилителей давать, такой талант пропадает!

Мой коллега тем временем тоже решил сообщить свои анкетные данные.

— Я — сэр Мелифаро, Дневное Лицо Почтеннейшего Начальника Малого Тайного Сыскного Войска столицы Соединенного Королевства. — Мелифаро элегантно отвесил легкий поклон, какой, очевидно, и полагалось отвешивать в соответствии с упомянутыми Джуффином «правилами хорошего тона»... Мне вдруг стало немного обидно «за державу»: речь Мелифаро заметно уступала выступлению арварохца: пафоса не хватало! Я понял, что мне остается одно — пустить как можно больше пыли в прекрасные желтые глаза иностранца. Чтобы парень по ночам просыпался в холодном поту, завистливо вспоминая мое имечко. Поэтому я глубоко вздохнул и распахнул свою болтливую пасть.

— Я — сэр Макс, последний из рода Фангахра, владык земель Фангахра, Ночное Лицо Почтеннейшего Начальника Малого Тайного Сыскного Войска столицы Соединенного Королевства, Смерть на Королевской службе, щедро раздающая свои поцелуи осужденным и проходящая мимо удачливых, предводитель умерших и гроза сумасбродов, снующих по трактирам. — Последняя фраза предназначалась для ушей Мелифаро, это была моя маленькая месть: пускай теперь он лопается от сдерживаемого хохота. Бедняга, к моему величайшему удовольствию, даже покраснел от натуги! К счастью, впечатленный внушительным началом моей речи, сэр Алотхо не заметил вопиющей иронии финала. (Позже я с изумлением обнаружил, что само понятие иронии совершенно недоступно обитателям далекого Арвароха. Ирония попросту отсутствует в длинном перечне их способов смотреть на мир...)

«Ну ты даешь! Нашел время изгаляться! Рано или поздно я тебя все-таки прикончу, парень... и этот Мир лишится такого великого сумасшедшего поэта! Даже жалко!» — Безмолвная речь моего коллеги свидетельствовала о том, что он еще жив.

Пока Мелифаро пытался сохранять серьезность, наш новый знакомец резким движением опустил голову и несколько секунд любовался полом под своими ногами. Очевидно, в Арварохе это считалось поклоном. Во всяком случае, я решил не быть мелочным и предположить, что он действительно вежливо поклонился.

— Я буду особо благодарить вашего Короля за оказанную мне честь! — громовым голосом поведал нам Алотхо Аллирох. — Ваше появление на моем корабле — это знак судьбы. Лицо дня, дарующее передышку, и лицо ночи, несущее смерть, — я и мечтать не мог о подобной встрече! Недаром сердце гнало меня в этот поход... Добро пожаловать на палубу «Бурунного шипа», под светлую полу плаща Завоевателя Арвароха. Мой Усмиряющий Воды покажет вам все, что вас интересует. Вы вольны делать здесь все, что вам заблагорассудится, — решительно закончил белокурый великан. И, отвернувшись от нас, заорал так, что у меня уши заложило: — Клева! Ступай сюда, Клева!

Еще один великан, теперь уже рыжеволосый, появился перед нами. Он был ненамного ниже Алотхо и гораздо старше, зато еще шире в плечах, на которых каким-то чудом удерживался длинный темный плащ. Ветру было не под силу развевать полы его плаща, как и одежду предводителя этой команды культуристов. Из-под плаща виднелась кольчуга, крошечные звенья которой слегка мерцали в сгущающихся сумерках.

Памятуя об отсутствии металлов на континенте Арварох, я легкомысленно решил, что кольчуга у парня импортная. Позже я узнал, что ни один воин Арвароха никогда не станет покупать у чужеземцев оружие, а такие кольчуги изготавливаются из необычайно твердых панцирей жуков Еубе. Жуки водятся на Арварохе в изобилии, так что кольчуг хватает на всех. Сэр Алотхо снял свою исключительно из соображений этикета, ну а капитану корабля — «Усмиряющий Воды» Клева и был капитаном — все эти церемонии совершенно ни к чему: не в том он пока был чине, чтобы интересоваться такими глупостями!

— Возьми ключи, Клева. — Алотхо протянул своему подчиненному несколько связок ключей, я и вообразить себе не мог, что на корабле может находиться такое количество снабженных замками штуковин! — Покажешь этим господам все, что они пожелают увидеть.

Далее все было просто: в сопровождении молчаливого Клевы мы быстренько обошли трюмы огромного корабля, то и дело натыкаясь на очередную группу огромных красивых мужчин в негнущихся темных плащах. Ребята спокойно разглядывали нас, а мы терпеливо внимали непрерывному звону ключей в руках капитана и делали вид, будто действительно ищем контрабанду, — смех да и только!

Не прошло и получаса, когда мы с Мелифаро дружно решили, что с нас хватит. Мой коллега извлек из кармана лоохи стандартную самопишущую табличку Таможенной Службы и плотный лист дорогой синеватой бумаги из канцелярии Гурига Седьмого — официальное разрешение на пребывание в Ехо для членов экипажа иностранного военного судна, — и мы отправились на поиски сэра Алотхо. Мы нашли его там же, где покинули: парень расселся прямо на деревянной палубе, скрестив ноги по-турецки. Он вдумчиво рассматривал собственное оружие, все еще валявшееся на полу.

— Благодарю вас за хорошую встречу, сэр Аллирох! — вежливо улыбнулся Мелифаро. — Вот ваши бумаги, я уже все заполнил... Остался только один пункт. Я вынужден осведомиться у вас о цели вашего приезда в столицу Соединенного Королевства.

— Мы пришли узнать, не здесь ли скрывается презренный Мудлах, последний из низких царей края земли, позорно бежавший от победоносной армии Завоевателя Арвароха, — степенно ответствовал Алотхо Аллирох.

— Ага, так и запишем: «цель поездки — справедливое возмездие», — невозмутимо кивнул Мелифаро. — Получайте ваши бумаги. Его Величество Гуриг Седьмой будет бесконечно счастлив видеть вас завтра в замке Анмокари, своей летней резиденции, что вы, разумеется, и без меня знаете... Хорошей ночи, сэр Аллирох.

— Хорошей ночи, сэр Грозноглядящий Повелитель двух полусотен Острозубов! — ехидно брякнул я. Думаю, парень счел мою реплику вершиной дипломатического искусства.

— Хорошей ночи и вам. Сочту за честь увидеть вас снова, господа. — Великан опять еле заметно опустил голову — поклонился.

Сделав свое дело, мы поспешно выбрались из-под гостеприимной «светлой полы плаща Завоевателя Арвароха». То есть попросту покинули борт «Бурунного шипа» и с облегчением ступили на твердую землю.

— Я чувствую себя чересчур маленьким и уродливым! — печально признался Мелифаро. — И почему это Творцы Вселенной так расщедрились, создавая жителей Арвароха, хотел бы я знать! Не вижу никакой логики... А ты, Макс?

— Они слишком хороши, чтобы я мог возмущаться! — вздохнул я. — Это все равно что захотеть стать каким-нибудь прекрасным мостом или садом... Я не могу сравнивать их с собой: мы слишком разные, не «люди и люди», а «люди и еще что-то»... Я понятно выражаюсь?

— Вполне! — вздохнул Мелифаро. — Но мне все равно обидно!

Не удивительно, что мы вернулись в Дом у Моста несколько пришибленные экзотическим величием подданных Владыки Арвароха.

— Что, мальчики, сожалеете, что ваши мамаши в свое время гордо прошли мимо красавцев парней из Арвароха? — Сэр Джуффин Халли видел нас как на ладони и хихикал самым гнусным образом. — Не стоит завидовать: у этих ребят слишком невеселая жизнь! К тому же они редко живут дольше сотни лет. Должно же у них хоть что-то быть в порядке!

— А почему они живут не дольше сотни лет? — заинтересовался я. — Что, так много воюют?

— Да, и это тоже. И совершенно не дорожат жизнью, между прочим. Ни своей, ни чужой. Жизнь в их понимании — бросовый товар... Можно сказать, что они так мало живут, потому что стремятся к смерти. Пожалуй, это самое верное объяснение. Я имею в виду, что многие из них умирают молодыми, но не в бою. Бывает так: какой-нибудь здоровенный молодой красавец присядет в углу, задумается, посидит так часок, а потом его зовут ужинать — а он уже холодный.

Я изумленно покачал головой:

— Как это может быть?

— Все бывает, Макс, в том числе и это... Конечно, и в Арварохе есть глубокие старики, но их так мало! На седого старца там смотрят как на величайшее чудо — совершенно бессмысленное, но свидетельствующее о могуществе каких-то непостижимых Сил, которые они обожествляют... Ладно, отправляйтесь отдыхать, ребята. Мне действительно жаль, что пришлось так быстро разлучить вас с сэром Манга.

— Пустяки, потом наверстаем! — легкомысленно отмахнулся Мелифаро. — Спасибо за информацию об особенностях бытия в Арварохе, сэр. Я им больше не завидую. Странно, что отец никогда мне об этом не говорил!

— Ничего удивительного. Если бы сэр Манга не был связан многочисленными обетами молчания, его Энциклопедия Мира насчитывала бы не восемь, а восемьдесят томов, разве ты не догадывался?

— Смутно,— пожал плечами Мелифаро,— честно говоря, никогда об этом не задумывался... Пошли, Макс!

Я растерянно посмотрел на Джуффина:

— Что, мне не нужно оставаться на службе?

— Сегодня не нужно. Ты мне понадобишься завтра в полдень, постарайся быть в наилучшей форме. Тебе придется познакомиться с одним восторженным почитателем твоих подвигов.

— С кем это? — с интересом спросил я.

— Где же твоя хваленая интуиция, сэр Макс? С Его Величеством Гуригом Восьмым, конечно же.

— Только не это! — Я схватился за голову.— Не сходите с ума, сэр! Ну куда мне во дворец, сами подумайте!.. И вообще, я стесняюсь. И боюсь.

— Не переживай, все не так страшно. Он симпатичный и безобидный, честное слово! Завтра я должен представить Двору устный отчет о нашей деятельности. И Король умолял меня взять с собой «этого таинственного сэра Макса». Его можно понять: должен же человек знать, чьих кошек собирается приобрести! Это же еще серьезнее, чем женитьба, если разобраться. Мало ли чему ты их научишь...

— В Иафах ему, видите ли, не страшно, а к Королю страшно! — усмехнулся Мелифаро.— Зря упираешься, Макс, там много забавных людей. И Его Величество тоже довольно милый дядя.

— Понял? — устало спросил Джуффин.— Если уж сам сэр Мелифаро одобряет... Тебе еще понравится, гарантирую! Идите, развлекайтесь, жертвы высокой дипломатии!

И мы пошли развлекаться. Развлечение мы избрали весьма немудреное: взяли с собой свое изамонское сокровище, которое терпеливо дожидалось нас, с хозяйским видом расхаживая по гостиной Мелифаро, и отправились в Новый Город, в трактир «Толстяк на повороте», хозяйкой которого была восхитительная жена нашего коллеги, сэра Луукфи Пэнца. Я еще больше года назад торжественно обещал Луукфи посетить их притон, а тут такой случай!

Луукфи ждал нас на пороге, сияя от совершенно непереносимого восторга.

— Сэр Макс, сэр Мелифаро! Грешные Магистры, как же вы меня удивили, и обрадовали конечно! Проходите, прошу вас! — Луукфи отступил, давая нам дорогу, тяжеленный стул с грохотом полетел на пол, испуганно взвизгнула какая-то посетительница. Луукфи окончательно смутился. — Я такой неловкий, простите великодушно... Вариша! Милая, посмотри, какие у нас гости!

— Ты не ушибся, милый? — встревоженно спросила роскошная рыжеволосая красавица, поспешно покидая свой командный пункт за стойкой. В ее фиолетовых глазах было столько нежности, что мы с Мелифаро завистливо вздохнули.

— Нет, Вариша. Ничего страшного, я уже привык ронять этот стул. Все-таки он стоит слишком близко от входа! — смущенно ответил Луукфи.

Успокоившись, прекрасная леди повернулась к нам и вывалила на нас все приветствия, имеющиеся в ее распоряжении. Потом она вернулась за стойку, а сэр Луукфи повел нас за уютный столик в дальнем углу обеденного зала. После нескольких минут уговоров он согласился составить нам компанию. И нас начали старательно кормить. На мой вкус, еда была не хуже, чем в «Обжоре Бунбе»!

Временно забытый Рулен Багдасыс отчаянно стеснялся и хорохорился одновременно. Он с аппетитом поглощал содержимое своих тарелок, при этом у него было лицо человека, которого хотят отравить. Первые полчаса он молчал, потом не выдержал:

— Кто же так готовит индюшатину?! Что у вас с мозгами?! Это каким же надо быть уродом...

Мелифаро подпрыгнул от неожиданности и едва заметным движением правой руки прикрыл ему рот. Изамонец благополучно подавился остатками собственного высказывания.

— А этот человек с вами, господа? — вежливо удивился Луукфи.

— А с кем же еще! — вздохнул я. — Сэр Анчифа Мелифаро вернулся из кругосветного плавания и привез подарок младшему братишке. Вам нравится?

— Подарок? — изумился Луукфи. — Но ведь в Соединенном Королевстве запрещено иметь рабов. Только слуг.

— Что вы говорите? Я не слышу! — загнусавил иза-монец.

— К моему величайшему сожалению, он не раб и не слуга, — усмехнулся Мелифаро, — просто маленькая домашняя катастрофа.

— А-а... А я-то решил, что этот господин просто подсел за наш столик. Извините, что не уделил вам должного внимания, сэр! — смутился Луукфи.

Рулен Багдасыс открыл было рот, потом покосился на кулак Мелифаро, неназойливо покачивающийся в опасной близости от его здоровенного носа, и молча кивнул Луукфи. После этого инцидента Рулен временно затих, и мы благополучно занялись болтовней. Мелифаро с Луукфи старательно перемывали косточки новым лидерам нашего Белого Листка, красе и гордости Городской Полиции: лейтенанту Апурре Блакки, леди Кекки Туотли и лейтенанту Чекте Жаху. Умственные способности последнего не позволяли надеяться, что он когда-нибудь попадет в нашу «горячую дюжину», но сочетание его мускулатуры с чужой сообразительностью, судя по отзывам моих коллег, приносило неплохие результаты. Я даже начал жалеть, что до сих пор не познакомился с этой великолепной троицей.

— Проблема не в том, что у тебя не нашлось свободной минутки, во что я категорически не верю! — хмыкнул Мелифаро. — Ребята тебя стесняются. И боятся, наверное. Знаешь, Ночной Кошмар, это же кратчайший путь к славе: натворить дел, потом исчезнуть на год, возвращаешься — и ты уже живая легенда! Ты ведь с этой целью и смылся, признавайся!

— Конечно, — кивнул я, — а зачем же еще?! Мне с детства хотелось стать легендой, причем именно живой... Кстати, а где память о твоем брате? Куда подевалась ваша фамильная драгоценность? — Я только заметил, что Рулен Багдасыс уже не украшает наше общество. Наверное, ему наскучили наши разговоры, и он устремился на поиски приключений.

— Да, действительно, — озадаченно кивнул Мелифаро. — Что ж, все к лучшему. Теперь я стану счастливым обладателем ста дюжин красных штанов из его запасов. Вещички-то у меня лежат! Надеюсь, он не запомнил мой адрес... Впрочем, думаю, бедняга еще здесь. В том конце зала кого-то бьют, или я ошибаюсь?

— Бьют? — изумился Луукфи.— У нас никого не могут бить. Варишин «Толстяк» — очень респектабельное заведение.

— Было,— усмехнулся Мелифаро,— до сегодняшнего вечера. Зря ты нас так зазывал, испортили мы репутацию твоему кабаку! Сам полюбуйся: там действительно дерутся.

— Баан! — встревоженно позвал Луукфи. — Вариша, где Баан? Там дерутся.

— Знаю, милый! — откликнулась из-за стойки его прекрасная половина. — Баан уже наводит там порядок. Господа посетители немного повздорили с этим смешным человеком, которого привели твои коллеги. А вы только заметили? Они уже давно шумят. Так забавно...

— Этот господин действительно с вами или он врет? — Невысокий, но плотно сбитый мужичок опасливо косился на мою Мантию Смерти. Он за шиворот подвел к нашему столику изрядно потрепанного изамонца. Под его левым глазом робко расцветал свежий синяк.

— Не врет, к сожалению,— вздохнул Мелифаро. — Что там у вас случилось?

Крепыш нерешительно посмотрел на Луукфи.

— Не нужно робеть, Баан! — подбодрил его Луукфи. — Ты все сделал правильно. Просто расскажи нам, что произошло.

— Этот господин захотел познакомиться с двумя леди,— смущенно сказал Баан.— Они очень удивились его странным представлениям о хорошем тоне и вежливо ответили ему, что пришли сюда поесть, а не искать мужчину. Он продолжал настаивать, потом сел за их столик. Леди начали возмущаться, это привлекло внимание других посетителей. Ему долго объясняли, что подобное поведение недопустимо, потом леди Вариша позвала меня, и мне пришлось применить силу... Слышали бы вы, что он говорил этим несчастным леди! Я вырос в портовом квартале — сами знаете, какой там встречается народ,— но никогда прежде я не слышал ничего подобного.

— Что же именно? — заинтересовался Луукфи. Признаться, мне тоже было любопытно, а Мелифаро уже заранее стонал от смеха.

— Извините, хозяин, но не стану я такие гадости повторять! — решительно буркнул Баан. — Пусть сам вам рассказывает.

— Хорошо, ступай, дружок! — примирительно сказал сэр Луукфи и растерянно обернулся к нам. — Думаю, произошло недоразумение, господа.

— Этот урод меня ударил! — возмущенно сообщил Рулен Багдасыс.

— Тоже мне новость! — фыркнул Мелифаро. — Так тебе и надо! Луукфи, я думаю, что нам пора. В следующий раз мы придем к тебе без этого любителя поболтать с прекрасными незнакомками, обещаю.

— Если вам так одиноко, нужно просто пойти в Квартал Свиданий, сэр, — тактично посоветовал Луукфи.

— А что это такое? — внезапно оживился Рулен Багдасыс. Я представил себе, что этот смешной пухлозадый человек может стать чьей-то «судьбой», пусть даже всего на одну ночь. Это было довольно смешно, но иногда я начинаю принимать чужие проблемы слишком близко к сердцу...

Через полчаса мы все-таки покинули отчаянно клюющего носом Луукфи и его восхитительную жену. Рулен Багдасыс требовал, чтобы его немедленно отвезли в Квартал Свиданий.

— А туда с синяками не пускают! — бесстыдно соврал Мелифаро. — Так что придется потерпеть!

Изамонец заметно загрустил. Через несколько минут я выгрузил их на улице Хмурых Туч.

— Может быть, и ты у меня останешься? — великодушно предложил Мелифаро. — У тебя-то дома Магистры знают, что творится!

— Наверное, — печально согласился я, — спасибо, дружище. Но раз уж я вернулся в Ехо, навещу своих котят. Они по мне скучают.

— Да, ты же у нас почти семейный человек! — хмыкнул Мелифаро. — Ладно, как знаешь. Передавай привет Его Величеству Гуригу Восьмому.

— Ох, а я и забыл о завтрашнем горе! — вздохнул я. — И зачем ты напомнил!

Отъезжая, я услышал, как Рулен Багдасыс орет на всю улицу, пытаясь выяснить у Мелифаро, «что за урод этот Гуриг»...

К моему удивлению, дома уже царили чистота и порядок. Рабочие благополучно смылись, оставив на столе счет на головокружительную сумму. Впрочем, я счел, что они честно заслужили эти деньги. Элла и Армстронг, обалдевшие от таких перемен, чинно сидели над своими мисками. Я улегся на мягкий кеттарийский ковер и собственноручно расчесал длинную шелковистую шерсть своих котят. Они нежно мурлыкали от удовольствия, аж стены тряслись. Жизнь была прекрасна. Или почти...

На следующий день, как и обещал, я прибыл в Управление. Сэр Джуффин Халли показался мне великолепным как никогда: он не слишком-то наряжался перед предстоящим визитом ко Двору, зато нацепил на себя новое выражение лица, грозное и величественное.

— Ух! — восхищенно сказал я. — Сэр, а вы уверены, что Король — это не вы, а какой-то там дядя по имени Гуриг?

— Что, я переборщил с величием? — озабоченно спросил Джуффин. — Нужно немного убавить?

— Оставьте как есть, — посоветовал я. — Убивает наповал!

— Ну, «наповал» мне ни к чему... — Джуффин задумчиво вышел в коридор, где висело зеркало. Вернулся довольный.

— У тебя удивительное свойство все преувеличивать, Макс! Я абсолютно нормально выгляжу. — Он обернулся к буривуху. — Ты готов, милый?

— А что тут готовиться? — хладнокровно спросил Куруш.

— Твоя правда, умник. — Джуффин нежно погладил птицу и аккуратно усадил ее на плечо. — Пошли, Макс.

— Пошли! — весело кивнул я. — В таком обществе — хоть на край света!

Ну, «на край света» — это было громко сказано. Наше веселенькое учреждение не зря называется Домом у Моста — здание Управления Полного Порядка действительно было построено на самом берегу Хурона, возле Королевского моста, который соединяет Левый и Правый берега с островом Рулх, где высится древний замок Рулх, главная Королевская резиденция. Я восхищенно косился на старые стены замка: от них за милю несло пряным ароматом забытых тайн... Потом мы пересекли мост Лоухи и остановились перед парадным входом летней резиденции Гурига Восьмого. Замок Анмокари больше походил на симпатичную загородную виллу совершенно неправдоподобных размеров.

— Несолидно! — нахально заявил я. — Вот замок Рулх — совсем другое дело!

— Экий ты сноб! — фыркнул Джуффин. — Лично мне летняя резиденция по душе. Здесь нет этого тревожного копошения старых грехов и древних проклятий... Ты ведь его тоже учуял?

Я кивнул:

— Честно говоря, он-то меня и заворожил.

— Да? Отлично! Значит, теперь ты действительно в форме. Одной ночи в спаленке старика Фило тебе хватило с головой, кто бы мог подумать! Пару дней назад тебя тошнило от тайн вообще и собственных в частности, если я правильно понял.

— Правильно... Ну вы даете, Джуффин! Вы что, подслушиваете все, что я мету? Как вы еще с ума не сошли?

— Делать мне больше нечего — подслушивать! — пожал плечами мой шеф. — Просто я всегда знаю, что с тобой происходит. Свойство моего организма, ты уж извини!

— Ничего, мне даже приятно, — улыбнулся я. — К тому же это весьма полезно, поскольку лично я далеко не всегда знаю, что со мной происходит. Вы бы мне рассказывали, хоть иногда...

Тем временем мы вышли из амобилера и переступили порог замка Анмокари. Джуффин старался двигаться очень осторожно, чтобы не разбудить мирно задремавшего на его плече Куруша. Прохладный пустой коридор, казалось, уходил в бесконечность. Я сделал шаг, и у меня задрожали ноги: и пол, и стены, и потолок были зеркальными, вернее, почти зеркальными — не из тех зеркал, в которые мы смотримся, чтобы побриться, а из тусклых, мутных, сиреневатых зеркал, так что наши отражения были похожи не на людей, а на печальных красивых призраков. Бесконечное воинство сотканных из тумана существ робко копировало наши с Джуффином движения. От этого голова шла кругом.

— Да, с непривычки и равновесие потерять можно! — понимающе кивнул мой шеф. — Действительно, странное местечко!

Мы все-таки пересекли эту сиреневую бесконечность, в конце которой перед нами гостеприимно распахнулась дверь. Она вела в сравнительно небольшой холл.

— Твое счастье, что наш визит относится к разряду деловых, а не официальных! — утешил меня сэр Джуффин. — Помнишь прием у сэра Маклука?

— Еще бы! — с содроганием ответил я. — По сравнению с этим великосветским приемом все последующие события в доме вашего соседа могут показаться просто шуткой!

— Да уж... Так вот, здесь было бы еще занимательнее.

— Могу себе представить...

— Не можешь, Макс, — лукаво улыбнулся Джуффин. — Честное слово, не можешь!.. Тем не менее нас сейчас все-таки немного покатают, приготовься.

— Ну, если только покатают, я не против, — миролюбиво согласился я.

Несколько дюжин юных придворных в изумительно вышитых лоохи обступили нас. Кланялись чуть ли не до земли, поглядывали на нас с плохо скрываемым любопытством. Я с удовольствием отметил, что моя Мантия Смерти вызывает у них скорее уважительное одобрение, чем суеверный страх. Кажется, при Дворе служили исключительно милые образованные молодые люди, не слишком обремененные предрассудками.

Наконец прибыли и паланкины. Теперь я был довольно искушенным светским львом, спасибо экстравагантному сэру Маклуку, визит к которому в свое время поверг меня в глубочайший шок. Так что я безропотно плюхнулся на один из паланкинов, сэр Джуффин грациозно опустился на второй, и мы поехали. Нас доставили в огромную комнату, которая скромно именовалась Малым Королевским Кабинетом. Там было почти так же пусто, как в любом жилом помещении Ехо: здесь не любят загромождать пространство мебелью. Парни с паланкинами удалились, и мы остались одни.

— Это — вопрос этикета! — подмигнул мне Джуффин. — Его Величество с утра сгорает от нетерпения, но правила хорошего тона обязывают его заставить нас ждать. Хотя бы минуту, он редко выдерживает более длинную паузу, надо отдать ему должное! — Мой шеф нежно пощекотал мягкие перышки на загривке буривуха. — Просыпайся, милый. Работать будем.

Куруш открыл свои круглые глаза и недовольно нахохлился. Он терпеть не может просыпаться, и я его понимаю...

По моим подсчетам, Его Величество Гуриг Восьмой не выдержал и положенной минуты. Маленькая дверца в дальнем конце комнаты открылась, и перед нами появился моложавый красавец, чуть ли не Ален Делон, в элегантном узорчатом лоохи особенного пурпурного оттенка. Вместо тюрбана, любимого головного убора всех столичных модников последних столетий, на его голове было нечто, здорово смахивающее на обыкновенную шляпу. Позже я выяснил, что придворный этикет здорово мешает бедняге идти в ногу с модой: форма Королевского головного убора была канонизирована черт знает сколько тысячелетий назад: именно такие шляпы предпочитал Мёнин — легендарный основатель Соединенного Королевства, правивший им не одну сотню лет... Немного почитав классические изложения приключений этого невероятного существа, я здорово заподозрил Его Величество Мёнина в близком знакомстве с Истинной Магией. Что касается сэра Джуффина, у него на этот счет вообще не было никаких сомнений.

— Вижу вас как наяву! — Его Величество прикрыл глаза руками. Он явно обращался ко мне. Я улыбнулся. Давненько мне не приходилось щеголять официальной формулой знакомства, разученной в первый же день моей новой жизни в этом Мире: знакомиться то и дело приходилось с ребятами, не придающими никакого значения светским условностям. Но оказалось, что мои навыки все еще оставались при мне. Кажется, я не опозорился, когда отвечал Гуригу.

— Вы приходите сюда, только когда уже не можете отвертеться, сэр Халли. — Король смотрел на Джуффина, укоризненно качая головой. — Я ждал вас еще сотню дней назад. Не с отчетом, как сегодня, а просто в гости. Вы же получили приглашение!

— Получил, разумеется, — виновато вздохнул Джуффин. — Но вы же не хуже меня знаете, что творилось в Управлении этой весной! К тому же мы были вынуждены обходиться без сэра Макса, совсем как в старые времена, а я уже успел отвыкнуть... Так что, вместо того чтобы сидеть за вашим столом, я как мальчишка бегал по всему Ехо за сумасшедшим Банкори Йонли. Между прочим, он чуть не ухлопал Мелифаро. С тех пор парень разгуливает с довольно симпатичным шрамом на физиономии. Подозреваю, что он нарочно клал на рану слишком мало бальзама, чтобы выглядеть настоящим героем.

— Что, чуть не погиб младший сын сэра Манга? Это было бы не слишком весело... А кто он, этот Йонли? Не помню! — нахмурился Король.

— Великий Магистр Ордена Звенящей Шляпы. Помните эту странную секту почитателей короля Мёнина? Он покинул Ехо еще при жизни вашего батюшки, а в начале этой весны решил вернуться. Ему ужасно хотелось поквитаться с Великим Магистром Нуфлином. Понятия не имею почему: наш сэр Нуфлин Мони Мах — такой славный человек! Ни разу в жизни и мухи не обидел...

Его Величество изволил весело расхохотаться. Да и я не сдержал улыбку, хотя отчаянно стеснялся. Мне всегда требуется какое-то время, чтобы освоиться в обществе незнакомых людей, ну а если учесть, что с королями я до сих пор никогда не общался, приступ застенчивости обещал быть особенно жестоким. Впрочем, Его Величество Гуриг Восьмой тоже держался немного скованно. Я внезапно понял, что мы с ним — товарищи по несчастью. Никогда бы не подумал, что бывают стеснительные короли! Так что я тут же проникся к Гуригу искренней симпатией: мне было приятно, что он разделял мои маленькие человеческие проблемы.

— Садитесь, господа, прошу вас. — Король указал на невысокие мягкие кресла возле огромного окна. — Угощение для сэра Куруша принесли заранее, так что вы можете приступать, сэр!

Меня умилило, что Гуриг обращался к нашей мудрой птице на «вы», не забывая прибавить «сэр». Я даже пожалел, что сам до этого не додумался.

На столике стояло блюдо с орехами и сухими фруктами. Наш буривух немедленно покинул плечо Джуффина и принялся их уплетать.

— Грешный этикет! — проворчал Король. — Мои чокнутые подданные считают, что в кабинете надо заниматься делами. А принимать пищу следует в столовой. Ужасно, да? Лично я предпочитаю совмещать эти удовольствия, как и вы, сэр Халли. Вы согласны со мной, сэр Макс? — Я с ужасом понял, что Его Величество всерьез интересует мое мнение по данному вопросу.

— Разумеется, согласен! В Доме у Моста с другими привычками просто не уживешься. — Усилием воли я заставил себя говорить нормальным голосом, а не бормотать, смущенно уставившись в пол.

— Правда? Это утешает. Хоть где-то люди живут по-человечески! — вздохнул Король. И тут же повеселел. — Но сегодня утром я объявил своему церемониймейстеру, что он будет вынужден подать в отставку, если нам в кабинет не подадут хотя бы камру. Несчастный старик долго скрипел зубами, но согласился. Так что сегодня я не буду чувствовать себя самым скупым хозяином во Вселенной... Сэр Куруш, вы готовы немного поработать?

Мудрая птица оторвалась от орехов и важно начала излагать Королю сагу о славных подвигах моих коллег. Я слушал буривуха еще внимательнее, чем Король: наконец-то выдалась возможность подробно узнать, чем развлекались ребята, пока я шлялся по запредельным лабиринтам незнакомых Миров. Признаться, их жизнь показалась мне даже более насыщенной, чем моя собственная. Я печально вздохнул: обидно все-таки выпасть из жизни на целый год!

Куруш трепался часа четыре кряду. Между делом он умудрился опустошить предназначенное для него блюдо орехов и попросить добавки. Нас тоже не заставили страдать от голода и жажды. Забавно, но камру при дворе готовили куда хуже, чем в нашем любимом «Обжоре»! Я подумал, что теперь уж точно никогда не ввяжусь в заговор с целью присвоить себе корону, пардон, шляпу Владыки Соединенного Королевства.

Когда Куруш умолк, Король восхищенно покачал головой:

— Вы — единственные обитатели моего государства, для которых романтика древних времен не стала всего лишь историей! Иногда я завидую вам, господа.

— Ну что вы, мы далеко не единственные, — улыбнулся Джуффин, — думаю, жизнь наших клиентов еще романтичнее!

— Да, конечно, но им приходится слишком дорого за это платить, — заметил Король.

— Иногда, — спокойно согласился Джуффин.

— Думаю, что очень часто, поскольку им приходится иметь дело не с кем-нибудь, а именно с вами... Ваше общество доставило мне истинное наслаждение, господа. Могу ли я рассчитывать на ваше присутствие во время официального визита этих странных существ из Арвароха?

— А в котором часу вы их ожидаете? — осведомился Джуффин.

— Скоро. — Его Величество рассеянно посмотрел в окно. — Если солнце меня не обманывает, они будут в Малом Приемном Зале с минуты на минуту... Мне хотелось бы, чтобы вы остались. К тому же эти господа наверняка нуждаются в вашей помощи: в конечном итоге дело всегда сводится к этому, насколько я знаю...

— Я и сэр Макс счастливы выполнить любое ваше желание, Ваше Величество! — Джуффин выдал совершенно неотразимую улыбочку опытного царедворца.

— Ну так уж и любое! — неожиданно рассмеялся Гуриг. Я не смог сдержать улыбку. Кажется, я становился ярым монархистом: глава Соединенного Королевства нравился мне все больше и больше. «Как жаль, что мы оба такие занятые люди, да и профессии у нас чересчур разные, — весело подумал я. — При других обстоятельствах мы вполне могли бы подружиться». Признаться, я совершенно забыл, что с недавних пор мы с Его Величеством Гуригом Восьмым стали в некотором роде коллегами...

— Этот господин уже спит. Я имею в виду Куруша, — шепотом сообщил Король.

— По-моему, это его самое естественное состояние, — улыбнулся Джуффин, нежно укутывая птицу полой своего лоохи. — Вы не обидитесь, если он проспит весь этот ваш прием?

— Сэр Куруш волен делать в моем дворце все, что ему угодно. — Гуриг Восьмой смотрел на нашего спящего буривуха с неподдельным восхищением начинающего юного натуралиста.

Малый Приемный Зал оказался настолько велик, что разглядеть лица придворных, выстроившихся у противоположной стены, было совершенно невозможно. Во всяком случае, не с моим заурядным зрением! В центре зала неподвижно замер великолепный Алотхо Аллирох, на этот раз парень явился без своего паукообразного «домашнего любимца». У его ног лежало уже знакомое мне оружие, позади стояла свита: целая сотня могучих воинов в одинаковых негнущихся плащах и мягких сапожках, такие же светловолосые, желтоглазые и нечеловечески красивые, как и он сам. Думаю, простодушный Алотхо просто привел с собой всех, кто был на корабле, без исключения. Придворные глазели на них с доброжелательным любопытством.

Сэр Джуффин Халли едва заметным жестом поманил меня за собой. Мы заняли место, полагающееся нам по регламенту, — слева от Королевского кресла. Справа от трона было тесновато: там толпились многочисленные вельможи. А рядом с нами стоял только один господин средних лет в бело-голубом лоохи, свидетельствующем о его принадлежности к Ордену Семилистника, Благостному и Единственному... Он едва заметно поклонился нам с Джуффином: более плотное общение в данных обстоятельствах не допускалось правилами придворного этикета.

Наконец в зал вошел наш недавний собеседник. Неторопливо взобрался по хрупкой драгоценной лестнице к своему трону, который чуть ли не на несколько метров возвышался над полом, успел сочувственно улыбнуться нам с Джуффином и торжественно уселся. Теперь его лицо стало непроницаемой ледяной маской величия и скуки.

— Я приветствую тебя, чужеземец! — торжественно сообщил наш восхитительный монарх пришельцу из Арвароха. — Поведай нам, кто ты и какого рода дела привели тебя к моим ногам?

Парень ненадолго опустил голову уже знакомым мне движением, которое должно было сойти за почтительный поклон, а потом снова завел свою волынку, и начало ее показалось мне более чем знакомым.

— Я — Алотхо Аллирох из клана Железнобокого Хуба, владыка Алиурха и Чийхо, Грозноглядящий Повелитель двух полусотен Острозубов, могучий и верный воин Тойлы Лиомурика Серебряной Шишки, Завоевателя Арвароха, повелевающего им до пределов Мира, Поливальщик Царского Дерева Пряных Цветов, Хранитель столовых ковров, Подающий третью чашу на Пиру

Новолуния после супруги и Старшего Виночерпия, бессменный Кормчий Царской Лодки на озере Улфати, имеющий право носить костяные башмаки на иглах Зогги, Запирающий Царские Покои Владыка полусотни связок ключей, Начальник расправы над Исисоринами, Говорящий девятое и двенадцатое слово во время Царской Игры в Лауни, убивающий птицу Кульох двумя взглядами, одним ударом и одной хитростью, Вносящий три горсти монет в гробницу Кварги Ишмирмани, Разводящий огонь под Царским Котлом для Ватлы, Владеющий наречием Моринов, съедающий свинью Маюши в два с половиной присеста и сложивший два раза по два полудесятка песен о своих великих подвигах.

«С ума сойти, какая важная персона! — Сэр Джуффин не выдержал и послал мне зов. — Нам с тобой такие чины не светят, мой бедный сэр Макс!»

«Вчера их было раза в три меньше, — злорадно сообщил я. — Наверное, парень всю ночь сочинял продолжение!»

«Вынужден тебя разочаровать: ни один уроженец Арвароха не способен „сочинить" что бы то ни было! — возразил Джуффин. — Просто он счел, что вы с Мелифаро не настолько важные птицы, чтобы обладать подробной информацией о его драгоценной персоне. Наш Король, разумеется, заслуживает несколько большей болтливости... Думаю, что, когда парень попадет на торжественный прием к своему грозному Мертвому Богу, которому истово поклоняются эти красавчики, он будет говорить о себе дюжину лет кряду, не умолкая ни на миг, поскольку это будет первым в его жизни поводом рассказать о себе абсолютно все».

Безмолвная речь Джуффина была прервана самым неожиданным образом. Куруш, сладко дремавший под его лоохи, наконец-то проснулся и захотел выбраться на свободу.

— Я хочу посмотреть на этих людей! — безапелляционно заявила птица.

— Конечно, милый, только тихо! — шепнул буривуху Джуффин, усаживая его на свое плечо. И тут произошло нечто невероятное.

Сэр Алотхо Аллирох, безупречный «Предводитель двух полусотен Острозубов», чья спина никогда не сгибалась в поклоне, молча повалился на колени, белокурая голова глухо стукнулась об мягкий ковер. Его свита последовала примеру своего командира.

— О, великий буривух! — сдавленным от волнения голосом простонал Алотхо. — О, великий буривух! — Парень явно не мог продолжать. Мне показалось, что ему не помешало бы показаться доктору.

В зале воцарилось некоторое замешательство. Даже величественная маска Гурига временно уступила место нормальному человеческому удивлению.

— Жители Арвароха всегда несколько преувеличивали наше могущество, — спокойно сообщил нам Куруш. — Людям вообще свойственно преувеличивать.

— Ты прав, умник! — улыбнулся сэр Джуффин. — Но нам не стоит переубеждать этого достойного человека. Пусть остается при своих заблуждениях, они кажутся мне такими милыми... И могут принести немалую пользу, правда, Ваше Величество?

— Совершенно с вами согласен! — прошептал Король. — Какая жалость, что мы не знали об этом раньше!

Тем временем Алотхо начал приходить в себя. Он восхищенно посмотрел на Куруша:

— Какая великая честь мне оказана! Чем я могу отблагодарить тебя, о великий буривух?

— Я нахожусь здесь, потому что так хотят Его Величество Гуриг Восьмой и Почтеннейший Начальник сэр Джуффин Халли, на службе у которых состою я и мои собратья. Благодарите их. И поднимитесь с земли, дети мои, — невозмутимо ответил Куруш. Мы с Джуффином изумленно переглянулись. Алотхо и его свита встали с пола. Теперь белокурый великан смотрел на Короля с настоящим благоговением. Куда девалось его хваленая отрешенность!

— Никогда в жизни я не смел мечтать о подобной чести! — побелевшими от волнения губами проговорил он. — Завоеватель Арвароха Тойла Лиомурик Серебряная Шишка никогда не забудет, какая честь была оказана его посланцам! Он велит сложить не меньше двух полутысяч песен об этом событии, и я сам буду тем, кто сложит первую из них...

Король, хвала Магистрам, уже успел адаптироваться к новой ситуации. Он снисходительно улыбнулся:

— Мы решили оказать вам эту честь, поскольку наши дружеские чувства к Тойле Лиомурику остаются неизменными. К тому же мы по-прежнему готовы оказать вам помощь в вашем нелегком деле. Мне будет весьма приятно, если вы не преминете ею воспользоваться. — Последняя фраза прозвучала как приказ, правда весьма любезно сформулированный.

— Я сделаю так, как вы хотите, — смиренно сообщил сэр Алотхо.

— Я испытываю радость от ваших слов. — Король едва заметно улыбнулся. — Сэр Джуффин Халли, здесь присутствующий, будет ждать вас завтра в Доме у Моста. Можете мне поверить, что он и его коллеги способны перевернуть Мир, дабы восстановить справедливость, жажда которой заставила вас пересечь все океаны Мира по следам дерзкого беглеца. Прощайте, господа, ваше общество доставило нам истинное наслаждение!

Я был абсолютно уверен, что Гуриг говорит чистую правду: наслаждение мы все получили отменное, особенно Куруш, я полагаю...

Мы вернулись в Управление. По дороге Куруш производил впечатление только что коронованного императора. Устроившись поудобнее в своем кабинете, мы с Джуффином выжидающе посмотрели на непомерно напыжившуюся птицу.

— Тебе не кажется, что нам необходимо объясниться, милый? — ласково спросил сэр Джуффин. — Что там у тебя произошло с этим красавцем?

— Ничего особенного, — хладнокровно ответил Куруш. — Люди Арвароха почитают нас, буривухов, как богов. И не совсем безосновательно, поскольку там, на Арварохе, их жизнь действительно связана с нашей. Там, где нас много, Мир таков, каким мы хотим его видеть. А Арварох — единственное место в Мире, где нас по-настоящему много... Мы любим красивых людей, поэтому люди Арвароха красивы. У них глаза такого же цвета, как у нас, поскольку нам нравится этот цвет. Они молчаливы, потому что нам неинтересно слушать их разговоры. Они деятельны, поскольку нам интересно обсуждать их дела. Мы живем сами по себе, но наши старики приходят умирать к людям Арвароха, чтобы наслаждаться, созерцая эти создания, поскольку они представляют собой венец наших общих усилий... Люди Арвароха любят умирать, ибо верят, что каждый может родиться вновь, птенцом буривуха. Это — всего лишь суеверие, но иногда нам кажется, что им это каким-то образом удается, не всем конечно... Словом, для людей Арвароха мы действительно боги, в каком-то смысле... — Куруш равнодушно моргнул и принялся за орехи.

— Да, это я знаю, — задумчиво кивнул Джуффин. — Но ты хочешь сказать, что они сами тоже это знают? Никогда бы не подумал!

— Они не знают. Они чувствуют. Люди Арвароха знают мало, зато чувствуют правильно, — объяснил буривух.

— Да, вот это новость! Что ж, в любом случае это просто отлично! Теперь они у нас будут как шелковые...

— Не будут, — хладнокровно возразил Куруш. — Они будут слушаться меня, конечно. Но если я попрошу этих людей сделать что-то, идущее вразрез с их странными законами, они просто умрут, поскольку им легче умереть, чем поступить неправильно. Люди Арвароха считают смерть наилучшим выходом из любого затруднительного положения.

— Самураи какие-то! — хмыкнул я.

— Как ты их обозвал? — заинтересовался Джуффин.

— Самураи. Можете себе представить, в том Мире, откуда я родом, тоже есть такие ребята... вернее, были. Но их жизнь представляется мне куда более грустной: у них не было буривухов.

— Да, это они зря! — согласился Джуффин. — С буривухами гораздо веселее, правда, милый? — Он рассеянно погладил пушистую спинку мудрой птицы. — Представляете, что будет с этим парнем, если мы устроим ему экскурсию в Большой Архив?!

— А мы устроим? — обрадовался я.

— Может быть, и устроим. Если будет себя хорошо вести. Или, наоборот, слишком плохо. Тогда нам просто придется принять меры! Впрочем, я здорово опасаюсь, что его храброе сердце не выдержит подобного потрясения, поэтому лучше уж не экспериментировать... — Сэр Джуффин поднялся с места и злорадно улыбнулся. — Ладно, я пошел отдыхать, а вы работайте, бедняги! Вот такой я жестокий! Ты потрясен, Макс?

— Нет, не потрясен. Мы же с вами уже довольно давно знакомы, так что я всегда готов к самому худшему, — вздохнул я. — А бальзам Кахара лежит в том же ящике, что и раньше?

— А куда он мог деться? — спросил мой шеф. — Кому он нужен, кроме тебя?

— Сейчас выпью полбутылки и начну буянить от скуки! — мечтательно сказал я. — Поскольку работа сегодня ночью мне не светит, если я правильно понимаю ситуацию. Веселье начнется завтра, да?

— Ага, — кивнул Джуффин. — Кстати, если тебе приспичит немного прогуляться, я не возражаю. В ближайшие дни нам всем будет не до этого, так что лови свой шанс, парень!

— Ладно, — кивнул я, — попробую.

На том мы и расстались. Я крепко задумался о внезапно свалившихся на меня возможностях скоротать досуг. Все взвесил и послал зов Мелифаро. Не самое оригинальное решение, если разобраться, но я давно смирился с ужасающей банальностью собственных идей...

«Как поживает твой заморский сувенир?» — с любопытством спросил я.

«Замечательно, — ворчливо отозвался Мелифаро. — Днем он гулял по Ехо. К сожалению, не заблудился. Зато заработал второй фонарь, теперь уже под другим глазом. Получилось очень красиво!.. Кстати, ты еще не хочешь взять его себе? Может быть, тебе скучно, и все такое... Я уже начинаю уставать».

«Спасибо, я как-нибудь перебьюсь!» — твердо сказал я.

«Да? Впрочем, так я и думал... Ладно, на сегодняшний вечер у меня отличные планы. Думаю отвести это чудо в Квартал Свиданий. Может быть, угомонится или все-таки потеряется... Хочешь поучаствовать в этом мероприятии?»

«В качестве наблюдателя — с удовольствием!»

«Ну а в каком же еще качестве? Дамы его сердца? Для этого ты слишком редко бреешься!»

«Ничего не редко! — возмутился я. — Только я еще и голодный, ты в курсе?»

«Ты всегда голодный. Ладно, приходи в „Счастливый скелет“, это как раз между моим домом и Кварталом Свиданий. К тому же в это время суток ребята обычно выбрасывают объедки, думаю они позволят тебе в них порыться».

«А ты привык ужинать именно таким образом? Как интересно! Учту на будущее, — невинно заметил я. И поспешно добавил: — Отбой!» — пока Мелифаро не успел придумать достойный ответ.

Я уже собирался выходить, когда мне на глаза попалась собственная дорожная сумка, благополучно забытая мною в кабинете после недолгого отпуска в фамильном поместье моей «светлой половины». Чтобы удовольствие было полным, я еще и переоделся. Не слишком-то это этично — шляться по Кварталу Свиданий в Мантии Смерти. Разумеется, я собирался только наблюдать, и все же...

— Повелевай этим Миром в одиночестве, о великий буривух! — Я отвесил Курушу низкий поклон на прощание.

— Не забудь принести пирожное, — хладнокровно напомнил Куруш. Это была наша с ним милая традиция: если я смываюсь со службы, Куруш получает пирожное. Думаю, мудрую птицу вполне устраивала моя непоседливость.

Мелифаро в «Счастливом скелете» не было. Довольно странно: до сих пор он казался мне самым шустрым существом во Вселенной. По моим расчетам, ему полагалось бы уже давно сидеть за столиком, приканчивая десерт, и ехидно приветствовать меня пламенной речью о вреде медлительности. Я внимательно огляделся, но Мелифаро так и не обнаружил. Устав удивляться, я занял место за маленьким столиком в глубине уютной ниши и внимательно уставился на дверь.

Мелифаро появился чуть ли не через полчаса. Кажется, он не мог решить, что ему сделать дальше: рассмеяться или окончательно разозлиться. Позади важно следовал Рулен Багдасыс, на этот раз в оранжевых лосинах и новой меховой шапке, размеры которой поражали воображение. Под толстым слоем пудры загадочно лиловели благоприобретенные «фонари». Я восхитился и помахал им из своего уголка.

— Никогда не подозревал, что ты способен опоздать, — одобрительно сказал я Мелифаро. — Молодец, делаешь успехи!

— Мне помогли, — мрачно хмыкнул он, — мой драгоценный гость наводил красоту перед гипотетической встречей со своей «медовой пышечкой», как он сам выразился. Подбирал штаны, припудривал фингалы, расчесывал шапку. Я чуть не рехнулся... А ты уже все съел?

— Ничего, повторю заказ! — Я изо всех сил старался поддерживать свой имидж запредельного обжоры. Мелифаро, кажется, поверил, во всяком случае он удивленно покачал головой, и мы уткнулись в объемистое меню. Рулен Багдасыс благоразумно помалкивал. Думаю, перед выходом из дома парень получил ряд четких инструкций касательно поведения в обществе. Я даже засомневался насчет его второго «фонаря»: уж не сэра ли Мелифаро работа?

— Кто это тебя, бедняга? — с любопытством спросил я.

— Какие-то уроды! — мрачно буркнул изамонец. — Грязные уроды с толстогрудыми самками. Да они радоваться должны, что я на них посмотрел! У нас в Изамоне такую и нарезатель лапши замуж не возьмет!

— Молчи уж, красавец! — ворчливо усмехнулся Мелифаро и повернулся ко мне. — Опять то же самое. Пристал к каким-то почтенным горожанам, почему-то ему показалось, что они должны очень обрадоваться, если он немного подержится за задницы их жен... А ребята не оценили оказанной им чести!

— И чего тебе так неймется? — изумился я. — Ты что, женщин раньше не видел?

— У тебя что, последний мозг прокис?! — взвился Рулен Багдасыс. — Да я же старый ловелас! У нас в Изамоне эти самки мне прохода не давали!

— У нас, в Соединенном Королевстве, не принято называть женщин самками, — внушительно заявил я. — Это — самый верный способ получить по морде, ты еще не понял?

— Бесполезно! — фыркнул Мелифаро. — Мне, конечно, несказанно приятно видеть тебя в роли блюстителя нравов, но такого рода советы относятся к тем вещам, которых он не слышит. Я уже проверял...

— Что? Говорите громче, я не слышу! — заорал изамонец, словно решил немедленно подтвердить правоту Мелифаро. Мы расхохотались и занялись едой.

Мне не удалось тщательно пережевывать пищу: уж очень хотелось порадовать Мелифаро отчетом о нашем визите ко Двору и внезапном возвышении Куруша. Мелифаро ржал как сумасшедший, Рулен Багдасыс временно забыл о своих сексуальных проблемах и с открытым ртом слушал мое повествование, его знаменитую глухоту как рукой сняло! От слов «Король», «Двор», «придворные» его бедная голова шла кругом. Парень так разволновался, что явно переборщил с «Джубатыкской пьянью». Мне показалось, что наше развлечение с Кварталом Свиданий придется отложить до лучших времен: к концу ужина изаамонец осоловело клевал носом над тарелкой. Но когда нам принесли счет, он встрепенулся.

— Ну что, ведите меня к этим самкам! — Рулен Багдасыс орал так, что посетители начали заинтересованно коситься в нашу сторону. Мелифаро брезгливо поморщился:

— Ты не в форме, дружок. Думаю, тебе самое время немного поспать.

— Вы что, свои мозги съели?! — завопил изаамонец. — Какой может быть сон! Уже пора потискать чью-нибудь жирную задницу! Вот теперь уже пора!

— Ну ладно, — усмехнулся Мелифаро. — Дело хозяйское. Будут тебе «жирные задницы»!

Его интонации несколько настораживали. Я внимательно посмотрел на своего коллегу и тихо спросил:

— Что ты задумал?

— Увидишь! Тебе понравится, обещаю!.. Не одному же тебе можно быть загадочным! — шепнул Мелифаро. Его глаза восторженно блестели. Я был по-настоящему заинтригован.

До Квартала Свиданий было минут десять пути. Всю дорогу Мелифаро что-то шептал на ухо Рулену Багдасысу. Я не вмешивался.

Мы остановились перед первым же домом, куда заходят Ищущие мужчины. Мне это показалось логичным: представить себе Рулена Багдасыса в роли Ждущего я просто не мог.

— Вперед! — весело сказал Мелифаро. — Помнишь, как там себя нужно вести?

— Что? Я никогда ничего не забываю! Все грудастые самки будут мои! — заорал изаамонец. — А вы что, не идете?

— У нас дела, к сожалению, — скромно потупился Мелифаро. — Мы бы очень хотели пойти, но у нас столько дел!

— У вас уже давно все мозги ветром выдуло! Придите в себя! Какие могут быть дела на ночь глядя?! — возмущенно завопил Рулен Багдасыс. Но у него явно не было ни времени, ни желания нас уговаривать. Горделиво оправив меховую шапку, наш изамонский гость отправился на поиски эротических приключений.

— Давай отойдем за угол! — улыбнулся Мелифаро. — Думаю, сейчас здесь разразится самый страшный скандал за всю историю Соединенного Королевства.

— Догадываюсь! — хмыкнул я. — А что ты ему сказал?

— Почти правду. — Мелифаро злорадно хихикнул. — Сказал, что он должен зайти в дом, заплатить, взять номерок... Ну а потом я немного пофантазировал, можно сказать выдал желаемое за действительное. Я сказал ему, что номер соответствует количеству женщин, которые обязаны с ним пойти... Представляешь, если он вытащит, скажем, номер семьдесят восемь?!

— Представляю! — Я не смог сдержать улыбку. — Лишь бы не пустышку!

— Ну, если этот герой-любовник вытащит пустышку, он сам устроит отличный скандал, без посторонней помощи, — успокоил меня Мелифаро.

— Да уж, действительно... Между прочим, не кажется ли тебе, друг мой, что ты сделал жуткую гадость? Дядю все-таки жалко.

— Скажите пожалуйста! — фыркнул Мелифаро. — С каких это пор ты такой гуманный? А как, по-твоему, надо поступать с человеком, который называет незнакомых женщин самками да еще и хватает их руками?!

— Думаю, что рано или поздно мне придется арестовать тебя за нарушение общественного спокойствия! — мечтательно протянул я, потом не выдержал и рассмеялся: из-за полуоткрытых дверей Дома Свиданий донеслись первые крики. Что-то вроде того, что «эти безмозглые самки совсем ума лишились», ну и так далее...

— Началось! — восхищенно прошептал Мелифаро. — Грешные Магистры, пошло дело!

— Во всяком случае, теперь никому не придется проводить с ним ночь! — одобрительно заметил я. — Не хотел бы я быть на месте этой несчастной!

— С другой стороны, она бы получила такие незабываемые впечатления! — весело возразил Мелифаро.

Тем временем дверь Дома Свиданий открылась нараспашку и оттуда кувырком вылетел Рулен Багдасыс.

Его оранжевые ляжки таинственно мерцали при свете фонарей. Шапка каким-то чудом все еще держалась на его голове. Возможно, он ее приклеивал.

— Ты же урод! Я еще вернусь, и тогда будет что-то страшное! Просто будет беда! — возмущенно орало это удивительное создание. — Я вам всем покажу! У меня связи при Дворе!

— Его «связи при Дворе» — это ты, между прочим! — подмигнул мне Мелифаро. — Так что на тебя теперь вся надежда!

— Если вы не утихомиритесь, я вызову полицию. — Голос, очевидно, принадлежал хозяину Дома Свиданий. — И благодарите Темных Магистров, что вы чужестранец! Только поэтому я позволяю вам спокойно уйти после всего, что вы натворили.

— А я могу и вернуться! — гордо заявил изамонец, благоразумно удаляясь от входа на безопасное расстояние. — И тогда будет беда!

— Тогда уж точно будет беда! — пообещал хозяин и звучно захлопнул дверь.

— Пошли, Ночной Кошмар! — шепнул Мелифаро. — Только тихо. Устал я от него смертельно!.. Можно я у тебя переночую?

— Конечно, — растерянно сказал я, — а что, этот парень так тебя достал?

— Ага! — сокрушенно кивнул Мелифаро. — Он будит меня по ночам, чтобы рассказывать мне какие-то глупые истории о своей юности, орет из окна на прохожих и стрижет ногти в мой завтрак... Съеду я, наверное. Пусть один там копошится!

— Жалко! — вздохнул я. — Мне понравилась твоя берлога.

— Представь себе, мне она тоже была по вкусу! — устало улыбнулся Мелифаро. — Так я поеду к тебе, ладно?

— И к тому же на моем амобилере! — кивнул я. — Твой-то небось стоит возле дома?

— Не вышло из тебя ясновидца! Поеду на служебном. Нужно пользоваться своими привилегиями, хотя бы из принципа... — Мы уже добрались до Дома у Моста, и он немедленно выполнил свою угрозу: рухнул на заднее сиденье амобилера. Сонный возница встрепенулся и попытался придать своему лицу бодрое выражение.

— Покорми моих кошек! — крикнул я вслед своему коллеге.

— Я их еще и причешу! Не переживай, Макс, я же, в сущности, деревенский парень! — весело откликнулся Мелифаро.

Я заглянул в «Обжору Бунбу» за пирожным для нашего «великого буривуха» и отправился в Дом у Моста. Я собирался немного подремать в кресле.

К моему величайшему удивлению, в этом самом кресле уже дремал сэр Кофа Йох, наш Мастер Слышащий. Это было из ряда вон выходящим событием: обычно в это время сэр Кофа нес вахту в одном из многочисленных трактиров Ехо, напялив на себя какую-нибудь очередную неузнаваемую физиономию.

— Здорово! — восхитился я. — Что происходит, сэр Кофа? Мир перевернулся: я бегаю по городу, а вы скучаете в Управлении.

— Зашел поболтать с нашим умником об этих ребятах из Арвароха, — устало вздохнул Кофа Йох. — В городе только о них и твердят, мне стало интересно... Кстати, я здорово подозреваю, что именно нам придется искать этого беднягу, «презренного Мудлаха», так что лучше начать заранее.

— Хотите бальзама Кахара? — с энтузиазмом предложил я. — Я вас еще никогда таким усталым не видел. А мне-то казалось, что в последние дни у нас было тихо!

— Было, — кивнул сэр Кофа, — не обращай внимания, мальчик, это мои личные проблемы... Давай сюда свой бальзам, мне сейчас действительно не помешает!

— А я вам ничем не могу помочь? — растерянно спросил я, нашаривая в столе сэра Джуффина бутылку с обожаемым мной тонизирующим средством. Признаться, до сих пор мне и в голову не приходило, что у кого-то кроме меня могут быть «личные проблемы»...

— Ты? — Сэр Кофа неожиданно звонко расхохотался. — Нет уж, ты точно не можешь! Не бери в голову всякую ерунду, парень!

— Голова у меня большая и пустая, надо же ее чем-то наполнять! — рассеянно отшутился я. И поинтересовался: — А почему вы заговорили о поисках этого, как его... презренного?..

— Мудлаха, — подсказал сэр Кофа. — Как это — «почему»?! Просто потому, что нам предстоит помочь

224

этим мужественным, но не в меру простодушным красавчикам его разыскать.

— Но это же очень легко, наверное! — Я недоуменно пожал плечами. — Жители Арвароха здорово отличаются от прочих обитателей Мира, если уж даже я заметил...

— Да, конечно. А тебе никогда не приходило в голову, что если я умею изменять внешность, свою и чужую, то в Мире найдутся и другие специалисты в этой области? Думаю, что даже у этого грешного Мудлаха хватило ума позаботиться о том, чтобы его не узнали. Он-то в курсе насчет традиций своей родины. Вендетта и прочее... К тому же в Ехо живет не так уж мало беглецов из Арвароха.

— Да? — удивился я. — Никогда их не видел!

— Скорее всего, видел. Просто ни один из них не рискует щеголять собственной приметной физиономией. В Ехо не так уж мало умельцев, способных надолго изменить чужую внешность, можешь мне поверить!

— Вот так-то! — удрученно вздохнул я. — По всему выходит, что я — болван!

— Тоже мне горе! — усмехнулся сэр Кофа Йох. Бальзам Кахара явно пошел ему на пользу.

— А есть способ быстро обнаружить: настоящее лицо у человека или нет? — озабоченно спросил я.

— Может быть, и есть, но его никто не знает, — хитро прищурился сэр Кофа. — Но из беседы с Курушем я понял, что нам это и не нужно. Любой буривух способен обнаружить уроженца Арвароха, как бы тот ни выглядел.

— Здорово! — восхитился я. И наконец-то вспомнил о пирожном. Протянул его задремавшему было Курушу: лучше поздно, чем никогда!

— А я думал, что ты забыл, — ворчливо отозвался Куруш. — Людям свойственно забывать о своих обещаниях.

— Обижаешь, милый! Когда это я забывал?

— В восьмой день сто шестнадцатого года, — спокойно ответил Куруш. — Правда, это был единственный случай, надо отдать тебе должное...

Сэр Кофа получил море удовольствия от нашей дискуссии.

— Ладно, прогуляюсь-ка я по ночному Ехо! — Он решительно покинул мое кресло. — Вы меня просто на ноги поставили, ребята! Запасайся своим благословенным пойлом, Макс: нам предстоят веселые денечки!

— Вы все меня запугиваете, — усмехнулся я. — Джуффин посоветовал порезвиться напоследок, теперь вы... Неужели все так страшно?

— Ну, не то чтобы страшно, скорее, хлопотно! — пожал плечами сэр Кофа. — Когда я слышу слово «Арварох», моя голова тянется к подушке. Как только в Ехо появляются эти белокурые пучеглазики, жизнь становится на редкость утомительной штукой!

Окончательно запуганный этим предсказанием, я заснул прямо в собственном кресле, даже не потрудившись переодеться в Мантию Смерти, что вроде бы было положено...

Разбудил меня сэр Джуффин Халли. Его утренняя бодрость показалась мне отвратительной. Я машинально потянулся к столу, где хранилась бутылка с бальзамом Кахара. Джуффин ехидно захихикал, бесцеремонно отводя мою руку в сторону.

— Лучше уж иди досыпай! — сжалился он. — Вернешься в полдень, раньше здесь все равно делать нечего. Жители Арвароха, на твое счастье, просыпаются поздно.

— Да? — сонно изумился я. — Какие славные люди, кто бы мог подумать!

По моему дому бродил Мелифаро, такой же сонный и хмурый, как и я сам. Впрочем, бедняге было еще хуже: в отличие от меня он собирался на службу. У нас обоих не было никакого настроения желать друг другу хорошего утра.

— Вот это и есть сумерки! — глубокомысленно заявил я.

— Что? — ошалело спросил Мелифаро.

— Сумерки, — важно объяснил я, — время, когда ночь, то есть я, уже закончилась, а утро, то есть ты, еще не наступило. Именно так это и выглядит. На мой вкус, слишком мрачно. — И я пошел наверх, в спальню.

— Кажется, ты действительно был поэтом, — вздохнул мне вслед Мелифаро. — Какое счастье, что тебе это не понравилось! Такие громоздкие метафоры, да еще на рассвете... Ты действительно кошмарное создание!

— Ага! — согласился я, захлопывая дверь спальни. У меня еще было часа три, и я не собирался терять ни секунды!

Проснувшись около полудня, я одобрительно буркнул: «Ну вот, теперь другое дело!» На мой взгляд, спать надо долго и со вкусом. Я проникся нежнейшей симпатией к жителям далекого Арвароха: хоть кто-то разделял мои взгляды на жизнь!

В Дом у Моста я явился одновременно с достопочтенным сэром Алотхо. Впрочем, в Зал Общей Работы я все-таки вошел на несколько секунд раньше, поскольку воспользовался Тайной Дверью, а бедняга — обычным входом для посетителей, поэтому он был вынужден немного поплутать по длинным коридорам Управления Полного Порядка. Все наши были в сборе, даже сэр Луукфи Пэнц спустился к нам из Большого Архива, — видимо, сгорал от любопытства.

— Стоило так задерживаться из-за какого-то скучного сна! — приветливо сказал мне сэр Джуффин. — Ведь и позавтракать небось не успел.

— Не успел! — весело согласился я. — Что касается моего сна, он был очень даже ничего. Впрочем, я точно не помню...

Дверь распахнулась, и на пороге появился Алотхо Аллирох собственной персоной, на его плече снова красовалось огромное мохнатое подобие паука. Само собой, парень тут же восхищенно уставился на Куруша, взвыл: «о, великий буривух» — и рухнул на землю. Мне стало немного скучно: нельзя же быть таким предсказуемым! Зато на моих коллег было приятно посмотреть. Даже классическая невозмутимость сэра Лонли-Локли показалась мне немного фальшивой. Мелифаро, который уже знал эту историю с моих слов, тоже выглядел удивленным. Впрочем, вчера он наверняка решил, что я привираю!

— Встань, сын мой, — устало сказал Куруш, — я освобождаю тебя от необходимости кланяться мне всякий раз. Можешь просто вежливо здороваться, этого вполне достаточно.

— Благодарю за честь, о великий буривух! Я непременно прибавлю эту почесть к своему титулу, — с достоинством ответил сэр Алотхо, поднимаясь на ноги. Потом он спокойно оглядел наш маленький коллектив. Когда парень посмотрел на леди Меламори, его желтые глазищи опять подозрительно засияли ярко выраженным безумием, мне даже показалось, что сейчас он снова повалится на карачки. Нет, обошлось! Он только моргнул, чего до сих пор, кажется, никогда не делал.

Потом обитатель загадочного Арвароха прочитал нам краткую, но емкую лекцию о своей биографии: представился. Ребята ответили тем же, все, кроме нас с Мелифаро, поскольку мы уже успели сделать это раньше, и сэра Джуффина Халли: в Арварохе считается, что такой большой начальник вообще не обязан никому ничего о себе рассказывать.

— Я предлагаю тебе разделить с нами полуденную трапезу, сэр Алотхо! — сурово сказал Джуффин. — Это необходимо, поскольку нам предстоит делать общее дело.

— Я сумею оценить оказанную мне честь! — Алотхо Аллирох слегка наклонил голову.

— Какой я молодец, что не позавтракал! — с облегчением рассмеялся я. — Сэкономил кучу денег. Пустячок, а приятно!

— Молодец, что напомнил. Я вычту стоимость этого парадного обеда из твоего жалованья. Просто из вредности. Будешь знать, как выпендриваться! — фыркнул сэр Джуффин.

Кажется, нам удалось разрядить обстановку: леди Меламори тихонько хихикнула, Мелифаро с грохотом обрушился в свое любимое кресло и демонстративно облизнулся. Через минуту на столе появились первые кувшины с камрой и блюда со сладостями. Курьеры из «Обжоры» косились на нашего высокого гостя, как лошади на пожар. Он не обращал на них ни малейшего внимания, поскольку бросал страстные взгляды на Куруша и Меламори, именно в таком порядке.

— Ты в хорошей форме, Макс, — сообщил мне Лонли-Локли, усаживаясь рядом. — Ты стал легким. Раньше этого не было.

— Ага, — кивнул я, — с тех пор как я сделался царем, моя жизнь стала удивительно простой и беззаботной.

— Царем? — переспросил Шурф. — Это что, шутка? Извини, но мне не смешно.

— Тебе и не должно быть смешно, — важно сказал я, — поскольку это чистая правда. — И я повернулся к Джуффину. — Кстати, когда вы собираетесь отпустить моего подданного, сэр? Я начинаю гневаться!

— Твоего подданного? Дырку над всем в небе, совсем о нем забыл, — сокрушенно признался мой шеф. — Да хоть сегодня и отпустим, жалко мне, что ли!

— Ладно, тогда я не буду объявлять войну! — великодушно согласился я. — Уговорили.

— Будешь много выступать, я тебя и вправду царем сделаю! — пригрозил Джуффин.

— Понял, заткнулся! — Я демонстративно закрыл рот обеими руками.

— Вы хотите сказать, что?.. — растерянно начал Лонли-Локли.

Сэр Кофа Йох посмотрел на меня с искренним сочувствием:

— Странно, но в городе об этом не болтают. Ничего подобного не слышал.

— Мои достойные земляки умеют хранить тайну! — гордо сказал я. — А уж тайну своего повелителя — тем более.

— Да, — кивнул Джуффин, — и между прочим, земляки сэра Макса действительно абсолютно уверены, что он их царь. А этот смешной парень орет, что не хочет царствовать, поскольку у нас ему больше платят, и все такое. Вот это я понимаю, любовь к своей работе!

Шурф огорченно покачал головой.

— С тобой все время что-нибудь происходит! — укоризненно сказал он мне, принимаясь за еду. Наши коллеги дружно расхохотались. Больше всех веселился сэр Джуффин, он косился на меня, как сумасшедший художник на собственную картину, созданную в состоянии тяжелого наркотического бреда, — не в силах понять, как ему такое удалось...

Тем временем сэр Алотхо Аллирох тщательно пережевывал пищу. Думаю, что, даже если бы мы все разделись догола и принялись плясать на столе, этот парень продолжал бы жевать так, словно ничего не случилось. Он ел, он был занят делом, все остальное явно не имело никакого значения! Позже я понял, что эти ребята из Арвароха действительно умеют самозабвенно отдаваться всему, что они делают.

Покончив с едой, Алотхо собрал крошки и отдал их своему мохнатому пауку. Маленькое чудовище съело крошки и неожиданно нежно мурлыкнуло. Я даже вздрогнул, услышав его тонкий голосок.

— Вы поможете мне поймать Мудлаха? — внезапно спросил Алотхо у сэра Джуффина. — Ваш Король сказал, что я должен просить вашей помощи. Я не знаю почему: мы сами могли бы отыскать этого презренного.

— Разумеется, вы можете, — успокоил его Джуффин. — Но вам незнаком город. Кроме того, вам незнакомы хитрости и обычаи жителей Ехо. Вы потеряете кучу времени, если будете действовать самостоятельно, а уж что касается общественного спокойствия... Впрочем, Магистры с ним, с нашим общественным спокойствием! Скажи, сэр Аллирох, ты сможешь узнать этого презренного, если он переменил внешность?

— Не понимаю, — сухо сказал Алотхо, — как это можно «переменить внешность»? Человек должен жить со своим лицом, у него просто нет выбора.

— Покажите ему, Кофа, — попросил Джуффин.

Сэр Кофа Йох быстро провел руками по своему породистому лицу. Секунда — и на нас уставилась совершенно незнакомая физиономия: на этот раз наш Мастер Слышащий превратился в лопоухого курносого юношу с огромными голубыми глазами и большим лягушачьим ртом. Думаю, он нарочно выбрал такую гротескную рожу — для пущей наглядности. Арварошец совершенно ошалел от такого зрелища, он пронзительно уставился на сэра Кофу, видимо надеялся усилием воли прогнать наваждение. Но через несколько секунд Алотхо все-таки взял себя в руки.

— Ты — великий шаман! — почтительно сообщил он сэру Кофе. Потом презрительно добавил: — Но Мудлах так не умеет!

— Смотри! — Сэр Кофа повернулся к сидевшей рядом с ним Меламори и провел руками по ее лицу. Теперь перед нами была морщинистая пожилая дама с непропорционально крупным носом и маленькими круглыми глазками. Все расхохотались. Меламори извлекла из кармана зеркальце, посмотрелась и показала сэру Кофе маленький, но грозный кулачок. Алотхо Аллирох, кажется, пребывал на грани обморока, во всяком случае его дыхание почти остановилось.

— Теперь ты понимаешь, что вашему Мудлаху и не нужно ничего уметь? Единственное, что ему нужно, — это найти знающего человека, а таких здесь хватает, можешь мне поверить. — Сэр Кофа Йох закончил объяснение и принялся за камру.

— Ты — воистину великий шаман, — согласился Алотхо. И тут же спросил: — Ты вернешь ей прежнее лицо? Оно было прекрасно, гораздо лучше того, что ты ей дал.

— Ты все перепутал, — вмешался Мелифаро, — эта рожа как раз настоящая. А вот то личико, которое тебе так понравилось, леди просто одолжила по случаю торжественного события. Бедняжке уже восемьсот лет, поэтому мы с пониманием относимся к ее старческим причудам...

— Да? — Сэр Алотхо заметно расстроился.

— Он врет! — возмутилась Меламори. — Сэр Кофа, верните мне мое лицо!

— Получай! — усмехнулся Кофа, небрежным движением руки восстанавливая историческую справедливость. — Что, девочка, испугалась?

— Ничего я не испугалась. Просто быть молодой и красивой гораздо приятнее, чем старой и уродливой, вы не находите? — Она повернулась к Алотхо: — Этот парень всегда врет, так что не верьте ему!

Арварошец окончательно растерялся, теперь он удивленно хлопал глазами, как заведенный.

— Интересно, как в Арварохе поступают с обманщиками? — мечтательно протянул я. — Наверняка убивают на месте. Правда, сэр Алотхо?

Куруш неожиданно вспорхнул со спинки кресла Джуффина, где мирно дремал все это время, и спланировал на ручку кресла, в котором сидел Алотхо.

— Здесь, в Ехо, люди часто говорят неправду. Тебе придется к этому привыкать, — назидательно сказал он. — Иногда они говорят неправду просто для того, чтобы посмеяться. Им это нравится, так что не обращай внимания. Ни тебя, ни эту леди никто не хотел обидеть. — И Куруш вернулся на свое место. Арварошец кивнул.

— Я понимаю, — сказал он, — у всех свои обычаи. — И тут же, на всякий случай, переспросил у Меламори: — Тебя действительно не обидели, госпожа?

— Грешные Магистры, разумеется, нет! — Она звонко расхохоталась. — А если бы обидели, я бы им показала, можете мне поверить!

Алотхо недоверчиво посмотрел на нее, но спорить не стал.

— Скажи мне, сэр Аллирох, — обратился к нему Джуффин, — сколько лет прошло с тех пор, как этот презренный Мудлах покинул землю Арвароха? Я должен знать, когда он мог появиться в Ехо.

— Семнадцать с половиной лет назад, — тут же ответил наш гость. — Путь через все океаны длится около полугода. Так что этот недостойный упоминания прибыл в ваши края примерно семнадцать лет назад. Я сожалею, что не могу быть более точным.

— И не надо! — успокоил его сэр Джуффин.

— И вы ждали целых семнадцать лет, прежде чем отправились за ним в погоню? — изумленно спросила Меламори.

— Да, — спокойно подтвердил Алотхо. — А что в этом удивительного? За все эти годы не было ни одного дня, благоприятного для начала большого пути, посему мы были вынуждены медлить...

— А этот Мудлах? Он успел уехать в хороший день? — заинтересовался я.

— Нет, — покачал головой Алотхо, — он так спешил увезти свою никчемную тушу подальше от Арвароха, что не стал советоваться с шаманом. Именно поэтому я уверен, что мы его легко найдем: такое безрассудное путешествие не может закончиться благоприятно.

— Ладно, — сказал сэр Джуффин, — мы начинаем работать... Ваш долг предписывает вам предпринимать какие-то самостоятельные действия, даже если надежда на успех не слишком велика, я правильно понимаю?

— Да, — спокойно согласился сэр Алотхо, — я не могу сидеть на месте и ждать, это правда. Проще умереть.

— Нет, умирать вам не нужно, — усмехнулся Джуффин. — Что ж, для начала расставьте своих людей у всех городских ворот. Двух полусотен вполне должно хватить! Пусть следят за теми, кто будет выходить из города. Мудлах наверняка изменил внешность, все же ваши ребята способны заподозрить неладное, правда?

— Если мои Острозубы увидят Мудлаха, они его узнают! — решительно кивнул Алотхо. — На то они и воины, чтобы чуять врага.

— Отлично. А чтобы вы не заблудились... Кофа, вы ведь можете принять облик арварохца?

— Разумеется.

— Ну вот, так и сделайте. Будет выглядеть естественнее, если рядом с сэром Аллирохом увидят его соотечественника, да?.. И ступайте с нашим гостем, покажите ему и его ребятам, где у нас городские ворота. Лучшего проводника, чем вы, просто быть не может! А мы тем временем попробуем действовать по вашему плану. Мне кажется, что вы очень здорово придумали насчет буривухов...

— Слушайся советов своего спутника, сын мой! — назидательно изрек Куруш. — Это воистину мудрый человек!

— Спасибо, милый! — польщенно улыбнулся сэр Кофа Йох. Он ласково погладил буривуха, немного помассировал свое лицо и внезапно превратился в представительного седого желтоглазого красавца. Сэр Алотхо взирал на него с настоящим благоговением.

Как только за этой парочкой закрылась дверь, сэр Джуффин жизнерадостно оглядел нас и принялся командовать:

— Мелифаро, нам понадобится помощь лучших полицейских. Иди на их половину, труби сбор. Да, Макс, а ты иди вместе с ним. Твоя задача — договориться с Бубутой. Увидев меня, он начнет ныть насчет письменного приказа за подписью Короля, а потом настрочит на нас несколько дюжин доносов. Это все, конечно, весело, но времени жалко... А у тебя он из рук ест.

— Да, мы с генералом Бубутой — родственные души! — гордо заявил я. — Только вам придется немного погодить. Он же наверняка ждет обещанного подарка.

— Эти смешные курительные бревнышки? — оживился Мелифаро.

— Это называется «сигары», — вздохнул я, — на мой вкус, жуткая гадость... Ладно, попробую что-нибудь сделать.

Я засунул руку под стол, пытаясь найти «щель между Мирами», неиссякаемый источник экзотических лакомств и никуда не годного хлама. Почти сразу же моя рука онемела — это свидетельствовало о том, что я еще не разучился делать этот фокус. Через несколько секунд я разочарованно швырнул в угол малиновый зонтик. Почему-то я чаще всего извлекал из «щели между Мирами» именно зонтики! Ребята смотрели на меня как завороженные, даже в глазах сэра Джуффина угадывался искренний интерес. Я вздохнул и попробовал снова. Но теперь я постарался сосредоточиться. Я думал о сигарах и о людях, которые курят сигары, — о крупных пожилых мужчинах с седыми висками, развалившихся в комфортабельных креслах, свысока поглядывающих на мир с недосягаемой высоты своих чудовищных капиталов... Потом я отказался от этого классического и не в меру кинематографического образа и начал думать о членах совета директоров одной фирмы, где мне довелось в свое время подрабатывать курьером. Я так и видел этих гладко выбритых пижонов, почти моих ровесников, в дорогих пиджаках, раскуривающих сигары в конце делового обеда, когда невозмутимый официант приносит крошечные чашечки с кофе и слегка подогретый коньяк в запотевших пузатых рюмках... в какой-то момент мне показалось, что я могу разглядеть едва заметные следы юношеских угрей на одной из холеных щек, и сам удивился собственному злорадству, сопровождавшему это открытие...

— Эй, Макс, не стоит перегибать палку! Куда это ты собрался? — Сэр Джуффин потряс меня за плечо. Кажется, он был немного озадачен, но очень доволен.

Я растерянно огляделся. Потом вынул окончательно онемевшую руку из-под стола. Деревянная коробка с сигарами грохнулась на пол.

— Суматра! — презрительно усмехнулся я, разглядывая этикетку. — Так и знал, что этим пижонам слабо разориться на настоящие гаванские сигары! — И восторженно посмотрел на Джуффина. — У меня получилось! — торжественно объявил я. — Захотел добыть именно сигары, а не какой-нибудь очередной зонтик, и вот...

— Да, ты делаешь успехи, — серьезно кивнул Джуффин. — Сэр Маба будет просто потрясен. Он-то утверждал, что ты окончательно освоишь этот фокус не раньше, чем через дюжину лет.

Мои коллеги смотрели на меня, как на какое-то неведомое божество или как на новый экспонат в городском зоопарке. На самом деле, человеческая реакция в обоих случаях почти одинакова!

— А откуда эти странные вещи взялись под нашим столом? — вдруг спросил Луукфи Пэнц. — И с каких пор они там лежали? Наши уборщики совсем перестали работать! — Кажется, парень так и не понял, почему мы расхохотались...

А потом мы с Мелифаро отправились к господам полицейским. Я притормозил у кабинета Бубуты Боха, откуда глухо доносились какие-то нечленораздельные восклицания.

— Что-то о сортирах! — нежно сказал я. — Грешные Магистры, как в старые добрые времена!

— Вот и ступай к своему брату по разуму, — ядовито хмыкнул Мелифаро, — а я пойду пообщаюсь с интеллигентными людьми. Каждому свое!

— Будешь много выступать — не подарю тебе меховую шапку, как у Рулена Багдасыса! — угрожающе заявил я.

Мелифаро расхохотался и отправился дальше, на поиски своих «интеллигентных людей». А я решительно распахнул дверь Бубутиного кабинета. К моему удивлению, Бубута был один. Я-то думал, что бравый генерал Полиции распекает кого-то из своих подчиненных, ан нет: дядя мирно беседовал сам с собой. Мне оставалось только поражаться разнообразию психических отклонений, на которые так щедра природа в любом из Миров.

— Бычачьи сиськи! Кого там еще принесло? — рявкнул Бубута. Потом увидел меня и виновато заткнулся.

— Все в порядке, сэр. Против природы не попрешь, я же понимаю! — усмехнулся я. — Собственно, я пришел, чтобы поднять вам настроение.

— Вы, сэр Макс? Поднять мне настроение? — обомлел Бубута.

— Ага. — И я положил перед ним коробку с сигарами. — Только сегодня утром получил посылку из Куманского Халифата, от своей родни. Вам же понравились эти штучки, насколько я помню?

— Еще бы! — Бубута расплылся в восторженной улыбке. Тут же схватил сигару и принялся нетерпеливо вертеть ее в руках. Он чуть не плакал от умиления. — Вы снова спасаете мне жизнь, сэр Макс! Как я могу вас отблагодарить?

— Можете, — улыбнулся я, — именно сегодня вы это можете. Нам нужна помощь ваших лучших сотрудников, причем немедленно. Мы готовы оформить все бумаги, как положено, но на это уйдет дня два. Как вы думаете, мы с вами можем сделать так, чтобы ребята начали работать на нас сегодня, а бумаги...

— Можете спустить в сортир эти грешные бумаги! — воодушевился Бубута. — Какие могут быть формальности, сэр Макс! Забирайте хоть всех!

— Ну, всех нам не надо, — примирительно сказал я, — да и бумаги в сортир мы спускать не будем, а отдадим их вам, можете проделать это сами, если сочтете нужным. Завтра или послезавтра, как получится. Так что, вы не возражаете?

— Как я могу возражать! — горячо запротестовал Бубута. — Как я могу отказать человеку, который пришел ко мне с таким роскошным подарком и к тому же... — Бубута неожиданно осекся и растерянно умолк.

«И к тому же ходит в Мантии Смерти и плюется ядом при каждом удобном случае!» — ехидно подумал я. Но вслух сказал только «спасибо» и вежливо откланялся.

— Сэр Макс, своим подарком вы заштопали большую прореху в моей жизни! — Бубута наконец-то сумел подобрать слова, способные выразить его бурные эмоции.

«Тоже ничего себе метафора!» — одобрительно подумал я.

Мелифаро в кабинете еще не было. Луукфи Пэнц уже успел уйти в Большой Архив, где ему и следовало находиться. Лонли-Локли задумчиво рассматривал рунические узоры на своих защитных рукавицах. Меламори о чем-то шепталась с сэром Джуффином. Судя по озабоченному лицу шефа, разговор у них был тот еще...

— Ну что генерал Бубута? Не сопротивлялся? — спросил у меня Джуффин.

— Думаю, что он бы не сопротивлялся, даже если бы я нагадил на его стол! — самоуверенно заявил я.

— Да? Из всех чудес, которым ты так быстро учишься, это — самое непостижимое! — Сэр Джуффин завистливо вздохнул. — Тут ты меня обскакал, Макс, мне такое и не снилось!

— У вас просто нет общих тем для задушевных разговоров! — усмехнулся я. — Бедняге так не хватает искушенного собеседника, хорошо разбирающегося в сортирах...

Меламори рассеянно улыбнулась, посмотрела куда-то мимо меня, молча поднялась с кресла и вышла.

Изумрудно-зеленое лоохи Мелифаро ослепительно сверкнуло в лучах злого летнего солнца. Он влетел в Зал Общей Работы во главе дюжины полицейских. Некоторые были мне знакомы, некоторых я видел впервые.

— Знакомьтесь, ребята! Это и есть наше главное чудовище! — торжественно заявил Мелифаро, непочтительно тыча в меня указательным пальцем. — Сэр Джуффин, вот вам весь наш Белый Листок, в полном составе. И еще сэр Чекта Жах, сверх программы и для полного счастья!

Невысокий угрюмый крепыш хмуро покосился на Мелифаро, но ничего не сказал, только еще больше насупился.

— Не обращайте внимания, Чекта. Мы с вами не впервые имеем дело с сэром Мелифаро, к сожалению. Можно было привыкнуть... — успокоил его холодный женский голос.

Я пригляделся к его обладательнице. Симпатичная сероглазая леди, высокая, чуть ли не с меня ростом, вылепленная в соответствии с античными канонами красоты, — Афина Паллада, да и только! Впрочем, в ней чувствовалось особое изящество, какового явно недостает статуям греческих богинь. Заметив мое внимание, обладательница ледяных интонаций вежливо прикрыла рукой глаза.

— Вижу вас как наяву, — сказала она. — Рада сообщить свое имя: леди Кекки Туотли.

Кажется, в барышне было куда больше светского лоска, чем в самом Короле, который показался мне, в общем-то, своим парнем. Так что я тут же сделал умное лицо и поприветствовал ее, как полагается. Должен же хоть кто-то замаливать грехи этого оболтуса Мелифаро!

Леди Кекки Туотли снисходительно выслушала меня, сухо кивнула и высокомерно отвернулась. «Ну и стерва!» — восхитился я. А потом вдруг понял, что бедняжка отчаянно стесняется. С некоторыми людьми именно так и бывает: чем больше они смущены, тем сильнее надуваются. Мне стало смешно, и я послал ей зов.

«Не переживайте, незабвенная, я тоже стесняюсь незнакомых людей. И не шипите на Мелифаро: все равно не поможет! Я уже проверял».

Леди изумленно посмотрела на меня, потом едва заметно усмехнулась. У меня отлегло от сердца: терпеть не могу работать в напряженной атмосфере!

— Я тоже счастлив назвать свое имя. Лейтенант Апурра Блакки. — Обаятельный дядька средних лет в неприметном светлом лоохи смотрел на меня с плохо скрываемым восхищением. — Мы с леди Туотли несколько раз собирались зайти к вам познакомиться, но...

— ...У вас очень много работы, я знаю! — тактично подсказал я.

— Да, очень много! — Лейтенант с радостью ухватился за мою подсказку.

— Все, мальчики, будем считать светскую часть нашего мероприятия законченной. Теперь к делу! — Сэр Джуффин предпринял героическую попытку пресечь наши взаимные расшаркивания.

— Как это все?! А коллективные поклоны «великому буривуху»? — возмутился Мелифаро.

— Потом, ладно? — ласково сказал ему шеф. — И вообще, почему ты еще не на таможне?

— На таможне?! — обалдел Мелифаро. — А что я там должен делать?

— А сам не догадываешься? Этот «презренный Мудлах», дырку в небе над его горемычным домом, прибыл в Ехо семнадцать лет назад, так? Я более чем уверен, что таможенники его запомнили: такое долго не забывается... Потом пошли зов Меламори, вдруг она сможет нащупать его след... Все лучше, чем без толку слоняться неизвестно где!

— Да! — воскликнул Мелифаро. — Я все понял. Попробую разнюхать все, что смогу, потом позову Меламори. Я быстро!

— Не сомневаюсь! — улыбнулся Джуффин. И повернулся к полицейским. — Ну а пока сэр Мелифаро будет накачиваться «Джубатыкской пьянью» в обществе сэра Нули Карифа и призрака старого Тювина, мы с вами можем спокойно заняться делом...

Через полчаса отлично проинструктированные полицейские направились в Большой Архив. Оттуда каждый из них вышел в компании буривуха. Мудрые птицы скромно прятались под лоохи полицейских. Кажется, буривухи пребывали в некоторой растерянности: с одной стороны, они сгорали от любопытства, с другой — эти маленькие пернатые умники не слишком любят внезапно менять свои привычки. А ведь большинство из них не покидало уютное помещение Большого Архива добрую сотню лет!

— Не забудьте, господа, на закате все буривухи должны быть здесь вместе со своими товарищами, — напутствовал их сэр Луукфи Пэнц. — Иначе завтра они наотрез откажутся иметь с вами дело.

— До заката не так уж много времени, так что расценивайте сегодняшнюю прогулку как репетицию, — кивнул сэр Джуффин. — Но если кто-то из вас все-таки встретит замаскированного арварохца, тащите его сюда, я с ним побеседую.

— Представляю, какие слухи поползут по городу! — вздохнул я, наблюдая за удаляющейся группой полицейских с птицами. — Мы же его вспугнем, этого Мудлаха... Или нет?

— Конечно вспугнем! — восторженно согласился Джуффин. — Но нам того и надо! Я и хочу его вспугнуть, хочу, чтобы бедняга запаниковал, рванул из города и угодил в объятия своих ласковых земляков. Это было бы самым простым решением проблемы. Не очень-то я в это верю, но чем только Темные Магистры не шутят!

— Тогда ладно! — великодушно кивнул я. И спросил: — Ну а мне-то чем заняться?

— Тебе? Чем-нибудь интеллектуальным. Пойди поешь, что ли... — совершенно серьезно ответил Джуффин.

— Да, это ответственное поручение, — кивнул я, — даже не уверен, справлюсь ли...

Мелифаро появился часа через четыре, усталый и сердитый. К этому моменту мы с Лонли-Локли успели опустошить добрую дюжину кувшинов с камрой и обсудить все философские проблемы, заслуживающие хоть какого-то внимания. Сэр Шурф, очевидно, считал, что так и надо, я же чувствовал себя тунеядцем и дезертиром.

— Приятно посмотреть на настоящих профессионалов! — ядовито сказал Мелифаро. — Господа убийцы терпеливо ждут очередную жертву. Вот это я понимаю, идиллия!

— Да уж, по пустякам мы не размениваемся! — гордо ответил я.

Лонли-Локли вообще не обратил никакого внимания на ворчание Мелифаро. Он задумчиво смотрел в окно на медленно темнеющее небо.

— Пойду сдамся сэру Джуффину, пусть отрывает мне голову! — вздохнул Мелифаро. — Не знаю, как у остальных, а у меня полный провал! На таможне этого дядю помнят, конечно, а толку-то! Он же им не докладывался, где собирается поселиться... И разумеется, Меламори не нашла там и намека на его след. Ничего удивительного: все-таки семнадцать лет прошло, а по таможне ежедневно носится целая орава обезумевших варваров, припершихся в Ехо Магистры не ведают откуда! Но ей уже легче: теперь наша сумасшедшая леди прогуливает по вечернему Ехо этот пучеглазый эталон мужской красоты и его мохнатую тварь. Они таращатся друг на друга, как провинциальные подростки на столичное мороженое. И это правильно: должен же хоть кто-то быть счастлив! — Мелифаро говорил так сердито, что я даже удивился. Сэр Джуффин выглянул из своего кабинета.

— Не переживай, мальчик, — сочувственно сказал он. — Я не слишком-то рассчитывал, что ты вернешься с хорошими новостями. Просто надо было попробовать сделать хоть что-то. И наши полицейские тоже зря прогулялись: буривухи не обнаружили ни одного уроженца Арвароха. Завтра начнут сначала... Кстати, у кого-нибудь есть идеи, где именно их искать?

— Такие идеи наверняка есть у сэра Кофы, — нерешительно сказал я. — По крайней мере, он должен знать всех специалистов по изменению внешности. Может быть, нам вообще следовало начать именно с них?

— Да, мне это тоже пришло в голову, — кивнул Джуффин, — так что сэр Кофа уже начал ими заниматься. Может быть, придет с новостями. Во всяком случае, я на это надеюсь... Странно, да? Казалось бы, что может быть проще, чем найти в Ехо уроженца Арвароха?

Дело кончилось тем, что все отправились спать, а мы с Курушем остались в Управлении. Меня это устраивало, поскольку Мелифаро опять поперся ночевать ко мне: заявил, что у него не настолько хорошее настроение, чтобы получить истинное наслаждение от общества Рулена Багдасыса.

240

— Я могу его побить, — печально признался Мелифаро. — Когда у меня что-нибудь не клеится, некоторые вещи перестают казаться мне смешными...

В полночь я вышел прогуляться: от сидения в кресле у меня уже ныло все тело. Некоторое время я просто шел куда глаза глядят. Разноцветные камешки мозаичных мостовых тускло мерцали под моими ногами, лица редких прохожих казались загадочными и привлекательными: оранжевый свет фонарей окутывал заурядные физиономии простых горожан ореолом какой-то нечеловеческой тайны. Холодный ветер с Хурона тоже задумчиво бродил по узким переулкам Старого Города; кажется, нам с ним все время было по пути, но мне даже нравилась его компания. Мне вообще все нравилось в этот вечер: в отличие от Мелифаро у меня было такое хорошее настроение, что это даже несколько настораживало.

Между тем ноги привели меня на площадь Побед Гурига Седьмого. Я растерянно огляделся — дескать, надо же, куда занесло, — и уже собрался было нырять обратно, в какой-нибудь темный переулок поуютнее, но тут в глаза мне бросился высокий силуэт за одним из столиков уличного кафе на площади. Я пригляделся повнимательнее. Так и есть, сэр Алотхо Аллирох собственной персоной: насколько мне было известно, в Ехо больше ни у кого не было такой роскошной белоснежной гривы. Я удивился и решил подойти поближе: не далее как позавчера сэр Джуффин говорил, что мы должны ненавязчиво оберегать наших замечательных гостей от гипотетических неприятностей. Но не успел я сделать и нескольких шагов, как до меня дошло: парень уже находился под надежной охраной одного из сотрудников Тайного Сыска. Вкусы леди Меламори оставались неизменными. Я никогда не мог понять, почему ей так нравилось это шумное местечко...

Я усмехнулся и пошел назад, в Дом у Моста. По дороге я старался огорчиться или хотя бы удивиться. Бесполезно! Я ведь с самого начала знал, что так и будет, как только увидел Алотхо, сразу понял, что моей прекрасной леди скоро удастся «развеселиться», по ее собственному выражению... просто до сих пор не счел нужным сформулировать это знание, перевести его на язык слов. Я невольно улыбнулся, поймав себя на мысли, что если бы я сам умудрился родиться барышней, то... Все-таки этот Алотхо был изумительным произведением искусства! «Интересно, насколько далеко все это может зайти?» — с равнодушным любопытством подумал я. Честно говоря, я сам себя не узнавал: по идее, мне полагалось бы чудовищно распереживаться, именно так я и привык поступать в подобных ситуациях. Но в последнее время со мной происходили еще и не такие чудеса!

Итак, в Дом у Моста я вернулся в таком же подозрительно хорошем настроении, в каком час назад оттуда вышел. Куруш получил целых три пирожных. Кажется, он даже немного удивился моей щедрости, впрочем по выражению лица буривуха совершенно невозможно получить правильное представление об обуревающих его чувствах...

Рано утром заявился сэр Джуффин и великодушно отправил меня домой, отсыпаться. Никаких возражений на этот счет у меня не было.

В Дом у Моста я вернулся незадолго до заката и застал в Зале Общей Работы одного Лонли-Локли. Для нас с ним по-прежнему не находилось никакой работы: убийц и без нас хватало — целых «две полусотни Острозубов» жаждали вцепиться в горло Мудлаха, который оказался не только «презренным», но еще и неуловимым.

— Леди Туотли и буривуху, который ее сопровождал, удалось найти одного уроженца Арвароха, — равнодушно сообщил мне Шурф. — Теперь они идут сюда.

— Вот и хорошо, — улыбнулся я, — хоть что-то сдвинулось с места в этом грешном деле! Эта леди Туотли еще и везучая, в придачу ко всем остальным ее достоинствам, да?

— Думаю, что так, — задумчиво кивнул Лонли-Локли. И прибавил: — Странная она, тебе не кажется?

— Я же ее совсем не знаю! — Я пожал плечами. — Вчера увидел эту милую леди впервые в жизни. Сначала решил, что у нее отвратительный характер, а потом понял, что она ужасно стесняется... Забавно, да?

— Стесняется? Никогда бы не подумал! — Кажется, Шурф здорово удивился. — А с чего ты взял?

— Не знаю. Просто понял, и все. По-моему, это очень заметно!

— Да? Ну если так, тогда все не так страшно.

— Что «не так страшно»? — Теперь пришла моя очередь удивляться.

— Да ничего особенного. Я имею в виду ее «отвратительный характер», как ты только что выразился. Именно так, лучше и не скажешь!

— Она что, тебе нахамила? — изумился я. — Ничего себе! Вот это я понимаю!

— Ну, не то чтобы по-настоящему нахамила... но, в общем, да. Знаешь, Макс, мне уже очень давно никто не хамил, так что я сначала даже немного растерялся.

— Ты? Растерялся? Не верю! — решительно сказал я. — Просто представить себе не могу.

— Тем не менее...

— Сэр Халли у себя? — Сероглазая амазонка решительно вошла в Зал Общей Работы. За ней следовал здоровенный старик. Только высокий рост и атлетическое телосложение выдавали в нем уроженца Арвароха. Лицо его казалось вполне заурядным: таких рож пруд пруди в любом столичном трактире! Незнакомец оставался совершенно спокойным, приятно было посмотреть.

— Конечно у себя. Он вас ждет. Думаю, вам удалось здорово поднять его настроение! — приветливо сказал я.

Суровая леди неуверенно улыбнулась уголками рта. Кажется, она уже подзабыла, как это делается. Зов сэра Джуффина положил конец нашим любезничаниям.

«Макс, как мило, что ты все-таки появился! Я уже начал бояться, что ты снова уснул на год. Зайди ко мне вместе с Кекки и ее добычей, мало ли что!»

Я виновато обернулся к Шурфу, развел руками, всем своим видом пытаясь показать, что покидаю его не по доброй воле. И совершенно напрасно: парень уже успел придать своему лицу самое бесстрастное из возможных выражений и уткнуться в какую-то толстенную книжку. Я покосился на название. Грешные Магистры, это чтиво гордо именовалось «Маятник бессмертия»! Я изумленно покачал головой, не в силах понять, что стало причиной такого многообещающего заголовка: то ли не в меру бесхитростные поэтические вкусы автора, то ли его серьезные намерения сообщить благодарным читателям пару-тройку настоящих секретов бессмертия? В принципе, здесь, в Ехо, всего можно было ожидать, так что я дал себе слово непременно полистать на досуге этот талмуд...

Я решительно тряхнул головой, отгоняя несвоевременные мысли, и отправился в наш с Джуффином кабинет, откуда как раз раздался вопль «о, великий буривух» и глухой стук лба о ковер. Это начинало надоедать! Но когда я вошел, арварошец уже принял вертикальное положение. Видимо, наш скромный Куруш успел об этом позаботиться. Леди Туотли тем временем направилась к выходу: очевидно, Джуффин решил, что ее миссия уже закончена. Барышня всем своим видом старалась показать, что ей совершенно неинтересно, что будет дальше. Я мог только посочувствовать бедняжке: хорошо сделать свое дело — и бодро отправиться на фиг, не узнав, чем все закончилось! Действительно обидно!

— Я — Нальтих Айимирик, — сдержанно представился старик, — и я не совершил никаких дел, достойных упоминания.

Я восхищенно покрутил головой. Это же уметь надо: с таким величественным видом сообщить о собственном ничтожестве!

— А какого рода дела заставили тебя покинуть Арварох? — с интересом спросил сэр Джуффин.

— Мне не хотелось бы говорить о своем прошлом, — спокойно ответил старик. — Но даю вам слово чести: я не тот, кого ищут. Меня никто не ищет, поскольку никому не кажется делом чести победить лишенного силы.

— Я и не сомневаюсь! — вздохнул Джуффин. — Ладно, Магистры с ним, с твоим прошлым! Меня интересует другое: ты был знаком с царем Мудлахом?

— Я был его шаманом много лет назад, — спокойно признался старик. — Так было, пока сила не ушла от меня.

— Это бывает! — тоном знатока заметил Куруш. — Такого рода неприятности в порядке вещей, но люди Арвароха считают это великой бедой. Шаман, от которого ушла сила, должен уехать в чужие земли: увезти с собой свое проклятие, чем дальше — тем лучше. Это закон.

— Грустная история! — сочувственно вздохнул Джуффин. — Тем не менее меня интересует другое. Скажи, Нальтих Айимирик, ты встречал Мудлаха здесь, в Ехо?

— Да, — просто ответил старик, — я встречал его и его людей. Они приехали сюда семнадцать лет назад. В это время я помогал вашим людям поддерживать спокойствие на таможне. Там неплохо платили, поэтому мне не был противен этот труд...

— Отлично! — восхитился Джуффин. — Теперь скажи мне, возможно, ты знаешь, где он сейчас?

— Нет, я не знаю. Мудлах купил себе новое лицо, как и я. Он не хочет, чтобы его нашли, поэтому он предпочел распрощаться со мной еще до того, как его облик переменился.

— Понятно... А известно ли тебе, кто именно помог Мудлаху изменить внешность?

— Известно, — спокойно кивнул старик. — Но я дал слово чести, что никогда не разглашу эту тайну. Я сожалею, сэр...

Сэр Джуффин пронзительно посмотрел на Куруша.

— Выручай, милый! — тихо сказал он.

— Это важно? — спросил буривух.

— Это очень важно! — вздохнул Джуффин.

— Хорошо. — Куруш равнодушно поморгал круглыми желтыми глазами и вспорхнул на плечо арварохца. Дядя чуть сознание не потерял от такой чести!

— Ты должен изменить своему слову, — внушительно заявила мудрая птица. — Это приказ.

— Я сделаю, как ты хочешь! — восторженно вздохнул Нальтих Айймирик. — Что может быть важнее, чем повиноваться Великой птице?! Я сам отвел Мудлаха и его людей на улицу Пузырей, к Варихе Ариаме, тому самому знахарю, который в свое время изменил и мое собственное лицо. Это очень сведущий человек, он меняет внешность навсегда, а не на короткое время, как прочие. На пороге его дома мы расстались. Больше я никогда не видел своего царя.

— Еще бы! — присвистнул Джуффин. — Сэр Вариха Ариама, бывший Старший Магистр Ордена Медной Иглы... Ничего себе! Как только люди не зарабатывают на жизнь, кто бы мог подумать!.. А что это вы делаете, сэр?!

Возглас Джуффина заставил меня вздрогнуть. Я посмотрел на нашего гостя и обомлел: старик сомкнул руки на собственном горле. Он душил себя совершенно самостоятельно, никогда в жизни я и подумать не мог, что такое возможно! Тем не менее у меня не возникло ни малейшего сомнения, что он сумеет довести дело до конца.

— Не мешайте ему, — спокойно сказал Куруш, — он должен это сделать. Если вы его остановите, он начнет все сначала при первом же удобном случае. Человек Арвароха, нарушивший слово чести, обязан умереть, тут уже ничего не изменишь!

— Да, забавный обычай! — Сэр Джуффин отвернулся к окну. — Макс, тебя все это не слишком шокирует?

— Не слишком, — онемевшими губами прошептал я, — в самый раз!

— Меня тоже, представь себе... Этот старик уже умер или как?

— Уже умер, кажется, — покорно ответил я. — Во всяком случае, он лежит и не двигается.

— Он умер, — успокоил нас Куруш. — Люди Арвароха умеют умирать быстро. Не огорчайтесь, на Арварохе такие вещи происходят очень часто. Кроме того, этот человек умер счастливым. Он увидел меня, выполнил мою просьбу и сумел умереть, как положено воину Арвароха. Для него это гораздо важнее, чем долгая жизнь.

— Да, конечно, — кивнул Джуффин. — Вы не поверите, господа, но я вижу такое впервые. Вот уж не думал, что меня так легко можно выбить из колеи! Что ж, во всяком случае, мы получили очень важную информацию... Идем в зал, сэр Макс. Думаю, мы честно заслужили по чашечке камры, пока тут будут прибирать. Я уже послал зов сэру Скалдуару Ван Дуфунбуху, нашему Мастеру, Сопровождающему Мертвых... Кстати, Куруш, а как его нужно хоронить? Я имею в виду, чтобы сделать ему приятно?

— Людям Арвароха это безразлично, — ответил Куруш. — После того как человек умер, остальное не имеет значения.

— Мудрое отношение к делу! — одобрительно кивнул Джуффин.

Мы вышли в Зал Общей Работы и принялись за свежую камру. Скалдуар Ван Дуфунбух, симпатичный толстяк, выполнявший в Управлении Полного Порядка почетные функции эксперта по трупам, с озабоченным лицом проследовал в наш кабинет, торопливо кивая нам на ходу. Я все еще был в шоке, сэр Джуффин старался меня расторможить, но у него не очень-то получалось. Впрочем, у меня все-таки хватило любопытства, чтобы задать вопрос.

— Послушайте, но если уж обитатели Арвароха настолько равнодушны к смерти, то почему этот Мудлах так старательно скрывается от своих преследователей? И почему он вообще бежал? Умер бы в бою или придушил сам себя, как этот герой, — и все! Как говорит сэр Алотхо Аллирох, «проще умереть», разве не так?

— Это хороший вопрос! — Лонли-Локли неожиданно оторвался от своей книжки. — Конечно же, дело не в спасении жизни, ни один обитатель Арвароха не стал бы столько стараться, чтобы просто остаться в живых. Но тут речь идет о чести. Одно дело, когда смерть в бою принимает воин победившей армии: это весьма почетно. Но когда погибает побежденный — это его окончательное поражение. Не дать победителям забрать твою жизнь — вот последняя возможность проигравшего сравнять счет, его единственный шанс на маленькую, но запоминающуюся победу...

— Это правда, — согласился Куруш. Кажется, наша мудрая птица быстро и со вкусом вошла в роль главного эксперта по вопросам психологии жителей Арвароха.

— А ты здорово проникся их сумасшедшей философией! — одобрительно усмехнулся Джуффин. — Ты, сэр Шурф, часом, не собираешься просить гражданства у Завоевателя Арвароха Тойлы Лиомурика? Смотри не увлекайся!

— Я просто излагаю факты, которыми в настоящий момент располагаю, — пожал плечами невозмутимый Шурф. — В некоторых книгах можно найти удивительные вещи...

— Господа, случилось нечто невероятное! — Сверху, путаясь в складках лоохи и отчаянно цепляясь за перила, спускался сэр Луукфи Пэнц. — Это случилось впервые на моей памяти, я читал, что такое почти невозможно!

— А что случилось-то? — оживился сэр Джуффин.

— У наших буривухов в Большом Архиве появился птенец! Только что! Самое удивительное, что я не заметил яйцо. Как они его от меня прятали все это время?

— Они не прятали. Просто человеку редко удается увидеть яйцо буривуха. Сначала он не видит ничего, а потом видит птенца и скорлупу. Так всегда бывает, — спокойно объяснил Куруш. И задумчиво добавил: — Я же говорил вам, что людям Арвароха иногда удается осуществить свою мечту и стать после смерти птенцом буривуха. Не знаю как, но они это делают!

— Не такой уж плохой конец у этой истории, да? — тихо спросил я.

— Да, Макс, так часто бывает, — сказала мудрая птица.

— А можно мне на него посмотреть? — робко осведомился я.

— Думаю, что можно. Только недолго, ладно? Маленькие существа устают от пристальных взглядов, — кивнул Куруш. И я отправился наверх, в Большой Архив. Сэр Луукфи Пэнц не отставал от меня ни на шаг.

— Это удивительное событие! — торопливо говорил он. — Птенцы буривухов появляются на свет крайне редко, причем буривухам необходимо длительное уединение, чтобы обзавестись птенцом. Они почти никогда не заводят птенцов даже в обществе себе подобных, я уже не говорю о людях! Никто и подумать не мог, что у нас, в Доме у Моста, может произойти нечто подобное!.. — Он открыл дверь Большого Архива и с сомнением посмотрел на меня. — Вы не будете возражать, сэр Макс? Я зайду к ним первым и спрошу, можно ли вам...

— Конечно, — кивнул я, — как они скажут, так и будет. И никаких обид!

Через несколько секунд Луукфи выглянул из-за дверей.

— Они не против! — шепнул наш Мастер Хранитель Знаний. — Говорят, что вам можно!

Я расплылся в гордой улыбке и вошел в Большой Архив. Поздоровался с буривухами и нерешительно огляделся.

— Малыш вон в том углу, — показал мне Луукфи, — можете подойти поближе.

Я подошел поближе. На мягкой подстилке копошился крошечный пушистый комочек. В отличие от взрослых буривухов птенец был беленький, с трогательными розовыми лапками, но огромные желтые глаза были такие же, как у взрослых птиц: мудрые и равнодушные. Птенец уставился на меня, моргнул и отвернулся.

Но я мог поклясться: малыш смотрел на меня, как на знакомого! Никаких особенных эмоций, он просто узнал меня, кивнул и отвернулся. Все правильно, мы с сэром Нальтихом Айимириком, бывшим шаманом царя Мудлаха, никогда не были друзьями, мы и познакомиться-то толком не успели. Просто моя перепуганная рожа стала последним, что он видел перед тем, как умереть... Все это я прочитал в желтых глазах птенца. От восхищения у меня дыхание перехватило: черт, кажется, мне довелось прикоснуться к такой невероятной тайне, по сравнению с которой даже мои запредельные приключения между Мирами казались всего лишь прогулкой...

Луукфи потянул меня за полу лоохи. Я кивнул и пошел к выходу, почему-то на цыпочках.

— Ну и?.. — Сэр Джуффин Халли приветствовал мое возвращение вопросом.

— Это он, — улыбаясь кивнул я, — это действительно он! — И я попытался описать свои впечатления от встречи с новорожденным буривухом. Оказалось, что нужных мне слов в человеческом языке почти не существует, но Джуффин все равно меня понял. И уставился в пустую чашку тяжелым неподвижным взглядом: переваривал информацию.

— Умереть и сразу же снова родиться... Странное занятие! — неожиданно подал голос Лонли-Локли.

— Да, как только люди не развлекаются! — растерянно хмыкнул я.

Из-за дверей показался совершенно ошалевший курьер.

— Сэр Макс, к вам пришли ваши... Они говорят, что они ваши подданные! — в смятении сообщил он.

— Мои подданные? — жалобно переспросил я. — Грешные Магистры, только их мне сейчас не хватало! — Я повернулся к Джуффину. — А вы уже выпустили этого, как его?..

— Джимаха, — кивнул Джуффин. — Выпустили еще вчера. Думаю, они явились, чтобы сказать тебе спасибо. Пусть зайдут, что теперь с ними делать... Опять же, развлечение!

— Ну как скажете! — вздохнул я. — Но я не в восторге...

На пороге уже появились мои подданные. Смешно повязанные платки, огромные сумки через плечо — словом, все как положено! На этот раз они не стали падать на пол, к моему величайшему облегчению. Все правильно: я же им сам не велел становиться на колени ни перед кем! Гордые обитатели Пустых Земель просто низко нам поклонились. Уже знакомый мне седой старик, глава всей этой развеселой орды кочевников, подтолкнул вперед здоровенного широкоплечего мужика средних лет.

— Благодари своего царя, Джимах! — сурово сказал он.

Дядя открыл рот, потом снова его захлопнул, поклонился мне чуть ли не до земли и наконец еле слышно промямлил:

— Ты спас человека своего народа, Фангахра! Моя душа отныне принадлежит тебе, и мое тело принадлежит тебе, и мои кони принадлежат тебе, и мои дочери...

— Спасибо, но я как-нибудь обойдусь без твоей души, коней и дочерей, — сухо ответил я. — Оставь их себе и будь счастлив!

— Вы слышали? — Потрясенный Джимах повернулся к своим спутникам. — Фангахра велел мне быть счастливым!

Кочевники посмотрели на него, как на святого. Но неугомонный старик снова высунулся вперед.

— Мы пришли просить твоей милости, Фангахра, — заныл он. — Проклятие тяготеет над твоим народом с того дня, как мы потеряли тебя. Прости нас, Фангахра!

— Прощаю, прощаю, — с облегчением сказал я. Выполнить эту просьбу было легче легкого.

— И вернись к нам! — настойчиво продолжал старец. — Ты должен повелевать своим народом, Фангахра. Ты — это закон!

Я умоляюще посмотрел на Джуффина. Но мой шеф предательски молчал. Я понял, что выкручиваться придется в одиночку.

— Я не вернусь к вам, — твердо сказал я, — у меня дела здесь, в Ехо. Я — это закон, поэтому смиритесь!

— Мы готовы ждать, пока ты закончишь свои дела, — упрямо возразил старик.

— Я никогда не закончу свои дела! — устало вздохнул я. — Мои дела просто невозможно закончить, поскольку они бесконечны. Я, знаете ли, в некотором роде Смерть на Королевской службе... Вы когда-нибудь слышали, чтобы дела смерти были завершены? Так что возвращайтесь домой и будьте счастливы.

Кажется, мой монолог их совершенно не пронял. Возможно, ребята не слишком вникали в смысл сказанного, а просто наслаждались звуками моего голоса. Я снова жалобно посмотрел на Джуффина. Он одобрительно улыбался до ушей. Лонли-Локли отложил свою книгу и заинтересованно наблюдал за моими страданиями.

— Твой народ не может жить без тебя, Фангахра! — тоном опытного шантажиста сообщил старик.

— Может, — возразил я, — жили же вы как-то все это время! Только не говорите мне, что вы недавно выкопались из своих могилок!

Чувство юмора у моих «земляков» отсутствовало напрочь: они серьезно переглянулись и снова умоляюще уставились на меня.

— Прощайте, господа! — решительно сказал я. — Заканчивайте свои дела, поезжайте домой, передавайте привет бескрайним степям графства Вук, слушайтесь Его Величество Гурига, и все будет путем. Договорились?

Мои «подданные» молча поклонились и вышли. На их лицах я с ужасом заметил выражение надежды и ослиного упрямства.

— Чует мое сердце, что это только начало! — мрачно сказал я, когда тяжелая дверь захлопнулась за моими «подданными» — Теперь они выведают мой адрес и разобьют свои шатры под моими окнами. Соседи будут в восторге!

— Смешная история! — фыркнул сэр Джуффин. — Не знаю уж почему, но мне она нравится!

— Это потому, что вы очень злой человек! — улыбнулся я. — И чужие страдания доставляют вам извращенное удовольствие.

— Правильно! — весело согласился Джуффин. — Слушай, Макс, сделай доброе дело! Если уж ты их царь, прикажи им сменить головные уборы, а то срам один! Почему они не купят себе тюрбаны, как у всех нормальных людей?

— Чем ниже уровень культурного развития народа, тем сильнее их приверженность традициям! — поучительно заметил Лонли-Локли. — Это же элементарно!

— Наверное, — согласился Джуффин. — Ладно, все это хорошо, но нужно и делом заниматься. Приведите-ка мне этого Мастера Маскировки, сэра Вариха Ариаму. Парень нужен мне живым и здоровым, но чем больше он перепугается, тем лучше!

— Ладно. — Лонли-Локли встал и направился к выходу. — Пошли, Макс! Или ты теперь предпочитаешь свое царское имя? В конце концов, ты имеешь на него право.

— Кто бы говорил! — проворчал я, поднимаясь со стула. — Сам же знаешь, что никакой я не Фангахра!

— Это не имеет значения, — равнодушно сказал Шурф, — если люди считают, что ты — их царь, ты и есть в некотором роде царь, со всеми вытекающими последствиями.

— В гробу я видел эти последствия! — буркнул я. — Пошли уж, философ!

На улице я подошел к служебному амобилеру. Возница обреченно вздохнул и покинул свое место. Наши служащие уже привыкли к тому, что я всегда сам сажусь за рычаг.

Мое внимание привлекло громкое пение, обрывки песни долетали до нас откуда-то издалека.

> Прибыл он на закате,
> «Бурунный шип» вспенил волны,
> В тот город, где скрылся хитро
> Презренный Мудлах коварный.
> С ним множество Острозубов,
> Желают крови Мудлаха...

— Что это, Шурф? — изумленно спросил я.

— А ты только услышал? Это сэр Алотхо Аллирох исполняет новую песню о своих подвигах для леди Меламори Блимм, на Королевском мосту, если мне не изменяет мое чувство направления...

— Что?! — Я совсем обалдел. — И ей это нравится?

— Полагаю, что да. Если бы ей не нравилось, она бы велела ему заткнуться. Ты же знаешь леди Меламори...

— Думал, что знаю. — Я пожал плечами. — Нет, он просто великолепен, этот «Предводитель двух полусотен Острозубов», но слушать его песни... Я бы не выдержал!

— Дело вкуса! — невозмутимо заметил Лонли-Локли. — Поехали, Макс. А то ты говоришь, что песня плохая, а сам слушаешь ее открыв рот. Тебе не кажется, что это нелогично?

— Кажется! — улыбнулся я. — Какой ты мудрый, Шурф, мне даже страшно делается!

Я взялся за рычаг амобилера, и мы рванули с места под лирический рев графомана Алотхо:

> ...пришел он и встретил деву,
> Но меч не скучает в ножнах...

— Кошмар! — возмущенно сказал я. — Это же типичное нарушение общественного спокойствия!

— Тебе неприятно?.. — осторожно начал Шурф.

— Мне все приятно, — примирительно улыбнулся я, — этот Алотхо изумительный парень, я рад, что им с Меламори не слишком скучно, и все такое, но, когда я слышу плохие стихи, я зверею!

— Да? — невозмутимо переспросил Шурф. — А что, это действительно так уж плохо? Мне показалось, что...

Я вздохнул и заткнулся. О вкусах не спорят, особенно с сэром Шурфом Лонли-Локли, с которым вообще спорить бесполезно!

Через несколько минут мы остановились возле желтого двухэтажного дома на улице Пузырей. Лонли-Локли аккуратно снял защитные рукавицы. Его смертоносные перчатки сверкнули в сгущающихся сумерках непереносимой пронзительной белизной. Безумный голубой глаз сердито уставился на меня с левой ладони Шурфа. Я даже вздрогнул: до сих пор никак не мог привыкнуть к этому нововведению. Шурф упорно утверждал, что эту милую шутку подсказал ему я сам в одном из его снов. Кажется, он здорово переоценивал мои возможности в области черного юмора!

— Пошли, Макс. — Шурф с трудом подавил зевок. — Надеюсь, что он дома. Леди Меламори будет не очень-то довольна, если ей придется ехать сюда и становиться на его след!

— Ну да, — кивнул я, — тогда ей не удастся дослушать песню!

Мы вошли в дом, стараясь производить как можно больше шума. Почему-то считается, что сотрудники Тайного Сыска должны быть жуткими хамами, да еще и с нарушенной координацией движений в придачу: только при выполнении этого условия народ соглашается нас бояться. Мы сделали, что могли, я так усердствовал, грохоча сапогами, что у меня пятки заболели.

Невысокий изящный молодой человек выглянул из дальней комнаты второго этажа. При виде Лонли-Локли на его лице появилось выражение невыразимого ужаса пополам с изумлением. Потом он увидел меня и окончательно обмяк: даже кого-нибудь одного из нас было бы более чем достаточно для ареста Варихи Ариамы, бывшего Старшего Магистра Ордена Медной Иглы: не такой уж он был важной птицей! Честно говоря, сэр Джуффин тоже иногда не дурак перегнуть палку...

— Что случилось, господа? — побелевшими губами спросил бедняга.

— Идемте, сэр Ариама, — сухо сказал Лонли-Локли. — У сэра Почтеннейшего Начальника есть несколько вопросов, ответы на которые должны быть у вас.

— Наверное, вам нужен мой отец, сэр Вариха Ариама! — робко предположил молодой человек. — Я не знаю, где он сейчас, но...

— Все равно пошли, — невозмутимо заявил Шурф. И повернулся ко мне. — Может быть, он говорит правду, а может быть, и врет, не знаю. Сэр Джуффин сам разберется.

— Тогда я лучше останусь здесь, — сказал я. — И вызову Меламори. Если этот господин и правда не тот, кого мы ищем, для нее тут найдется работа.

— Это разумно, — кивнул Шурф. — Так и сделаем. — Он обернулся к нашему пленнику. — Идемте, сэр. Или я должен поднять руку?

— Не нужно, — испуганно возразил бедняга. И шустро засеменил к выходу. Лонли-Локли отправился следом.

Я неторопливо обошел все комнаты, убедился, что в доме никого больше не было, потом спустился в гостиную и послал зов Меламори:

«Извини, что отвлекаю тебя от такого захватывающего концерта. Я в четырнадцатом доме на улице Пузырей. Может быть, скоро для нас с тобой будет работа. А может быть, не будет. Но лучше, если ты приедешь».

«Хорошо, — согласилась Меламори, — между прочим, Алотхо уже допел. Сейчас приеду. Отбой».

«Отбой!» — задумчиво согласился я. Уложил ноги на стол, как того требовали законы жанра, нашел в кармане

254

своей Мантии Смерти сигарету, закурил и принялся ждать.

Меламори появилась на удивление быстро.

— Если ты ехала сюда от Королевского моста, это настоящий рекорд, поздравляю! — восхитился я.

— Нет, всего лишь от площади Побед Гурига Седьмого, — вздохнула Меламори. — Не такой уж и рекорд!

Я мысленно прикинул расстояние.

— Все равно неплохо! Так что поздравления не отменяются... Слушай, скажи мне честно: тебе действительно понравилась эта ужасная песня?

— Разумеется, — прыснула Меламори. — Никогда в жизни не слышала ничего более забавного! Могу сказать тебе больше: когда он закончил, я спела ему песню о своих подвигах. Думаю, из меня вышел неплохой пародист. Но Алотхо отнесся к моему творчеству очень серьезно. Он был в восторге!

— А ты здорово развеселилась! — одобрительно сказал я. — Что правда, то правда!

— Мне очень нравится этот Алотхо, Макс, — виновато сказала Меламори. — Он такой красивый... и совсем другой. Какой-то чужой и странный. Мне кажется, что он немного похож на тебя.

— Спасибо! — усмехнулся я. — А тебе не кажется, что ты перебарщиваешь с комплиментами? Куда уж мне...

«Макс, этот мальчик действительно всего лишь сын Варихи Ариамы! — Безмолвная речь сэра Джуффина звучала озабоченно. — Меламори уже пришла?»

«Да, только что».

«Отлично. Попробуйте быстренько найти старшего Ариаму. Думаю, это будет не так уж трудно: скорее всего, он не скрывается от нас, а просто ушел по делам. Его след легче всего найти в его собственной спальне. Сын говорит, что она находится на втором этаже, слева от лестницы. Отбой».

— Пошли в спальню. — Я подмигнул Меламори.

— Зачем? — изумленно спросила она.

— А как ты думаешь зачем? — Я собирался было затянуть шутку, но посмотрел на напряженное лицо Меламори и понял, что не стоит. — Искать след сэра Варихи Ариамы, разумеется. А что еще можно делать в спальне?!

Меламори запоздало рассмеялась, и мы отправились наверх.

— Вот его след! — тут же сказала она, едва ступив на порог. — Может быть, этот сэр Ариама и был Старшим Магистром, но он не кажется мне особенно грозным колдуном.

— Все-таки не какой-нибудь Великий Магистр! — Я пренебрежительно махнул рукой. — Так, юное дарование!

— Ну не скажи! — возразила Меламори. — В эпоху Орденов часто случалось так, что Великий Магистр удалялся от дел, слишком уж углублялся в какие-нибудь свои чудеса, и реальная власть в Ордене принадлежала именно Старшим Магистрам. Вот многочисленных Младших действительно редко принимали всерьез, и иногда — совершенно напрасно!

— Пошли, незабвенная! — Я легонько подтолкнул разговорившуюся леди к лестнице. — Пошли, найдем этого дядю, а потом угощу тебя чашечкой камры. Не возражаешь?

— Возражаю, — улыбнулась Меламори, — лучше уж чем-нибудь покрепче.

— Как скажешь! — согласился я.

Сэра Вариху Ариаму мы обнаружили в трактире «Герб Ирраши». Бедняга собирался спокойно полакомиться экзотическими блюдами. Но к нашему приходу у него уже пропал аппетит и разболелось сердце: когда леди Меламори становится на след, с людьми еще и не такое творится.

В общем, сэр Вариха Ариама ошеломленно покосился на мою Мантию Смерти и отнесся к аресту как к наименьшему из возможных зол. Тем более что его сердце перестало ныть, как только Меламори сошла с его следа. Мы отвезли бывшего Старшего Магистра в Дом у Моста и сдали на руки сэру Джуффину.

— Я обещал угостить эту леди какой-нибудь отравой! — сообщил я шефу. — Вы меня отпускаете?

— Отпускаю, — великодушно согласился сэр Джуффин, — более того, даже до завтра. Постарайся немного поспать этой ночью, возможно, что завтра будет тяжелый день... Впрочем, я не уверен. Но лучше, если ты будешь в форме.

— А бальзам Кахара на что?! — Я обернулся к Меламори. — Ну что, пошли?

— Осталось решить куда... — задумчиво кивнула она.

Мы вышли из Дома у Моста и растерянно остановились на перекрестке: иногда слишком большой выбор — скорее наказание, чем благо! И тут меня настиг зов Мелифаро.

«Чем ты занимаешься, Макс?» — деловито поинтересовался он.

«Стою на улице Медных Горшков в обществе леди Меламори и пытаюсь понять, где мы можем что-нибудь выпить!» — честно признался я.

«Тунеядцы! — презрительно фыркнул Мелифаро. — Я-то думал, что ты занят по горло, улицы Ехо залиты кровью невинных младенцев, а все оказалось так скучно! Ладно, можешь передать нашей безумной леди, что ее пучеглазый красавчик с мохнатой тварью понуро болтается по ночному городу, на него даже смотреть жалко: никто, кроме нашей Меламори, не желает слушать его песни! Между прочим, я уже устал повсюду за ним бродить. Неужели сэр Джуффин всерьез верит, что этого амбала кто-то может обидеть?! Ладно... Я хотел предложить тебе составить мне компанию, но тебе, кажется, не до этого?»

«Наоборот. Где ты околачиваешься?»

«В Новом Городе, недалеко от твоего дома. Только что этот белобрысый переросток поперся в трактир „Армстронг и Элла“. Кажется, забавное местечко!»

«Что?! — Я был потрясен. — Как, ты говоришь, оно называется, это место?»

«Ты не ослышался. „Армстронг и Элла“, в честь твоих кошек. Трактир открылся вскоре после того, как этот смешной толстяк, которого ты взял под опеку, написал о твоих кошках для „Королевского голоса“. Я думал, ты знаешь...»

«Откуда? Меня же год не было в городе. В таком местечке я уж точно обязан побывать! На какой это улице?»

«Улица Забытых Снов, шестнадцатый дом, — ответил Мелифаро. — Так вы приедете?»

«Еще бы!» — И я повернулся к Меламори:

— Мелифаро ждет нас в трактире «Армстронг и Элла». Представляешь?!

— Это в честь твоих котят? — обрадовалась Меламори. И тут же поскучнела. — Ты очень хочешь туда зайти? Я что-то не слишком. Сэр Мелифаро изволит на меня дуться. И не даст нам поболтать.

— Зато я на тебя не дуюсь, разве этого мало? — усмехнулся я. — К тому же Мелифаро поперся туда не по доброй воле. Он охраняет твое арварохское сокровище, которое в данный момент сидит в этом мистическом местечке.

— Да? — удивилась Меламори. — Как мило с его стороны... Это, конечно, меняет дело. Поехали. Только можно я сяду за рычаг?

— Не можно, а нужно! Ты же обещала меня покатать, а тут такой случай!

Меламори ехала очень быстро. Конечно, до моих рекордов ей пока было далеко, но для человека, который первые сто с лишним лет своей жизни был уверен, что тридцать миль в час — это потолок возможностей амобилера, она делала потрясающие успехи. По дороге мы молчали, но это было не напряженное молчание, от которого начинает звенеть воздух, а умиротворенное задумчивое молчание двух старых друзей. Я и не предполагал, что так быстро начну понимать, что у хорошей дружбы действительно есть некоторые преимущества перед страстью, как и утверждал мудрый сэр Джуффин Халли...

Улица Забытых Снов действительно оказалась по соседству от моего дома. Она пересекалась с улицей Желтых Камней, на которой я жил.

— Шестнадцатый номер! — прокомментировала Меламори. — «Армстронг и Элла», смотри-ка, действительно! Вот это и есть настоящая слава, ты не находишь?

— Нахожу! — гордо кивнул я. — Нет, я правда польщен!

В это время из трактира пулей вылетела высокая худенькая женщина в черном лоохи. Копна коротких серебристых кудряшек придавала ей странный, неуместно романтический ореол, окружая ее голову, словно нимб какой-то. Огромные глаза уставились на меня, кажется, это зрелище показалось даме настолько привлекательным, что она, не раздумывая, рванула ко мне и буквально повисла на моем плече. От ее прикосновения меня словно током шарахнуло, бросило в жар, перед глазами заплясали разноцветные окружности, они тошнотворно колыхались, сталкиваясь с темнотой внутри меня. Я постарался взять себя в руки. Помотал головой, отгоняя наваждение.

— Вы — сэр Макс! — Леди не спрашивала, а утверждала. Я не стал ее разочаровывать: кивнул и принялся ждать, что будет дальше.

— С ума сойти! — фыркнула Меламори. — Как же тебя, оказывается, любят женщины!

— Вот так-то! — гордо сказал я. И внимательно посмотрел на незнакомку, мертвой хваткой вцепившуюся в мое плечо. — У вас что-то случилось?

— Пойдемте, там драка! — выдохнула она. — Там всех убивают!

— Что?! — Я уже летел к дверям. Меламори не отставала. Мы ворвались в трактир и остановились как вкопанные. Наш Мелифаро с видом победителя стоял на столе. Сэр Алотхо, перемазанный кровью, то ли своей, то ли чужой, но живой и по-прежнему невозмутимый, отирал свое «мачете» полой сверкающего темного плаща. Увидев Меламори, он выдал дебильную улыбочку влюбленного, от которой, как оказалось, не спасают даже арварохские гены. На полу лежала чуть ли не дюжина трупов. Лица мертвецов были заурядными лицами столичных обывателей, но богатырское телосложение наводило на мысль об их арварохском происхождении.

— Могли бы явиться и пораньше! Где ты шлялся, Ночной Кошмар? Твой хваленый яд был бы как нельзя более кстати! Впрочем, мы и сами обошлись, как видишь! — гордо сказал Мелифаро. — У вас был шанс полюбоваться на величайшую из битв эпохи Кодекса. А теперь все, караван уже ушел, как любит выражаться мой надоедливый изамонский приятель...

— Что тут произошло? — спросил я, с облегчением опускаясь на неудобный стул.

Мелифаро наконец слез со стола и устроился рядом со мной. Незнакомка в черном лоохи тем временем зашла за стойку и начала деловито наполнять стаканы. До меня дошло, что она, видимо, и есть хозяйка этого веселенького местечка. Покончив с работой, леди молча поставила стаканы перед нами. Я понюхал. Это был какой-то незнакомый мне напиток. Он пах яблоками и медом, но обжигал горло.

— Спасибо! — У одной Меламори хватило воспитания поблагодарить хозяйку.

— Не за что. Работа у меня такая! — улыбнулась хозяйка и деликатно отошла за стойку. Я затылком чувствовал изучающий взгляд ее темных глаз.

— Если бы не вы, мне пришлось бы умереть, не завершив свое дело, а что может быть хуже?! Вы — великий герой и Великий Шаман. — Алотхо Аллирох поднялся из-за стола и низко поклонился Мелифаро. Я обалдел: до сих пор арварошец только слегка опускал голову, даже когда здоровался с Королем. — Я вам благодарен!

— Не за что. Работа у меня такая! — усмехнулся Мелифаро. Хозяйка «Армстронга и Эллы» звонко расхохоталась, услышав, что он повторил ее слова.

— Так что же тут было? — снова спросил я.

— А ничего особенного! — пожал плечами Мелифаро. — Сэр Алотхо сидел за этим столиком, я устроился за стойкой. Ждал вас и старался не слишком надоедать нашему гостю. Стукнула дверь. Я думал, что это вы. Обернулся, увидел этих красавцев, потрясающих своими дурацкими мечами. Один из них пальнул из бабума в Алотхо, тот как-то успел пригнуться... По правде говоря, я сначала растерялся, поэтому ребята успели немного подраться по-честному, если, конечно, один против дюжины — это честно. Алотхо уложил троих или четверых... Сколько народу вы угробили, Алотхо?

— Я не считал, я дрался, — пожал плечами арварохец.

— Ну да, конечно... В общем, после того как Алотхо прихлопнул одного из этих ребят своей безумной мухобойкой — будете смеяться, но она оказалась смертельным оружием, — я взял себя в руки, велел этой милой леди выметаться на улицу от греха подальше и пустил в драчунов свой Смертный Шар...

— А ты тоже умеешь? — удивленно спросил я.

— Не совсем же я безнадежен! — усмехнулся Мелифаро. — Правда, я терпеть не могу это делать, у меня после этого всегда голова болит и настроение портится, но сегодня у меня просто не было выбора!.. Ничего, сейчас выпью — и все как рукой снимет. Здесь же подают Осский Аш — самое лучшее пойло в Соединенном Королевстве, между прочим!

— Да, мне тоже понравилось! — кивнул я. И обернулся к Алотхо. — Это были люди Мудлаха, верно?

— Да, — кивнул он, — жалкие рабы этого презренного. Я весь день чуял их поблизости. Я надеялся, что следом за ними появится Мудлах, но он не пришел. Только человек, забывший о чести, может послать в сражение никчемных слуг, вместо того чтобы явиться самому!

— Отвези его к Джуффину, Меламори, — решительно сказал я. — Во-первых, шефу будет интересно узнать новости, а во-вторых, он сможет быстро подлатать нашего гостя. У вас ведь ранена правая рука, чуть выше кисти, сэр Алотхо, я не ошибся?

— Да, — спокойно согласился арварошец.

— А как ты узнал? — изумленно спросила Меламори.

Я смущенно пожал плечами:

— Когда я смотрю на него, у меня начинает ныть моя собственная правая рука, в этом самом месте. Это называется «сопереживание», если я не ошибаюсь... В общем, со мной бывает...

— Ну ты даешь! — восхитился Мелифаро. — Может, ты еще и лечить умеешь?

— Сомневаюсь, — хмыкнул я, — убивать — это пожалуйста, а вот пользу людям приносить — это не по мне!

— Вы говорите неправду, сэр, — мягко возразил Алотхо. — Вы не любите убивать. А когда вы смотрите на меня, моя боль отступает.

— Да? — удивился я. — Ну все равно, не могу же я смотреть на вас вечно! А сэр Джуффин лечит куда более быстро и радикально, я сам тому свидетель.

— Поехали, Алотхо! — решительно сказала Меламори. — Макс абсолютно прав, нам лучше поторопиться. Заодно попрошу, чтобы сюда прислали полицейских убрать тела, да, Макс?

— Ты умница! — кивнул я. — Не может же это украшение интерьера оставаться здесь навсегда!

— Хорошей ночи, ребята! — Меламори немного помедлила, потом взяла великолепного арварохца за руку, и они пошли к выходу. На лице сэра Алотхо застыло выражение какого-то совершенно неземного восторга.

— Могла бы хоть спасибо сказать за спасение этого чуда из чудес! — угрюмо буркнул ей вслед Мелифаро и обернулся к хозяйке. — Я собираюсь напиться, незабвенная. Так что тащите сюда все запасы вашего изумительного пойла!

— Все? Ты собираешься лопнуть, сэр? — дружелюбно усмехнулась хозяйка. — Не стоит, здесь и без того гораздо больше мертвых, чем живых!

— Я не собираюсь лопнуть, — грустно возразил Мелифаро, — только напиться. Кажется, мне очень паршиво!

— Это бывает. Но потом непременно проходит, иначе жизнь могла бы показаться невыносимой. — спокойно сказала леди, ставя на стойку кувшин. — Садитесь сюда, господа. Моя рожа — не лучшее зрелище во Вселенной, все же это более мило, чем куча трупов, на которую вы таращитесь.

Ее манера выражаться привела меня в восторг. Еще похлеще моей собственной, с ума сойти можно!

— Отличная идея! — весело сказал я. — Только насчет своего лица вы здорово погорячились. Не смейте называть эту роскошь «рожей» в моем присутствии, ясно? Иначе я обижусь и буду долго и громко плакать вон в том углу. — Я небрежно махнул рукой в направлении дальнего окна.

Леди внимательно посмотрела на меня огромными черными глазами, словно пытаясь определить, насколько я сам верю собственному заявлению. У меня снова закружилась голова. Но никаких возражений по этому поводу у меня не было: пусть себе кружится, очень мило с ее стороны! Мелифаро устало вздохнул и устроился за стойкой рядом со мной. Мы получили по чистому стакану, хозяйка уселась на высокий табурет напротив нас, немного подумала, а потом налила и себе.

— Честно говоря, я с самого начала собирался пить камру, — виновато сказал я. — И что-нибудь съесть.

— Камра у меня замечательная, сейчас попробуете. — Леди погремела посудой и водрузила кувшин на крошечную жаровню. — А вот с едой хуже. Я, знаете ли, не держу повара. Это такая скучища — кормить людей! Ко мне приходят, чтобы выпить, выкурить трубку и резво бежать дальше.

— С ума сойти! — восхитился я. — Такого рода заведение называется «бистро», но даже в бистро обычно можно получить бутерброд...

— «Бистро» — смешное слово! — улыбнулась леди. — Но у меня нет даже бутербродов.

— Значит, я скоро умру! — вздохнул я. — Ничего страшного, конечно, но этот Мир без меня станет скучнее, вам не кажется?

— Станет, — неожиданно серьезно кивнула хозяйка. — Ладно, это против моих правил, но я готова отдать вам половину своего ужина. Сейчас... — Она соскользнула с табурета и исчезла за маленькой дверцей, где-то в полумраке полок, уставленных бутылками.

Мелифаро мрачно посмотрел на меня:

— Между прочим, я тоже хочу жрать. Тебе не приходило в голову, что в нескольких шагах отсюда находится «Жирный индюк»? Мы могли бы просто пойти туда, вместо того чтобы отнимать последние крошки у этой несчастной леди. Она и без того худющая...

— Никуда я отсюда не пойду! — твердо сказал я. — И вовсе она не худющая, а изящная, тоже мне ценитель!

— Ладно! — угрюмо кивнул Мелифаро. — Буду напиваться на голодный желудок, тебе же хуже.

— Я дам тебе откусить, — сжалился я, — честное слово!

— Два раза, — улыбнулся Мелифаро. Он снова начинал походить на самого себя.

— Два так два, — согласился я. — Только не буянь, когда напьешься, ладно?

— Буду буянить! — пообещал Мелифаро. — Какой я все-таки кретин! Мог бы подождать, пока эти ребята прирежут нашего пучеглазого любимца женщин, а потом уже выпендриваться со своими Смертными Шарами... По крайней мере, одной проблемой у меня было бы меньше!

Я внимательно посмотрел на Мелифаро. Честно говоря, в глубине души я всегда был уверен, что долгие и почти безрезультатные ухаживания за Меламори — просто одно из многочисленных развлечений моего шустрого коллеги. Психолог из меня тот еще, конечно!

— Что, все так плохо? — тихо спросил я.

— Еще хуже, — мрачно пожал плечами Мелифаро. — Только давай не будем об этом, ладно? Я не слишком уверенно чувствую себя в роли отвергнутого любовника — слишком серьезный жанр, ты не находишь?

— Да и аплодисментов не сорвешь! — ехидно ухмыльнулся я. — Вообще никакого удовольствия!

— Никакого, — кивнул Мелифаро.

— Зато в роли «непобедимого героя» ты был великолепен, честное слово! Мне даже завидно, так что я тебя отравлю, пожалуй. Плюну в твой стакан — и дело с концом!

Мелифаро польщенно заулыбался и сделал хороший глоток ароматного напитка, пока еще не отравленного.

Темноглазая хозяйка «Армстронга и Эллы» вернулась к нам, потрясая объемистым свертком.

— Здесь не только мой ужин, но еще и обед! — торжественно заявила она. — Оказывается, сегодня я совершенно забыла пообедать, но мне до сих пор не хочется... И вот вам ваша камра, сэр Макс. Если вы скажете, что она плохо приготовлена, я обижусь и отберу еду.

— Не успеете! — Повеселевший Мелифаро тут же увлеченно зашуршал бумагой.

— Простите великодушно, — сказал я нашей спасительнице, — но вам не кажется, что человек имеет право знать, чью пищу он самым бессовестным образом собирается сожрать?

— Меня зовут Теххи Шекк... А я думала, что вы все обо всех знаете, сэр Макс!

— Все! — улыбнулся я. — Кроме имен, адресов и дат рождения. На это у меня просто не хватает интеллекта... Слушайте, леди Теххи, это так здорово, что вы не шарахаетесь от моей Мантии Смерти, как прочие горожане! Я начинаю снова чувствовать себя нормальным человеком.

— И совершенно напрасно! — вмешался Мелифаро. — Потому что ты никакой не человек, а кровожадное чудовище. И нечего примазываться!

— Ты уже откусил больше двух раз, — сурово ответил я, отбирая у него остатки бутерброда.

— А я не умею считать! — И Мелифаро нахально вытянул из свертка второй бутерброд совершенно неземных размеров.

— А с какой стати я должна от вас шарахаться? С того дня, как я открыла этот трактир, я все ждала, что вы как-нибудь зайдете, просто из любопытства. Все-таки это место носит имя ваших знаменитых кошек! — усмехнулась леди Теххи. Она достала из кармана черного лоохи маленькую курительную трубку и принялась ее набивать. — А что касается вашей знаменитой Мантии и прочих страшилок для почтеннейшей публики... Я, знаете ли, не боюсь смерти. Мне ужасно повезло с наследственностью...

— Что, в вашей семье все были героями? — удивился я.

— Да нет, не говорите ерунду! — отмахнулась Теххи, раскуривая свою маленькую трубку. — Просто все члены моей семьи уже умерли и стали привидениями, и я после смерти тоже стану привидением... не совсем удачный термин, но лучшего я не знаю. Могу вас уверить, что теперь их бытие куда интереснее, чем раньше, хотя и при жизни мои братишки не жаловались на скуку. Я с ними вижусь время от времени.

— Здорово! — восхитился я. — Вам очень повезло, леди Техи! Никакой пугающей неизвестности, этого вечного проклятия человечества, надо же!

— Да, — просто кивнула она, — с этим мне действительно повезло...

— Я тоже так хочу! — оживился Мелифаро. Кажется, парень уже добрался до середины кувшина.

— Для этого вам просто нужно было родиться сыном моего папы! — сочувственно усмехнулась Техи. — Это — единственный известный мне способ...

— Да? — погрустнел Мелифаро. — Ну, это несколько затруднительно. Я не умею, да и сэр Манга обидится... Придется просто оставаться в живых, и чем дольше, тем лучше!

— Тоже неплохое решение! — одобрительно кивнула Техи. Я смотрел на нее с возрастающим изумлением. Ничего себе шуточки у барышни! Впрочем, что-то во мне было уверено, что шуточками тут и не пахло...

В трактире наконец появилась дежурная бригада Полиции во главе с уже знакомым мне коренастым лейтенантом Чектой Жахом. Он почтительно поздоровался с нами, с некоторым интересом покосился на Техи, впрочем, насколько я понял, она явно была не в его вкусе: парень сразу же поскучнел и принялся ворчать на своих подчиненных. Ребята быстро очистили помещение от мертвых слуг неуловимого Мудлаха.

— Шихола был повеселее! — мрачно вздохнул Мелифаро. — Жалко, что он не стал привидением. Хорошее бы вышло привидение, честное слово!

— Да, неплохое, — кивнул я. — Глупо тогда получилось, правда?

— Смерть не бывает глупой, — тихо возразила Техи. — Она всегда права.

— Как раз наоборот, — твердо сказал я. — Смерть всегда дура, вы уж поверьте крупнейшему специалисту в этой области!

— Мы оба правы, — она пожала плечами, — когда говоришь на такую тему, всегда оказываешься прав... в каком-то смысле.

— Какие вы философы, рехнуться можно! — ухмыльнулся Мелифаро. — Кстати, леди, как насчет второго кувшина? Этот уже пуст.

— Никогда не подозревал, что у тебя такие блестящие способности к поглощению горячительных напитков! — удивленно сказал я.

— Представь себе, я тоже! — согласился Мелифаро. — Тем не менее Осский Аш — это нечто особенное... — Он решительно принялся за содержимое второго кувшина. — Дырку в небе над всем Арварохом! И какой сумасшедший демиург сотворил этот дурацкий материк, на мою голову?.. Брошу к Магистрам вашу Королевскую службу и попрошусь к Анчифе, хоть в матросы. Если Анчифа не врет, время от времени его ребята дают жару этим пучеглазым красавчикам. Как это приятно, могу себе представить!

— Он ведь уедет, — примирительно сказал я. — Рано или поздно, но он все равно уедет.

— Вот именно: «рано или поздно»! — буркнул Мелифаро, опрокидывая стакан. Стакан жалобно звякнул, рассыпаясь на тысячи крошечных осколков.

Теххи усмехнулась:

— Вы здорово бьете посуду, сэр Мелифаро. Никогда не видела, чтобы стакан разлетелся на столько кусочков, честное слово!

— Могу научить! Хотите? — печально осведомился Мелифаро, осторожно подвигая к себе мой стакан, все еще полный. Я с изумлением наблюдал за ним. Вот уж действительно, жизнь богата сюрпризами!

— Ты еще не хочешь спать? — осторожно спросил я. — По-моему, самое время!

— Хочу! — грустно признался Мелифаро. — Со мной иногда бывает: собираюсь как следует развеселиться, а вместо этого просто засыпаю, и все тут. Стыдно даже...

— Ну, до «стыдно» тебе еще далеко! — успокоил его я. — Пошли уж, отвезу тебя к себе. Думаю, что общество Рулена Багдасыса тебя по-прежнему не прельщает.

— Нет уж! Я хочу домой! — упрямо заявил Мелифаро. — Я там живу. А у тебя дома живешь ты. Это же элементарно! А Рулен Багдасыс может пойти в Квартал

Свиданий. Может быть, заработает еще пару синяков, они ему очень идут, правда?

— Ладно, домой так домой! — Я пожал плечами. Если Мелифаро хочет спать у себя дома, то кто я такой, чтобы этому препятствовать! Я посмотрел на Теххи. Она старательно набивала свою трубку. Мне показалось, что на ее лице было несколько меньше радости, чем положено испытывать хозяйке трактира, из которого наконец-то уводят перебравшего клиента.

— Вы еще не собираетесь закрывать свое заведение? — нерешительно спросил я.

— Не знаю. А что? — Она внимательно посмотрела на меня.

— Мне очень понравилась ваша камра, — сказал я. — И вообще... Словом, я собираюсь уложить спать этого трагического героя и вернуться. Можно?

— Вы действительно хотите вернуться? — удивленно спросила Теххи.

— Ага. А что в этом странного?

— Все! — объяснила Теххи. И неожиданно беспомощно улыбнулась. — Возвращайтесь, сэр Макс. Я даже могу послать за ужином.

— Это гениально! — восхитился я. — Сидеть в одном трактире и заказывать ужин из другого — так я еще не развлекался!

На этот раз у меня были все основания как следует поторопиться, поэтому через несколько минут я уже притормозил на улице Хмурых Туч. Мелифаро дремал на заднем сиденье моего амобилера. Я потряс его за плечо. Бесполезно: парень дрых как убитый, да еще и пихался. Я вздохнул: без магии тут никак не обойдешься! Не тащить же на себе этого великого героя — в тяжелоатлеты я никогда не метил. Поэтому я сделал хорошо отработанный жест левой рукой. Крошечный Мелифаро аккуратно поместился между моим большим и указательным пальцами.

— Меня ждет такая милая леди, а я тут с тобой вожусь! — с упреком сказал я своему левому кулаку. Мелифаро мой монолог, разумеется, был до одного места... Поэтому я заткнулся и вылез из амобилера.

В гостиной Мелифаро меня ожидало ошеломляющее зрелище. Помимо самого Рулена Багдасыса там восседали еще три господина. Судя по их огромным меховым шапкам, они тоже были изамонцами. На столе творилось нечто ужасное: самая омерзительная разновидность бардака — вечернее шоу с участием специально приглашенных пищевых отходов. Чтобы добиться таких потрясающих результатов, требуется как можно больше еды, напитков, одиноких подвыпивших мужчин и неделя времени. Но эти изамонцы вполне уложились в два дня.

— Отдыхаем? — сурово спросил я. Ребята взирали на меня довольно равнодушно. Моя Мантия Смерти их совершенно не впечатляла. «Ну конечно, — печально подумал я, — у меня же нет шапки!»

— Вы что, съели свои мозги, ребята? — зашипел на них Рулен Багдасыс. — Этот господин из какой-то аристократической семьи, близок к Королевскому Двору...

— Советую вам попытаться убрать этот грешный стол и расходиться по домам. — Я изо всех сил старался быть страшным, но, кажется, у меня не очень-то получалось. — Хозяин дома сейчас спит, но он может проснуться в любую минуту. У него не слишком хорошее настроение, к тому же он привык сам приглашать к себе гостей, следовательно...

— Ты что, сэр, не понимаешь, что это за люди?! — Теперь Рулен Багдасыс шипел на меня. — Это же господа Цицеринек, Махласуфийс и Михусирис! Что, ты их не знаешь? Где твои мозги, сэр?! Это же просто титаны! Ты, наверное, совсем рехнулся!

— Нет у меня времени с вами разбираться, — сердито сказал я, направляясь к лестнице, ведущей в спальню. — Но учтите: когда сэр Мелифаро проснется, будет беда. Просто беда! Не уверен, что ваши шапки уцелеют. — И я отправился в спальню. Там я встряхнул левой рукой, Мелифаро принял нормальные размеры и бухнулся на свои одеяла.

— Не кидай меня на пол! — сердито буркнул он сквозь сон.

— Можно подумать, какие мы нежные! — усмехнулся я. — Ладно уж, хорошей тебе ночи, герой!

Вряд ли Мелифаро меня слышал: он уже свернулся клубочком и сладко засопел. Я укрыл его пушистым одеялом, умиленно покачал головой и вышел из спальни.

В гостиной по-прежнему кутили изамонцы. Они покосились на меня испуганно и нахально одновременно.

Я хотел было продолжить лекцию о пользе уборки чужих столов, а потом махнул на все рукой. Мелифаро не маленький, поспит и сам с ними разберется! Честно говоря, я здорово спешил обратно.

Я гнал свой амобилер по ночному Ехо, сам себе удивляясь. Черт, а была ли она на самом деле, эта невероятная черноглазая Теххи с короткими серебристыми — что за удивительный цвет! — волосами, с хищным орлиным носом и беспомощным нежным ртом?! И от кого из своих бездельников-клиентов она могла подцепить мою любимую манеру выражаться?.. В какой-то момент я мог поклясться, что этой леди никогда не было, я просто выдумал ее, идеальную женщину, как раз в моем странном вкусе. Я всегда отличался пылким воображением и чудовищной мечтательностью... Жизнь становилась все более удивительной: леди Меламори крутила задницей перед белокурым результатом групповой медитации арварохских буривухов, я спешил на свидание с собственной галлюцинацией. Мы все сошли с ума, один Мелифаро оставался нормальным человеком: он воевал, грустил, напивался и спал, как и положено настоящему мужчине...

Разумеется, никакая она была не галлюцинация. Самая настоящая женщина. Задумчиво курила свою маленькую трубку над нетронутым подносом с едой из «Жирного индюка».

— Правда хорошо, что я пришел? — нахально спросил я с порога.

— Конечно хорошо. Должен же кто-то все это съесть. А мне еще не хочется. Совершенно не могу есть, когда нервничаю! А вечерок сегодня тот еще! — Она говорила так небрежно, словно мы были знакомы лет двести. Но взгляд был совсем иной: внимательный, настороженный, печальный. Мне очень хотелось взять ее за руку, для начала, но вместо этого я уткнулся в тарелку. Как только мне начинает казаться, что я наконец навсегда избавился от своей проклятой стеснительности, как жизнь тут же бестактно вываливает на меня убедительные доказательства того, что я в очередной раз погорячился!

— А почему вы вернулись? — вдруг спросила Теххи. — Вам что, действительно здесь понравилось?

— Понравилось — не то слово! — искренне подтвердил я. — Так хорошо, как здесь, просто быть не может!

Конечно жаль, что полицейские убрали трупы: они здорово оживляли интерьер, — но и без них у вас очень мило.

Теххи криво улыбнулась. Мне показалось, что она здорово нервничает. Я был почти уверен, что мое общество доставляет ей удовольствие, тем не менее она сидела как на иголках.

— Расскажите мне про вашу родню, — попросил я. — Вы ведь не шутили, когда сказали, что они...

— Какие уж тут шутки! Они действительно умерли, вернее, погибли. Когда речь идет о насильственной смерти, принято употреблять именно это слово, да? Но они по-прежнему существуют, только их тела здорово отличаются от человеческих... и возможности тоже. Я ведь иногда вижусь со своими братьями, они по-прежнему живут... вернее, обитают в нашем фамильном замке. Я бы сама с удовольствием там поселилась, но рядом с ними тяжело находиться подолгу. Люди должны жить с людьми, знаете ли! Их жизнь мне нравится куда больше, чем моя собственная, хотя моя жизнь тоже ничего... Но они так легки и свободны! Они бродят по разным Мирам, как мы с вами бродим по улицам Ехо, когда им хочется, конечно.

Теххи говорила так восхищенно, что мне вдруг тоже захотелось стать привидением. Я приложил все усилия, чтобы подавить это желание: как-то раз сэр Махи Аинти, старый шериф запредельного городка Кеттари и самое непостижимое из знакомых мне человеческих существ, сказал, что все мои желания исполнятся — рано или поздно, так или иначе... У меня было немало времени, чтобы хорошенько обдумать его слова и прийти к выводу, что моя жизнь изобилует убедительными доказательствами этой заумной теоремы. Между прочим, прогулки по разным Мирам были мне вполне доступны и при жизни, и не так уж они мне понравились, скорее, наоборот! Впрочем, возможно, я просто не успел войти во вкус...

Пока я раздумывал, Теххи решительно поднялась со стула и отправилась к стойке. Потом вернулась с двумя стаканами.

— Нам с вами пора выпить и перейти на «ты», — заявила она. — Вас же тоже тошнит от этого «выканья», правда?

— Тошнит! — согласился я. Выпить мне совершенно не хотелось, но перейти на «ты» — это звучало заманчиво. Трудно соблазнить женщину, к которой обращаешься на «вы», а я был совершенно уверен, что собираюсь попробовать соблазнить эту необыкновенную леди. Оставалось только выработать стратегию, правда с этим у меня всю жизнь были проблемы!

— Отвращение к условностям делает вам честь, сэр! — усмехнулась Теххи, поднимая свой стакан. — За тебя, сэр Макс!

— Ну за меня так за меня! — рассмеялся я. И тут же галантно добавил: — За тебя, Теххи!

— Только выпить нужно все, — сказала она, поднося ко рту свой стакан, — это вкусно и не слишком крепко, честное слово!

Я послушно пригубил ароматную жидкость. На этот раз напиток пах какими-то смутно знакомыми экзотическим цветами, в нем действительно почти не ощущалась крепость... Я поставил на стол пустой стакан. Голова шла кругом, лицо Теххи казалось огромным, оно закрывало от меня весь остальной мир. Мое сердце сладко замерло в груди, а потом его взорвала невероятная боль. Я и не предполагал, что человеку может быть настолько больно. Я уже ничего не видел, темнота обступила меня, и я вдруг понял, что это и есть смерть, которой я всегда так боялся. Но теперь мне совсем не было страшно, только невыразимо больно, словно меня пытались разорвать на миллионы мельчайших кусочков... Помню, что я вдруг возмутился: у меня были отличные планы на этот вечер, да и на завтрашний день, и на отдаленное будущее, если уж на то пошло! Я твердо знал, что не хочу умирать, мало того, я ни за что не стану умирать, чтобы там ни думала на эту тему костлявая дурища со свой бутафорской косой! Я заставил себя открыть рот и заговорить: какая-то часть меня еще осознавала, что рядом стоит Теххи, испуганная и растерянная; она в панике, а значит, не сообразит, что нужно делать, или сообразит, когда будет слишком поздно...

— Зови Джуффина, — сказал я. — Сэра Джуффина Халли. Скажи ему, что я умер. Он... — Теперь темнота навалилась на меня с такой неумолимой силой, что я перестал сопротивляться. Я до сих пор не помню, что именно происходило со мной тогда, и, признаться, даже рад, что не помню...

А потом я пришел в себя и чуть снова не потерял сознание, на этот раз от удивления. Ожить после смерти — само по себе достаточно нетривиальное событие, а если еще при этом застаешь свое тело в постели с женщиной...

— Ты живой! — восхищенно сказала Теххи и тут же разревелась.

— А что, это так плохо? — спросил я. — Ты настолько не любишь живых мужчин? Ну хочешь, я опять умру, только не грусти, пожалуйста! Слушай, а когда я успел тебя соблазнить? Я, конечно, иногда разговариваю во сне, но мне и в голову не приходило, что даже смерть не в силах заставить меня заткнуться! Я же был мертвый, разве нет?

Она рассмеялась сквозь слезы:

— Еще какой мертвый! Сэр Джуффин пошел искать твое второе сердце, поскольку... В общем, не важно!

В настоящий момент это действительно было не важно, потому что удивительное лицо Теххи снова склонилось над моим. Но через несколько минут она молча свернулась клубочком рядом со мной, и я наконец-то получил возможность оглядеться. К своему невыразимому ужасу, я обнаружил, что в кресле возле окна сидит Джуффин. Оранжевый свет уличных фонарей освещал его спокойное лицо, неподвижные раскосые глаза холодно смотрели на нас. Я тут же натянул одеяло до подбородка. Несколько секунд я не мог произнести ни слова, потом природа взяла свое, и меня понесло.

— Мы, конечно, очень близкие друзья, и у меня нет от вас никаких секретов, но разве вам самому не кажется, что это немного слишком? Ну вот зачем вы на нас смотрели, вы можете мне объяснить? Неужели я делаю это как-то особенно забавно, сэр?

Джуффин никак не отреагировал на мою тираду, так что я окончательно перестал понимать, что происходит.

— Он спит, Макс, — тихо сказал Теххи. Слезы еще катились по ее щекам, но она уже начала хихикать. — Спит с открытыми глазами, так часто бывает. Я же сказала: он пошел искать твое второе сердце.

— Которое я храню в книжном шкафу на третьей полке снизу, — прыснул я. — Ну-ну, хорошо мы все проводим время, нечего сказать!

Теххи уже смеялась как сумасшедшая. Я тоже улыбнулся: на большее у меня просто не было сил.

— А что все-таки случилось, ты можешь мне сказать? — спросил я. — Магистры его знают, этого Джуффина, когда он проснется! Что-то я совсем ничего не понимаю...

К этому времени Теххи уже перестала смеяться. Теперь она предпринимала отчаянные усилия, чтобы снова не разреветься.

— Что случилось? Ничего себе вопрос! Ты побелел, как небо, упал, велел мне позвать сэра Джуффина и умер. Но я так и не успела послать ему зов: он сам тут же появился в трактире, у меня за спиной, схватил тебя в охапку, а меня за шиворот и потащил сюда, в спальню... Макс, я не очень-то хорошо помню, как все было, я ведь совсем с ума сошла, когда поняла, что с тобой происходит, а на сэра Джуффина смотреть было страшно, не знаю, как я вообще жива осталась под его взглядом! — Теххи жалобно шмыгнула носом, я погладил ее по голове.

— Все уже хорошо, правда? — тихо сказал я.

— Да, наверное. — Теперь она снова улыбалась.

— Рассказывай дальше, — попросил я.

— Он сказал, что идет искать твою Тень, чтобы взять у нее сердце для тебя... И велел мне попробовать довести до конца то, что я начала. Сказал, что это тоже шанс, хотя и мизерный... А потом сел в кресло и замер. Я знаю, что Тень можно найти только в сновидении, поэтому поняла, что он уснул, и вот...

— Подожди, — перебил я, — я так и не понял, что это значит: «довести до конца то, что ты начала»? Что он имел в виду? Что ты «начала», Теххи?

— Он тебе сам расскажет! — угрюмо ответила Теххи, опуская глаза. Мне это здорово не понравилось.

— Слушай, — я осторожно погладил ее плечо, — давай договоримся: что бы ты там ни натворила, это уже не имеет никакого значения. Мне настолько понравился финал, что... В общем, колись, милая! Мне же тебя еще от сэра Джуффина спасать, в случае чего...

Теххи сжалась в комочек и отчаянно шмыгала носом. На меня она не смотрела.

— Я... я же тебя отравила! — наконец прошептала она.

— Отравила?! — изумился я. — Зачем? Неужели я показался тебе настолько отвратительным? Или это вендетта? Я что, умудрился пришить кого-нибудь из твоих родственников? Ты не внучка покойного горбуна Итуло, часом?

— Нет! — Теххи вдруг звонко рассмеялась, к моему полному недоумению. — Ты ничего не понял, Макс. Я нечаянно тебя отравила. Я же не знала, что это так на тебя подействует!

— Что «это»? — Я начинал терять терпение. — Договаривай, или я сейчас снова умру — от любопытства. И тогда уже ничего мне не поможет.

— Что, что... — Теххи сердито посмотрела на меня исподлобья. — Ничего особенного! Я просто решила тебя приворожить, понятно? И откуда ты взялся на мою голову?!

— Ты решила меня приворожить?! — Я рассмеялся от облегчения. — Зачем? Я же и без того весь вечер пытался придумать, как бы оказаться в твоей спальне! Что, ты хочешь сказать, что по мне это не было заметно? Да мне коллеги жизни не дают, утверждают, что все мои чувства всегда огромными буквами написаны на моей физиономии!

— Да? — удивилась Теххи. — Нет, ты, конечно, выглядел вполне очарованным, но я думала, что это обычная вежливость... В общем, мне и в голову не приходило, что это серьезно... С моей-то рожей!

— Именно с твоей рожей! — весело подтвердил я. — С твоей, и ни с чьей другой! Именно то, чего мне всю жизнь не хватало, ясно?

— Ясно, — растерянно кивнула Теххи. Вот теперь она, кажется, расслабилась. И потянулась за своей скабой.

— Не надо, — сказал я. — Зачем?

— Как это — «зачем»?! Твой шеф когда-нибудь все-таки проснется, я полагаю!

— Черт, а я и забыл! — Я снова рассмеялся, и это оказалось ошибкой: я переоценил свои возможности. Сил у меня не осталось совершенно. Оранжеватый полумрак спальни вихрем закружился перед моими глазами.

— Что с тобой? — испуганно спросила Теххи. Она уже успела встать, и теперь ее встревоженное лицо смотрело на меня откуда-то издалека. Я хотел сказать, что все в порядке, но не мог произнести ни звука, только улыбался, потому что мне было очень хорошо. Темнота надвинулась на меня, я ощутил невыразимо приятный томительный жар в груди, а потом мне показалось, что кто-то внутри меня повернул какой-то таинственный выключатель: силы вернулись ко мне внезапно, мир вокруг стал невероятно четким и значительным. Кажется, он даже немного отличался от того мира, который я привык видеть, только я не мог понять, в чем, собственно, разница. Теххи сидела рядом, испуганно вцепившись в мою руку. Похоже, она снова собиралась оплакивать мою скоропостижную кончину, и это было так приятно...

— А вот теперь я действительно в порядке! — изумленно выпалил я. — В таком порядке, что с ума сойти можно!

— Еще бы! — Ехидный голос сэра Джуффина Халли самым приятным образом вернул меня к действительности. — Перепугал до полусмерти беззащитную женщину и полоумного старого колдуна, разжился на холяву вторым сердцем... Я всегда подозревал, что ты — патологически жадный парень, но не настолько же!

— Джуффин, — взмолился я, — хоть вы мне толком объясните: что со мной случилось?

— Смерть с тобой случилась, — внушительно сказал сэр Джуффин. — А больше, кажется, ничего из ряда вон выходящего.

— Я уже понял, что смерть! — отмахнулся я. — Но почему? И что это за «второе сердце» вы отобрали у моей Тени? И как, интересно, моя бедная Тень будет теперь без него обходиться?

— На этот счет можешь быть совершенно спокоен: Тень может обойтись без чего угодно! — заверил меня Джуффин. — Что касается всего остального... Эта девочка уже успела покаяться тебе в своих грехах?

— Да, — улыбаясь до ушей, кивнул я, оглядываясь на Теххи. Она опять здорово разнервничалась. Даже благодушный взгляд сэра Джуффина явно лишал ее душевного равновесия. Я осторожно взял ее руку, надеясь, что это поможет.

— Ага... То-то ты надулся, как породистый индюк, тоже мне похититель сердец! Тем лучше... — Джуффин рассмеялся. — В общем, как ты сам уже понял, наше безобидное приворотное зелье действует на тебя, как самый страшный яд. Оно убило тебя почти мгновенно... и это было очень мучительно, да?

— Да, неприятно! — кивнул я. — Счастье, что я — не такой уж любимец женщин! Мелифаро, наверное, в каждом трактире получает пару стаканов этой отравы...

— Ну, все не так страшно, — улыбнулся Джуффин, — тебе подобное внимание в любом случае не грозит, при твоей-то профессии... Только сумасшедшая дочка Лойсо Пондохвы могла положить глаз на парня в Мантии Смерти!

— Дочка Лойсо Пондохвы?! Того самого Великого Магистра Ордена Водяной Вороны, о котором вы мне все уши прожужжали?! Вот это да! — Я растерянно посмотрел на Теххи. — Кажется, сегодня один из самых интересных дней в моей жизни! — Потом я забеспокоился, поскольку кое-что вспомнил. — Ой, — сказал я, — а вы, часом, не кровные враги, ребята? Вы же где-то там похоронили ее папу, да, Джуффин?

— Мало ли что там случилось с моим безумным знаменитым папочкой, которого я видела всего пару раз в жизни! — гордо фыркнула Теххи. — Кстати, в Смутные Времена сэр Халли спас мне жизнь, во всяком случае, он не стал меня искать, когда этот старый перестраховщик Нуфлин объявил охоту на всех детей Лойсо Пондохвы.

— Я не считал это целесообразным, — подмигнул ей Джуффин, — поскольку членам вашей семейки смерть только на пользу. Ну и потом, делать мне больше было нечего, кроме как охотиться на ни в чем не повинных девчонок! Не моя вина, что, кроме меня, никто не мог справиться с этой задачкой... Кажется, у нас нет никаких претензий друг к другу, правда, леди Шекк?

Теххи смущенно кивнула.

— Ты доволен, горе мое? — спросил меня Джуффин. — Или нам еще и поцеловаться?

— Я вам поцелуюсь! — грозно сказал я. — Грешные Магистры, какое же у вас обоих темное прошлое, с ума сойти можно!

— Можно, — спокойно подтвердил Джуффин. — Ну и что мы теперь будем делать с этой леди? В Холоми ее посадить, что ли?.. С одной стороны, она только что совершила убийство государственного служащего высокого ранга, с другой стороны, она сама же все исправила... Я мог не тревожить твою бедную Тень, а просто запереть вас в спальне и ступать по своим делам. Она отлично тебя оживила, без моей помощи.

— А как ей это удалось? — с интересом спросил я.

— Сам знаешь как! В свое время я читал, что человеку, отравившемуся приворотным зельем, нужно немедленно оказаться в объятиях виновницы, чтобы остаться в живых... Речь, разумеется, шла о приворотных зельях древности: они были далеко не настолько безобидны, как нынешние. Все же я решил, что стоит ухватиться и за этот шанс. Честно говоря, сам не ожидал, что у нее получится! Забавно, но, когда я понял, что твое прежнее сердце опять в порядке, я уже успел разжиться новым. Вернуть Тени то, с чем она уже рассталась, невозможно: в отличие от человека Тень никогда не меняет свои решения. Вот я и отдал тебе это второе сердце — не выбрасывать же!

— Что, у меня теперь действительно два сердца? — нерешительно переспросил я.

— Ну не три же... — хмыкнул Джуффин.

— Ладно, чем больше, тем лучше!.. А что это за Тень такая и где вы ее нашли?

— Как тебе сказать... Нашел-то я ее в собственном сне, но это не значит, что ее нет на самом деле... Честно говоря, никто толком не знает, что такое Тень, но она есть у каждого человека. И легче всего разыскать Тень, когда спишь, — и свою собственную, и чужую, все равно. Кстати, твоя Тень отлично умеет прятаться, она из меня душу вытрясла, прежде чем я ее поймал, если тебе интересно!.. У Тени есть все, что есть у ее хозяина, в том числе и сердце. Вот только в отличие от нас наши Тени прекрасно могут обходиться без этого хлама. Без него им даже лучше — свободнее... Ты хоть что-то понимаешь из моих объяснений, Макс? Или я зря стараюсь?

— Я ничего не понимаю, но вы не зря стараетесь! — откликнулся я. — Ваш голос меня успокаивает, это точно... А как я теперь буду жить с этими двумя сердцами?

— Да так же, как и раньше, только еще лучше! — усмехнулся Джуффин. — Вот увидишь! Тебе здорово повезло, если разобраться.

— Мне действительно здорово повезло! — Я подмигнул Теххи. — А вот тебе — нет.

— Почему? — испуганно спросила она.

— Потому что я грязно ругаюсь во сне, плююсь ядом в кого попало, работаю по ночам и чертовски много ем... Да, чуть не забыл, кроме всего этого я еще и царь каких-то сумасшедших кочевников. Представляешь теперь, с кем ты связалась?

Теххи улыбнулась:

— Моя мама всегда говорила, что я плохо кончу... — Ее улыбка исчезла так же быстро, как появилась. — Подожди, сэр Макс, а с чего ты вообще взял, что меня все это интересует? Почему ты так уверен, что я...

— А кто тебя спрашивает! — беззаботно отмахнулся я. — Ты меня отравила своим приворотным зельем, так что теперь, будь любезна, сама и расхлебывай! Мне требуется длительный курс лечения. Первые лет шестьсот, как минимум, моя жизнь будет находиться в постоянной опасности, поэтому мне необходимы ежедневные процедуры, и все такое... А там поглядим. Правда, сэр Джуффин?

— Ну, раз ты так говоришь, значит, правда, — усмехнулся мой шеф. — Ладно уж, приводи себя в порядок. Завтра в полдень я тебя жду.

— На закате! — твердо сказал я. — Смерть — довольно уважительная причина, можно и опоздать немного, вам не кажется? — И я дважды стукнул себя по носу указательным пальцем правой руки — классический кеттарийский жест: два хороших человека действительно всегда могут договориться! Сэр Джуффин немедленно растаял. Впрочем, он и без того был вполне растаявший, с самого начала.

— Лодырь несчастный, — улыбнулся он, — ну на закате так на закате, Магистры с тобой! Ладно уж, наслаждайся жизнью, а я пойду спать. Мне, между прочим, даже со службы отпроситься не у кого!

— Отпроситесь у меня, — предложил я, — я вас отпущу, честное слово!

— Все, разошелся! — Сэр Джуффин с видом мученика поднял глаза к потолку, потом улыбнулся Теххи. — Надеюсь увидеть тебя снова, при менее экстремальных обстоятельствах, девочка... И извини, если я тебя напугал. Когда я понял, что произошло, я еще и не такого мог натворить.

— Он меня больше напугал, если честно! — кивнула Теххи на меня. — А все остальное я и помню-то еле-еле.

— Тем лучше, — с облегчением вздохнул Джуффин, — потому как я здорово подозреваю, что вел себя не совсем так, как подобает хорошо воспитанному пожилому джентльмену... Кстати, если ты собираешься позволить этому молодому человеку и дальше валяться в твоей спальне, тебе придется купить ящик бальзама Кахара. Он поглощает это зелье бочками, ты еще удивишься!

— Кошмар! — улыбнулась Теххи. — Так, может быть, пусть сам его и покупает?

— Обойдешься! — расхохотался мой шеф. — Он еще и экономный!

Когда мы остались одни, Теххи внимательно посмотрела на меня:

— Ты уверен, что действительно хочешь здесь остаться, Макс?

— Хочу! — жизнерадостно подтвердил я.

— Странно! — вздохнула она. — Но почему?

— Потому, что здесь сидишь ты, — авторитетно объяснил я. — Это же элементарно!

— Это что, признание в любви? — растерянно спросила Теххи.

— Не говори ерунду. Это — гораздо больше! — торжественно заявил я, пытаясь до нее дотянуться.

— А ты представляешь себе, кто я такая? — тихо спросила она. — Все дети Лойсо Пондохвы...

— А у него было много детей? — равнодушно поинтересовался я.

— У меня шестнадцать братьев. Все мы — его незаконные дети, и от разных женщин, разумеется. Но мы очень дружны, поскольку нам, собственно говоря, больше не с кем дружить... Особенно им.

— А все твои братишки — привидения? Великолепно! — восхитился я. — Мы с ними отлично поладим, поскольку я сам — Магистры знают кто — и явился сюда невесть откуда...

— Я так сразу и подумала, — задумчиво кивнула она. — Человек, у которого цвет глаз меняется чуть ли не каждую минуту...

— А ты уже заметила? — удивился я.

— Ничего себе! Я же только тем и занималась, что пялилась на тебя!

— Почему? — Я довольно примитивно напрашивался на комплименты. Теххи это заметила и ехидно улыбнулась:

— Ну, надо ведь мне было на что-то смотреть... Не на трупы же!

— Кстати, о трупах, — задумчиво сказал я, — кажется, я здорово проголодался! У тебя что-нибудь есть?

— Откуда?! Ты же сам все и уничтожил!

— Грешные Магистры, как мне не везет! — вздохнул я. — Нарваться на хозяйку единственного в этом Мире ресторана, где нет никакой еды!

— Я могу послать зов хозяину «Жирного индюка», — растерянно предложила Теххи.

— Да ну его к Аллаху! Будем считать, что я на диете.

— А кто такой «Аллах»? — осведомилась Теххи. Но ей так и не было суждено проникнуть в эту страшную тайну: у меня не нашлось времени на теологические лекции, поскольку мне наконец-то удалось до нее дотянуться...

За час до заката я дисциплинированно явился в Дом у Моста. Честно говоря, мне так и не удалось последовать совету сэра Джуффина и поспать. Да и поесть я тоже так и не собрался.

— Кошмар! — Джуффин мгновенно оценил ситуацию и весьма лаконично ее прокомментировал. Потом он указал мне на дверь. — Надеюсь, у тебя хватит сил доползти до «Обжоры», — вздохнул мой шеф. — Пойди съешь что-нибудь, видеть тебя не могу!

— Он не дойдет, это точно, но я могу донести его на руках! — Вездесущий Мелифаро хихикал за моей спиной. Похмелье его, судя по всему, уже не мучало.

— Очень вовремя! — обрадовался я. — С тебя как раз причитается, после вчерашнего.

— А что, я все-таки буянил? — радостно спросил Мелифаро.

— Еще как! — злорадно сообщил я. — Ты перебил всю посуду в этом замечательном заведении, а меня заставили ее склеивать. Только что закончил.

— Подумать только! Так вот чем ты все это время занимался! — понимающе кивнул Джуффин. — Кстати, мальчики, если вы еще немного здесь потопчетесь, то поесть уже не успеете. Так что вперед!

— Вы такой суровый, что я сейчас заплачу! — улыбнулся я, разворачиваясь на сто восемьдесят градусов. Самое смешное, что меня действительно немного качало.

— Нельзя же так перегибать палку! — ехидно сказал мне вслед Джуффин. Я спиной чувствовал теплую тяжесть его неподвижных глаз.

— Ты похож на самого драного весеннего кота с захолустной фермы! — с восхищением заметил Мелифаро, усаживаясь напротив меня за нашим любимым столиком в трактире «Обжора Бунба».

— А я — он и есть, — согласно кивнул я. Спорить не хотелось: уж слишком было хорошо! Честно говоря, меня все время подмывало послать зов Теххи и спросить, как у нее дела, но я мужественно терпел: мне казалось, что после этого она окончательно убедится, что связалась с сумасшедшим. Глупо все-таки осведомляться о делах человека, с которым расстался всего полчаса назад! Поэтому я занялся более неотложным делом: с озверевшим лицом набросился на еду. Первые несколько минут я был совершенно некоммуникабелен, потом с облегчением вздохнул, потребовал вторую порцию и поднял глаза на Мелифаро.

— Ты здорово повеселился сегодня утром? — невинно спросил я.

Мелифаро сделал страшное лицо.

— Почему ты их не убил, Макс? — тоном несправедливо обиженного человека спросил он. — Я мог бы быть так счастлив!

— Во-первых, у меня была надежда, что ребята последуют моему совету и все-таки уберут за собой, — вздохнул я. — А во-вторых, я решил, что ты получишь море удовольствия, если прикончишь этих милых людей собственноручно.

— Это было самое ужасное утро в моей жизни! — трагическим тоном поведал Мелифаро. — Я проснулся с тяжелой головой и приличных размеров камнем на сердце, кроме того, я совершенно не понимал, каким образом попал домой, и не помнил, чем закончился этот чудесный вечер... А как он, собственно, для меня закончился?

— Да никак! — улыбнулся я. — Ты и разбил-то всего один стакан.

— Да? — огорчился Мелифаро. — Что же это я оплошал, даже неудобно как-то...

— Ничего, наверстаешь! — утешил я его. — Ты лучше расскажи, что было утром.

— Ох! Утром было нечто особенное. Когда я спустился вниз и увидел эту милую компанию в шапках, я действительно собирался их убить. Знаешь, если бы у меня были твои таланты...

— А они что, досидели до утра?

— Когда я спустился в гостиную, эти ужасные люди спали там, прямо в креслах... Знаешь, что я сделал? Первым делом я снял с них шапки и выкинул в окно. Господа изамонцы так и не проснулись, между прочим! А потом я пошел умываться, поскольку понял, что мне нужно успокоиться. И когда я вернулся в гостиную, ситуация даже начала казаться мне смешной, честное слово! Я растолкал этих великолепных обладателей бордовых лосин и велел им выметаться. Они начали лопотать что-то неуважительное. Речь, как всегда, шла о моих умственных способностях, сам понимаешь...

— Ну да, это, наверное, общенациональная изамонская проблема, они об этом все время говорят, — тоном знатока подтвердил я.

— Короче говоря, двоих я тоже выкинул в окно вслед за их потрясающими головными уборами. Знаешь, Макс, сам от себя не ожидал такой прыти! Они так смешно вырывались и барахтались! А как ругались!.. А третий успел выйти самостоятельно.

— А Рулен Багдасыс? — спросил я. — Что с ним?

— О, с ним отдельная история! — задумчиво сказал Мелифаро. — Поначалу я решил, что должен просто указать ему на дверь. В конце концов, у меня дома должны бузить мои собственные гости, а не чужие, верно?

— Совершенно с тобой согласен! — кивнул я. — Пригласи меня как-нибудь на досуге, я тебе покажу, как надо бузить!

— Да? — живо заинтересовался Мелифаро. — И как, интересно, ты собираешься этим заниматься? Ты же почти ничего не пьешь, кроме этого своего бальзама Кахара, после которого тебя обычно тянет как следует поработать.

— Бузить нужно на трезвую голову! — авторитетно заявил я. — Никто не может произвести больше шума, чем абсолютно трезвый человек, поставивший себе цель перевернуть мир.

— Правда? — удивился Мелифаро. — А что, это мысль! Надо будет попробовать... Ладно, в общем, я решил, что просто выставлю этого изамонца за дверь: пусть снимает себе квартиру, в конце концов я даже был готов дать ему денег, лишь бы он ушел. Но он начал орать, обвинять меня в полной умственной деградации и прочих смертных грехах. Моих слов он, разумеется, не слышал: у парня очень удобная разновидность глухоты, он слышит только себя самого и то немногое, что ему действительно интересно. Между прочим, правила поведения в Квартале Свиданий я объяснял ему шепотом, и ничего — наш друг все прекрасно расслышал!.. Словом, через час мне здорово надоел этот бред, и я... В общем, теперь он здесь! — Мелифаро полез в карман лоохи. Оттуда он извлек перстень с большим прозрачным камнем и дал его мне.

Я тупо уставился на перстень, не в силах уразуметь, что имеет в виду Мелифаро.

— Посмотри на свет, — подсказал Мелифаро.

Я машинально последовал его совету и ахнул: в прозрачном зеленом камне, как муха в янтаре, застыл неправдоподобно маленький Рулен Багдасыс.

— Кажется, тебе пора в Холоми, мой бедный друг! — вздохнул я. — Интересно, сколько лет тебе дадут?

— Ишь размечтался! Всего-то седьмая ступень Черной Магии. С тех пор как поварам разрешили замахиваться на двадцатую, никто не будет возражать против таких незначительных отступлений от Кодекса, тебе так не кажется?

— А он живой? — с любопытством спросил я.

— Разумеется. В общем-то, это тот же самый фокус, который постоянно проделываешь ты сам, просто я спрятал его не в собственной пригоршне, а в первой подвернувшейся под руку вещице. Это немного труднее, зато гораздо эффектнее! Его можно выпустить оттуда в любой момент, но мне что-то пока не хочется. Жизнь и без того сложная штука.

— Да уж! — фыркнул я. — А ты не испытывал искушения спустить эту красоту в сортир?

— Ну, если честно, это — первое, что пришло мне в голову. Впрочем, потом я поостыл и решил, что грех разбрасываться фамильными драгоценностями. Красивая вышла вещица, ты не находишь?

— Да, ничего себе сувенирчик. Подари его своему братцу, пусть красуется. К тому же этот изамонец дорог ему как память, я полагаю.

— Обойдется! — усмехнулся Мелифаро.— У меня уже есть один кандидат на получение этого сокровища.

— Кто? — заинтересовался я.

— Всему свое время! — таинственно сказал мой коллега.— Увидишь.

— Главное, чтобы этим счастливцем не оказался я. Это единственное, о чем я тебя прошу,— искренне сказал я.— Что мне действительно интересно, так это узнать, как продвигаются поиски «презренного Мудлаха». Что-то мне поднадоела эта история.

— Кто бы говорил! — мрачно вздохнул Мелифаро.— Уж если кто-то и имеет право на подобное заявление, так это я! Ты же на службе не показываешься. То корону чистишь, то к своему новому коллеге Гуригу мотаешься, то по каким-то притонам шляешься...

— С тобой, между прочим.

— Ну со мной так со мной,— покорно согласился Мелифаро.— Тем не менее...

— Ты мне лучше скажи, что там с этим Мудлахом.

— А ничего. Вчера, пока мы все наслаждались жизнью, как могли, сэр Джуффин немного поболтал с неподражаемым мастером метаморфоз, этим тяжелым наследием эпохи Орденов. Судя по тому, что сэр Вариха Ариама был отпущен домой целым и невредимым, наш шеф остался доволен результатами беседы. Так что мы разжились не только подробным художественным описанием новой физиономии Мудлаха, но и его домашним адресом. Я его с утра навещал. Без толку, конечно: дядя смылся оттуда три дня назад. Такое впечатление, что Мудлах исчез в тот самый момент, когда борт корабля из Арвароха потерся о пирс Адмиральского причала. Унюхал он своих соотечественников, что ли... В общем, я получил море удовольствия, допрашивая его бывших соседей. Они так трогательно описывали свою интересную жизнь в нескольких шагах от скромной тайной резиденции беглого царя. Бедняги не могли понять, каким образом чуть ли не две дюжины здоровенных мужчин помещались в таком крошечном домике. К сожалению, у меня слишком болела голова, чтобы я мог получить настоящее наслаждение от их монологов... Пока я таким образом развлекался, наши доблестные буривухи нашли на улицах еще восемь уроженцев Арвароха, сэр Джуффин имел теплую отеческую беседу со всеми. Ни хрена они об этом Мудлахе не знают, поскольку были его заклятыми врагами. Впрочем, с Завоевателем Арвароха они тоже не поладили. Да и между собой успели перегрызться. Такие милые люди, с ума сойти можно!.. Хотел бы я знать, куда все-таки делся этот грешный Мудлах? У тебя есть идеи?

— На его месте я бы попытался что-нибудь натворить и попасть в Холоми, — усмехнулся я. — Надежнейшее место, на мой вкус.

Мелифаро ошалело уставился на меня.

— Гениально! — прошептал он. — Послушай, Макс, это же идея! Это действительно идея! Что же ты молчал-то?

— О чем молчал? — удивленно переспросил я.

— Как это «о чем»?! О Холоми конечно!

— О, грешные Магистры! — Я закатил глаза. — Я же просто пошутил. Чего ты так возбудился?

— Пошутил он, видите ли! — Мелифаро уже не мог усидеть на месте. — Да это же нужно немедленно проверить! Пошли в Управление!

— Иди, — спокойно сказал я, — а у меня, между прочим, еще полная тарелка.

— Третья по счету, — заметил Мелифаро, — ладно уж, удовлетворяй свои низменные инстинкты, а я пошел.

— Что, три минуты подождать не можешь? — проворчал я.

— Три могу, наверное, — вздохнул мой коллега. — Учти, я засекаю время!

Сэр Джуффин Халли в очередной раз принимал у себя «грозноглядящего Повелителя двух полусотен Острозубов». Алотхо Аллирох уже начинал мне казаться не то нашим новым сотрудником, не то общим дальним родственником из провинции, одним на всех.

— Хорошо, что вы пришли, мальчики — одобрительно сказал Джуффин. — Алотхо как раз собирался поделиться с нами своими соображениями касательно местонахождения этого злокозненного Мудлаха... презренного, разумеется, не нужно так сердито на меня коситься, сэр Алотхо! Рассказывайте.

— Я велел Тхотте, своему шаману, спросить у Мертвого Бога, где находится презренный Мудлах, — сурово сказал Алотхо. — Тхотта получил ответ, но я не понял этого ответа. Думаю, дело в том, что я не знаю вашу столицу так хорошо, как местные жители. Посему я решил сообщить вам слова Мертвого Бога. Тхотта говорит, что Мудлах находится «в центре большой воды, там, куда легко войти и невозможно выйти». Вы знаете, что это за место?

— Ну конечно! — взвыл Мелифаро. — Представьте себе, Джуффин, мы же пришли, чтобы сообщить вам о том же самом! Парень спрятался в Холоми, теперь это совершенно ясно!

— А вы что, тоже шаманили? — с интересом спросил Джуффин.

— Что-то в этом роде! — рассмеялся Мелифаро. — Макс обожрался до состояния транса и начал чревовещать.

— На самом деле я просто неудачно пошутил! Или наоборот — очень удачно, — объяснил я.

— Как это мило с вашей стороны: говорить о работе даже за едой. Никогда бы не подумал! — усмехнулся наш шеф. И печально посмотрел на Алотхо. — Мы сейчас проверим. Но если ваш шаман прав... Знаете, в этом случае вам придется ждать сладкого момента возмездия довольно долго. Никто не пустит в Королевскую тюрьму ни вас, ни ваших Острозубов. Закон есть закон.

— Я могу ждать, — равнодушно кивнул Алотхо. — Но сначала мне нужно хотя бы найти Мудлаха, это главное. А ожидание — не самое страшное, что может случиться с человеком.

— Да? — удивился Джуффин. — Что ж, тем лучше. Как только мы узнаем что-то определенное, я пришлю вам зов... Тьфу ты, как же я пришлю вам зов, если вы не умеете пользоваться Безмолвной речью?

— Уже умею, — гордо сообщил Алотхо, — леди Меламори взялась меня учить. Оказалось, что это не слишком сложно.

— Вот это способности! — завистливо вздохнул я. — Лично мне до сих пор кажется, что это еще как сложно!

— Просто ты не привык самозабвенно концентрироваться на том, что делаешь, — заметил Джуффин, — а для уроженцев Арвароха это — самое нормальное состояние. — Он повернулся к Алотхо. — Тем лучше, в таком случае я просто пришлю вам зов, как только выясню все обстоятельства.

— Благодарю вас. — Алотхо церемонно наклонил голову. — Теперь я хотел бы уйти, если вы не возражаете.

— Как я могу возражать?! — удивился Джуффин. — Насколько я знаю, опротестовать ваше решение может только Завоеватель Арвароха, но поскольку его здесь нет...

— Это так, но мне объяснили, что у вас принято согласовывать свои действия с другими людьми. Это называется вежливость, да?

— Совершенно верно, — улыбнулся Джуффин, — именно так это и называется. Тем не менее я действительно не возражаю.

— Благодарю вас. Хорошей ночи, господа. — Алотхо снова опустил голову и вышел.

— У нашей Меламори просто незаурядный педагогический талант, — одобрительно сказал Джуффин. — Кто бы мог подумать!.. Сэр Мелифаро, чем закончилась твоя беседа с Камши?

Только теперь до меня дошло, что Мелифаро уже успел послать зов новому коменданту Холоми, бывшему лейтенанту Городской Полиции Тойхи Камши и разжиться необходимой информацией. Впрочем, это не улучшило его настроения.

— Сейчас расскажу... Макс, можно мне попробовать твое мистическое курево? — неожиданно спросил он, усаживаясь на подоконник. — Наш табак я уж точно не переношу с детства, с тех самых пор, как умудрился им отравиться, это однозначно! А закурить хочется.

— Держи! — Я протянул ему сигарету. — Моя клиентура растет! Сначала Бубута, теперь ты... Пора бросать службу и открывать табачную лавку. Конкурентов у меня не будет, в этом я могу быть абсолютно уверен! Разве что сэр Маба Калох, но ему быстро надоест.

— Маба такой, это правда! — серьезно подтвердил Джуффин. И сочувственно посмотрел на Мелифаро. — Давай, не тяни, душа моя!

— Слушай, Макс, эти твои курительные палочки действительно чудо как хороши! — восхищенно сообщил Мелифаро. — Все, все, все, не надо испепелять меня взглядом, сэр Джуффин, я уже перехожу к делу! Камши сообщил, что в последние несколько дней никакого пополнения у них не было, но как раз сегодня утром, еще до рассвета, появился новый заключенный по имени

Бакка Саал. Его приметы абсолютно не совпадают с приметами Мудлаха, но это совершенно неважно, поскольку... Знаете, за что он угодил в Холоми? За убийство сэра Варихи Ариамы, того самого, который...

— Ты что, думаешь, что у меня уже начался старческий маразм? — сердито фыркнул Джуффин. — Я отлично помню, кто такой Вариха Ариама!

— Извините, — смутился Мелифаро, — что это я, в самом деле...

— Кто занимался этим убийством? — нетерпеливо спросил Джуффин. — Почему нам ничего не сообщили?

— Потому что это показалось излишним. Убийца сам сдался служащим Канцелярии Скорой Расправы, просто послал им зов и сообщил о своем преступлении. Они тут же приехали на место происшествия, оформили все, как положено, и увезли его в Холоми. Сэр Багуда Малдахан превыше всего ценит в своих подчиненных скорость,. вы же его знаете! Теперь Мудлаху предстоит провести в Холоми лет двести. Так что нашему пучеглазику придется поселиться в Ехо и тщательно следить за своим здоровьем, иначе сладкая месть ему не светит. Камши ни при каких обстоятельствах не допустит...

— Двести лет, ты говоришь? Почему так много? — удивился сэр Джуффин. — Насколько я знаю, за убийство можно получить пять-шесть дюжин лет, а если учесть, что преступник сам сдался властям... Ну, тогда три дюжины лет — это максимум!

— Да, но убийство с применением сто семидесятой ступени Белой Магии... Это могло бы потянуть и на пожизненное заключение, — возразил Мелифаро.

— Какой ступени?! — взвился Джуффин. — Сто семидесятой, ты говоришь? Да, это меняет дело... Мелифаро, бери с собой Куруша и немедленно поезжай в Холоми. Нам нужно быть абсолютно уверенными, что новый заключенный — действительно этот самый пресловутый Мудлах. Как только разузнаешь, сразу же свяжись со мной. И имей в виду: сейчас нас интересует только его настоящее имя, больше ни о чем его спрашивать не нужно. Магистры его знают, еще решит, что «проще умереть», с этими гражданами Арвароха лучше не связываться... Сэр Макс, отрывай свою задницу, поехали.

— Куда? — спросил я, поднимаясь со стула.

— Как это — «куда»? На место преступления, разумеется. Лучше поздно, чем никогда. И думаю, что нам понадобится помощь Меламори. Нужно найти настоящего преступника, и чем быстрее мы это сделаем — тем лучше.

— Что значит — «настоящего»? — удивленно спросил я. — А разве Мудлах...

— Этот Мудлах мог бы разве что прихлопнуть беднягу своей грозной «мухобойкой» или попросту прирезать! — усмехнулся Джуффин. — Где твоя голова, парень? Ну куда ему, этому чужеземцу, иметь дело с Запретной Магией, да еще сто семидесятой ступени? Я не удивлюсь, если узнаю, что он еще и Дозволенную-то толком не освоил. А сто семидесятая ступень под силу только хорошо подготовленным специалистам! Нет, там накуролесил какой-нибудь умник из древнего Ордена, это же ясно, как...

— А ведь правда! — восхитился я. — Как же это ребята из Канцелярии Скорой Расправы опростоволосились?

— А вот так! Между прочим, это и не их ума дело — вести дознание. Это наша работа. Как правило, их клиенты сначала проходят через наши руки, но на этот раз вышло по-другому... А почему ты еще не в амобилере?

— Потому что я слушаю вас, а вы пока что находитесь здесь, — вздохнул я, открывая дверь в коридор. Сэр Джуффин не отставал от меня ни на шаг.

— Наконец-то эта занудная история с «презренным Мудлахом» становится по-настоящему интересной! — бодро говорил он, шаря по карманам в поисках трубки. — Давно пора!

Дом убитого Варихи Ариамы, Старшего Магистра Ордена Медной Иглы и Великого Мастера Маскировки, был совершенно пуст.

— Хотел бы я знать, где шляется его сынишка? — ехидно заметил я.

— Хороший вопрос, Макс! Очень хороший! — обрадовался Джуффин. — Думаю, что скоро мы узнаем много разных вещей, в том числе и эту... Интересно, куда запропастилась леди Меламори? По моим расчетам, она уже должна быть здесь.

— А я и так здесь! — сердито сказала Меламори, появляясь на пороге. — Между прочим, мне пришлось добираться сюда аж из Нового Города, а это почти край света, так что могли бы и восхититься!

— Ладно, уже восхитились, — примирительно улыбнулся сэр Джуффин. — Пошарь по дому, девочка. Где-то здесь должен быть след могущественного колдуна. Сможешь отличить его от прочих?

— Тоже мне проблема! — фыркнула Меламори. — Макс, а ты-то чего бездельничаешь? Можно подумать, тебе эта задачка не по зубам! Только не говорите мне, что я незаменима, все равно не поверю.

— Ты же знаешь, какой я ленивый! — Я пожал плечами.

— Сэр Макс бездельничает, потому что в качестве Мастера Преследования он пока слишком опасен для жизни подследственных, а наш клиент нужен мне живым и здоровым. Обожаю получать информацию из первых рук! — заметил сэр Джуффин. — Хороши мы будем, если в конце следа нам приветливо улыбнется обглоданный череп несчастной жертвы нашего штатного чудовища! Кроме того, у Макса пока недостаточно опыта, чтобы быстро отличить нужный нам след от прочих. Ты действительно совершенно незаменима, леди!

— Ну, если так, — польщенно улыбнулась Меламори, — тогда ладно!

Она быстро разулась и прошлась по гостиной.

— Ага, это след мертвого, то есть несчастного сэраВарихи Ариамы... Это — след Шурфа, а вот и мой собственный, я ведь тоже вчера здесь побывала... Еще чьи-то следы, ничего особенного, наверное, это наследили ребята Багуды Малдахана. А тут, вероятно, топтался этот «презренный Мудлах», я же говорила вам, сэр Джуффин, что след арварохца все-таки отличается от прочих, это почти незаметно, и все же... Здесь ходил еще кто-то, но явно не тот, кого вы ищете. У меня такое впечатление, что этот человек тяжело болен, но я могу и ошибаться...

— Наверное, Ариама-младший, — заметил я.

— Наверное, — равнодушно кивнул Джуффин, — им тоже надо будет заняться, на всякий случай, но это можно отложить на потом. Я видел этого молодого человека. Никаким могуществом там и не пахнет, поверь мне на слово.

— Да, конечно, кому и верить, если не вам, — кивнул я, — и все же я почему-то все время о нем думаю. Может быть, он просто влип в беду? Вот и Меламори говорит, что парень болен, мало ли что там с ним стряслось!

— Да? — заинтересовался мой шеф. — Ладно, тогда это дело лучше не откладывать. Вот только кто им займется? Если ты, это может окончательно подорвать его здоровье, а Меламори и без того занята... Мне самому попробовать, что ли? Когда-то у меня не так уж плохо получалось!

— Не отбивайте у меня хлеб, сэр! — усмехнулась Меламори. — Кстати, я нашла след еще одного мертвеца, не совсем обычный, но его хозяин тоже умер, это точно. Очень странно! Вы уверены, что здесь был только один труп?

— Мы ни в чем пока не уверены, — пожал плечами Джуффин. — Впрочем, у меня есть одна смешная идея. Ну-ка, отвлекись на минутку от своих занятий, попробуй встать на след Макса.

— Зачем? — изумилась Меламори.

— Просто чтобы сделать мне приятное, — сурово ответствовал наш шеф.

— Ладно! — покорно согласилась Меламори. Она подошла ко мне сзади, немного потопталась у меня за спиной и вдруг тихо ахнула. Я встревоженно обернулся к ней. Такой перепуганной я ее никогда не видел.

— Это действительно твой след, Макс, — побелевшими губами прошептала она. — Когда, интересно, ты успел умереть?

— Вчера вечером, — усмехнулся Джуффин, — впрочем, ненадолго. Не переживай, Меламори, сейчас он еще более жив, чем мы с тобой, можешь мне поверить!

— Ага, живее всех живых! — злорадно сказал я. — Честное слово, Меламори, я не труп, я хороший!

— Да? — недоверчиво переспросила она. — Ну и шуточки у вас, господа!

— А почему мой след стал следом мертвого, Джуффин? — встревоженно спросил я. — Я же не какой-нибудь зомби! Или все-таки?..

— Да нет, с тобой действительно все в порядке, — успокоил меня Джуффин, — просто след слишком прочно связан с памятью тела о себе, а твое тело отлично помнит о собственной смерти, вот и получается такое недоразумение. Замечательная маскировка, между прочим! Когда-нибудь тебе это здорово пригодится.

— А от кого мне прятаться? — удивился я. — От Меламори вроде бы незачем...

— Ничего, вот поработаешь еще несколько лет в Тайном Сыске, ты сам не поверишь, сколько у тебя заведется могущественных врагов! — утешил меня мой шеф. — Между прочим, большинство мятежных Магистров вполне способны встать на чужой след, особенно если очень припечет. Так что все к лучшему! — Он повернулся к Меламори. — Не сердись на меня, леди. Я не хотел тебя пугать. Но порой Мастеру Преследования бывает полезно немного поудивляться, ты не находишь? Во всяком случае, теперь ты на собственном опыте знаешь, что след мертвеца иногда только кажется следом мертвеца.

— Я не сержусь, — тихо сказала Меламори, — просто вы меня действительно здорово напугали... Ладно, буду искать этот грешный след «могущественного колдуна», как вы выразились. Но честно говоря, мне кажется, что его здесь нет. Я уже все обошла.

— Ты уверена? — нахмурился Джуффин. — Вообще-то, труп был обнаружен именно в гостиной, так что...

— Трудно ли перенести мертвое тело с места на место? — Я пожал плечами. На моей стороне была вековая мудрость многочисленных криминальных романов моего Мира, поэтому я совершенно не сомневался в своей правоте. К моему удивлению, сэр Джуффин посмотрел на меня, как на некую диковинку.

— Странная идея! — сказал он. — Таскать мертвое тело с места на место... Впрочем, что только не приходит в голову людям! Нужно попробовать. С какой комнаты начнем?

— Может, со спальни? — с сомнением предложил я. — Или с рабочего кабинета. Должно ведь у этого дяди быть какое-нибудь рабочее место. Не в гостиной же он изменял внешность своих клиентов!

— Да, действительно, — кивнул Джуффин. — Ну-ка, Меламори, встань на след этого арварохца. Я только что получил известия от Мелифаро. Он говорит, что новый заключенный — действительно Мудлах, в чем я, впрочем, с самого начала не слишком сомневался. Кроме того, парень утверждает, что новое лицо Мудлаха совершенно не соответствует тому описанию, которое я только вчера получил от ныне покойного виновника этой метаморфозы. Совершенно ясно: Мудлах пришел сюда, чтобы снова изменить внешность, и он успел получить то, чего хотел. Поэтому его след должен привести нас на это самое «рабочее место»... ну и формулировочки у тебя, сэр Макс! Самые что ни на есть бюрократические. И где ты этого нахватался?

— Как это где? Ясное дело, на границе графства Вук и Пустых Земель, пока сидел там на своем троне посреди бескрайней равнины! — весело ответил я.

Меламори тем временем немного потопталась в центре гостиной и решительно направилась вниз.

— Сейчас окажется, что «рабочим местом» несчастного сэра Варихи была уборная, — усмехнулся Джуффин. — Как романтично!

Нам действительно пришлось пересечь просторное помещение, в центре которого гордо возвышался унитаз. Меламори нерешительно притормозила возле дальней стены, немного подумала и пожала плечами.

— Здесь должен быть какой-то тайный вход, — сообщила она. — Получается, что его след уходит прямо в стену!

— Как интересно! — восхитился Джуффин. — Ну, во всяком случае, это — не проблема!

Он небрежно постучал ребром ладони по стене. Тоненький лучик тусклого белесого света на мгновение вычертил аккуратный контур низенькой дверцы. Потом дверца открылась с каким-то жалобным скрипом.

— Не нравится! — злорадно ухмыльнулся мой шеф. Потом он галантно поклонился Меламори. — Прошу вас, леди.

Меламори пришлось слегка пригнуться, чтобы войти в маленькое темное помещение. Что касается нас с Джуффином, мы забирались туда чуть ли не на четвереньках.

— Вечная история: чем меньше дверь, тем легче сделать ее невидимой! — сердито проворчал Джуффин. — Ну что, девочка, есть тут что-нибудь интересное?

— Еще как есть! — выдохнула Меламори. — Шикарный след, просто шикарный! Думаю, Макс вполне может на него встать: этот дядя вряд ли быстро отдаст концы. Он еще нас всех похоронит!

— Правда? — заинтересовался Джуффин. — Что, такой сильный мужик попался? Ну, если ты так говоришь, можно попробовать. Тем лучше: не к лицу мне, старику, всякими пустяками заниматься! Давай, Макс, попробуй.

— А чего тут пробовать? — беззаботно отозвался я, подходя к Меламори. — Где он, этот след?.. Ага, можешь не отвечать, уже сам знаю! А почему тебе показалось, что он такой уж могущественный? Лично я не чувствую ничего особенного. Вот сестричка сэра Атвы Курайсы — это была штучка, помнишь?

— Проблема в твоем чудовищном эгоизме, мальчик! — рассмеялся Джуффин. — Меламори, как и любой нормальный Мастер Преследования, оценивает силу хозяина следа объективно. А ты можешь определить только одно: насколько он опасен для тебя лично. Леди Танна Курайса чуть было тебя не прикончила, ты это предчувствовал с самого начала, поэтому и шарахался от ее следа, а этот парень, каким бы могущественным он ни был, не имеет ни малейшего шанса пресечь твой жизненный путь, поэтому его след кажется тебе безопасным... Думаю, такой подход к делу более практичен, чем традиционный. В конце концов, только это и важно по-настоящему — остаться в живых, что бы там ни представлял из себя твой противник! Не нужно быть Великим Магистром, чтобы просто выстрелить из-за угла и случайно попасть в голову преследователя... По-моему, можешь спокойно начинать охоту, и чем быстрее ты до него доберешься, тем лучше. Я понимаю, что от тебя это не очень-то зависит, но постарайся не убивать парня, ладно? Мне весьма любопытно... Меламори, а ты чего ждешь? Возвращайся в гостиную, становись на след Ариамы-младшего. Надо же им заняться! Если уж у сэра Макса предчувствия...

Я тем временем почувствовал, что уже не могу стоять на месте. Ощущение, которое я начал забывать, приятное и невыносимое одновременно, заставляло мои ноги делать шаг за шагом, все быстрее и быстрее... Я вернулся в уборную, оттуда — к лестнице, ведущей наверх. К моему удивлению, след вел не на лестницу, а за нее. И упирался в стену.

— Джуффин, — растерянно сказал я, — здесь, кажется, еще одна тайная дверь. Выручайте!

Сэр Джуффин тут же оказался рядом. Он исследовал стену и покачал головой:

— Нет тут никакой двери. Парень ушел отсюда Темным Путем. В принципе, для опытного Мастера Преследования это не проблема... Если у тебя не получится, Меламори сумеет за ним отправиться, я не сомневаюсь.

— Да, но, по вашей же собственной версии, этот дядя совершенно безопасен для меня. А как насчет Меламори — еще неизвестно. Лучше уж я сам попробую, — упрямо сказал я. — Это практичнее, правда? Только скажите, что нужно делать.

— В общем, ничего особенного. Просто стоять и ждать, пока след сам тебя не проведет. Но тебе придется полностью сосредоточиться на ощущениях в собственных ступнях. Так, словно у тебя нет ничего кроме пяток. Тебе понятно?

— Разумеется, нет, — улыбнулся я, — но я попробую.

Черт, это оказалось легче легкого! Ни с чем не сравнимый зуд в ногах был настолько силен, что я поневоле сконцентрировался на этом ощущении. Честно говоря, у меня просто не было выбора... А через несколько минут я понял, что мне в лицо дует холодный ветер, и ошеломленно огляделся по сторонам. Я стоял на мосту Кулуга Менончи, и передо мной открывался чудненький вид на Иафах, главную резиденцию Ордена Семилистника. След тащил меня дальше. К моему несказанному удивлению, он уперся в Тайные Ворота Иафаха. Проблема состояла в том, что этими Тайными Воротами могли воспользоваться только члены Ордена Семилистника. «Это что же получается, — растерянно подумал я, — сэр убийца сейчас чистит сапоги Великого Магистра Нуфлина или какое-нибудь другое государственное дело вершит, а тут припрусь я со своими глупыми криминальными проблемами... Даже неудобно как-то! Впрочем, вряд ли я вообще туда припрусь: через Тайную дверь, запечатанную заклятием самого Нуфлина Мони Маха, и сэр Джуффин, чего доброго, не протиснется; впрочем, нет, он-то, конечно, пройдет, так что придется мне звать его на помощь, хотя...»

Тут меня действительно осенило. Зачем дергать Джуффина, когда у меня есть все шансы получить помощь из святая святых интересующего меня заведения! Леди Сотофа Ханемер, самая могущественная из женщин Семилистника, была старой подружкой Джуффина, да и ко мне, кажется, испытывала некоторую слабость. В любом случае стоило попробовать, и я послал ей зов.

«Леди Сотофа, — осторожно начал я, — это Макс. Простите великодушно, но я стою возле вашей Тайной двери. Не могли бы вы меня впустить?»

«Ой, мальчик, что с тобой случилось? — весело спросила леди Сотофа. — Ты что, воспылал страстью и пришел под стены Иафаха петь мне любовную песню? Так я сильно подозреваю, что у тебя нет музыкального слуха. Поэтому лучше оставить все как есть!»

«В общем-то, вы угадали! — улыбнулся я. — Тем не менее у меня есть еще одна новость, куда хуже».

— Еще хуже? Не верю! — Улыбчивая пухленькая старушка уже стояла рядом со мной. Когда она успела здесь появиться, Магистры ее знают!

Леди Сотофа весело рассмеялась и обняла меня, я, как всегда, немного удивился: сердечность этой могущественной ведьмы превосходила все мои ожидания. Потом она взяла меня за руку, велела закрыть глаза и устремилась вперед, я шел за ней на ощупь. Несколько секунд — и мокрые ветки дерева шотт пощекотали мою шею. Я открыл глаза. Мы стояли в роскошном саду резиденции Ордена Семилистника.

— И где это тебя носило целых полтора года? Ведь, как вернулся из Кеттари, и кончика носа не показал! Ну, что там у тебя случилось? Выкладывай! — решительно потребовала леди Сотофа. — Это, конечно, очень романтично, но я здорово подозреваю, что у тебя не было планов целоваться со мной при свете луны, которая, кстати, все равно спряталась за облаками.

— Почему это не было? Как раз были! — галантно возразил я. — Но, поскольку луны действительно не видно, можно просто поговорить... Черт, я все еще стою на этом грешном следе, мне бы избавиться от него на время, а то я ведь и объяснить вам ничего толком не смогу.

— Сможешь. — Леди Сотофа успокаивающе махнула рукой. — Давай сделаем так: ты себе иди по этому следу, только не очень быстро, а я пойду рядом, и ты мне все расскажешь по дороге. Кстати, а почему ты вообще встал на след члена нашего Ордена? Это что, новая политика Его Величества Гурига? Честно говоря, мне что-то не верится! Куда уж ему!

Я быстренько изложил леди Сотофе события этого вечера. К моему удивлению, она стала очень серьезной.

— Ничего себе история! Хорошо, что у тебя хватило ума связаться именно со мной. Дело пахнет чем-то из ряда вон выходящим... Видишь ли, я более чем уверена, что никто из наших не стал бы марать руки об этого несчастного шарлатана Вариху, а если и стал бы... С какой стати члену Ордена Семилистника заметать следы? Нашим мальчикам, честно говоря, еще и не такое сошло бы с рук!

— Не сомневаюсь, — усмехнулся я. — Ничего, скоро мы с вами все узнаем. Я чувствую, что мы уже почти пришли. Знаете, как это бывает, когда Мастер Преследования почти у цели?

— Понятия не имею! — отмахнулась леди Сотофа. — Оно мне надо?! Тем не менее я тебе верю на слово...

— Вот здесь, — изумленно прошептал я, указывая на густые заросли кустов, — именно здесь он и сидит!

— Да? — удивилась леди Сотофа. — Хотела бы я знать, что нормальный человек может делать ночью в кустах? Вроде бы у нас никогда не было недостатка в уборных! Посмотрим, посмотрим... Грешные Магистры, мальчик, да это же сам Старший Магистр Йоринмук Ванцифис, новый любимчик нашего Нуфлина! На мой вкус — обыкновенный бесталанный подлиза, но сэру Нуфлину, разумеется, виднее... Спит он, что ли?

— Хуже, — мрачно сказал я, — боюсь, что гораздо хуже. Меламори явно переоценила его могущество. Или недооценила мое. Наверное, я его угробил. Джуффин мне голову откусит и в Хурон выплюнет, вот увидите!

— Тоже мне горе! Да не переживай ты так, он живехонек, — весело сказала леди Сотофа, осторожно пощупав шею лежащего на земле лысого человека в бело-голубом лоохи Ордена Семилистника. Потом она внезапно нахмурилась. — Подожди-ка! Никакой это не Йоринмук, просто очень на него похож, вот и все... Хотела бы я знать, куда в таком случае подевался настоящий Йоринмук! Ничего себе история!

— Скоро узнаете, — благодарно сказал я, — честное слово! Как только мы разберемся с этим сумасшедшим делом, я пришлю вам зов и все расскажу.

— Ни в коем случае! Уж лучше ты снова жалобно поскулишь под Тайным Входом, и мы с тобой выпьем по чашечке камры. Договорились?

— Еще бы! — восхитился я. — Спасибо, леди Сотофа!

— Вот и славно! — Эта милая колдунья в очередной раз продемонстрировала мне обаятельнейшие ямочки на щеках. — Бери свое сокровище, тащи его к Джуффину. Старый лис сожрет его живьем, я уверена. И правильно: должны же быть хоть какие-то радости в тоскливой однообразной жизни сэра Почтеннейшего Начальника, да? Идем, я тебя выпущу отсюда.

Я сделал ставший уже привычным неуловимый жест левой рукой. Несчастная жертва моих преследовательских талантов благополучно заняла положенное место между большим и указательным пальцами. Леди Сотофа нежно взяла меня за локоть и шустро засеменила по невидимой в темноте тропинке. У стены она остановилась и внимательно посмотрела на меня:

— И как тебе нравится твое второе сердце, мальчик?

— Я еще не успел почувствовать разницу... — растерянно ответил я.

— Да? Тем лучше... Оно тебе пригодится, можешь мне поверить. Дочка Лойсо Пондохвы оказала тебе хорошую услугу, ничего не скажешь!.. Она тебе нравится, да?

Я кивнул смущенно, но вполне решительно.

— Забавно, — улыбнулась леди Сотофа, — кто бы мог подумать! Впрочем, судьба действительно мудрее нас, что бы там ни думали люди... Только учти, мальчик, дети Лойсо Пондохвы здорово отличаются от обычных людей, хотя поначалу это не слишком бросается в глаза...

— Я ведь тоже здорово отличаюсь от обычных людей, разве нет? — грустно усмехнулся я.

— Так-то оно так... — Леди Сотофа пожала плечами. — Впрочем, с тобой все равно не может случиться ничего такого, с чем бы ты не справился... Ладно уж, иди к этому старому пройдохе Джуффину, он небось заждался. И не забудь навестить меня как-нибудь вечерком.

— Конечно не забуду, — пообещал я, — да я бы и раньше зашел, просто не хотел отрывать вас от дел... Стеснялся, наверное, со мной это бывает!

— Нашел, кого стесняться! — звонко рассмеялась леди Сотофа. — Если у меня не будет времени или охоты с тобой рассиживаться, я тебе так и скажу, честное слово! Впрочем, не думаю, что в ближайшее время тебе это грозит, так что не вздумай опять пропасть на полтора года, ладно?

— Не вздумаю! — поклялся я.

— Ну, тогда хорошей тебе ночи. — И леди Сотофа легонько толкнула меня в спину. Я и не заметил, как оказался на улице, по ту сторону непреодолимой стены, окружающей Иафах. Огляделся по сторонам и вздохнул, поскольку понял, что в Управление мне предстоит добираться пешком. Это было далековато, поэтому я послал зов сэру Джуффину.

«Пациент упакован, — лаконично сообщил я, — не могли бы вы прислать за мной амобилер? Я стою под стенами Иафаха».

«И что ты там делаешь?» — с любопытством осведомился мой шеф.

«Честно говоря, я кокетничал с леди Сотофой, — признался я. — Но она меня отшила».

«Да? Странно. Кто бы мог подумать, что у нее сохранились остатки благоразумия!.. Ладно, не буду тебя мучить Безмолвной речью, расскажешь все в Управлении. Амобилер приедет за тобой через четверть часа, я полагаю».

«Вам давно пора поручить мне заняться перевоспитанием наших возниц, — ворчливо сказал я. — Это каким же надо быть олухом, чтобы так медленно ездить! За четверть часа я до вас и пешком дойду!»

«Ну, не преувеличивай. Пешком тут полчаса, не меньше. В общем, жди!» — успокоил меня Джуффин.

Я устроился на широких перилах моста Кулуга Менончи, закурил и принялся ждать. Немного посомневавшись, я послал зов Теххи. Я сильно подозревал, что она уже спит, но решил, что коротенькая беседа со мной будет не самым неприятным событием в ее жизни.

«Ты уже спишь?»

«Какое там сплю! — тут же откликнулась она. — У меня до сих пор сидит толпа полоумных посетителей. Думаю, ждут твоего появления! Косятся на меня, как на ожившего вурдалака. Представляю, какие сплетни уже ползают по Ехо!»

«И откуда они все узнают, эти горожане? — вздохнул я. — Впрочем, Магистры с ними. Я могу быть спокоен: по крайней мере, к тебе никто не станет грязно приставать, а это уже немало».

«Ко мне и так никто грязно не приставал последние лет сто. Даже ты не оказался счастливым исключением из этого правила, если разобраться».

«Да? Я исправлюсь, честное слово!» — с энтузиазмом пообещал я.

«Хотелось бы верить», — осторожно ответила Теххи.

«Знаешь, — сказал я, — со мной очень трудно иметь дело. Я могу припереться в самое неурочное . время. Например, завтра на рассвете или еще раньше. Это очень плохо?»

«Просто ужасно. Но я переживу».

«Именно это я и хотел выяснить, — с облегчением вздохнул я. — Тогда гони в шею своих клиентов и отправляйся спать, мой тебе совет. Отбой».

«Что-что?» — переспросила она.

«Отбой. Это значит „конец связи". Это словечко — одна из моих многочисленных дурных привычек. Я уже заразил ею всех, кого мог, теперь твоя очередь».

«Понятно, — невозмутимо отозвалась Теххи. — Отбой так отбой!»

Голубоватые фары амобилера засияли на противоположном конце моста. Вскоре он притормозил рядом со мной.

— Пересаживайся назад, дружок, — сказал я вознице. — Сейчас я тебя покатаю.

Парень покорно перебрался на заднее сиденье. Еще через три минуты я лихо притормозил возле Дома у Моста и направился в кабинет сэра Джуффина Халли. В Зале Общей Работы я застал улыбающуюся до ушей Меламори. Она заботливо отпаивала камрой из «Обжоры» печального молодого человека с перебинтованной головой.

— А, сэр Ариама-младший! — приветливо сказал я. — Как у вас дела?

— Его дела недавно были как нельзя более плохи, — сообщила мне Меламори. — Ты такой молодец, что настоял на поисках этого бедняги, Макс! Когда я нашла его, парень был на пороге смерти. Но сэр Джуффин иногда творит настоящие чудеса, и теперь сэр Ариама почти в полном порядке, правда? — Молодой человек смущенно кивнул, и Меламори продолжила: — Этот арварохский герой встретил его на пороге дома и без лишних разговоров огрел по голове, а потом попросту спрятал в кустах во внутреннем дворике. То ли он чересчур перенервничал, то ли рассудил, что лишний свидетель ему ни к чему...

— Во всяком случае, вам повезло, сэр, — поучительно сказал я, — и вы были избавлены от свидания с еще одним клиентом вашего батюшки, еще более опасным. Сомневаюсь, что у вас были бы хоть какие-то шансы остаться в живых. Все хорошо, что хорошо кончается, правда?

— Отца жалко, — вздохнул молодой человек. — Мы с ним отлично ладили, и вообще... Хотел бы я знать, почему его убили?

— Профессия у него была опасная, — сурово ответил я. — Мало кто станет менять свою внешность только потому, что узоры на новом лоохи плохо сочетаются с формой подбородка... Ладно, допивайте вашу камру и выздоравливайте поскорее. Меламори, я пошел к Джуффину. У нас большая радость! — И я гордо потряс перед ее носиком своим левым кулаком.

— Он там? — восхитилась Меламори. — Здорово! Тогда хорошей ночи, Макс. Сэр Джуффин меня отпустил, так что я скоро уйду. Отвезу домой сэра Ариаму и... — Она беспомощно улыбнулась.

— Хорошей ночи, — понимающе улыбнулся я. — Странные вещи иногда происходят с людьми, ты не находишь?

Меламори смущенно кивнула, и я отправился в наш с Джуффином кабинет.

Там собралась маленькая, но теплая компания. Сэр Джуффин Халли торжественно восседал на своем месте, в моем любимом кресле уютно пригрелся сэр Кофа Йох, Мелифаро взгромоздился на стол, в опасной близости от подноса из «Обжоры». Кажется, он дремал с открытыми глазами, во всяком случае таким молчаливым я его еще не видел. Я тут же наполнил камрой свою кружку и удобно устроился на подоконнике.

— Так чем же вы с Сотофой занимались в резиденции Семилистника? — нетерпеливо спросил сэр Джуффин.

— Ничем таким, о чем мы не могли бы рассказать своим мамочкам! — ухмыльнулся я. И коротко изложил коллегам нехитрую историю своей охоты на неизвестного.

— Говоришь, вы нашли его в кустах, без тюрбана и без сознания? Здорово! — одобрительно кивнул Джуффин. — Вот это я понимаю, везение! Ну что, давай сюда свое сокровище.

— Получайте! — Я небрежно встряхнул левой кистью, и лысый незнакомец аккуратно лег к ногам сэра Кофы. В сознание он так и не пришел.

— Вылитый Йоринмук Ванцифис! Думаю, даже сам магистр Нуфлин ничего бы не заподозрил! — восторженно сказал Джуффин. — Ну-ка, Кофа, приоткройте нам его настоящую физиономию. Весьма любопытно...

— Ну и работку вы мне нашли, Джуффин! — проворчал сэр Кофа. — Навести порядок на лице, над которым поколдовал Вариха Ариама? Дырку в небе над его свежей могилой, он был одним из лучших!

— А вы — лучший из лучших, так что не прибедняйтесь! — отмахнулся Джуффин. — Только сначала наложите на него какое-нибудь хорошее заклятие, пусть немного поспит, зачем нам лишние хлопоты?! Мы так мило здесь сидим, пьем камру, я как раз собрался послать за ужином...

— Как вовремя! — мечтательно протянул я.

— Ладно уж, — вздохнул сэр Кофа, — не бережете вы мои угасающие силы!

— Угасающие, как же! — усмехнулся сэр Джуффин. — Вы, Кофа, еще нас всех на пенсию проводите!

— Может, и провожу, не буду зарекаться... — Сэр Кофа склонился над лысым незнакомцем. Мелифаро моргнул, удивленно посмотрел на меня и перебрался в освободившееся кресло. Кажется, он действительно только что проснулся.

— А куда подевался сэр Шурф? — растерянно спросил Мелифаро.

— Как это «куда»? Он пошел домой, уже полчаса назад, — пожал плечами Джуффин. — Думаю, и тебе пора. Ты же спишь на ходу.

— А я уже проснулся! — бодро возразил Мелифаро. — Куда это я пойду, если вы послали за ужином?

— Тем лучше. Чем больше народу я замучаю неурочной работой, тем больше приятных воспоминаний у меня будет на старости лет! — Сэр Джуффин Халли был весьма доволен происходящим.

— Посмотрите-ка, какое знакомое лицо! — весело заявил сэр Коф. — Джуффин, вы же должны знать этого парня!

— Хехта Бонбон, Великий Магистр Ордена Плоской Горы, собственной персоной! — Наш шеф почти с нежностью уставился на впалые щеки и густые брови лежащего на полу старика. — Вот это новость! Предполагалось, что он старательно пропалывает фамильный огород где-то в Уриуланде и даже во сне не вспоминает о своей бурной биографии... Впрочем, как раз это меня совершенно не удивляет! Прошу прощения, ребята, но мы с сэром Бонбоном вынуждены вас покинуть. Магистры с ним, с ужином! Мне ужасно не терпится узнать, за каким вурдалаком он поперся в Иафах, ну и прочие милые подробности.

— Расскажете? — с надеждой спросил я.

— Куда я от тебя денусь! — усмехнулся Джуффин. — Тем более что это твоя добыча. Вернее, твоя и Сотофина, что еще хуже: вдвоем вы из меня все вытрясете... Ладно, наслаждайтесь жизнью, ребята. Кстати, на вашем месте, я бы пригласил сюда леди Туотли и сэра Блакки. Эти господа немало поработали на нас в последнее время, а как раз сейчас они угрюмо клюют носами в помещении для дежурных офицеров Городской Полиции, и наверняка собственная жизнь кажется им одним большим недоразумением... Это довольно несправедливо, правда?

— Я их позову, сэр! — восхищенно кивнул Мелифаро. — И как это я сам не додумался?! — Я повернулся к нему, но успел увидеть только полу оранжевого лоохи, исчезающую за дверью.

Сэр Джуффин легко, как ребенка, поднял с пола так и не очнувшегося Великого Магистра Хехту Бонбона и бережно, как пьяного, но любимого родственника, поволок его к выходу.

— Вы идете вниз? — нерешительно спросил его сэр Кофа.

— Ну а куда же еще?! Не думаете же вы, что этот милый человек выложит мне все свои тайны во время дружеской беседы за чашечкой камры? С таким противником придется расщедриться на сотую ступень Белой Магии, это как минимум!

Мне было понятно, о чем идет речь: внизу, в подвальном этаже Дома у Моста, находились не только многочисленные туалеты, но и маленькое неуютное помещение, надежно изолированное от прочего Мира совместными заклятиями сэра Джуффина Халли и Великого Магистра Нуфлина Мони Маха. В этой комнатке можно было позволить себе заниматься магией какой угодно ступени, совершенно не опасаясь за равновесие Мира. Мне только однажды довелось побывать в этой «лаборатории», скорее на экскурсии, чем по делу: запредельные ступени Очевидной Магии, ради которых стоило спускаться в этот подвал, были мне пока что не по зубам, а для прочих чудес вполне годился и наш рабочий кабинет.

Тем временем заспанный курьер уставил наш стол многочисленными подносами из «Обжоры Бунбы». Мелифаро вернулся в обществе симпатичного лейтенанта Апурры Блакки.

— А где леди Туотли? — удивился я.

— Она прочитала нам короткую, но изобилующую крепкими выражениями лекцию о недопустимости вечеринок в рабочее время! — обиженно фыркнул Мелифаро. — Да ну ее к Темным Магистрам, эту некоронованную королеву Городской Полиции!

— Понятия не имею, что с ней творится, — растерянно сказал Апурра Блакки. — Кекки — отличная девчонка, а не какая-то занудная крикливая дурища вроде сэра Бубуты. Ей бы полагалось сказать вам спасибо за приглашение... Заболела она, что ли?

«Опять стесняется! — подумал я. — Как пить дать стесняется, бедняга!»

Я спрыгнул с подоконника.

— Пойду разберусь. Мелифаро, душа моя, если я ее все-таки приведу, постарайся аккуратно сцеживать свой яд исключительно на мою макушку, ладно? Я — уже конченый человек, со мной можно не церемониться, а у леди Туотли еще вся жизнь впереди. Не травмируй ее нежную психику, договорились?

— Тоже мне, нашел пожирателя младенцев! — ехидно усмехнулся Мелифаро. — Можно подумать, все так страшно!

— Еще страшнее, поверь мне на слово, — вздохнул я. — И не вздумайте съесть мою порцию!

— Я за этим прослежу, мальчик! — Сэр Кофа Йох явно был на моей стороне.

И я отправился на половину Городской Полиции. На цыпочках подошел к кабинету, который раньше занимал покойный лейтенант Шихола. Прислушался. В кабинете кто-то подозрительно шмыгал носом. Я решил не заходить, а для начала послать ей зов. Никому не хочется, чтобы его застали ревущим!

«Леди Кекки, — осторожно начал я, — извините, что вмешиваюсь, но вечеринки в рабочее время — это нечто особенное, поверьте мне на слово! Собственно, только ради них я до сих пор сижу на этой грешной службе».

Я почувствовал, что моя невидимая собеседница улыбнулась.

«Вы так смешно говорите на Безмолвной речи, сэр Макс!»

«Я вообще смешной парень, — доверительно сообщил я. — А что касается Безмолвной речи, мне до сих пор довольно трудно ею пользоваться. Можно мне зайти?»

Некоторое время леди Кекки молчала, потом дверь открылась, и она уставилась на меня своими прекрасными серыми глазами, вызывающе и беспомощно одновременно.

— Что, этот оболтус Мелифаро вас настолько достал? — примирительно спросил я. — На самом деле он отличный парень, просто все мы, Тайные Сыщики, немного чокнутые. Вышло так, что симптомы его сумасшествия довольно утомительны для окружающих, но на это лучше смотреть сквозь пальцы...

— Да нет, при чем тут сэр Мелифаро?! — удивилась леди Кекки. — Он, конечно, не самый воспитанный джентльмен на этом берегу Хурона, но по сравнению с нашим сэром Бубутой он очень даже ничего.

Я злорадно захихикал, представив себе, как перескажу Мелифаро эту снисходительную характеристику.

— Тем лучше, но в таком случае я совершенно не понимаю, почему вы...

— Сэр Макс, вы очень хороший человек, — прочувствованно сказала леди Кекки, — вы все понимаете с полуслова, и вообще... но мне вы ничем не поможете, поверьте на слово. Передайте сэру Мелифаро, что я прошу прощения за резкость, и пусть Апурра на меня не сердится. Но лучше я просто посижу в своем кабинете, ладно?

— Дело хозяйское, — вздохнул я. — Только мне почему-то кажется, что... Ладно, поступайте, как считаете нужным, Магистры с вами!

Я уже развернулся, чтобы уходить, но тут мое новенькое второе сердце нахально решило продемонстрировать мне свои выдающиеся способности. Оно едва ощутимо стукнулось о грудную клетку, слишком справа, на мой консервативный вкус... Потом я с изумлением почувствовал, что буря чужих иррациональных эмоций охватывает меня. Еще немного, и я потерял бы голову, но я вовремя взял себя в руки: дыхательные упражнения, усердно рекламируемые сэром Лонли-Локли, здорово прибавили мне выдержки, хотя проделывал я их с весьма сомнительной регулярностью...

— Прошу прощения, леди Кекки, — тихо сказал я, — честное слово, я не нарочно! Но почему вы так боитесь сэра Кофу? Он же милейший человек...

— Вы что, прочитали мои мысли? — жалобно спросила леди Кекки.

— Да нет, какое там! Просто меня охватили ваши чувства, вот и все. Честно говоря, я даже не успел толком в них разобраться, так что не берите в голову. Но все равно я не должен был этого допустить. Извините, иногда я просто не в силах контролировать свои выходки.

— Ничего страшного, — прошептала леди Кекки, — тоже мне тайна! — И тут она разревелась, к моему величайшему изумлению.

— Хотите поплачем вместе? — нерешительно спросил я. — Я тоже умею.

— Спасибо, я сама справлюсь! — буркнула леди Кекки, улыбаясь сквозь слезы. — Все равно это так мило с вашей стороны — предложить составить мне компанию, сэр Макс! Только вы ничего не поняли. Я не боюсь сэра Кофу. Просто я с детства мечтала с ним познакомиться. — Она отчаянно шмыгала носом. — У моих родителей хранились старые газеты, самые первые выпуски «Королевского голоса». Там были не только свежие новости, но и специальная страничка со старыми уголовными хрониками, что-то вроде летописи эпохи Орденов... Я просто зачитывалась историями о подвигах сэра Кофы! Я же отказалась от карьеры при Дворе, рассорилась со всей своей родней, но все равно добилась этого назначения в Городскую Полицию, только потому, что сэр Кофа раньше был генералом Полиции Правого берега...

— И потому, что наши организации занимают помещения по соседству, — мягко подсказал я.

— Ну да... Только я себе все совсем иначе представляла. Во-первых, я его стесняюсь и все время говорю всякие глупости. Во-вторых, из-за этого идиота, нашего генерала Боха, все Тайные Сыщики смотрят на нас, как на посмешище... Что сэр Кофа обо мне думает, могу себе представить!

— Ничего плохого он о вас не думает! — успокаивающе сказал я. — Скорее уж, наоборот. Видели бы вы, как он на вас смотрит! — Я был совершенно уверен, что здорово привираю, но чего только не сделаешь, чтобы хороший человек прекратил реветь!

— Вы что, серьезно? — Поток слез временно приостановился, потом хлынул с новой силой. Но теперь это были слезы облегчения. Я был готов откусить свой лживый язык, потом немного подумал и с изумлением понял, что не так уж и заврался. Кажется, сэр Кофа был совершенно счастлив узнать, что я собираюсь затащить на нашу вечеринку эту упрямую сероглазую барышню...

— Вы еще не передумали насчет вечеринки, Кекки? — осторожно спросил я. — Знаете, вас ведь действительно очень ждут, и вообще мы хорошие ребята, и с нами нужно дружить.

— Я... Наверное, я передумала, — сквозь слезы прошептала Кекки. — А вы... вы поможете мне, если я опять начну говорить глупости?

— Разумеется! Тогда я тут же тоже начну говорить глупости, только гораздо громче, и вас никто не услышит! — торжественно пообещал я. — В конце концов, я и так только этим и занимаюсь... в перерывах между зверскими убийствами.

Леди Кекки Туотли робко улыбнулась и осторожно провела руками по своему лицу. Странное дело: оно тут же перестало быть зареванным!

— Я еще не умею менять внешность, как сэр Кофа. Может быть, никогда и не научусь... Но быстро привести себя в порядок уже могу, — тихо объяснила она.

— Иногда это гораздо важнее! — тоном знатока подтвердил я.

И мы отправились на нашу половину Дома у Моста. Леди Кекки вцепилась в полу моего лоохи, как первоклассница в рукав старшего брата. Это было даже слишком трогательно — на мой непритязательный вкус.

— Наконец-то! — приветствовал нас сэр Кофа. Он выглядел очень довольным. — Я боролся за ваши порции, как герой древности, можете мне поверить.

— Ни секунды не сомневаюсь! — благодарно улыбнулся я, аккуратно водворяя леди Кекки в кресло сэра Джуффина. И повернулся к Мелифаро. — Что, не дали тебе позлодействовать?

— Зато дали выпить! — усмехнулся Мелифаро. — Если этот арварохский корабль немедленно не отправится к родным берегам, я сопьюсь, так и знайте!

— Отправится, теперь уж он точно скоро отправится! — сочувственно сказал ему сэр Кофа. — Неужели они тебя так достали?

— Ага! — вздохнул Мелифаро. — Налейте-ка мне еще стаканчик. И не косись на меня так, Макс, тоже мне блюститель всеобщей трезвости!

— Я забочусь исключительно о собственном досуге! — ехидно усмехнулся я. — Если мне и сегодня придется нежно оправлять одеяльце на твоих хрупких плечах, это уже будет перебор, тебе не кажется?

Мелифаро попробовал надуться, потом махнул рукой и расхохотался. Лейтенант Апурра Блакки улыбался до ушей; леди Кекки и та смущенно хихикнула.

«Черт, я же не сказал ничего особенно смешного! — удивленно подумал я. — Может быть, это — просто реакция на звук моего голоса?»

Я с удовольствием вгрызся в еще теплый краешек пирога, обернулся на леди Кекки. Кажется, у нее совершенно не было аппетита. «Вот кому следует попробовать напиться! И все как рукой снимет», — весело подумал я.

— Сэр Кофа, нам с леди Кекки просто необходимо выпить! — заявил я. — После всех жутких ругательств, которыми мы друг друга обложили, нам следует перейти на ты, просто чтобы не стать посмешищем!

— А вы ругались? — уважительно поинтересовался Мелифаро. — И кто победил?

— Боевая ничья! — вздохнул я. — Сейчас напьемся и попробуем снова. Правда, леди Кекки?

— Ну, если вам кажется, что это необходимо, я не против! — Леди Кекки улыбнулась, все еще смущенно, но в ее манере говорить уже появилась некая особенная игривая легкость, которая, собственно, и превращает человека в хорошего собеседника.

Сколько раз давал себе слово не пытаться уладить чужие дела — все без толку! Иногда во мне просыпается целая команда мультяшных спасателей во главе с Чипом и Дейлом, и с криком «Спасатели, вперед!» мы дружно устремляемся исправлять чьи-нибудь перекособоченные жизни. В прежние времена мои опыты с благотворительностью нередко заканчивались тем, что я периодически влипал в малоприятные истории. На этот раз дело ограничилось тем, что мне пришлось осушить чуть ли не целый стакан «Джубатыкской пьяни», чего мне совершенно не хотелось. На леди Кекки, однако, напиток произвел самое благотворное действие: она расслабилась и наконец-то принялась за еду. Я еще немного подумал, махнул на все рукой и послал зов сэру Кофе.

«Вы не поверите, Кофа, но эта милая леди без ума от вас... Только сохраняйте спокойствие, не хватало еще, чтобы она заметила, что я на нее наступал! Она с детства читала о ваших подвигах, и вообще все очень трогательно. Только она вас смертельно боится, так что будьте великодушны».

«Спасибо за хорошие новости, мальчик», — отозвался сэр Кофа. И тут же спросил вслух:

— Мелифаро, радость моя, что ты там обнаружил?

— Вот! — торжественно заявил Мелифаро, выставляя на всеобщее обозрение свой стакан. По внешней стенке стакана ползла крошечная зеленая гусеница. — И откуда она здесь взялась?

— Откуда-нибудь! — авторитетно объяснил я. — Тебе не кажется, что она просто хочет выпить?

— Грешные Магистры, когда это я был жадным? — нахмурился Мелифаро. Он осторожно взял гусеницу и аккуратно поместил ее в свой пустой стакан. — Там еще есть несколько капель, думаю ей вполне хватит, — серьезно объяснил он.

— Ага, только смотри, сейчас она напьется и попытается набить тебе морду. Не боишься? — ехидно предупредил сэр Кофа.

— Мне?! Своему благодетелю? — возмутился Мелифаро. — Скорее уж, всем вам!

Тем не менее он вытряхнул гусеницу на стол, сурово пробормотав, что ей, дескать, уже хватит. Лейтенант Апурра Блакки озабоченно предположил, что ей надо бы закусить. Все это было чертовски мило, но тут сэр

Джуффин Халли решил положить конец моей сладкой жизни и прислал мне зов.

«Спустись ко мне, Макс. Думаю, тебе будет интересно», — многообещающе сказал мой неугомонный шеф.

Я соскользнул с краешка стола, на котором только что так удобно устроился, извлек из ящика бутылку с бальзамом Кахара и сделал хороший глоток. Сонливость, навеянную стаканом «Джубатыкской пьяни», как рукой сняло. Я удовлетворенно кивнул, запер стол и направился к выходу.

— Куда это ты собрался? — озабоченно спросил сэр Кофа.

— К сэру Джуффину, куда же еще! — Я виновато развел руками. — Он меня только что вызвал, так что... И не давайте гусенице напиваться, ребята, ей еще предстоит превращаться в бабочку!

— Думаешь, теперь она не сможет? — испугался Мелифаро.

— Поживем — увидим! — решительно сказал я. — Ведите себя хорошо, дети мои, слушайтесь сэра Кофу, а я пошел развлекаться.

— А кто будет укутывать одеялом мои хрупкие плечи? Ты же обещал доставить меня домой, если я напьюсь, а я уже вполне напился! — возмутился Мелифаро.

— Пошли зов сэру Бубуте, он будет счастлив оказать тебе эту маленькую услугу! Он тебе еще и колыбельную споет, сам знаешь с каким припевом! — Я заговорщически подмигнул широко улыбающейся разрумянившейся леди Кекки и покинул кабинет.

Сэр Джуффин ждал меня внизу, возле маленькой дверцы, ведущей в его «лабораторию». Он выглядел усталым и озабоченным, насколько сэр Джуффин вообще может быть озабоченным.

— Туда теперь лучше не заходить, — вздохнул мой шеф. — Такая была хорошая комната, как я теперь без нее буду обходиться?

— Новую заколдуете, что у нас помещений не хватает, что ли?! — Я беспечно пожал плечами. — А что у вас там произошло?

— О, это было нечто! После того как я немного поколдовал, сэр Хехта Бонбон пришел в себя и соизволил ответить на все мои вопросы, а потом до него окончательно дошло, что он влип. В общем, этот достойный господин подумал, что терять ему все равно нечего, и решил затеять со мной поединок. Очень романтично!

— И очень неосторожно! — фыркнул я.

— Знаешь, он ведь застал меня врасплох, так что... Думаю, у него были какие-то шансы на успех, но я везучий. Собственно, я позвал тебя, чтобы показать, как выглядит помещение, в котором применялась двести тридцать четвертая ступень Очевидной Магии.

— Максимальная? — изумленно спросил я.

— Видимо, да... Есть некоторые основания считать, что сэр Лойсо Пондохва пару раз замахивался на двести тридцать пятую, но Лойсо — слишком легендарная личность, чтобы можно было что-то утверждать наверняка... Ладно, Магистры с ним, с твоим новым родственничком, лучше посмотри сюда! — Сэр Джуффин подтолкнул меня к замочной скважине. Я приник к ней и чуть не ослеп от непереносимого изумрудно-зеленого сияния, заливщего помещение. Больше там ничего не было, только потоки света, показавшиеся мне живыми и какими-то сердитыми.

— Ох! — Я оглянулся на Джуффина. — Ничего себе фейерверк! А теперь тут так всегда будет?

— Поживем — увидим. Но боюсь, что это, по крайней мере, надолго...

— А что будет, если я туда зайду?

— Ну, что будет, если туда зайдешь именно ты, это и Темным Магистрам неведомо! Но я бы посоветовал воздержаться от эксперимента... А вот если туда зайдет любой нормальный человек, его просто не станет, как не стало этого безумного Хехты. Он исчез, вернее, сгорел. Вспыхнул изнутри таким же зеленым пламенем и исчез... Знаешь, Макс, если честно, я проделал этот фокус впервые в жизни!

— С ума сойти можно! — поразился я. — Никогда бы не подумал, что есть вещи, которые вы имеете шанс проделать впервые в жизни...

— Вот так-то! — устало усмехнулся Джуффин. — Ладно уж, отвези меня домой, заодно расскажу тебе подробности этой истории. Или ты уже сам догадался, как было дело?

— Да ну, куда мне! — Я пожал плечами. — Нет, кое-что мне, кажется, ясно... Этот парень, как его там, сэр Хехта, да? Он решил пробраться в Иафах, чтобы в приятной обстановке свести какие-нибудь старые счеты с Магистром Нуфлином, да?

— Верно, — кивнул Джуффин, — давай дальше.

Тем временем мы поднялись наверх и вышли на улицу.

— А Кимпа не обидится, что я отбиваю его хлеб? — спросил я, усаживаясь за рычаг служебного амобилера. — Это же его привилегия — возить вас домой!

— Кимпа гуляет на свадьбе своего внука в Ландаланде. И будет делать это долго и со вкусом, — успокоил меня Джуффин. — Мне пришлось угробить чуть ли не час своей единственной и неповторимой жизни, чтобы убедить старика, что в его отсутствие мое существование не покатится в тартарары к Темным Магистрам. Но я это сделал... Давай продолжай, Макс. Мне ужасно интересно, насколько твоя версия близка к действительности.

Я рванул с места и смущенно продолжил:

— Ну, как я понимаю, этот сэр Хехта решил прикинуться одним из приближенных Магистра Нуфлина. Что и сделал с помощью несчастного сэра Варихи Ариамы. А этого беднягу Йоринмука, чью физиономию нахально присвоил, он потом пришил, правильно?

— Правильно, только не потом, а сначала, — поправил меня Джуффин. — Где твоя логика, Макс? Он же не мог рассчитать заранее, кого именно из приближенных Нуфлина ему удастся прикончить, да еще и без шума, так, чтобы никто ничего не заподозрил!

— Да, действительно! — согласился я. — Он сначала убил этого невезучего сэра Йоринмука, конечно, вы совершенно правы, так практичнее... А куда он, кстати, спрятал труп?

— Просто заставил мертвое тело исчезнуть бесследно: не такой уж это трудный фокус, особенно для большого мастера. А Хехта был Великим Мастером, можешь мне поверить!

— Верю, — вздохнул я, — кстати, а вообще, почему этот Великий Магистр Хехта пошел менять свою грешную внешность к сэру Ариаме, если он сам — такой великий колдун?

— Потому, что искусство изменения внешности требует не столько могущества, сколько многолетней практики. Это — все равно что вышивать бисером, Макс: тут одной гениальностью не обойдешься.

— Ага, понятно... Ну а сэра Вариху Ариаму он убил, чтобы избавиться от единственного свидетеля своей метаморфозы, верно?

— Верно, — кивнул Джуффин. — Продолжай.

— А дальше я буду не продолжать, а спрашивать, что бы вы там ни думали по поводу неограниченных возможностей моего могучего интеллекта! — Я виновато пожал плечами. — Все это прекрасно, но почему Магистр Хехта так и не успел набедокурить в Иафахе? В его распоряжении были целые сутки, насколько я понимаю! А мы с леди Сотофой нашли его в кустах во дворе резиденции. Чем он все это время занимался? Справлял нужду, что ли?

— Ха! У него была только одна возможность незаметно пройти в Иафах — через Тайную дверь. А ты думаешь это так просто — пройти в Иафах через Тайную дверь? — подмигнул мне Джуффин. — Тайная дверь в отличие от людей совершенно не интересуется внешностью того, кто через нее проходит, ей подавай хорошее заклятие! В конце концов, Хехта Бонбон справился и с дверью, но к этому моменту ты уепел встать на его след, поэтому у бедняги появились серьезные проблемы со здоровьем. Нам здорово повезло, что леди Меламори пришлось взвалить на тебя свою работу! Еще вопросы есть?

— Ничего себе! Я только начал! Например, я совершенно не понимаю: при чем тут этот горемычный «презренный Мудлах»? Он-то откуда взялся? И почему остался жив? И как он умудрился угодить в Холоми, за чужое-то преступление? Я же знаю, как производится процедура ареста! Этот их грозный магический жезл работает не хуже наших индикаторов... Если человек не применял какую-то там запредельную ступень магии, жезл не вспыхнет над его головой, и все присутствующие убедятся в его невиновности. Разве не так?

— Так, — кивнул Джуффин. — Ты абсолютно прав, Макс. Просто в отличие от меня ты еще никогда не имел дела со специалистами вроде Хехты. Могущественный маг вполне способен переложить на другого свою вину, да так, что подчиненные Багуды Малдахана скушают эту фальшивку и не подавятся! Сам Багуда, пожалуй, еще мог бы почуять неладное, но он уже столько лет не выезжает на место преступления! Так что все прошло гладко... А что касается остальных твоих вопросов... Видишь ли, тут вмешался случай. Этот Мудлах очень невовремя пришел к сэру Ариаме. Думаю, что он здорово запаниковал после того, как его приближенные не сумели убить Алотхо. И решил для начала еще раз сменить внешность. А в это время у сэра Ариамы уже находился Хехта. Работа над его новым лицом как раз подошла к концу. Он велел хозяину дома заняться клиентом, а сам спрятался в соседней комнате. Наблюдал, слушал, делал выводы... Мудлах упомянул о своей проблеме довольно неопределенно, но Хехта понял, что парень очень хочет надежно спрятаться от каких-то там преследователей, и решил, что проблемы Мудлаха ему как нельзя более на руку. Оставлять сэра Ариаму в живых ему здорово не хотелось: все-таки такой свидетель, а разговорить беднягу — пара пустяков, это же очевидно! Но и убивать его было опасно: совершенно ясно, что на месте преступления тут же объявится Мастер Преследования и быстренько обнаружит его след. А тут такой случай! В общем, Хехта дождался, пока работа с физиономией Мудлаха будет завершена, а потом вышел из своего укрытия... Знаешь, Макс, это просто поразительно, на что способен человек в безвыходном положении! Я ведь беседовал с Варихой Ариамой накануне этого происшествия, как ты знаешь, и мог бы поклясться, что его нынешнее могущество не идет дальше хорошего искусства маскировки. А по словам Хехты, сэр Ариама защищался, как последний герой эпохи Орденов! Господину бывшему Великому Магистру пришлось здорово поколдовать, чтобы с ним справиться. Сто семидесятая ступень Очевидной Магии, я думаю!.. Ну а потом он объяснил совершенно ошеломленному этой битвой титанов Мудлаху, что Холоми — наилучшее из возможных укрытий. И предложил ему выбор: смерть или надежное убежище на ближайшую пару сотен лет. Думаю, Мудлах рассудил, что его смерть доставит слишком много удовольствия сэру Алотхо Аллироху и Завоевателю Арвароха заодно. Во всяком случае, он с благодарностью принял предложение Хехты... Ага, я уже дома. Спасибо, Макс. Спать хочу фантастически, поэтому в гости не приглашаю. То есть, если хочешь, заходи, конечно, но на дружескую беседу за чашечкой камры я уже не потяну!

— Честно говоря, я тоже. — Я с трудом подавил зевок. — Впрочем, мне-то все равно полагается дежурить до утра, да?

— Откровенно говоря, это совершенно необязательно, — пожал плечами сэр Джуффин. — Но мой тебе совет: лучше все-таки подежурь. По крайней мере, в Управлении ты точно сможешь поспать, что сейчас особенно актуально. На одном бальзаме Кахара ты долго не продержишься!

— Я и дома могу поспать! — смущенно возразил я.

— Ага, пойдешь ты домой, как же! — устало рассмеялся Джуффин. — Ладно уж, герой-любовник, делай, что тебе говорят, и все будет путем! Хорошей ночи, сэр Макс.

— Подождите! — взмолился я. — Еще один вопрос, последний. А почему этот Мудлах чуть не убил сына сэра Варихи?

— А это надо спросить у самого Мудлаха, — снова пожал плечами Джуффин. — Впрочем, я думаю, что он просто встретил на пороге незнакомого человека и решил, что это засада. Его реакция была почти инстинктивной. А потом он узнал Ариаму-младшего или уловил фамильное сходство, уж не знаю, виделись ли они раньше... И решил спрятать беднягу от греха подальше, чтобы не ссориться с хозяином дома. Отволок его за дом... Думаю, так оно и было! — С этими словами Джуффин вошел в дом, а я взялся за рычаг амобилера и рванул с места.

В Управлении уже было пусто. Вечеринка закончилась без моего участия.

— Вот и славно! — сказал я сонному Курушу. — Они купили тебе пирожное, умник?

— Целых четыре, — ответила мудрая птица. — Не буди меня, ладно?

— Да я и сам собираюсь поспать! — честно сказал я. Устроился поудобнее в кресле сэра Джуффина, подставил под ноги свое собственное. Получилось очень даже ничего...

— А почему бы тебе не заняться тем же самым дома? — Бодрый голос сэра Кофы Йоха беспощадно вырвал меня из мира сладчайших сновидений.

— Уже утро? — сонно спросил я.

— Почти. Ну и бардак же мы здесь вчера развели! Младшим служащим предстоит веселое утро. — Сэр Кофа деловито водрузил на жаровню кувшин с остатками холодной камры.

— Сэр Кофа, а вы вообще когда-нибудь спите? — с любопытством спросил я, доставая из верхнего ящика стола бутылку с бальзамом Кахара. Это был единственный известный мне способ быстро прийти в себя после нескольких часов сна, которых мне явно не хватило.

— Сплю конечно, — кивнул сэр Кофа. — Просто мне очень повезло с организмом. Двух-трех часов сна, как правило, вполне достаточно. Это очень удобно, правда?

— Еще бы! — завистливо сказал я. — Мне бы так!

— И не надейся. Ни тебе, ни, между прочим, Джуффину это не светит. Для вас с ним сон — такая же полноценная часть жизни, как и бодрствование. В этом ваша сила, но где ты видел палку, у которой только один конец? Ну а моя жизнь сосредоточена исключительно в этом прекрасном Мире, сны для меня ничего не значат... И не известно, кому из нас повезло больше, так что не завидуй!

— В общем-то, я и не завидую, но сейчас я бы с удовольствием изменил привычки своего организма, хотя бы на время! — устало вздохнул я. — Такое впечатление, что этот мерзавец желает дрыхнуть не меньше дюжины часов в сутки, а это совершенно не согласуется с моими планами...

— Иди уж, досыпай! — сочувственно покачал головой сэр Кофа.

— Сейчас пойду, вот выпью с вами чашечку камры и сразу же пойду. — После живительного глотка бальзама Кахара моя тоска о теплом одеяле как-то сама собой сошла на нет.

— Ну, как знаешь. Я-то всегда рад хорошей компании! — улыбнулся сэр Кофа. — Кстати, я ведь твой должник, мальчик.

— В каком смысле? — удивился я, с удовольствием пробуя разогретую камру.

— Спасибо, что «настучал» мне про Кекки, по твоему собственному выражению. Знаешь, мне ведь и в голову не могло прийти... Такая милая юная леди, дырку в небе над ее сумасшедшей головкой! Но я же ей в дедушки гожусь, если разобраться!

— Какое это имеет значение! — нахальным тоном многоопытного сердцееда заявил я. — Между прочим, если бы вы были ее ровесником, у нее не было бы никаких шансов читать о вас в старых газетах... Знаете, по-моему, это очень романтичная история!

— По-моему, тоже, — смущенно кивнул сэр Кофа. — Ладно уж, поживем — увидим.

— Самый мудрый из девизов! — одобрительно заметил я. — Ладно, раз уж вы меня отпускаете, я, пожалуй, действительно пойду.

— Давай, — улыбнулся сэр Кофа. — Между прочим, мы с тобой давненько не выбирались поужинать. Ты не находишь, что это возмутительно?

— Еще как возмутительно! — согласился я. — Как только этот грешный «Бурунный шип» снова «вспенит волны» — не подумайте, что я сошел с ума, это цитата из устного творчества великолепного сэра Алотхо Аллироха, — мы с вами тут же отправимся отмечать это исключительное событие!

— Кто его будет по-настоящему отмечать, так это бедняга Мелифаро, — улыбнулся сэр Кофа. — Вот кто будет кутить до конца года, как минимум!

— Кутить до конца года — дело хорошее, — задумчиво протянул я. — Но мы с вами «надорвемся», как выражается любимец моих кошек сэр Андэ Пу... Целую вечность его не видел! Вы случайно не в курсе, как он поживает?

— Как всегда, — пожал плечами сэр Кофа, — купается в деньгах, которые ему теперь платят в «Королевском голосе», каждый вечер бузит в каком-нибудь дорогом трактире... и громко жалуется на свою несчастную судьбу. Все как положено!

— С ума сойти, какая у некоторых людей жизнь интересная, правда? — хмыкнул я. — Хорошего утра, сэр Кофа. Теперь я, пожалуй, действительно пойду.

— Ты все грозишься...

— Считайте, что меня уже нет! — И я вышел из кабинета. Голова шла кругом. Разумеется, я собирался отправиться к Теххи. Какой уж тут сон!

Я вышел на все еще темную улицу и подошел к своему новенькому амобилеру. На фоне одинаковых служебных амобилеров Управления Полного Порядка моя машина казалась настоящим чудовищем: я приобрел ее совсем недавно у какого-то гениального столичного кустаря. Амобилер достался мне почти бесплатно. Мастер был просто счастлив избавиться от обузы, которую не мог продать в течение чуть ли не дюжины лет. Консервативные горожане не решались иметь дело с такой непривычной конструкцией, но я был совершенно счастлив: этот «авангардный» экземпляр трогательно напоминал старинные автомобили моего Мира.

Я ласково погладил сверкающий зеленоватым лаком бок своего любимца и уселся на место возницы. Положил руку на рычаг, и в это время что-то сдавило мне горло, в глазах потемнело, и я с изумлением понял, что зануда-смерть снова обратила на меня свое пристальное внимание. «Это начинает надоедать!» — равнодушно подумал я. А потом я и вовсе перестал думать, к счастью не навсегда...

Разумеется, я не умер. Какое-то время спустя я обнаружил себя живого и невредимого, правда связанного по рукам и ногам, да еще и упакованного в тяжеленный сверток, который здорово мешал мне наслаждаться жизнью. Немного поразмыслив, я пришел к выводу, что меня просто завернули в толстый ковер. Судя по довольно сильной тряске, я находился в каком-то транспортном средстве, не заслуживающем особенного уважения.

— Что происходит? — громко спросил я.

— Не гневайся на нас, Фангахра. Но ты должен вернуться к своему народу.

Я с ужасом узнал упрямые интонации седого предводителя моих сумасшедших «земляков». А потом меня захлестнула волна гнева, тяжелая и темная. К счастью, гнев здорово мешал соображать, поэтому я так ничего и не натворил, никакой там Запретной Магии двести-черт-ее-знает-какой ступени, только ругался. Никогда бы не подумал, что знаю столько неприличных слов! Куда уж там сэру Джуффину Халли с его жалкими двумя тысячами ругательств...

Никаких контраргументов со стороны моих «подданных» не последовало, поэтому я постепенно утратил интерес к собственному монологу и задумался. Нужно было предпринимать что-то более действенное. Моего скромного могущества было более чем достаточно, чтобы разнести в клочки жалкий караван кочевников. Но кажется, для всего, что я умел делать, требовались руки... Без их участия я мог разве что плеваться ядом, но предусмотрительность моих «земляков», надежно упаковавших меня в толстый ковер, делала это благоприобретенное свойство моего организма совершенно бесполезным. Я осторожно пошевелил пальцами левой руки и попробовал ими прищелкнуть. К моему несказанному удивлению, у меня получилось! Мне чертовски повезло, что жаждущие напялить на меня корону кочевники не обладали подробной информацией о моих «паранормальных» способностях. Иначе они потрудились бы хорошенько обмотать веревками не только мои запястья, но и пальцы. Я с облегчением вздохнул. Можно было приступать к делу. Этот дурацкий ковер — не помеха моим Смертным Шарам, так что...

Но к этому моменту я успел здорово поостыть. Мне уже не слишком нравилась идея о массовом убийстве всех этих сумасшедших кочевников. Чего мне действительно хотелось, так это просто послать их подальше и отправиться в Дом у Моста, а еще лучше — в маленькую уютную квартирку над трактиром «Армстронг и Элла»... В общем, для начала я решил провести с ними собеседование.

— Ребята, — грозно сказал я, — хотел бы я знать, на что вы рассчитываете? Ну привезете вы меня домой, а потом? Вы что, собираетесь приковать меня к трону? И я буду царствовать, связанный по рукам и ногам? Потому что в противном случае я просто уеду домой на первой попавшейся тощей кобыле, так и знайте!

— Твои ноги должны коснуться родной земли, Фангахра! И тогда наваждение оставит тебя, — прочувствованно сказал все тот же упрямый старик. — Среди этих угуландских варваров много хитрых колдунов, они наложили на тебя чары. Поэтому ты и отвернул взор от своего народа! Но как только ты ступишь на родную землю, твое сердце проснется.

В голосе старика не было особенной уверенности. Все же я мог не сомневаться, что он непременно постарается довести свой смелый эксперимент по снятию чар с меня, всенародно любимого, до победного конца.

— Если вы меня немедленно не отпустите, всем будет очень плохо! — честно пообещал я. — Хотите проверить?

— Даже тебе не под силу избавиться от наложенных нами пут! — испуганно возразил все тот же голос. Кажется, старик убеждал не меня, а себя самого.

— Ну, как хотите, — сердито сказал я. — Мое дело — предупредить!

И я постарался сконцентрироваться. Мне по-прежнему здорово не хотелось убивать этих смешных ребят. В конце концов, они были очень симпатичным маленьким гордым народом, а их упорное желание провозгласить меня монархом не только порядком меня раздражало, но и приятно щекотало самолюбие. Я приложил все усилия, чтобы избавиться от остатков гнева и раздражения. Мне всего-то и было нужно — заставить этих упрямцев поступить так, как я им прикажу, причем сейчас, а не после того, как какая-нибудь уродливая корона окажется на моей бедной голове. Долгое путешествие на собственную гипотетическую родину совершенно не согласовывалось с моими планами на лето... Я уже успел усвоить, что мои Смертные Шары подчиняются моим тайным желаниям, и это было прекрасно. Оставалось только заставить собственные желания подчиниться голосу разума.

Через несколько минут я окончательно успокоился и решил, что можно начинать. Немного пошевелил затекшей кистью левой руки, чтобы сделать ее послушной, и решительно защелкал пальцами. Зеленоватые «шаровые молнии» одна за другой с мягким причмокиванием просачивались сквозь толстый войлок ковра. Мне оставалось только надеяться, что у этих опасных сгустков непереносимо яркого света хватит ума самостоятельно найти цель. Впрочем, когда я охотился на мертвых разбойников из Магахонского леса, засевших в темном овраге, я тоже не очень-то прицеливался, тем не менее...

Легкий шум снаружи убедил меня, что начало операции можно считать успешным.

— Я с тобой, хозяин! — Упрямый старик, очевидно, оказался первой жертвой моей атаки, поскольку это явно был его голос.

— Я с тобой, хозяин! Я с тобой хозяин! — К его голосу присоединился довольно дружный хор.

— Вот и славно, — сказал я. — А теперь выпустите меня отсюда.

Через несколько минут проклятый ковер был развернут. Влюбленно поглядывая на меня из-под нелепо повязанных платков, суровые кочевники дрожащими от волнения руками перерезали тонкие, но прочные веревки, превращавшие меня в гротескную карикатуру на гусеницу тутового шелкопряда. Я с удовольствием пошевелил затекшими конечностями и огляделся. Местом действия была нелепая древняя телега, остановившаяся посреди совершенно очаровательной рощи. Вокруг флегматично бродили рогатые лоси, которых мои незадачливые подданные почему-то принимали за лошадей. С трудом передвигая непослушные ноги, я выбрался из телеги и с облегчением уселся на землю. Потом обвел грозным взглядом этих эксцентричных горе-монархистов:

— Больше никогда не пытайтесь вернуть меня в родные степи. Особенно таким образом... — Я повернулся к упрямому старцу. — Как, кстати, вы меня поймали? Говори, не бойся, чего уж там!

— Арканом, — тихо признался этот сумасшедший аксакал. — Мы узнали у людей, какая из этих странных колдовских телег принадлежит тебе, и я сам спрятался под сиденьем. Я отлично владею арканом, Фангахра, поэтому твоей жизни не угрожала опасность. Я затянул петлю ровно настолько, чтобы ты заснул.

— Да? — удивился я. — Как удобно! Где ты был в те дни, когда меня мучила бессонница, хотел бы я знать!..

— Прости меня, о Фангахра, что я не смог быть рядом с тобой в эти черные для тебя дни! — совершенно серьезно взвыл свежеиспеченный заговорщик. Я уже не знал, плакать мне или смеяться.

— Ладно уж, поезжайте домой, ребята. Кстати, некоторые народы вообще отлично обходятся без царей, так что ничего страшного с вами не случилось...

— Мы не можем покинуть тебя, хозяин! — жалобно застонали кочевники.

— Ах, ну да, конечно... Ничего, сейчас это пройдет. Последний приказ, напоследок. Вернее, не приказ, а дружеский совет. Перестаньте носить эти дурацкие косынки, они вам не идут. Или хотя бы повязывайте их как-то иначе... Давайте покажу!

Старик почтительно протянул мне собственный платок. Я хотел было снять тюрбан, но понял, что его и так на мне нет. Вероятно, остался в моем амобилере или там, где эти господа упаковывали меня в ковер... Я взял платок и быстренько повязал его на самый что ни на есть пиратский манер. Очевидно, знакомство с сэром Анчифой Мелифаро впечатлило меня несколько больше, чем следовало.

— Ну вот, хотя бы так. Усвоили?

— Мы сделаем, как ты велишь, Фангахра! — пообещал старик. Прочие кочевники уже занялись моделированием своих головных уборов. Через несколько минут они показались мне вполне похожими на людей. Этакая массовка для облегченной киноверсии «Острова сокровищ»...

— Вот и славно! — Я с удовольствием окинул взглядом эту живописную компанию. — А теперь, орлы, слушай мою команду! Всем лечь на землю, закрыть глаза, сосредоточиться... и быстренько освободиться от моей чудовищной власти. А то срам один!

Господа кочевники послушно улеглись на землю, а через несколько секунд они уже поднимались, испуганные и растерянные, но, хвала Магистрам, уже вполне вменяемые.

— Что ты сделал с нами, Фангахра? — требовательно спросил их седой предводитель. — Человек не может сделать такое с другими людьми! Может быть, ты бог?

— Час от часу не легче! То царь, то бог... Тоже мне, нашли себе бога! — сердито фыркнул я. — Ладно, на этом мой первый и последний дворцовый прием считаю закрытым. Прощайте, господа, и счастливого вам пути домой.

— Ты не поедешь с нами? — печально спросил старик.

— Разумеется, нет! — вздохнул я. — А у тебя были сомнения?

— У меня была надежда, — мягко возразил он.

— Говорил же я тебе, что надежда — глупое чувство! — грустно усмехнулся я. — Тем не менее я тоже надеюсь. Надеюсь, что у вас все будет хорошо, даже в мое отсутствие. Поезжайте домой, ребята. Мне тоже пора.

Некоторое время я задумчиво смотрел вслед удаляющимся всадникам. Многочисленные побрякушки на рогах их сутулых лосей вызванивали какую-то ностальгическую мелодию. Потом я покрутил головой, чтобы немного взбодриться, и послал зов сэру Джуффину. Шеф тут же обрушился на меня с длиннейшим монологом.

«Отлично, что связался со мной, Макс. Я как раз собирался сделать то же самое и вежливо спросить, помнишь ли ты, что тебе следует время от времени появляться на службе. Твой амобилер с утра стоит под дверью, а тебя и в помине нет. Хотел бы я знать, как ты вчера добирался домой? По воздуху, что ли? С тебя, пожалуй, станется...»

«Вы что, полагаете, что я нахожусь в Ехо?» — удивился я.

«А где это, интересно, ты находишься?» — теперь удивился Джуффин.

«Понятия не имею. Но не в Ехо, это точно! Подождите, вы хотите сказать, что ничего не знаете? Меня же украли эти кретины, мои, извините за выражение, подданные! Я-то думал, что уже все Управление на ушах стоит!»

«Вот это новость! — ахнул мой шеф. — Как же я-то ничего не почуял? Когда ты перебрал приворотного зелья, я узнал о беде прежде, чем ты успел грохнуться на пол...»

«Наверное, после развлечения с двести тридцать четвертой ступенью Белой Магии вы спали как убитый, — предположил я. — Кроме того, это не было настоящей бедой. Ребята не собирались меня обижать. Я просто повалялся без сознания и немного покатался на какой-то ужасной телеге. Меня слегка укачало, а так все в порядке».

«Подожди, — остановил меня Джуффин, — давай начнем сначала. Ты еще в плену или как?»

«Обижаете! — фыркнул я. — Чтобы я не справился с кучкой ополоумевших кочевников?!»

«Ладно уж, герой! Как я понимаю, тебе очень хочется домой?»

«А как вы думаете?! Еще как хочется! Вы можете послать за мной Меламори? Поскольку я абсолютно не ориентируюсь на местности и не могу объяснить, где я нахожусь, встать на мой след — единственный способ быстро меня обнаружить. Никаких неприятных ощущений я при этом не испытываю, вы же знаете... Кроме того, в последнее время она ездит почти так же лихо, как я!»

«Очень разумное предложение, — спокойно согласился Джуффин. — Думаю, мне удастся уговорить ее временно прервать усердное практическое изучение древней культуры Арвароха... Ладно, тогда оставайся на месте и жди. Надеюсь, эти несчастные безумцы не успели увезти тебя слишком далеко. Если что-то случится, пришли мне зов, ладно?»

«А что со мной может случиться?» — легкомысленно спросил я и тут же сам рассмеялся нелепости подобного заявления.

Распрощавшись с Джуффином, я немного отдышался и послал зов Теххи. Хорош же я был, если разобраться:

наговорил с три короба, пригрозил заявиться на рассвете и исчез бесследно! Кажется, это не совсем та стратегия, которая годится в начале романа... Но Теххи откликнулась на удивление весело.

«В какое болото тебя вурдалаки макнули, милый?» — нежно спросила она.

Я кратко изложил ей новую славную страницу своей биографии.

«Надеюсь, что такие вещи будут происходить со мной не каждый день», — виновато закончил я.

«Думаю, что тут ты как раз ошибаешься! — утешила меня Теххи. — Знаешь, а мне даже нравится...»

Через полчаса я почувствовал, что скоро рехнусь от переутомления: обычно я мог без напряжения говорить на Безмолвной речи несколько минут, а потом начинал уставать. Налицо был изрядный перебор, поэтому пришлось попрощаться.

Закончив разговор, я улегся на спину и некоторое время с тупым интересом рассматривал белесое небо. Кажется, я был абсолютно счастлив — состояние для меня совершенно необычное. А потом я сам не заметил, как уснул. Сны, впрочем, мне снились самые неспокойные.

Фырканье моего собственного амобилера разбудило меня более чем вовремя. Мне как раз снилось, что я убегаю от доброй дюжины угрюмых докторов с нечистыми лицами законченных извращенцев. Ребята собирались напичкать меня таблетками, которые, по их словам, должны были помочь мне избавиться от второго сердца. Я, в свою очередь, не собирался с ним расставаться... Обычные кошмары, одним словом! Но я уже успел от них отвыкнуть, а посему проснулся в холодном поту, неописуемо счастливый оттого, что все осталось позади.

— Что с тобой, Макс? — испуганно спросила Меламори, поспешно вылезая из машины. — У тебя неприятности? Почему ты не сказал?

— Да нет, что ты! Просто плохой сон. — Я виновато улыбнулся.

— Тоже ничего хорошего! — понимающе нахмурилась Меламори. И тут же заулыбалась. — Я решила взять твой амобилер, подумала, что тебе будет приятно вернуться домой именно на нем. Кстати, здесь лежит твой тюрбан. Лучше надень его: ты такой лохматый!.. А правда я быстро приехала? Даже стемнеть не успело!

— Действительно. — Я с улыбкой осмотрел ее довольное лицо. — Ты делаешь грандиозные успехи. У тебя есть все шансы когда-нибудь выиграть наш спор!

— Теперь и я начинаю в это верить, — самодовольно подтвердила Меламори. — Особенно после сегодняшней поездки. Знаешь, эти твои кочевники умудрились отъехать от столицы на приличное расстояние. Я никак не ожидала, что найду тебя так далеко от Ехо!

— Ну, тогда нам лучше поторопиться. Теперь моя очередь тебя катать. — Я уселся за рычаг, Меламори устроилась рядом, и мы поехали.

Ехать пришлось больше часа, хотя я гнал как сумасшедший. Меня и правда успели увезти почти на край света. Очевидно, лосеподобные кони моих «подданных» оказались отличными бегунами! По дороге я развлекал Меламори красочной версией истории моего похищения. Она даже немного устала смеяться.

— А что у вас-то нового? — спросил я.

— О, у нас целая куча новостей! Мудлаха все-таки оставили в Холоми. Правда, всего на два года, за лжесвидетельство. Сэр Джуффин надеялся заполучить его немедленно, но Камши оказался на редкость упрямым парнем. Уперся — и ни в какую. «Закон есть закон», видите ли!

— Ха, тоже мне новость! — откликнулся я. — Камши всегда такой был, просто раньше он не обладал возможностью демонстрировать свое ослиное упрямство самому сэру Джуффину Халли, вот и все! Впрочем, для коменданта Холоми это не самое худшее качество.

— Я и не говорю, что худшее... Знаешь, что там сейчас творится? Алотхо выстраивает своих Острозубов вокруг паромной переправы, поскольку на территорию острова Камши их не пускает. Здорово подозреваю, что ребята получили приказ два года кряду не мигая пялиться на стены Холоми, чтобы быть уверенными: «презренный Мудлах» от них больше не сбежит! Правда, здорово?

— Здорово, — согласился я, — надо будет выбраться полюбоваться на это зрелище!

— Еще бы! — Меламори кивнула так гордо, словно сама командовала этим невероятным парадом.

Тем временем мы миновали ворота Кехервара Завоевателя. Наш амобилер заскользил между густых садов Левобережья.

— Ничего себе! — завистливо протянула Меламори. — Я добиралась к тебе гораздо дольше... Куда уж мне с тобой соревноваться!

— Всему свое время, — примирительно улыбнулся я, — успеешь еще... Так что, эти арварохские красавчики будут скрашивать наше унылое существование еще два года?

— И да и нет. — Меламори заметно погрустнела. — Одна «полусотня Острозубов» останется любоваться на унылые стены Холоми, а другая отправится домой вместе со своим грозным Предводителем. Видишь ли, Алотхо обещал своему драгоценному Тойле Лиомурику, что вернется не позже чем в начале следующего года. Он же не знал, что Мудлах умудрится угодить в тюрьму! Безмолвной речью неподражаемый Завоеватель Арвароха, увы, не владеет, так что сообщить ему об изменении планов попросту невозможно. И в любом случае, эти странные люди твердо убеждены, что слово надо держать, так что через несколько дней Алотхо уедет. А через два года вернется, чтобы собственноручно прикончить Мудлаха. Правда, очень романтично?

— Более чем. — Я сочувственно посмотрел на Меламори. — Это плохо, да?

— Даже не знаю, что тебе сказать, — вздохнула она. — Может быть — плохо, а может быть — хорошо. Не хочу сейчас об этом думать. Там видно будет... Ох, Макс, неужели мы уже приехали?

— А ты думала! — гордо сказал я, притормозив у входа в Управление Полного Порядка.

— Хорошей ночи, Макс, — улыбнулась Меламори, — думаю, мне необязательно идти на службу, тем более что...

— Никаких возражений! — тоном опытного заговорщика заявил я. — Этот вечер слишком хорош, чтобы потеть в кабинете сэра Джуффина. Я и сам твердо намерен сбежать, вот только продемонстрирую шефу свое изможденное лицо, чтобы его каменное сердце дрогнуло от сострадания.

— Твоя затея обречена на провал! — фыркнула Меламори. — Не так уж плохо ты выглядишь, Ваше Величество!

Она помахала мне рукой и скрылась за углом. Я немного постоял на улице, глядя ей вслед, а потом вошел в Дом у Моста.

— У меня еще ни разу в жизни ничего не крали! — Джуффин смотрел на меня с сочувственной улыбкой. — И вот на тебе: какие-то сумасшедшие кочевники воруют мое Ночное Лицо! Надеюсь, ты достойно отомстил им за поруганную честь Тайного Сыска?

— Вы уже выражаетесь, как истинный арварошец, сэр, — одобрительно заметил я, усаживаясь в свое любимое кресло.

— Ну уж... Куда мне до сэра Алотхо! — ухмыльнулся Джуффин. — Ты голодный небось? Вид у тебя тот еще, между прочим!

— Могу себе представить... Впрочем, Меламори утверждала, что все не так страшно.

— Ну, это ей не было страшно: леди Меламори — очень храбрая девушка, — объяснил Джуффин, — особенно в последнее время. Кстати, мне сегодня пришлось выдержать чуть ли не двухчасовую беседу с сэром Корвой Блиммом. Он решил, что я настолько глуп, чтобы начать вмешиваться в личную жизнь своих сотрудников. Пришлось убеждать его в обратном. Поверь, я проводил время ненамного лучше, чем ты, честное слово!

— Верю, — вздохнул я, — родители — это, как правило, ужасная штука... Что, Блиммов здорово шокирует роман их дочки с Алотхо?

— А ты как думал? — ехидно спросил Джуффин.

— В общем-то, их можно понять! — Мне стало смешно. — Но вы справились и с этим, да?

— Да, иногда я сам удивляюсь собственному могуществу! — гордо кивнул Джуффин.

После того как я подробно пересказал свое экзотическое приключение и съел огромный кусок фирменного пирога мадам Жижинды, сэр Джуффин Халли решил, что моя потрепанная физиономия — не совсем то зрелище, которым стоит подолгу любоваться перед сном.

— Шел бы ты отдыхать, сэр Макс! — сочувственно вздохнул он. — Дел пока никаких не предвидится, поэтому можешь бездельничать аж до послезавтра. После такой «коронации» не грех и отдохнуть!

— Правда?! — Я ушам своим не верил.

— Скорее всего, правда... Разве что случится что-нибудь из ряда вон выходящее, в чем я, впрочем, здорово сомневаюсь. Все уже вроде бы случилось.

— Если что-то и случится, то я узнаю об этом первым. Поскольку оно случится со мной, — усмехнулся я. — В последнее время мне везет на неприятности, вы заметили?

— И не только на них, если я не ошибаюсь, — улыбнулся Джуффин. — Но на твоем месте я бы временно приостановил процесс поиска приключений на свою задницу.

— Надеюсь, что так оно и будет, — вздохнул я. — Или я откажусь выходить на улицу без охраны, так и знайте!

Шутки шутками, но к своему не в меру заметному амобилеру я подошел с некоторой опаской: кто их знает, моих безумных подданных, а вдруг им пришло в голову, что можно потихоньку вернуться в Ехо и тупо повторить все сначала?! К своему неописуемому потрясению, я действительно заметил чью-то тень на заднем сиденье.

«Тебе показалось, радость моя! — Я изо всех сил пытался поговорить сам с собой, как с разумным человеком. — Тебе теперь долго будет мерещиться что-то в этом роде, так что расслабься!»

Самовнушение не очень-то помогло: я был совершенно уверен, что в моем амобилере кто-то притаился. Черт, но не такой уж я беззащитный, скорее, наоборот! Поэтому я решительно приблизился к машине, приготовившись не то плюнуть, не то Смертный Шар запустить — это уж как получится!

— О, великий царь кибиток, даруй мне клочок твоей Земли Плодородных Сорняков! — Тусклый оранжевый свет фонарей самым выгодным образом оттенял довольную физиономию Мелифаро. Я подпрыгнул от неожиданности, схватился за оба своих сердца и рассмеялся от облегчения.

— Ты здорово рисковал, парень: нервы у меня теперь никуда не годятся, — вздохнул я. — Хорош бы я был, если бы прикончил тебя на месте!

— Ну, не так уж это просто! — беспечно отмахнулся Мелифаро. — Угостишь меня чашечкой камры?

— Я как раз отправляюсь в сторону «Армстронга и Эллы», так что тебе повезло. Расширять клиентуру прекрасной дамы — первейшая обязанность благородного рыцаря! — усмехнулся я.

— Я тоже так подумал, Ваше Величество! — подхалимски прогнусавил Мелифаро и отвесил такой низкий поклон, что чуть не вывалился из амобилера. Я водворил его на место и наконец-то поехал туда, куда мне давным-давно хотелось отправиться.

— Как хорошо, что ты привез ко мне своего коллегу, Макс! — Теххи восхищенно улыбнулась нам из-за стойки. — У меня как раз скопилась куча старых негодных стаканов. Не могли бы вы их разбить, сэр Мелифаро? У вас так здорово получается!

— Вообще-то, сегодня я не в форме, но раз уж вы просите, леди Шекк... Я сделаю все что в моих силах, если Его Величество не будет возражать, — тоном светского льва ответил Мелифаро. — Знаете, я очень боюсь прогневать этого тирана: в случае чего, его голозадые подданные закидают меня конским навозом.

— Почему это они «голозадые»? — патриотично возмутился я. — У них очень даже милые шортики, лично мне нравятся!

— Сшей себе такие же, — ехидно посоветовал Мелифаро, — ты будешь неотразим, почище этого пучеглазого Алотхо!

— А я и так неотразим, — нахально ответил я. Потом посмотрел на Теххи и виновато развел руками. — Ты уже поняла, что стала жертвой чудовищного обмана? Никакие мы не Тайные Сыщики, а скромные пациенты местного Приюта Безумных. Иногда нас отпускают погулять за хорошее поведение.

— Да? Ну тогда веди себя хорошо, чтобы чаще отпускали, — невозмутимо посоветовала Теххи, ставя перед нами кружки с камрой, которая действительно была самой вкусной в Соединенном Королевстве.

— Я постараюсь, — нежно пообещал я.

Мелифаро выслушал наш диалог с явным удовольствием.

— В этом грешном городке становится все больше мест, где можно неплохо провести время! — одобрительно заявил он. — Вот что обнадеживает!

Входная дверь скрипнула, и на пороге появился пингвинообразный сэр Андэ Пу.

— Макс, дырку над вами в небе, вы ничего не впиливаете! Просто полный конец обеда! — картаво затараторил он. — Почему вы отказались стать царем Арвароха? Они же там так лихо зажигают — караул! А я бы вполне мог присмотреть за вашими кошками, не надорвался бы...

Мелифаро ржал так, что чуть не свалился с высокого табурета.

— Этот парень тоже из вашего приюта? Он занимает гамак по соседству с тобой и его тоже отпустили погулять за хорошее поведение? — спокойно спросила Теххи.

— Какая ты проницательная, с ума сойти можно! — устало улыбнулся я.

Следующие несколько дней были самыми счастливыми днями в моей жизни. Даже на службе я ни разу не вынырнул из густого тумана, который превращал окружающий меня мир в какую-то иррациональную блаженную страну чудес.

Но незадолго до одного из восхитительных летних закатов, откуда-то из этого сладкого тумана до меня донесся довольно тревожный диалог.

— Завтра я должен ехать. — Шепот, раздававшийся в Зале Общей Работы, явно принадлежал Алотхо Аллироху, поскольку был гораздо громче нормального человеческого крика. — Но я не хочу никуда ехать. Тем не менее...

— Тем не менее ты должен, да? — спросила Меламори. Она говорила так тихо, что я до сих пор не знаю, каким образом мне удалось расслышать ее слова.

— Да.

— Но ты же вернешься. Хотя бы для того, чтобы прикончить этого своего Мудлаха, да?

— Презренного Мудлаха, — педантично поправил ее Алотхо.

— Ну да, презренного, какого же еще... Два года — не так уж это много, если разобраться.

— Это очень много, — возразил Алотхо. — Ты когда-нибудь пыталась сосчитать, сколько дней нужно прожить, чтобы миновал хотя бы один год?

— Представь себе, пыталась. — Меламори тихо хихикнула.

— Ну вот, а говоришь так, словно не имеешь никакого представления о том, что такое время... Я не хочу уезжать и не могу остаться. А ты не хочешь ехать со мной на Арварох и не позволяешь мне завоевать для тебя любое другое место, где ты согласилась бы жить... Я уже ничего не понимаю, госпожа. Проще умереть, и я так и сделаю, клянусь доспехами Тойлы Лиомурика!

— Я тебе дам — «умереть»! Ишь ты, разошелся! — сердито прошептал я себе под нос и обернулся к Курушу.

Мудрая птица сладко дремала на спинке моего кресла.

— Эй, милый, ты слышишь, что творится? — тихо спросил я.

— Нет, а что? — Буривух с любопытством открыл один круглый желтый глаз.

— Этот громкоорущий почитатель кончиков твоих перьев, кажется, собирается шокировать леди Меламори отвратительным зрелищем своего мертвого тела, — объяснил я. — Мне это не нравится.

— Но это его дело, правда? — холодно спросил Куруш.

— И мое тоже! — сердито возразил я. — Во-первых, он мне нравится. А во-вторых, он нравится леди Меламори, что гораздо важнее... Куруш, милый, вмешайся, пожалуйста! Он же только тебя и послушается!

— Уеду от вас на Арварох — будете знать! — пригрозил Куруш. — По крайней мере, там меня никто не будет будить из-за всяких человеческих глупостей!

— Думаешь, там умеют печь хорошие пирожные? — лукаво спросил я.

— Только поэтому я и не перехожу от слов к делу, — ворчливо изрек Куруш. — Ладно уж, Макс, если тебе действительно кажется, что это необходимо...

— Хотя бы из политических соображений! — Я постарался сделать умное лицо. — Завоеватель Арвароха Тойло Лиомурик может здорово обидеться, если этот чудесный парень, который убивает птицу Кульох одним взглядом и тремя любезностями, — если я ничего не перепутал — этот великолепный сэр Алотхо Аллирох отдаст концы в непосредственной близости от дворца Его Величества Гурига! Кто тогда подаст Тойле Лиомурику третий ночной горшок на пиру, сразу после супруги и старшего виночерпия... Хотя при чем тут старший виночерпий?!

— Ты все перепутал, Макс. Впрочем, люди всегда все путают, — снисходительно сказал Куруш. И через полуоткрытую дверь вылетел в Зал Общей Работы. А я благополучно выбрался на улицу через заговоренное окно сэра Джуффина Халли, выходить через которое каким-то чудом удавалось только мне, — на этот раз обошлось даже без неземных ощущений — и отправился в каком-то неопределенном направлении, просто прогуляться. По мне, если уж заниматься благотворительностью, то только анонимно, в противном случае какая-то фигня получается...

Через полчаса я вернулся в Дом у Моста. Разумеется, я не забыл купить целую дюжину пирожных для Куруша — он их честно заслужил! На этот раз я воспользовался нормальной дверью и торжественно прошествовал через Зал Общей Работы. Сэр Алотхо все еще пребывал на нашей территории, по его лицу блуждали остатки восхищенного благоговения — последствия беседы с буривухом. Мохнатое паукообразное существо нежно мурлыкало на его огромном плече. Меламори показалась мне печальной и счастливой одновременно: ее прекрасная физиономия способна еще и не на такие выражения!

— Где тебя носило, Макс? — приветливо спросила она.

— Как это — «где»? Я ведь очень предсказуемый парень! Ясное дело, меня носило там, где можно что-нибудь съесть! Просидел час в «Сытом скелете», вот и все приключения. Не хотите ли повторить мой подвиг? Очень рекомендую, наиприятнейшая процедурка!

— Пожалуй, — кивнула Меламори.

Алотхо Аллирох посмотрел на меня с некоторым удивлением. «Ну да, конечно, эти арварохские ребята безошибочно чувствуют, когда их обманывают, — с тоской подумал я. — И теперь он пытается понять, зачем я это делаю...» К счастью, Алотхо не счел нужным как-то прокомментировать свое наблюдение, так что я вернулся в кабинет вполне неразоблаченным. Куруш снова дремал на спинке моего кресла. Я не стал его будить: сверток с пирожными из «Обжоры Бунбы» вполне мог подождать. У нас с ним вся ночь была впереди, если разобраться!

А на следующий день мне пришлось явиться на службу чуть ли не в полдень. Нам предстояло торжественно прощаться с Алотхо и той половиной его команды, которая не была занята несением почетного караула под стенами Холоми и заблаговременным сооружением монументальной плахи для «презренного Мудлаха» заодно. «Бурунный шип» собирался отчалить еще до заката, а большое сердце сэра Алотхо требовало основательного прощания с нами, любимыми. Поскольку уснуть мне удалось только тогда, когда солнце неторопливо проделало почти половину своего ежедневного пути к середине неба, Теххи с изумлением убедилась, что в первые минуты после пробуждения я действительно могу быть совершенно отвратительным типом, но она пережила даже это.

Мелифаро выглядел как счастливейший человек в Соединенном Королевстве. Сидел на столе, болтал ногами. Выражение лица у него при этом было самое мечтательное.

— Отсутствие Рулена Багдасыса явно идет тебе на пользу! — Я уселся в кресло, нахально водрузил ноги на стол, в опасной близости от пронзительно-голубого края новенького лоохи Мелифаро, и с удовольствием закурил. — Кстати, ты еще не решил, что с ним делать?

— Как раз это я решил с самого начала! — гордо ответил мой коллега. — Ты абсолютно ничего «не впиливаешь», Ночной Кошмар, как справедливо заметил твой совершенно круглый приятель! Ничего, сам увидишь, всему свое время!

— Увижу так увижу. — Я зверски зевнул и полез в верхний ящик стола за бутылкой с бальзамом Кахара. Встал я уже давно, пора было бы и проснуться...

Через полчаса все наши были в сборе. Все, кроме Меламори. Мы почти не разговаривали, нетерпеливо ожидая прибытия арварохской делегации: интересно, что еще эти чудеса природы способны отмочить?

Меламори все-таки пришла почти вовремя. На ее плече сидел изрядно перепуганный переменой обстановки паукообразный «домашний любимец» Алотхо.

— Ну и брошь! — восхитился Мелифаро. — Вот это я понимаю, царский подарок!

— Это не брошь, это хуб! — сердито возразила Меламори. — Его зовут Лелео. Между прочим, этот зверек — хранитель души всего их клана... Тебе когда-нибудь дарили хранителя души, Мелифаро?

— Только этого мне и не хватало! — возмутился он.

— Вот и не выпендривайся! — авторитетно сказала Меламори.

— Логика железная! — одобрительно заключил сэр Кофа Йох. — Познакомь меня с твоим красавчиком, Меламори.

— Я читал, что эти существа поют, — заметил Лонли-Локли. — Это правда, леди?

— И еще как поют! — кивнула она. — Но он меня пока не очень-то слушается. Ему нужно время, чтобы привыкнуть.

— Очень человеческое свойство! — усмехнулся Джуффин. — Всем нам нужно время, чтобы привыкнуть к чему бы то ни было... А вот и наши арварохские друзья, слышите? Но почему этот безумец Алотхо решил, что они поместятся в нашей приемной?

Действительно, с улицы доносился монотонный перестук негнущихся арварохских плащей. Выглянув в окно, я с ужасом убедился, что сэр Алотхо действительно притащил в Дом у Моста всю ту «полусотню Острозубов», которая не была занята в почетном карауле с видом на стены Холоми.

— Они останутся снаружи, — спокойно объяснила Меламори. — Алотхо взял их с собой... ну, для красоты, что ли... Для него это — все равно что нарядно одеться. Когда арварохский военачальник отправляется на встречу, которую считает важной, он старается взять с собой столько своих воинов, сколько возможно. У себя на родине он бы явился к вам в сопровождении «полусотни полутысяч» своих ребят, по его собственному выражению.

— А на свидания с тобой он их тоже таскал? — полюбопытствовал Мелифаро.

— Хвала Магистрам, не таскал. Видишь ли, свидание с дамой не считается у них таким уж великим событием, к счастью...

Алотхо Аллирох действительно вошел к нам в сопровождении только одного из своих воинов, молодого и такого же отчаянно красивого, как он сам. Парень был с меня ростом, что не так уж и мало, но на фоне своего командира он казался щуплым подростком.

— Это Тхотта, мой шаман, — отрывисто сказал Алотхо. Кажется, он здорово волновался. — Тхотта — лучший из лучших, он часто говорит с Мертвым Богом и почти всегда понимает его речи. Он передаст вам слова Мертвого Бога, поскольку моих слов недостаточно, чтобы отблагодарить вас.

— Надеюсь, что мы сумеем оценить оказанную нам честь! — удивленно сказал сэр Джуффин Халли. Его раскосые глаза уже блестели от любопытства.

— Вы сумеете! — уверенно кивнул Алотхо.

«Ох, плохо ты нас знаешь, парень!» — сочувственно подумал я.

— Мертвый Бог позволил нашему предводителю подарить вам свое оружие! — торжественно заговорил шаман. — Вы должны знать, что воины Арвароха никогда не дарят свое оружие чужеземцам. Прежде такое случалось только однажды, в глубокой древности, когда Завоеватель Арвароха Либори Фосафик Невидимая Голова даровал свой меч вашему властелину Мёнину. Первый дар предназначается вам, господин. — Тхотта пронзительно посмотрел на сэра Джуффина.

Алотхо отстегнул от пояса свое замечательное «мачете».

— Этот меч изготовлен из плавника самой большой рыбы Рухас, какую когда-либо ловили в океане, — серьезно пояснил он. — Точно такой же меч был в свое время дарован вашему королю Мёнину. Я считал, что не вправе делать вам подарок, поскольку подарками обмениваются только равные, но Мертвый Бог сказал, что вы не будете гневаться.

— Ни в коем случае! — улыбнулся сэр Джуффин, принимая «мачете». Кажется, он был здорово польщен.

— Второй дар — тому, кто не допустил, чтобы наш клан остался без предводителя. — Теперь шаман смотрел на Мелифаро. Алотхо протянул ему свою уморительную «мухобойку».

— Вы видели это оружие в деле, — сказал ему Алотхо. — Я сам смастерил его из усеянного зубами языка зверя Кырду, и это воистину опасная вещь.

— Не сомневаюсь! — Кажется, Мелифаро основательно растаял.

Шаман повернулся к Лонли-Локли:

— Мертвый Бог особо благоволит к тебе, господин. Правда, он не объяснил почему.

— Жаль, — серьезно ответил Шурф, — было бы весьма любопытно узнать причину такой внезапной симпатии. — Его ирония показалась мне убийственной, впрочем я не был до конца уверен в том, что Шурф действительно намеревался быть ироничным. Вечная история!

— Вам ни к чему оружие, поскольку вы сами — наилучшее из орудий убийства, — задумчиво сказал Алотхо. — Но даже вам однажды может понадобиться защита. Думаю, что мой шлем — самый прочный под этим небом. Я сам изловил шестирогую рыбу Ухунрук, из головы которой по моему приказу было изготовлено это чудо.

— Во всяком случае, он прекрасен! — одобрительно кивнул Лонли-Локли, любуясь шестирогим шлемом. — Это — настоящее произведение искусства, сэр Аллирох!

— Вам, многоликому, наш следующий дар! — Шаман почтительно склонился перед сэром Кофой. Алотхо протянул ему зачехленный предмет.

— Это — смертоносный хлыст, с двумя полутысячами жал диких ос Зенго, — пояснил он. — Жала опасны так же, как в те дни, когда осы Зенго жужжали в своих гнездах. Но такой мудрец, как вы, сможет с ними справиться.

— Попробую, — легкомысленно усмехнулся сэр Кофа, — чем только я не занимался в своей жизни!

— Вы, госпожа, уже получили самый драгоценный дар. — Теперь шаман говорил с Меламори. — Мертвый Бог сказал, что вы сумеете сохранить душу нашего клана, он доволен, что наш хуб будет петь для вас свои песни.

— А он будет петь? — спросила Меламори. — Пока он только дуется и скучает по Алотхо.

— Когда я уеду, он запоет, — пообещал ей Алотхо. — Хуб всегда все делает вовремя.

— Да, ты уже говорил. Просто мне кажется, что он хочет вернуться к тебе.

— Под небом рождается слишком мало существ, чьи желания имеют какое-то значение! — грустно пожал плечами арварошец. — И Лелео — не один из них, так же как и я сам.

Его шаман тем временем обратился к Луукфи. Так почтительно он, кажется, не говорил даже с Джуффином.

— Вы, который беседует со многими буривухами одновременно, согласитесь ли вы принять наш дар?

— Конечно, господа, я соглашусь! — смущенно заулыбался Луукфи. — Так любезно с вашей стороны!

— Когда я отправлялся в этот поход, Завоеватель Арвароха Тойла Лиомурик Серебряная Шишка снял с себя этот плащ из самой прочной шерсти овец Царского стада и отдал его мне, — торжественно сообщил Алотхо. — Он будет счастлив узнать, что его плащ защищает от ветра того, кто бережет покой более чем двух полусотен буривухов. Примите его, сэр.

— Спасибо! — Сэр Луукфи Пэнц отчаянно покраснел, но его смущенная улыбка была самой очаровательной на обоих берегах Хурона, честное слово!

— Надеюсь, эта милая пижамка понравится твоей жене, парень! — с невинным видом сказал Мелифаро.

Шаман повернулся ко мне:

— Мертвый Бог хорошо знает вас, господин. Он много говорил мне о вас, но я мало что понял... Мертвый Бог сказал, что у нас нет ничего, что могло бы вам пригодиться. У вас есть все, что вам нужно, так говорит Мертвый Бог.

— Ну и друзья у тебя, нечего сказать! — Веселый голос Мелифаро нарушил звенящую тишину. — Этот Мертвый Бог в лепешку готов разбиться, лишь бы оставить тебя без подарков. Какая мелочность! А еще Бог!

— Ничего, я с ним разберусь при встрече! — нахально пообещал я. Наши коллеги заулыбались, но оба арварощча покосились на меня с благоговейным ужасом.

— Я очень хотел оставить что-то из своих сокровищ у вас, сэр Макс, — печально сказал мне Алотхо. — Но не в моей власти противиться воле Мертвого Бога.

— Ничего, можете считать, что оставили мне свое главное сокровище! — Я очень надеялся, что Алотхо не обратит внимание на мои не в меру ехидные интонации. — Однажды мне посчастливилось услышать вашу песню, так вот, поверьте, я ее никогда не забуду!

Меламори заулыбалась так широко, что я понял: хоть кто-то оценил мою шутку! Но бедняга Алотхо принял мой сомнительный комплимент за чистую монету.

— Я рад, что вы будете помнить меня, — поклонился он.

— В этом вы можете не сомневаться. — На этот раз я говорил более чем искренне: такое действительно не забывается!

Мелифаро вежливо обратился к шаману:

— Скажите, а ваш Мертвый Бог не будет возражать, если я сделаю подарок Алотхо? Или лучше не пытаться?

— Вы можете поступать так, как считаете нужным, — ответил шаман. — Поскольку вы спасли жизнь нашего предводителя и честь нашего клана...

— Отлично! — кивнул Мелифаро. Он извлек из кармана лоохи драгоценный перстень со скорчившимся в центре прозрачного камня крошечным Руленом Багдасысом. Только тут до меня дошло: этот уморительный парень решил хорошо подшутить над обоими виновниками своей непродолжительной, но жестокой депрессии одновременно!

Сэр Джуффин Халли заметил мою героическую борьбу со смехом и послал мне зов:

«Что он собирается отколоть? Ты в курсе, Макс?»

«Ох, лучше уж он вам сам расскажет, а то я не выдержу! — ответил я. — Но опасности для здоровья сэра Алотхо эта штука не представляет, честное слово!»

«Хотел бы я знать, что вообще может представлять опасность для его здоровья!» — Сэра Джуффина явно терзало не беспокойство, а простое человеческое любопытство.

«Кое-что может. Конфликт между желанием и необходимостью, например!» — тут же сообщил я.

«Да ты психолог, парень! — насмешливо отметил Джуффин. — Ладно, не буду мешать тебе наслаждаться зрелищем».

Зрелище и правда было то еще: наш Мелифаро ораторствовал.

— Это волшебная вещь, Алотхо. Можете носить ее на пальце или в кармане — это не имеет значения. Но если вам станет очень грустно, а у меня есть все основания полагать, что вам станет грустно... В общем, тогда бросьте это кольцо себе под ноги. Нужно, чтобы камень стукнулся о землю, чем сильнее, тем лучше. И увидите, что будет. Я очень надеюсь, что вас это развлечет. — К моему изумлению, Мелифаро говорил скорее печально, чем насмешливо, хотя хватало, конечно, в его речи и тех и других интонаций.

— Спасибо. Думаю, что я испытаю вашу волшебную вещь, когда придет время. — Алотхо принял кольцо, немного полюбовался на крошечного Рулена Багдасыса в центре камня и надел подарок на мизинец: с другими пальцами его здоровенной лапищи даже экспериментировать было бесполезно!

— Это хорошая вещь, Предводитель! — авторитетно заявил шаман. Брови сэра Джуффина Халли удивленно поползли вверх. Кажется, наш шеф все-таки надеялся, что Мелифаро устроит какую-нибудь мелкую пакость напоследок: слишком уж трогательным вышло наше прощание, не совсем во вкусе сэра Джуффина! Да и не в моем тоже, но этот белокурый великан Алотхо вполне мог растопить чье угодно каменное сердце...

— Мне пора уходить, господа, — печально сообщил сэр Алотхо. — Я тороплюсь. Чем раньше я покину ваш город, тем скорее смогу вернуться.

— Я провожу тебя, — сказала Меламори.

— Нет. Это — дурной знак, когда корабль уходит, а кто-то остается на причале.

— А я и не собираюсь провожать тебя до причала. Только до стены Йохира Менки, до границы с Новым Городом.

— Спасибо, это хорошее предложение, — обрадовался Алотхо. — Кажется, ему никогда прежде не приходило в голову, что проводить можно только до середины пути. Если бы парень распоряжался раздачей Нобелевских премий, он бы непременно присудил одну из них Меламори — за эту гениальную идею!

Когда они покинули Дом у Моста, я сделал скорбное лицо.

— Меня оставили без подарков! — капризным тоном избалованного ребенка прогундосил я. — И мне обидно! Сейчас я буду громко плакать!

— Тебе сделали такой комплимент, какого мне, например, еще никогда не делали, — совершенно серьезно сказал мне Джуффин.

— Как это? — удивился я.

— Они сказали, что у тебя есть все, что тебе нужно, — пояснил мой шеф.

— В древней Священной Книге Арвароха, все экземпляры которой они сожгли чуть ли не дюжину тысяч лет назад, после того как выучили наизусть, написано: «Люди остаются людьми до тех пор, пока им чего-то недостает», — невозмутимо вставил Лонли-Локли. — Кажется, эти господа здорово сомневаются насчет твоей принадлежности к роду человеческому...

— Короче говоря, они легкомысленно записали тебя в боги! — рассмеялся Джуффин.

— И теперь их шаман будет каждую ночь приходить под мои окна, чтобы узнать мое мнение по всем важным вопросам? — усмехнулся я. — Ну-ну... А каким образом ты умудрился прочитать эту сожженную книгу, Шурф? Неужели ты такой старый?

— Нет, просто у меня неплохая библиотека, — невозмутимо ответил Лонли-Локли. — В ней есть несколько редчайших вещей, в частности и один из трех сохранившихся экземпляров Священной Книги Арвароха. С этими тремя экземплярами случилась какая-то темная история: не то их подарили нашему легендарному королю Мёнину...

— Чтобы набирался ума-разума! — вставил Мелифаро.

— Ну да, наверное... Или их вывезли с Арвароха какие-то пираты... В общем, в Мире есть три экземпляра, и один из них мой. Занимательное чтение!

— Дашь почитать? — завистливо спросил я.

— Дам. Только ты ведь ко мне не соберешься!

— Ну, когда-нибудь соберусь, — вздохнул я, — мы, боги, занятой народ, конечно, но не так уж я безнадежен!

Мелифаро между тем успел представить сэру Джуффину полный отчет о печальной судьбе Рулена Багдасыса.

— Сначала я был зол на обоих: и на изамонца, и на Алотхо. И решил что это — неплохая пакость. Потом я с ними смирился, даже полюбил этих ребят...

— Полюбил? — ядовито переспросил я.

— Представь себе! Ну, немного странной любовью, согласен, и все же... Я уже был готов отменить представление, а потом подумал, что этот Рулен Багдасыс действительно вполне способен поднять настроение бедняге Алотхо. Воины Арвароха должны ценить грубые шутки, а я не знаю шутки грубее, чем господин Рулен Багдасыс!

Сэр Джуффин Халли выглядел абсолютно счастливым.

— Макс, — весело сказал он, — раз уж ты и царь, и бог, и все такое, может быть, хоть ты отпустишь меня на отдых? Всего-то на три дня. Кимпа уехал, в доме тихо и пусто. Хочу выспаться, почитать... Между прочим, я недавно вспоминал свою долгую несложившуюся жизнь, так вот: я не отдыхал больше одного дня кряду в течение трехсот с лишним лет! Хочу попробовать, вдруг получится! А мне и отпроситься-то больше не у кого!

— Я-то не возражаю, что ж я — зверь какой! А почему вы не воспользовались услугами арварохского шамана? — ехидно спросил я. — Он бы мог поговорить насчет вашего отпуска с самим Мертвым Богом, а я кто? Так, погулять вышел!

— Ничего, меня вполне устраивает, — снисходительно улыбнулся Джуффин. — Не забывайте возносить ежевечернюю молитву сэру Максу, господа, закажите себе хороший ужин из «Обжоры» и, вообще, делайте что хотите, а я поехал домой. Знали бы вы, какое у меня там одеяло!

— С ума сойти! — Сэр Кофа Йох изумленно глядел вслед нашему шефу. — Этот кеттариец уходит спать до заката, да еще и отпуск берет! Я знаю его куда дольше, чем вы, ребята, но на моей памяти ничего подобного действительно не происходило.

— В любом случае, приказ сэра Джуффина — это закон! — сурово сказал я. — Хотите вы того или нет, господа, а ужин из «Обжоры» будет на этом столе с минуты на минуту.

— Славно, мальчик! — улыбнулся сэр Кофа. — Наверное, ты добрый бог... Никто не возражает, если я позову наших коллег из Городской Полиции?

— Во главе с сэром Бубутой Бохом? — невозмутимо спросил Мелифаро.

— Во главе с леди Кекки Туотли, душа моя. И только попробуй ухмыльнуться!

— Ладно, я буду грустить и... что еще можно делать в таких случаях... да, еще я буду скорбеть! — Мелифаро скорчил самую угрюмую из рож, на которую были способны его лицевые мускулы. Получилось не очень-то убедительно...

Ужинали мы весело и долго, вот только Меламори так и не появилась. Разумеется, я понимал, что ей немного не до того, но у меня сердце было не на месте, вернее, не на месте находились целых два сердца — все, которыми я в настоящий момент располагал.

Она все-таки появилась в Доме у Моста — около полуночи, когда я остался в полном одиночестве. Что бы там ни случилось, а по ночам мне вроде бы полагалось дежурить... Меламори замерла на пороге моего кабинета. Мое невменяемое второе сердце тут же сжалось от боли и сладко замерло от какой-то совершенно безнадежной нежности, которая тоже принадлежала не мне. Я изо всех сил старался игнорировать дурацкие выходки этой потусторонней мышцы.

— Кажется, я опять спорола глупость, Макс! — печально призналась Меламори.

— Мы, люди, постоянно делаем глупости, как сказал бы наш «великий буривух», если бы он сейчас не спал! — утешил ее я. — И что же ты натворила?

— Испугалась. И не поехала с Алотхо на его грешный Арварох, дырку над ним в небе!

— Я бы тоже испугался, — на всякий случай соврал я.

— Ты? Нет, Макс, ты бы не испугался, это точно! — вздохнула Меламори. — Ну, может быть, и испугался бы, но тебя бы это не остановило.

— Может быть, и так, — виновато кивнул я. — Но у тебя еще будет шанс все исправить, Меламори. Нет ничего непоправимого, кроме смерти... Хотя и смерть иногда — вполне поправимое событие, это я тебе говорю, как крупный специалист в этом вопросе. Посиди со мной, поболтаем!

— Я за этим и пришла, — грустно улыбнулась Меламори.

Мы болтали почти до рассвета: о сущих пустяках и о том, о чем люди почти никогда не говорят вслух, так, всего понемножку... Нас прервал мохнатый хуб, все это время дремавший на плече Меламори. Совершенно неожиданно он встрепенулся и запел тоненьким щемящим голоском, это было здорово похоже на человеческое пение без слов, вот только у людей не бывает таких голосов.

— Вот видишь, он действительно поет! — улыбнулся я. — Это хороший знак, правда?

— Еще бы! — кивнула Меламори. — В отличие от того же Алотхо я вообще не верю в плохие приметы, только в хорошие! Пожалуй, теперь я пойду домой. И буду спать как убитая. Никогда бы не подумала, что мне это светит!

— Зря сомневалась: такой занудный собеседник, как я, способен нагнать сон на кого угодно!

— По всему выходит, что так! — весело фыркнула она. — Хорошего утра, Макс!

— Хорошего утра... — Я совершенно не был способен разобраться в собственных чувствах, поэтому просто положил ноги на стол и с удовольствием закурил. С другой стороны, было бы в чем разбираться...

Потом пришел сэр Кофа, на удивление довольный и загадочный, и отпустил меня домой. На этот раз мне удалось выполнить свою давнишнюю угрозу и заявиться к Теххи в самое неподходящее время — за час до рассвета.

— Слушай, Макс, ты ведь иногда можешь спать и дома! — сонно усмехнулась она, открывая дверь. — Честное слово, я не обижусь! Должен же быть у тебя какой-то дом?

— У меня есть целых два дома, — гордо сообщил я, — проблема в том, что ни в одном из них по-прежнему нет тебя. Я проверял!

Мне наконец-то удалось отвести душу: проснулся я чуть ли не на закате. Умылся и лениво отправился вниз: у меня еще не хватало нахальства признаться Теххи, что я обожаю пить камру, не вылезая из постели. Мне казалось, что это будет как-то слишком... Поэтому я вошел в помещение для посетителей и... чуть не упал от изумления: за стойкой бара восседал невозмутимый Шурф Лонли-Локли. Теххи как раз заботливо подливала камру в его кружку.

— Ты очень долго спишь Макс! — одобрительно заметил Шурф. Это звучало так, словно он сам научил меня спать так долго и теперь был весьма доволен результатом.

— Стараюсь, — кивнул я. — Тебе уже рассказали, что здесь подают самую вкусную камру в Ехо?

— Мне никто ничего не рассказывал, но я уже успел убедиться в этом на практике. — Шурф отвесил церемонный поклон в сторону Теххи. — На самом деле я зашел сюда потому, что искал тебя. А Мелифаро сказал, что...

— Что это стряслось с Мелифаро?! Он дал тебе верный адрес? С него бы вполне сталось послать тебя куда-нибудь в «Могилу Куконина»! — рассмеялся я.

— Он и пытался сделать что-то в этом роде. Но тут, хвала Магистрам, вмешался сэр Кофа... Впрочем, все это пустяки. Я принес тебе книгу, о которой ты вчера спрашивал. Такие вещи лучше передавать из рук в руки, это традиция.

— Священную Книгу Арвароха?! — обалдел я. — Грешные Магистры, ну ты даешь, Шурф! Честно говоря, я сам ни за что не расстался бы с такой редкостью!

— Я и не собирался отдавать ее тебе. Думал, что ты придешь ко мне в гости и почитаешь ее, если захочешь. Но, видишь ли, сегодня мне приснилось, что книга сама просит меня отдать ее тебе, — невозмутимо объяснил

Лонли-Локли. — Я решил, что к ее мнению надо прислушаться, поэтому держи. — Он протянул мне маленький толстый сверток.

Я растерянно взял его и развернул бумагу. Древняя обложка книги была покрыта клочками меха. Видимо, в начале своей биографии книга была абсолютно пушистой... А потом я взял это сокровище в руки. Книга показалась мне слишком тяжелой и теплой... Нет, она была просто горячей! Я успел понять, что заработал приличные ожоги, потом книга задрожала и исчезла, ее просто не стало и все тут! Я изумленно посмотрел на собственные ладони. К счастью, никаких ожогов на них не наблюдалось.

— Ты видел, Шурф? — тихо спросил я. — Честное слово, я не нарочно...

— Теперь я понимаю, почему книга хотела оказаться в твоих руках! — задумчиво кивнул Лонли-Локли. Он не выглядел расстроенным, скорее, наоборот. — Ты каким-то образом освободил ее от необходимости пребывать в этом Мире... Не удивляйся, если две оставшиеся рано или поздно тоже попытаются оказаться в твоих руках!

— Но как я это сделал?! — изумленно спросил я. — И вообще, при чем тут я? Шурф, ты хоть что-то понимаешь в этой истории?

— Что-то понимаю, чего-то не понимаю... Говорил же я тебе, что с тобой постоянно что-нибудь происходит! — Лонли-Локли смотрел на меня не то сочувственно, не то насмешливо — я ведь никогда не мог до конца разобраться в немногочисленных выражениях его невозмутимой физиономии!

— Ты совершенно не умеешь обращаться с хорошими вещами, Макс! — безапелляционно заявила Теххи, подсовывая мне под нос кружку с горячей камрой. И тогда мы с облегчением рассмеялись — между прочим, все трое, к моему величайшему изумлению...

Очки
Бакки Бугвина

Кофа Йох

Меламори Блимм

Бакки Бугвин

Шурф Лонли-Локли

Куруш

Луукфи Пэнц

Лойсо Пондохва

— **М**акс, ты пялишься в это грешное окно уже целый час. Там что, действительно происходит что-то из ряда вон выходящее?

Я подпрыгнул от неожиданности и чуть не вывалился из окна.

— Вы меня напугали, Кофа! Экий вы бесшумный!

— Работа у меня такая, знаешь ли... — Сэр Кофа Йох поставил на жаровню кувшин с остывшей камрой и с удовольствием устроился в моем кресле. — Так что ты там увидел, за этим грешным окном?

— Почти полную луну, — смущенно признался я. — Какая-то она сегодня не в меру зеленая, вам не кажется? И вообще, там происходит совершенно сумасшедшая летняя ночь. Это немудреное природное явление творит со мной Магистры знают что! Во мне просыпается не то буйнопомешанный поэт, не то какой-то мертворожденный бог, тоскующий о собственном несбывшемся могуществе... Ох, я такой смешной, правда?

— Есть немного! — ухмыльнулся сэр Кофа. — Но тебе даже идет... Вообще-то, ночь действительно ничего. Куда больше подходит для романтических прогулок с прекрасной леди, чем для прозябания на службе, да?

— Ну, положим, для прогулок с прекрасной леди мне вполне подходит любое время суток, — вздохнул я. — Но, кажется, моя прекрасная леди — не такая уж любительница прогулок, как таковых, и романтических прогулок при луне, в частности. Так что мне приходится ограничиваться совместными путешествиями из спальни на кухню и обратно, да и то если очень повезет, поскольку мы существуем в разном режиме. Кроме того, Техри постоянно говорит, что человек, никогда не ночующий в собственном доме, не вызывает у нее доверия...

— Не ной, Макс, все равно не поверю! — усмехнулся сэр Кофа. — У тебя же на лбу написано, что ты наконец-то абсолютно доволен своей жизнью...

— Вот такими буквами? — весело спросил я, разводя руки как можно шире.

— Еще более крупными! — заверил меня сэр Кофа. — Знаешь, между прочим, я как раз решил немного утолить твою жажду романтических прогулок при луне.

— Вы решили одолжить мне свою даму сердца? — прыснул я. — Вот это я понимаю, взаимовыручка!

— Обойдешься! Я решил одолжить тебе себя самого. Корабль из Арвароха благополучно отчалил чуть ли не дюжину дней назад, а мы с тобой до сих пор не выбрались поужинать. Между прочим, ты мне обещал, так что не пытайся выкручиваться!

— Грешные Магистры, сэр Кофа, чтобы я да отказался выполнить свою клятву?! Легче умереть! — В последнее время в Доме у Моста только ленивые не пытались прослыть великими остряками, вовсю цитируя наших потрясающих арварохских друзей.

Я залпом допил свою камру, слез с подоконника, снял Мантию Смерти и накинул на плечи нормальную цивильную одежду — старенькое тонкое лоохи неопределенного зеленоватого цвета. Оно мне не слишком-то нравилось, но для анонимных ночных походов по трактирам вполне подходило.

— Я готов ко всему, Кофа! А куда вы меня поведете?

— Туда, где ты еще наверняка не был. Это местечко вышло из моды за сто лет до твоего загадочного появления... извини, до твоего переезда в Ехо. Теперь туда ходят только те счастливчики, которые живут по соседству, и настоящие гурманы, вроде меня. Можешь себе представить, Макс: это — единственное место в столице, куда я позволяю себе заявляться при своем собственном лице. Там и следить-то не за кем, все посетители знают друг друга чуть ли не с древних времен...

— Вы меня интригуете! И что же это за притон?

— Трактир «Джуффинова дюжина». Одна из самых маленьких забегаловок в столице, что не мешает тамошней кухне быть самой странной и разнообразной.

— Как вы сказали? «Джуффинова дюжина»?! — Я рассмеялся, вспомнив о «чертовой дюжине» — выражении, в этом Мире неизвестном, поскольку местные жители вообще понятия не имели, «кто такой этот черт», пока здесь не появился я со своим непомерно болтливым языком. — Там что, тринадцать столиков? — сквозь смех спросил я.

— Угадал! — растерянно кивнул сэр Кофа. — Или ты там все-таки уже был?

— Никогда! — торжественно заявил я. — И это чуть не стало самой трагической ошибкой моей жизни, и без того задрипанной... Я действительно просто угадал, Кофа, со мной бывает, вы же знаете! А у этого местечка есть какая-нибудь интересная история? Или его хозяйка просто без ума от физиономии сэра Джуффина?

— Не хозяйка, а хозяин... — Мы вышли на улицу. — Куда ты направился? — Сэр Кофа поймал меня за полу лоохи. — Зачем тебе твой амобилер? Сам же только что ныл, что никто не хочет гулять с тобой по ночному городу! Нет уж, пошли пешком.

— Конечно пешком! — смущенно кивнул я. — Это я по привычке...

— От привычек надо избавляться, особенно от таких бесполезных, — назидательно сказал сэр Кофа. — Слепое следование привычке свидетельствует о том, что ты не осознаешь свои действия.

— Вы говорите, как Лонли-Локли! — фыркнул я. — Вообще-то, у вас довольно мило получается, но эта ночь слишком хороша для того, чтобы пародировать его манеру выражаться. Что угодно, но только не это! Лучше расскажите мне про трактир, ладно?

— В общем-то, и рассказывать особенно нечего. Его держит один парень, Мохи Фаа, между прочим, земляк нашего шефа. Джуффин как-то одолжил Мохи дюжину корон, еще в те мифические времена, когда он был Кеттарийским Охотником, а я довольно безуспешно за ним гонялся... — Сэр Кофа ностальгически улыбнулся. — Впрочем, нет, я соврал. Дело было как раз в самом начале эпохи Кодекса, когда Джуффин уже начинал согревать под собой свое нынешнее кресло, а на досуге успешно обыгрывал в крак все столичное население без разбору.

— То есть дело было еще до исторического указа Его Величества Гурига Седьмого, запрещающего господину почтеннейшему начальнику играть в карты в общественных местах? Во имя экономической стабильности, гражданского согласия и так далее, да? — рассмеялся я.

— Вот-вот... Каждый вечер в столице становилось несколькими бедняками больше, а Джуффин уходил из какого-нибудь трактира с мешком золота на плече, с невинным видом вопрошая небо: «И кто их учил играть в крак, этих болванов?» В один прекрасный день навстречу ему попался угрюмый Мохи и начал бесстрашно бурчать, что грех, дескать, при таком жалованье еще и в карты выигрывать. Никакой, видите ли, социальной справедливости! На это Джуффин резонно возразил, что не он создавал этот Мир и уж тем более не он учил столичных бездельников играть в карты. Думаю, оба получили море удовольствия от своей перебранки... Ну, ты же знаешь этих кеттарийцев, они друг с другом всегда договорятся, особенно на чужбине! Стукнут себя по носу, и никаких проблем... Дело кончилось тем, что Мохи убедил-таки Джуффина, что дурными деньгами следует делиться с ближними. У этого господина Фаа великий дар убеждения, сам увидишь... А в те времена корона была еще более крупной монетой, чем сейчас, поскольку почти все наличные деньги растащили удирающие из Соединенного Королевства мятежные Магистры. Дюжины корон вполне хватило, чтобы арендовать дом, соорудить вывеску, которая должна была поведать всему Миру о том, что Мохи Фаа никогда не забудет своего благодетеля, нанять приличного повара и полдюжины музыкантов. Да, первые несколько лет Мохи держал музыкантов, а потом понял, что эта статья расходов сильно бьет по карману. Жаль: славный был оркестрик... В общем, как бы там ни было, музыкантов в трактире давно уже нет, но «Джуффинова дюжина» процветает до сих пор, насколько вообще может процветать такое маленькое заведение. Там действительно всего тринадцать столиков: дюжина для посетителей, а за последний никто не садится, он существует только на тот случай, если к Мохи зайдет Джуффин.

— А он туда заходит? — спросил я.

— Ты же знаешь Джуффина: этот сноб и не прикоснется к горшку с едой, если по нему не поелозила замусоленная пола лоохи мадам Жижинды! — ехидно рассмеялся сэр Кофа. — Он же никуда кроме «Обжоры» не ходит! В последний раз Джуффин почтил присутствием свою «Дюжину» полсотни лет назад, если я не ошибаюсь...

— А вы никогда не ошибаетесь! Особенно в таких вопросах. — Я уже улыбался до ушей, но, если бы мог, улыбнулся бы еще шире, честное слово! — А почему вы меня раньше туда не водили?

— Познакомиться с тамошней кухней — все равно что получить высшее образование, мальчик! — авторитетно объяснил Кофа. — Ну кто же станет читать университетскую лекцию ученику начальной школы!

— А теперь я готов? — гордо спросил я.

— Ну, не то чтобы готов... Просто настроение у меня сегодня лирическое, так что тебе ужасно повезло! — усмехнулся сэр Кофа.

Тем временем мы добрались до Ворот Трех Мостов, но вместо того, чтобы идти через них дальше, в Новый Город, свернули, немного прошли вдоль городской стены и нырнули в симпатичную темную подворотню, освещенную только зеленоватым сиянием луны и ярким, но узким лучом оранжевого света, льющегося из-за приоткрытых дверей в самой глубине прохода.

— Мы пришли? — нерешительно спросил я.

— А что, незаметно? — улыбнулся сэр Кофа. — Я уже не раз пытался убедить Мохи повесить фонарь над вывеской, ее и днем-то не особенно разглядишь, а уж в темноте...

— Да, на его месте я бы не стал так откровенно пренебрегать рекламой!

— Просто Мохи не выносит чужих советов. Ему дай волю, он бы сам целыми днями давал советы окружающим... Впрочем, постоянные клиенты находят его притон и без вывески, а других ему, наверное, и не надо. Куда он их будет усаживать? Всего-то двенадцать столиков и еще один для Джуффина, который все равно здесь не появляется! — И сэр Кофа распахнул передо мной тяжеленную старую дверь трактира. — Заходи, Макс!

Я нырнул в теплое оранжевое сияние и растерянно заморгал глазами, привыкшими к темноте. Сэр Кофа бодро подталкивал меня сзади, приветливо здороваясь с посетителями, чьи лица я пока не мог разглядеть. Я не сопротивлялся и позволил усадить себя на первый попавшийся стул, уродливый и громоздкий, но на редкость удобный. А потом я смог оглядеться. «Джуффинова дюжина», вне всяких сомнений, была идеальной маленькой забегаловкой, как раз в моем вкусе: старая простая деревянная мебель, невероятное количество каких-то ужасных безделушек над стойкой, стен почти не видно под толстым слоем совершенно сумасшедших картинок, немногочисленные посетители казались членами какого-то не в меру элитарного «клуба по интересам» — не то воскресшие розенкрейцеры, не то лауреаты местной Нобелевской премии, одним словом, самая что ни на есть теплая компания сытых интеллектуалов, вроде нашего сэра Кофы...

— Ох! — тихо вздохнул я. — Кофа, вы даже представить себе не можете, я же всю жизнь мечтал попасть в подобное место!

— Тебе действительно нравится? — обрадовался мой Вергилий.

— А вы надеялись, что этот вечер станет самым ужасным в моей жизни, да? — понимающе улыбнулся я. — Напрасно надеялись: я же славлюсь своими извращенными вкусами!

— Ну что ты! Я просто не ожидал, что ты уже достаточно старый и мудрый, чтобы оценить прелести здешнего стиля. Я рад, что тебе понравилось... Хорошая ночь, Кима! Что, сбежали из своих подвалов? И правильно, грех слоняться по душным подземельям Иафаха в такую-то ночь! Не хотите к нам присоединиться?

Я вытаращился на представительного пожилого джентльмена в неприметном сером лоохи, направившегося к нам из-за своего столика. У него были ярко-голубые глаза, такие пронзительные, что оторопь брала.

— А вы что, до сих пор не знакомы? — удивился сэр Кофа. — Ничего себе! Это же сэр Кима Блимм, родной дядя нашей Меламори. Ты же уже успел выдуть как минимум несколько литров редчайших вин из его личных запасов, сэр Макс!

— Можно сказать, что мы очень хорошо знакомы, только заочно! — улыбнулся голубоглазый сэр Кима. — Тем не менее можно и представиться. — Он прикрыл глаза правой ладонью. — Вижу тебя как наяву!.. Ты же не будешь обижаться, если я стану говорить «ты», сэр Макс?

— Не буду, — улыбнулся я. — Меня вообще довольно трудно обидеть: я ведь почти ежедневно вижусь с сэром Мелифаро-младшим. Представляете, какой у меня иммунитет?

— Представляю! — весело хохотнул Кима. И тут же погрустнел. — Как поживает моя племянница, господа? Может быть, хоть вы мне расскажете?

— А как она может поживать? — пожал плечами сэр Кофа. — Разгуливает по Дому у Моста с этим маленьким арварохским чудовищем на плече, ходит на половину Городской Полиции пугать подчиненных генерала Боха своей диковинной зверюгой. Некоторые действительно его боятся, как это ни забавно... А что, вы с ней не видитесь, Кима?

— Представьте себе, нет. Ее угораздило разругаться с родителями, когда мой братец решил, что имеет право давать отрицательную характеристику экзотическому возлюбленному своей дочки, хотя я с самого начала ему говорил, что этот странный молодой человек, как его там... Алотхо, все равно уедет к себе на Арварох, а поэтому и спорить не о чем... Впрочем, Корва и Меламори — два сапога пара, они вечно грызутся на почве собственного демонического упрямства! Но с каких пор девочка решила, что если она ругается с Корвой, это автоматически означает ссору со мной, — вот чего я не понимаю! Раньше она приходила ко мне со всеми своими проблемами, но на этот раз и носа не показывает... Грешные Магистры, никогда бы не подумал, что смогу раскудахтаться, как пожилая индюшка на насесте! Прошу прощения, господа. Давайте сменим тему.

— А у нас и нет другого выхода! — улыбнулся сэр Кофа. — К нам приближается сам грозный Мохи. Так что в ближайшие полчаса мы будем говорить только о пище, приготовься, Макс!

К нашему столику подошел здоровенный седеющий блондин, его светлые глаза сурово поблескивали за стеклами небольших квадратных очков в тонкой металлической оправе. Лоохи трактирщика было сшито из черной кожи. Мне доводилось слышать, что так в старину одевались моряки, но видеть кожаные лоохи мне до сих пор не приходилось.

— Мохи считает, что так практичнее: если на его одежду прольется какой-нибудь соус, ее не нужно будет стирать. Можно просто облизать лоохи и идти дальше, — ехидно шепнул мне на ухо сэр Кофа.

— Давно не встречал такого толкового человека! — одобрительно заявил я.

— Хороший вечер, Кофа, хороший вечер, Кима, приятно вас снова видеть, хороший вечер, Макс, я вас узнал даже без Мантии Смерти, рад, что вы ко мне заглянули... — Все эти любезности Мохи говорил таким сердитым тоном, словно только что поймал нас за ухо при попытке съесть его варенье.

«Не бери в голову, Макс, он со всеми так говорит, к этому просто надо привыкнуть!» — Безмолвная речь сэра Кофы свидетельствовала о том, что я не сумел скрыть удивление.

«Все в порядке, мне даже нравится... Он очень мило гундосит, к тому же не употребляет слово „сэр“, это так демократично! И вообще, я питаю слабость к незнакомым людям, которые от меня не шарахаются!» — ответил я, разумеется, тоже безмолвно.

— Поскольку вы сегодня у меня дебютируете, я обязан помочь вам разобраться с меню, — сурово сказал Мохи.

— Не слушай его, мальчик! — вмешался сэр Кофа. — Я знаю, с чего тебе следует начать!

— Нет, Кофа. Вы не знаете. Как раз сейчас у нас гостит сестра моей жены, она замужем за уроженцем Тулана, так что именно сегодня вы имеете шанс попробовать несколько очень интересных блюд туланской кухни. Отличный шанс расширить свой кругозор!

— Это звучит заманчиво, — кивнул я.

— Это только звучит заманчиво! — возразил сэр Кофа. — Эта леди гостит здесь уже полгода, поэтому я уже успел перепробовать все блюда туланской кухни. Простая грубая пища, ничего особенного! Вот большие кушши по-кумански, например, — действительно изумительная вещь. Или та же индюшатина в кислом меду по-изамонски... Ты уже понял, что в «Джуффиновой дюжине» готовят лучшие блюда иноземной кухни?

— Да, я по мере своих сил стараюсь напомнить людям, что мы живем не только в Соединенном Королевстве, но в огромном таинственном Мире, бок о бок с непохожими на нас народами, неповторимая культура которых заслуживает самого пристального внимания и изучения... — сердито забубнил хозяин. — Но все блюда, о которых вы говорите, Кофа, можно будет заказать и в следующий раз! А вот туланская кухня...

— Магистры с вами, Мохи, давайте вашу туланскую кухню! Не умру же я от нее, в самом-то деле! — покорно согласился я. — В конце концов, однажды я съел пять гамбургеров — и то выжил!

— Что ты съел, Макс? — внезапно заинтересовался Кима Блимм.

— Гамбургеры — это гордость национальной кухни Пустых Земель, — тут же нашелся я. — До сих пор подозреваю, что мои сумасшедшие соотечественники кладут туда конский навоз, честное слово!..

— Полемист из тебя совершенно никудышный, Макс! — с сожалением вздохнул сэр Кофа. — Никогда не думал, что тебя так легко уговорить! Что ж, пеняй на себя, а я буду есть кушши.

— По-кумански? — ворчливо осведомился хозяин, записывая заказ.

— Ну, не по-тулански же...

— И мне то же самое. — Сэр Кима Блимм наконец-то счел нужным высказать свое мнение. — Вы, Кофа, — лучший из экспертов, так что ваш выбор для меню — закон.

— Ясно тебе? — спросил у меня сэр Кофа. — Вот как поступают мудрые люди.

— Ничего, — я легкомысленно махнул рукой, — честно говоря, у меня большие планы касательно фундаментального изучения всех блюд этого замечательного местечка. Через год вы меня не узнаете: я буду самым назойливым завсегдатаем «Джуффиновой дюжины»... и самым толстым, наверное!

— Поздравляю, Мохи, еще один клиент клюнул на вашу наживку, — улыбнулся Кофа. — С вас причитается, это я его привел, между прочим!

— Лучше поздно, чем никогда! — буркнул господин Мохи Фаа, забирая у меня меню, которое я так и не успел открыть. — А что вы, собственно, будете пить, вы уже решили? — Судя по грозному виду хозяина, он собирался нас выпороть в том случае, если мы еще не приняли решения по этому важному вопросу.

— Ничего! — злорадно ухмыльнулся сэр Кофа. — Мы с Максом на службе, во всяком случае, формально. А Кима... Будет он пить эту вашу бурду, когда к его услугам все винные погреба Ордена Семилистника!

— Не нужно принимать за меня решения, Кофа, — улыбнулся сэр Кима Блимм. — Я как раз собрался попросить Мохи порекомендовать мне что-нибудь... подемократичнее!

— А я буду пить камру! — развеселился я.

— Перед едой? Побойтесь Темных Магистров, Макс! — строго сказал хозяин. Он был близок к тому, чтобы погрозить мне пальцем.

— Перед едой! — упрямо кивнул я. — И после еды тоже! И скажите спасибо, что я не буду заниматься этим безобразием во время еды, только ради вас, Мохи!

— Спасибо! — сварливо сказал хозяин. Но тут я с удивлением заметил, что его светлые глаза очень весело поблескивают из-под очков. Я начал понимать, почему Джуффин дал ему эту знаменитую дюжину корон: перед таким дядей я бы тоже не устоял, честное слово!

Мохи вернулся через несколько минут, поставил передо мной крошечную жаровню, водрузил на нее кружку с камрой, укоризненно покачал головой, но ничего не сказал. Киме Блимму досталась маленькая темная бутылка.

— Вино из Ирраши, — сердито сообщил ему Мохи. — В отличие от камры, вино у них там неплохое, как и сладости... Вы сказали, что с меня причитается, Кофа? Можете отпить глоток вина из бокала Кимы, в этом случае выпивка обойдется ему на одну горсть дешевле, я прослежу за расчетом... А больше вам все равно не нужно, вы ведь на службе, да?

— Запомни этот день, мальчик! — внушительно сказал мне сэр Кофа Йох. — Вот сейчас я действительно не знаю, что на это ответить. Остается только развести руками!

Еду мы получили еще через полчаса. Мое безымянное «блюдо из туланской кухни» оказалось чем-то вроде плова, на мой непритязательный вкус, просто восхитительного.

— Нравится? — озабоченно спросил сэр Кофа. — Все равно мои кушши лучше!

— Не ваши, а куманские, — улыбнулся я. — Успеется еще. Я и правда собираюсь стать завсегдатаем этого местечка. Я сюда еще и Джуффина затащу, попомните мое слово!

— Думаешь, у тебя получится? — недоверчиво спросил Кофа.

— Вы забываете: теперь я получил доступ к ужасающим тайнам Лойсо Пондохвы! — Я сделал страшное лицо. — Скоро мое могущество станет безграничным, и я смогу выбирать: стать властелином Мира или убедить сэра Джуффина Халли, что в Ехо есть много хороших трактиров кроме «Обжоры Бунбы». Сами понимаете, что я предпочту второе...

— Ну, разве что таким образом! — рассмеялся сэр Кофа. — Кима, заткните уши, пожалуйста: здесь плетется самый страшный заговор эпохи Кодекса. Вам, как представителю Ордена Семилистника, лучше ничего об этом не знать! А то напьетесь как-нибудь орденских вин из своих неиссякаемых запасов, настучите Магистру Нуфлину, такого хорошего мальчика придется сажать в Холоми... Ужас!

— Кофа, а вы знаете этого господина? — отсмеявшись, спросил сэр Кима Блимм.

— Какого? Того, в очках? Нет, не знаю. Что-то хитрецу Мохи сегодня везет на новых клиентов!

— Очки точно такие же, как у Мохи! — удивился я, посмотрев на незнакомца в темно-красном лоохи, по-моему, слишком теплом, чтобы носить его летом.

— Ха! Нашел чему удивляться! — фыркнул сэр Кофа. — Точно такие же, как у Мохи, и у всех прочих жителей Ехо, которые носят очки. У нас ведь всего один мастер их делает.

— Всего один? — удивился я.

— Ну да, этого вполне достаточно. Не так уж много людей хотят носить очки. Существует дюжина способов улучшить свое зрение на время или даже навсегда. Но некоторым эксцентричным модникам кажется, что очки их украшают, поэтому кто-то их все-таки носит... — объяснил сэр Кофа.

— А вот у Нули Карифа совсем другие очки! — вспомнил я. — Круглые.

— Разумеется, он же начальник Таможенного Сыска. Снял, наверное, с какого-нибудь близорукого контрабандиста, после того как бедняга потерял сознание на шестом часу дружеской беседы с нашим неугомонным Нули... — мечтательно протянул сэр Кофа. — Ну что, выполняй свою угрозу насчет камры после еды, и будем выползать из этой норы. Мне, между прочим, еще и работать надо.

— Экий вы непостижимый и многоликий! — вздохнул я. — То вам отдыхать приспичило, то работать надо... Слишком сложно для моего примитивного интеллекта!

— А я вынужден попрощаться уже сейчас, — зевнул сэр Кима Блимм. — Честно говоря, просто очень хочу спать... Передавайте привет моей племяннице, господа. Уговаривать ее бесполезно, сам знаю, просто скажите, что я по ней соскучился, ладно?

— Конечно, — кивнул я. — Честно говоря, я могу попробовать сказать еще что-нибудь. Иногда у меня это получается: разговорный жанр — мое единственное по-настоящему сильное место!

— Да, я заметил, — улыбнулся Кима Блимм. — Будет здорово, если у вас получится...

Кончилось тем, что Кима действительно откланялся, а вот мы с сэром Кофой просидели за своим столиком еще час: суровый Мохи пробурчал, что мы не имеем никакого права уйти, не попробовав некий необыкновенный ташерский десерт. А у нас не было никаких сил сопротивляться. На прощание хозяин «Джуффиновой дюжины» наградил меня особенно строгим взглядом.

— Вам здесь понравилось, Макс? — сердито спросил он.

— Еще бы! — проникновенно сказал я. Признаться, уже давно я не был настолько уверен, что говорю чистую правду!

— Тогда приходите еще! — буркнул Мохи, открывая перед нами тяжеленную дверь. Это выглядело так, словно нас выгоняли на улицу. Спасибо, хоть пинков не надавали!

— Сэр Кофа, — устало вздохнул я на прощание, — вы — мой единственный и неповторимый благодетель в этом суровом Мире! Чем я могу вас отблагодарить?

— В следующий раз закажи себе большие кушши по-кумански и будем в расчете, — добродушно усмехнулся сэр Кофа Йох. — Мне ужасно обидно, что ты их так и не попробовал!

В Управление я вернулся почти на рассвете. Тихо, чтобы не разбудить дремлющего на спинке моего кресла Куруша, переоделся в Мантию Смерти, посмотрел на светлеющее небо и усмехнулся: где была моя логика? Ну зачем я переодевался — чтобы редких прохожих по дороге домой пугать, что ли?!

На этот раз я твердо намеревался последовать мудрому совету Теххи и попробовать поспать у себя дома, хотя бы для разнообразия. Огромный дом на улице

Желтых Камней показался мне подходящим местом для съемок какого-нибудь второсортного фильма ужасов: там было тихо, пусто и темно. Мои котята уже успели перебраться к Теххи: во-первых, она кормила их когда положено, а не когда получится, во-вторых, я рассудил, что Армстронг и Элла просто обязаны находиться в трактире «Армстронг и Элла», раз уж все так совпало в их жизни: идея показалась мне логичной, к тому же это был великолепный рекламный трюк. Теперь у Теххи по вечерам стула свободного не было: любопытные горожане жаждали полюбоваться на «удивительных кошек этого удивительного сэра Макса», всеобщее возбуждение подогревалось знанием официально подтвержденного факта, что Его Величество Гуриг Седьмой твердо решил заполучить их гипотетических котят, которыми, впрочем, мои любимцы пока не спешили обзаводиться... В общем, бизнес дамы моего сердца пошел в гору, хоть какая-то от меня была польза!

Я открыл нараспашку все окна, чтобы проветрить свой дворец, чуть было не превратившийся в заброшенный нежилой сарай, и отправился спать, поскольку и этим тоже иногда надо заниматься...

Проснулся я еще до полудня, от ужасного грохота. «Грешные Магистры, это наверняка конец света!» — обреченно подумал я, пулей слетая вниз в гостиную. На полу сидела совершенно изумленная Теххи, обиженно поглядывая на валяющийся рядом стул.

— Макс, у тебя такая ревнивая мебель! — возмущенно сказала она. — Этот стул хотел меня убить.

— Как это? — ошалело спросил я.

— Я решила зайти, чтобы пожелать тебе хорошего утра. Потом до меня дошло, что чем позже я это сделаю, тем меньше у меня шансов быть выкинутой в окно. Словом, я решила дать тебе возможность еще немного поспать. Нашла газеты, села на этот ужасный стул, а он тут же опрокинулся! Он у тебя что, заколдованный? — Впрочем, Теххи уже выглядела вполне довольной, и я с облегчением понял: не так уж она и ушиблась.

— Стоило отправлять меня спать домой, чтобы тут же прийти и разбудить, да еще и с риском для жизни! — улыбнулся я, помогая ей подняться. У подлого стула, оказывается, сломалась ножка. Как нельзя более вовремя!

— Я просто давно собиралась позавтракать за твой счет, — объяснила Теххи. — А тут такой повод!.. Кстати, знаешь, что пишут в «Королевском голосе»? Тебе будет интересно.

— Что? — без особого интереса спросил я.

— Эти твои кочевники окончательно сошли с ума. Теперь они воюют.

— С кем? — обалдел я.

— Да ни с кем, а между собой. У них обнаружились большие внутриплеменные разногласия теоретического свойства. Одни считают, что ты должен стать их царем даже вопреки собственному желанию. А другие решили, что твои желания превыше всего, поскольку ты — это закон.

— Какие молодцы! — нежно сказал я. — Если бы все человечество присоединилось к их мнению, оно бы только выиграло!

— Да? — Теххи насмешливо приподняла брови. — Могу себе представить... Тем не менее они всерьез развоевались, эти бедняги, твои подданные. Тебе не стыдно?

— Нет, — вздохнул я, — мне приятно... Кроме того, если бы им не нравилось воевать, они бы и не стали. Главное, чтобы Его Величеству Гуригу не пришло в голову отправить меня к ним наводить порядок. У меня совсем другие планы на ближайшее будущее.

— Какие? — с любопытством спросила Теххи.

— Да так, ничего оригинального. Сегодня ночью сэр Кофа водил меня в совершенно умопомрачительное местечко. Теперь я собираюсь повторить это приключение, желательно в твоей компании.

— В моей? — удивилась Теххи. — Ой, я...

— Никаких «ой»! — строго сказал я. — Мои желания превыше всего, поскольку я — это закон. Ты же не будешь развязывать войну?

— Не хотелось бы... Но у меня, между прочим, имеется свой собственный трактир. И по вечерам он должен работать. На кого я его брошу? На твоих кошек?

— А тебе не приходило в голову, что трактир можно просто закрыть на один вечер? — примирительно спросил я.

— Да? Действительно не приходило... А что, это идея! Но я смогу принять твое предложение только завтра. Надо же как-то предупредить постоянных клиентов...

— Завтра так завтра! — согласился я. — Во всяком случае, это звучит гораздо лучше, чем «через год»! Лишь бы в гениальную голову сэра Джуффина Халли не пришло никаких экстравагантных идей касательно моих планов на завтрашний вечер! Но тут уж я бессилен.

— Ладно, за свой завтрашний день я уже спокойна. А сегодня ты собираешься меня кормить? — усмехнулась Теххи. — Я ведь чуть было не заплатила жизнью за это сомнительное удовольствие, так что только попробуй не оправдать мои ожидания!

В конце концов я все-таки попал на службу, почти сразу после заката. И не так уж я опоздал, если разобраться!

— Скорбели о судьбе своего бедного народа, ваше величество? — язвительно спросил меня сэр Джуффин. Разумеется, он тоже читал газеты!

— Мое сердце обливается кровью! — тоном опытного демагога взвыл я. — Мой бедный маленький народ окончательно утратил жалкие остатки своего ущербного разума! — Потом я сел в свое кресло и пригорюнился, теперь уже вполне искренне. — Я болею за сторонников моей свободы, а вы, Джуффин?.. Хотел бы я знать: что собираются делать в случае победы эти милые люди, которым кажется, что я обязан немедленно приступить к исполнению своих царских обязанностей? Идти войной на Ехо?

— Там видно будет! — фыркнул Джуффин. — Чего ты распереживался, Макс? Это же довольно смешная история, тебе не кажется?

— Иногда кажется, иногда нет... Честно говоря, мне пришло в голову, что меня могут попросить смотаться в Пустые Земли и попытаться их помирить.

— Да? Ну в таком случае у тебя странные представления о жизни, — рассмеялся Джуффин. — Кого интересуют мелкие внутриплеменные дрязги на границе? Пусть с ними Темный Мешок разбирается, он все равно от скуки дуреет...

— Кто-кто? — изумленно переспросил я.

— Как — «кто»? Темный Мешок, граф Риххири Гачилло Вук, разумеется, единственный и неповторимый лорд этого захолустья. Бывший воспитатель нашего знаменитого покойного Величества Гурига Седьмого, настоящий герой древности и вообще тот еще персонаж, познакомить бы вас как-нибудь... Красивейшие места, между прочим, эта твоя гипотетическая родина! На твоем месте я бы попытался воспользоваться предлогом и получить внеочередной отпуск, дабы наконец узреть эту прекрасную дикую землю...

— Мне, хвала Магистрам, и здесь найдется чем заняться! — решительно сказал я. — Уезжать из Ехо сразу после того, как мне удалось побывать в «Джуффиновой дюжине»?! Ни за что!

— Смотри-ка, ты уже и туда добрался! Небось Кофа затащил?

— Ну, не вы же... Кстати, а почему вы-то туда не ходите? Такое славное местечко! А у вас там еще и личный стол. Я бы на вашем месте...

— Могу себе представить! — ехидно покивал Джуффин. Потом он неожиданно обезоруживающе улыбнулся: — Если честно, я не хожу туда, чтобы не лишать Мохи доброй половины его клиентов. Им так приятно созерцать мой личный столик... и быть уверенными, что он всегда останется незанятым!

— Почему? — наивно удивился я.

— Потому что я очень страшный! — Сэр Джуффин скорчил зверскую рожу. Получилось довольно убедительно. Потом он снова придал своему лицу нормальное человеческое выражение и пожал плечами. — Разумеется, я — отличный парень, но в Мире так мало людей, посвященных в эту великую тайну! Конечно, у Мохи собирается довольно приличное общество, эти господа в ладах с законом ровно настолько, чтобы наслаждаться компанией сэра Кофы, но моя нынешняя профессия и тем более мое темное прошлое как-то не способствуют релаксации окружающих...

— А моей релаксации только вы и способствуете! — грустно вздохнул я. — Так что, вы туда со мной не пойдете?

— Не пойду, — улыбнулся Джуффин. — Во всяком случае, не сегодня. Ну не делай такое скорбное лицо, Макс! Во-первых, мне нужно закончить беседу с одним пожилым романтиком, который искренне пытался сглазить Великого Магистра Нуфлина... Мне кажется, что один этот факт ясно доказывает, что парень должен немедленно отправиться в ближайший Приют Безумных — такие идиоты уже не подпадают под нашу юрисдикцию, но Нуфлин в очередной раз предпочел перестраховаться... А во-вторых, я действительно не хочу губить бизнес своего земляка. Он славный парень, этот Мохи!

— Еще бы! — рассмеялся я.

— Я не сомневался, что ты оценишь. Так что не дуйся, сэр Макс. Между прочим, я — далеко не единственное существо в этом Мире, чье общество доставляет тебе нездоровое удовольствие.

— Что касается Теххи, я здорово подозреваю, что ее папа — не Лойсо Пондохва, а вы, — проворчал я. — Она тоже очень любит говорить «только не сегодня», когда я собираюсь хорошо провести вечер в самой симпатичной из паршивых забегаловок этого Мира.

— Ну хорошо хоть, что не в других случаях! — расхохотался Джуффин. — Ладно, устраивай свою одинокую жизнь как можешь. Я буду сидеть здесь еще часа два. А потом в этом кабинете должен сидеть ты. Во всяком случае, именно так я все себе представляю.

— Да? Какая странная идея! — Я удивленно покачал головой.

— Это я сам додумался! — веско сказал мой шеф. — Ладно уж, иди ужинать, не мешай занятому человеку.

— А знаете что? Пожалуй, именно так я и сделаю! — благодарно сказал я. — Надо же мне что-то есть, хоть иногда!

Дело кончилось тем, что я отправился в «Джуффинову дюжину» в гордом одиночестве: мне пришло в голову, что я так глубоко погрузился в теплую пучину многочисленных дружеских связей, что уже очень давно никуда не ходил один, и еще неизвестно, когда судьба снова предоставит мне такую уникальную возможность.

Для начала я чуть не заблудился, но дело благополучно завершилось сокрушительной победой человеческого интеллекта: я все-таки нашел тяжелую старинную дверь «Джуффиновой дюжины».

— Теперь я вижу, что вам действительно здесь понравилось, — буркнул Мохи Фаа, встречая меня на пороге. Тон был такой, как будто я здорово провинился перед всем человечеством.

На этот раз мне каким-то чудом удалось ответеться от дальнейшего изучения туланской кухни и заказать себе расхваленные сэром Кофой большие кушши по-кумански.

— И камру до еды? — насмешливо спросил Мохи.

— Ага. И после тоже! — упрямо подтвердил я.

Потом я остался один и огляделся. В трактире было почти пусто. Наверное, завсегдатаи предпочитали собираться здесь попозже. За дальним столиком сидел тот самый вчерашний «новичок», личность которого не смог идентифицировать даже сэр Кофа Йох. Я узнал его по темно-красному лоохи и очкам в тонкой оправе, таким же, как у сердитого господина Мохи Фаа. Я проникся невольной симпатией к этому незнакомцу: кажется, мы с ним были в одной лодке, видимо, он тоже с первого взгляда полюбил «Джуффинову дюжину»...

Мне принесли камру, я с удовольствием закурил и приготовился к церемонии долгого ожидания еды, в которой, без сомнения, есть что-то сладострастное. Сидел, скучал. Мне нравится эта разновидность скуки, знакомая только посетителям ресторанов, где работают хорошие, но медлительные повара. У меня даже не возникло никаких сожалений о том, что я не взял с собой газету.

— Хороший вечер, сэр Макс. И вы, оказывается, сюда заходите? — Высокий красивый бородач в тонком черном лоохи приветливо улыбнулся мне с порога и направился к моему столику.

— Сэр Рогро, — удивился я, — вот где вас можно встретить! А вы, между прочим, легки на помине.

— Что, вы меня вспоминали? — удивился издатель и по совместительству главный редактор «Королевского голоса». Еще бы он не удивился: мы были почти незнакомы. Виделись всего несколько раз, да и то мельком. Правда, я имел удовольствие выслушать от леди Меламори занимательную историю его бурной юности, в результате чего проникся искренней симпатией к этому уникальному дядьке.

— Честно говоря, не совсем вспоминал и не совсем вас, — признался я. — Но я как раз подумал, что можно было бы взять с собой газету...

— Что почти одно и то же, вы совершенно правы! — заулыбался сэр Рогро Жииль.

— Садитесь за мой столик, — предложил я. — Если, конечно, у вас нет других планов.

— Представьте себе, нет. Вообще-то, я был уверен, что мне придется ужинать в одиночестве, потому что меня принесло сюда слишком рано. Дурной тон — приходить сюда сразу после заката, знаете ли. Но у меня нет выбора: если я не вернусь в редакцию хотя бы за час до полуночи, все рухнет... Вам знакомо это состояние?

— Знакомо, — улыбнулся я, — я постоянно в нем пребываю. Впрочем, ничего без меня на самом деле не рушится, я уже столько раз проверял!

— Да? Ну, вы — счастливый человек, сэр Макс. А без меня — рушится. Я тоже неоднократно проверял, представьте себе!

Явился Мохи Фаа, недовольно пробубнил что-то насчет хорошего вечера, всучил сэру Рогро объемистое меню и скрылся на кухне.

— Как поживает мой протеже? — осторожно спросил я. — Я все жду, когда вы мне морду бить придете за этот подарок!

— Что? А, вы имеете в виду Андэ Пу! Да нет, не буду я вам ничего бить, скорее уж, наоборот. Он совершенно невыносим, конечно, его присутствие травмирует нежную психику моих подчиненных — счастье, что он не так уж часто показывается на своем рабочем месте, — но пишет это чудовище хорошо. Просто отлично пишет, если честно, уж я-то «впиливаю»... Кстати, я все хотел у вас спросить: прошлой весной, сразу после того, как я взял его на службу, Андэ ездил с вами в Магахонский лес, а потом разразился статьей, на мой взгляд, просто сенсационной, мы ее даже несколько раз перепечатывали, в разных вариантах конечно... Да, и там он весьма красноречиво описал собственные подвиги. Скажите, неужели это правда?

Я рассмеялся, вспомнив, как маленький толстый Андэ храбро полез в овраг, битком набитый живыми мертвецами.

— Чистая правда! — ответил я. — Он даже послужил хорошим примером господам из Городской Полиции, этим, как он их называет, «грызам».

— Вот это да! — поразился сэр Рогро. — Я-то всегда был уверен, что он из тех ребят, которые способны произвести много шума, но когда дело доходит до драки...

— Нет, это не тот случай. Это удивительное создание природы не лишено некоторого сумасшедшего героизма, — тоном эксперта заключил я. — Вряд ли он вообще умеет драться, но храбро подставить собственную физиономию под чужой кулак всегда готов... Кстати, если бы это было не так, он бы не решился записаться в мои приятели.

— Да, действительно! — улыбнулся сэр Рогро. — Когда он пришел ко мне и сказал, что «не надорвется» запросто явиться к вам домой и написать статью о ваших кошках, у него было лицо приговоренного к казни. Признаться, я мог спорить с кем угодно, что парень передумает и отправится в ближайший трактир сочинять что-нибудь правдоподобное...

— Ох! — усмехнулся я, вспоминая это стихийное бедствие. — Лучше бы он так и сделал!

Тут нашу беседу прервал суровый Мохи, грозно нависший над нашим столиком. У него было лицо человека, собирающегося разобраться с негодяями, лишившими его всего, чего негодяи обычно лишают хороших людей. Оказывается, он просто принес наш ужин. Прочитав нам краткую, но сердитую лекцию о культуре народов, создавших эти удивительные блюда, Мохи наконец сжалился и оставил нас вдвоем. Я заметил, что он подошел к посетителю в темно-красном лоохи, о чем-то с ним побубнил, потом покрутил пальцем у виска — оказывается, этот жест знаком обитателям самых разных Миров — и гордо удалился. Посетитель в красном сразу же поднялся с места и ушел. Меня разобрало любопытство, и я дал себе слово непременно разузнать у Мохи: что же за глупость такую ляпнул этот очкарик?!

Мы с сэром Рогро принялись за еду. К тому моменту, когда на наших тарелках оставалась примерно половина содержимого, мы перестали говорить друг другу «сэр»: атмосфера «Джуффиновой дюжины» весьма к тому располагала. Приятный процесс превращения нас в хороших приятелей, судя по всему, проходил нормально. Я начинал чувствовать себя настоящим завсегдатаем: «принюхавшись» к хозяину заведения, я начал устанавливать отношения с другими постоянными клиентами. Но я не забыл о мучившей меня загадке и, когда Мохи принес мне вторую порцию камры, тут же приступил к дознанию.

— Я — самый любопытный человек в этом грешном городке! — нахально начал я. — Скажите мне, Мохи, что вам наговорил этот парень в красном? Я видел, как вы с ним попрощались...

— Сам не понимаю, что с ним случилось! — ворчливо ответил Мохи. — Вроде мужик как мужик... Похвалил еду, все как обычно. А потом скорчил загадочную рожу и говорит: «Идем со мной». Я подумал, что ослышался; переспросил, чего он от меня хочет. А он смотрит на меня, как индюк на свою кормушку и опять: «Пойдем со мной»... Совсем спятил! Я так ему и сказал, и он тут же заткнулся. Расплатился и ушел. Вы что-нибудь понимаете? — сердито спросил меня Мохи.

— Ничего! — честно ответил я. — Может быть, ему так понравилась ваша кухня, что он решил переманить вас в свой бизнес?

— Да? — польщенно переспросил Мохи. И тут же ворчливо добавил: — Нужен мне его бизнес! Я и на свой собственный пока не жалуюсь!

— Это хорошо, — удовлетворенно кивнул я. — Потому что если вы прикроете свою забегаловку, я умру от горя.

— Смотри-ка, как вам понравилось! — Мохи сердито покачал головой. Создавалось впечатление, что я здорово перед ним провинился...

Мы с сэром Рогро вышли на улицу вместе.

— Хотите, могу подвезти вас к Управлению, — предложил он. — В отличие от вас, я приехал сюда на амобилере.

— Нет уж! — решительно отказался я. — Я, хвала Магистрам, никуда не опаздываю, а прогулка к Дому у Моста — мой единственный шанс не упустить такую ночь... Эта сумасшедшая полная луна кружит мне голову!

— Луна действительно вполне сумасшедшая, — одобрительно заметил мой собеседник, — но еще не полная. Полнолуние будет завтра.

— Да? — удивился я. — Совершенно незаметно! Она такая круглая!

— Да, но в таком деле лучше доверять не глазам, а астрономическим расчетам. В силу некоторых причин космического характера фазы нашей луны не отличаются постоянством. Эта круглая хитрюга предпочитает быть загадочной. От одного полнолуния до другого может пройти от двух с половиной до трех дюжин дней, — улыбнулся сэр Рогро. — Но поскольку я на досуге занимаюсь астрологией, я — не худший эксперт в такого рода вопросах.

— Вы еще и этим занимаетесь? — поразился я.

— А почему нет? Тоже хобби, между прочим, не хуже других. А пока меня не выперли из Ордена Семилистника, астрология была, можно сказать, моей основной профессией, хотя в те времена мне куда больше нравилось просто хорошо подраться... Тем не менее я кое-чему успел научиться. Хотите, составлю ваш гороскоп?

— Нет, спасибо, — вздохнул я. — Ничего у нас с вами не выйдет, к сожалению. Я не имею ни малейшего представления ни о дате, ни о времени своего рождения. — Не мог же я признаться этому милому человеку, что вообще родился не под здешними звездами...

С Джуффином я столкнулся на пороге.

— Минута в минуту! — уважительно кивнул он. — Хорошей ночи, Макс.

— Хорошей ночи! — мечтательно улыбнулся я. Честно говоря, у меня были все основания полагать, что сегодня мне никто не помешает бессовестно проспать собственное дежурство. Ничего лучшего я не мог и пожелать. Все-таки Теххи разбудила меня слишком рано, дырку в небе над моими колченогими стульями!

Меня действительно никто не собирался отвлекать от сновидений. Никто, кроме абсолютно круглой зеленоватой луны, но я быстро сообразил, что могу повернуться спиной к окну. Поэтому утром я был в отличной форме. В такой отличной, что решил задержаться на службе, просто для того, чтобы поздороваться с собственными коллегами. Кроме того, я собирался сообщить сэру Джуффину Халли, что сегодня вечером рассчитывать на мое присутствие совершенно бессмысленно. Я собирался отвести свою девушку поужинать, в кои-то веки!

— Вообще-то, нормальные люди с этого как раз начинают... — с порога заявил Джуффин. Я растерянно заморгал.

— Вы что, читаете все мои мысли? Даже такие пустяковые? — несчастным голосом спросил я.

— Магистры с тобой, парень! Очень надо... Просто иногда ты слишком громко думаешь, — невозмутимо объяснил мой шеф. — Ладно, веселись, не так уж часто тебе в голову приходят хорошие мысли, чтобы я препятствовал их осуществлению. Кофа тебя с удовольствием заменит, так что...

— Спасибо, — улыбнулся я, — честно говоря, после того, как мне удалось убедить эту сумасшедшую барышню, что она вполне может закрыть на один вечер свой притон, меня начали мучить дурные предчувствия. Ну, что какой-нибудь болван прирежет другого болвана, да еще и с применением какой-нибудь серо-буро-малиновой магии пять тысяч восемьсот шестьдесят первой ступени ровно за минуту до нашего торжественного выхода в свет...

— Ну, это тебе не грозит! — ухмыльнулся Джуффин. — Поскольку человеческие возможности ограничиваются двести тридцать четвертой ступенью, было бы довольно странно предполагать, что кто-то замахнется на большее, просто чтобы испортить тебе вечер...

— Вы плохо знаете людей! — вздохнул я. — Они еще и не на такое способны, поверьте моему горькому опыту!

— Все, ты меня разжалобил! — фыркнул Джуффин. — Можешь быть спокоен: даже если сегодня вечером Мир покатится в тартарары, я постараюсь спасти его без твоей неоценимой помощи!

Но прежде чем я ушел домой, мне пришлось выпить по чашечке камры со всеми своими коллегами. И не моя вина, что они появлялись в Доме у Моста не все вместе, а по очереди! Это здорово тормозило процесс моего «отступления на заранее подготовленные позиции». В конце концов меня настиг удивленный зов Теххи.

«Макс, у вас там что-нибудь случилось? — осторожно спросила она. — Я опять зашла к тебе домой: хотела проверить качество остальных стульев в твоей гостиной... ну и не дать тебе поспать по-человечески заодно. Знаешь, с самого утра так и подмывало сделать какую-нибудь гадость!»

«Ничего у нас не случилось, я даже выспаться умудрился во время дежурства, — честно ответил я. — И как раз собрался домой, так что постарайся не погибнуть в битве с моей мебелью, ладно?»

«Ладно, постараюсь».

Я спрыгнул с подоконника в кабинете Мелифаро. Поскольку этот засоня явился на службу последним, у него-то я и засиделся почти до полудня.

— Что, ты решил, что время не стоит на месте, пора бы уже выйти на улицу и убить кого-нибудь? — невинно поинтересовалось Дневное Лицо сэра Джуффина Халли.

— Ага, — покорно кивнул я. — Кроме того, я только что выяснил, что променял общество прекрасной леди на созерцание твоей физиономии. Тебе не кажется, что это нелогично?

— Моя физиономия, между прочим, тоже не худший объект для созерцания! — обиделся Мелифаро.

— Не худший, — согласился я. — Но я обожаю разнообразие!

После этого мне все-таки удалось дезертировать.

Теххи сидела в моей гостиной, уткнувшись носом в «Суету Ехо», только серебристые кудряшки сияли над газетой, словно некий неуместный нимб. Моя прекрасная леди пыталась раскачиваться на стуле, словно он был креслом-качалкой.

— А, так вот как это вчера случилось! — понимающе вздохнул я.

— Что ты говоришь, Макс? — Из-за газеты показались внимательные темные глаза.

— Да так, ничего, — улыбнулся я, — просто в этом Мире теперь стало на одну тайну меньше. Для меня, во всяком случае... Ну что, ты предупредила своих бездельников-клиентов, что сегодня вечером им не светит напиться до потери сознания?

Она кивнула, потом осторожно спросила:

— Макс, а ты не обидишься, если я пойду туда с другим лицом?

— Нет, а почему я должен обижаться?.. Правда, твое собственное лицо устраивает меня как нельзя больше, но делай как хочешь. Что, сплетники достали?

Теххи презрительно пожала плечами:

— Какое мне до них дело! Просто не люблю, когда на меня пялятся. На меня, знаешь ли, и так всю жизнь пялятся, то по одной причине, то по другой. Быть дочкой Лойсо Пондохвы — то еще удовольствие... А если я попрошу тебя тоже переменить внешность, это будет уже слишком?

— Да нет, — удивленно ответил я, — со мной вообще очень легко договориться. Но в «Джуффиновой дюжине» собираются необыкновенно милые люди. И они вообще ни на кого не «пялятся», они просто не умеют это делать. Разве что смотреть, но это уже совсем другое...

— Ну, раз ты говоришь, значит, так оно и есть. Но если ты хочешь, чтобы я получила больше удовольствия...

— Хочу! — тут же признался я. — Кстати, может быть, я тоже получу больше удовольствия, кто знает? В конце концов, это будет ужасно романтично, если вместо нас с тобой развлекаться отправятся какие-то незнакомые ребята... Я попрошу сэра Кофу, он из меня такого красавца сделает! С кем предпочитаете провести вечер, леди? Можете заказывать!

— Не нужно тебе дергать сэра Кофу, — улыбнулась Теххи. — Я ведь тоже кое-что умею.

— Правда? — удивился я. — Вот это новость! Что ж, тем лучше. Я посмотрюсь в зеркало и сразу же узнаю, как должен выглядеть мужчина твоей мечты. Наверное, это будет нечто потрясающее, могу себе представить!

— Нет, так не пойдет, — рассмеялась Теххи. — Чтобы из тебя получился «мужчина моей мечты», как ты выражаешься, мне придется внести только одно-единственное изменение, так что тебя все узнают!

— Какое такое изменение? — обиженно спросил я.

— Укоротить твой язык метров на восемь. Оставшихся четырех, на мой вкус, будет вполне достаточно! — прыснула она.

— Ох, ты могла бы быть великодушнее! Я только что расстался с Мелифаро, так что свою порцию вроде бы уже получил, — вздохнул я. Но Теххи тут же ласково обняла меня, чего за Мелифаро, кажется, никогда не водилось!

Весь день мы провели у меня дома, и огромная квартира на улице Желтых Камней наконец-то показалась мне вполне обжитой и уютной. Впервые с момента переезда я почувствовал, что начинаю по-настоящему любить это слишком просторное помещение. А сразу после заката Теххи взялась за дело. Она, конечно, не была таким выдающимся Мастером маскировки, как сэр Кофа Йох: то, что он сделал бы за несколько секунд, отняло у нее куда больше времени и сил, но через полчаса мы оба стали вполне неузнаваемыми. По-моему, Теххи даже несколько переусердствовала в своем желании не привлекать посторонние взгляды. Мы стали на редкость заурядными ребятами, во всяком случае моя новая физиономия не внушила мне особого энтузиазма. Да и сама Теххи превратилась в довольно симпатичную, но на редкость тривиальную барышню: таких смазливых мордашек пруд пруди на любой городской улице в любом из Миров! Но она была очень довольна результатом, и я не стал выпендриваться. В конце концов, я твердо решил сделать все, чтобы наш первый совместный выход в окружающий нас человеческий космос ей понравился: я здорово рассчитывал на неоднократное повторение этого подвига.

— Странно получается: какие-то чужие люди будут ужинать в моем любимом трактире, а я почему-то должен за них платить! — Это было единственное высказывание, которое я себе позволил.

— Ничего страшного, ты же у нас богатый, хвала Донди Мелихаису! — беззаботно махнула рукой незнакомая барышня. Мне оставалось только радоваться, что Теххи не удалось распрощаться с собственными манерами: пока они оставались при ней, никакая чужая физиономия не могла ее испортить!

Мы вышли на улицу, и я растерянно остановился:

— Придется идти пешком, дорогой мой конспиратор! Мой амобилер — в своем роде единственное и неповторимое чудовище. Не узнать его просто невозможно!

— Разумеется, мы пойдем пешком, — кивнула Теххи. — Не так уж это и далеко, а я собираюсь развлекаться по полной программе. Если я скажу тебе, сколько лет мне не удавалось погулять под полной луной, да еще и под ручку с каким-нибудь красавчиком, ты от меня тут же сбежишь. Поскольку поймешь, что я старше, чем камни у нас под ногами...

— Все равно не сбегу, и не надейся! — фыркнул я. — Между прочим, ты тоже не очень-то в курсе касательно моего возраста! — Мне стало очень смешно: если бы Теххи узнала, сколько мне лет на самом деле, ее бедный рассудок вряд ли смог бы выдержать такой сокрушительный удар. Поскольку в этом Мире человек, которому исполнилось тридцать два года, как правило, только начинает ходить в школу. Возраст был самой страшной из моих многочисленных тайн!

В конце концов мы все-таки добрели до «Джуффиновой дюжины». Нужно ли прибавлять, что я опять умудрился заблудиться: нужный поворот я нашел только с четвертой попытки. Великодушие Теххи не знало границ: она делала вид, что наши сумбурные блуждания по темным подворотням — в порядке вещей. Когда я с трудом открыл перед ней тяжеленную дверь трактира, я уже чувствовал себя участником только что завершившегося кругосветного путешествия.

— Здорово! — сразу же сказала Теххи, улыбаясь до ушей. — Ты был абсолютно прав, это — отличное местечко.

— Приятно, когда мнение профессионала совпадает с твоим собственным, — насмешливо заметил я, увлекая ее за дальний столик. — Приготовься к сражению, незабвенная: сейчас придет грозный Мохи и потребует от нас внимания к туланской кухне. А мы будем отбиваться руками и ногами.

— И не подумаю! Никогда в жизни не пробовала туланскую кухню. Что, это так плохо?

— Да нет, — я растерянно пожал плечами, — на мой вкус, так просто отлично!

— Да? А зачем сражаться, в таком случае?

— Понятия не имею! — фыркнул я. — Был бы здесь сэр Кофа, он бы тебе объяснил, а я могу только слепо следовать заветам моего великого учителя... Хороший вечер, Мохи!

— Хороший вечер и вам. — Мохи Фаа равнодушно посмотрел на меня. До меня дошло, что он меня не узнает: Теххи все-таки не зря старалась!

— Я — Макс, только никому не говорите, — тихо шепнул я. — Сегодня я путешествую инкогнито, поскольку этой леди смертельно надоела моя рожа... да и своя собственная, насколько я понимаю.

— Хорошо, я никому не скажу, — покорно кивнул Мохи. — Вот вам меню, выбирайте.

Какой-то он сегодня был вялый, это даже настораживало. Молча стоял возле столика, не вмешиваясь в процесс. Заболел он, что ли?

— Я буду пить какое-нибудь хорошее вино, — мечтательно сказала Теххи. — Что-нибудь южное... У вас есть ташерские вина?

— Да, конечно, — кивнул Мохи.

— Ну вот и принесите самое лучшее из них.

— Да, конечно. У меня есть «Струи Гаппарохи», это лучшее из ташерских вин, — снова кивнул Мохи и пошел за вином.

— И не забудьте про мою камру перед едой! — весело крикнул я ему вслед.

— Да, конечно. — Однообразие положительных ответов ворчуна Мохи окончательно выбило меня из колеи. В конце концов, его сварливое бурчание было одной из составляющих неповторимой атмосферы этого местечка.

— Кажется, он не в форме, — виновато сказал я Теххи. — Жаль, я-то надеялся, что ты получишь удовольствие!

— А я и так получаю удовольствие, — улыбнулась она. — Не переживай, Макс, мы как-нибудь повторим это приключение. Ты даже можешь прийти первым и постараться довести этого милого человека до белого каления, чтобы к моему приходу он уже озверел окончательно... если тебе так уж необходимо, чтобы он меня отругал...

— Необходимо, — кивнул я. — Пожалуй, в следующий раз мы именно так и сделаем.

Мохи тем временем вернулся с нашими напитками. Вино «Струи Гаппарохи» оказалось густой, как ликер, жидкостью пронзительно оранжевого цвета.

— Я собираюсь попробовать вашу хваленую туланскую кухню! — решительно заявила ему Теххи. — Только можете не слишком торопить вашего повара. Нас вполне устроит, если еду подадут через час, поскольку сидеть тут мы будем долго... Правда, Макс?

— Как скажешь, — улыбнулся я, — лично у меня нет никаких других планов на вечер.

— Все будет так, как вы хотите, — печально кивнул Мохи и поспешил на кухню. Я озадаченно посмотрел ему вслед. Что за непостижимые перепады настроения?!

Потом я решил не забивать себе голову всякими глупостями и начал разглядывать немногочисленных посетителей. К моему величайшему удивлению, очкастый тип в темно-красном лоохи снова сидел на своем месте у противоположного окна. Я тут же вспомнил вчерашнее забавное происшествие, и Теххи было что послушать. К моему удивлению, она не рассмеялась, а удивленно наморщила лоб.

— Подожди, Макс. Эта история мне что-то напоминает, вот только я не могу вспомнить, что именно...

— Может быть, этот тип заходил и к тебе? — равнодушно спросил я. — И тоже предлагал пойти с ним? Что, он просто городской сумасшедший?

— Да нет, не то... Я его вообще впервые вижу, это точно! А вот эта история мне почему-то знакома, вот только где я могла ее услышать?

— Наверное, сегодня днем, от меня же! — фыркнул я. — У меня есть дурная привычка рассказывать одно и то же по нескольку раз.

— Да нет, Макс, не от тебя и не сегодня, а очень давно... Но я все равно ничего не могу вспомнить. Магистры с ним, с этим очкастым господином! В Мире есть вещи и поинтереснее.

Тут я был не совсем согласен. Честно говоря, эта история уже начала интриговать меня по-настоящему. Я тут же дал себе слово проследить за незнакомцем: мало ли чего он еще выкинет!

Через полчаса Теххи снова решила пообщаться с трактирщиком.

— Это ташерское вино, которое вы мне дали, оказалось очень даже ничего. Но знаете, я поняла, что у меня сложилась привычка пить крепкий осский аш. Принесите нам его, ладно?

— Ладно, — сухо кивнул Мохи и решительно вышел на улицу.

— Куда это он поперся?! — удивился я.

— Надеюсь, он когда-нибудь вернется, и у тебя будет возможность спросить, каких вурдалаков он ходил искать, — пожала плечами Теххи. — Слушай, Макс, а чего ты сидишь как на иголках? Это полнолуние на тебя так действует?

— Ну да, как на всякое уважающее себя чудовище! — кивнул я. Потом немного подумал и рассмеялся. — Знаешь, наверное, это просто дурная привычка, что-то вроде рефлекса. Обычно в это время суток я приступаю к работе, так что...

— Так что ты принял боевую стойку и начал искать тайны! — усмехнулась Теххи. — Хорошо, что я иначе устроена. А то меня могло бы потянуть наполнить дюжину-другую стаканов, поскольку в это время суток я тоже, как правило, работаю... Не думаю, что хозяин этого трактира отказался бы от возможности меня поэксплуатировать. У него лицо человека, который способен найти работу для кого угодно, желательно бесплатную.

— Ну почему, думаю, он бы позволил тебе оставить у себя чаевые, по крайней мере половину.

— Четверть, не больше. Уж ты мне поверь, я таких ребят насквозь вижу! — рассмеялась Теххи.

Мохи вернулся через несколько минут, по его кожаному лоохи стекала вода. Оказывается, пока мы здесь сидели, на улице успел пойти дождь!

— Вот ваш крепкий осский аш, леди! — К нашему неописуемому изумлению, Мохи извлек из-под лоохи большую темную бутылку.

— Вы что, ходили куда-то за этим пойлом? — недоуменно спросила Теххи. — Зачем, Мохи? Спасибо вам огромное, но зачем было так хлопотать? Вы могли бы просто сказать, что у вас его нет, ничего страшного...

— Ладно, в следующий раз я вам скажу, если у меня чего-то не будет, — покорно кивнул Мохи. — Но вы попросили у меня принести вам осский аш. Я вам его принес. Пейте.

— Спасибо, — растроганно прошептала Теххи, — так мило с вашей стороны! А наша еда уже готова?

— Думаю, что да, — кивнул Мохи, — хотите, чтобы я вам ее принес?

— Да, пожалуйста. — Теххи была готова заплакать от умиления. Я тоже был готов заплакать, поскольку уже ничего не понимал. Ничегошеньки! Так что мы оба проводили удаляющегося на кухню здоровяка Мохи недоуменными взглядами.

— Он в тебя влюбился, дорогуша! — ехидно заявил я. — Это единственное разумное объяснение... Ну и вкус у него! Если бы ты явилась сюда при своем собственном лице, я бы его еще понял, а так...

— Ничего-то ты не смыслишь в женских лицах! — вздохнула Теххи. — В кои-то веки решила стать красавицей, а ты бубнишь что-то несуразное, вместо того чтобы оценить.

— Ну должен же хоть кто-то бубнить, если уж Мохи не в форме, — объяснил я. — Чего не сделаешь ради создания теплой доверительной атмосферы...

Мохи появился снова, на этот раз с нашими тарелками. Теххи тут же принялась за дегустацию пловоподобного туланского деликатеса. Я не сводил глаз с хозяина «Джуффиновой дюжины». Что-то мое сердце было не на месте, вернее, оба моих сердца...

Мохи тем временем направился к посетителю в красном лоохи. Немного с ним пообщался и снова поперся на улицу.

— Это уже слишком! — шепнул я Теххи. — Мохи опять побежал под дождь. Что с ним сегодня творится?!

— Просто слишком много капризных посетителей! — объяснила Теххи. — Этот славный человек дорожит репутацией своего заведения, по-моему, даже слишком... Жуй, милый! Никогда не предполагала, что ты способен целую минуту просидеть над полной тарелкой и не съесть ни кусочка.

— Да, действительно. Стыд какой! Только никому не рассказывай, ладно? — попросил я, принимаясь за индюшатину в кислом меду по-изамонски. Кто бы мог подумать: оказывается, эти обладатели чудовищных меховых шапок и кошмарных облегающих лосин очень неплохо питались в своем захолустном Изамоне!

Тем не менее я упорно продолжал коситься на посетителя в темно-красном лоохи, поскольку мое сердце по-прежнему было недовольно происходящим, и чем дальше, тем больше. Кроме того, я все время посматривал на вход: мне почему-то очень хотелось, чтобы Мохи вернулся. Его отсутствие здорово портило мне аппетит. Но трактирщик все не возвращался, а вот незнакомец в красном поднялся с места и вышел на улицу.

— Теххи, очкарик в красном тоже ушел! — изумленно сказал я.

— И наверняка не заплатил по счету, — вздохнула она. — Бедный господин Мохи Фаа! В этом грешном городке полным-полно жуликов... Странно, что в его отсутствие за посетителями никто не присматривает.

— Кофа говорил мне, что у него семейный бизнес. Никаких слуг. Жена орудует на кухне, сестры ей там помогают, дети мешают, а сам Мохи носится между обеденным залом и кухней и ворчит на клиентов, — словом, все как положено... Наверное, предполагается, что Мохи всегда находится в зале. К тому же все посетители «Джуффиновой дюжины» друг с другом знакомы, только мы с тобой здесь новенькие, да еще этот очкарик, даже сэр Кофа его не признал... Ох, не нравится мне эта история!

— Да? — Теххи внимательно посмотрела на меня. — Ну так не мучайся. Пойди за этим господином в очках и все выясни. Или тебе под дождь выходить не хочется?

— Да не в дожде дело! — сердито сказал я. — Хорош же я буду: притащил тебя сюда, а теперь брошу? Знаешь, я не так воспитан!

— Тоже мне проблема! — фыркнула Теххи. — Я взяла с собой газеты, на всякий случай. Ты ведь так и не дал мне их дочитать...

— Не дал! — улыбнулся я. — А ты что, всерьез решила от меня избавиться?

— Конечно, — кивнула она. — Это гораздо лучше, чем требовать от тебя остаться и сгорать от любопытства, вместо того чтобы просто ужинать... У тебя, между прочим, до сих пор полная тарелка. Ты же так вконец изведешься! Лучше уж пойди за этим человеком, который кажется тебе таким загадочным. А еще лучше — поищи господина Мохи. Что-то его уже слишком долго нет, а хороший хозяин трактира никогда не уйдет надолго, пока в его заведении сидит хоть кто-нибудь, по себе знаю!

— Ну, если ты так считаешь... — Я решительно поднялся с места, а потом кое-что вспомнил и снова сел на стул.

— Ты все-таки решил плюнуть на все тайны и спокойно поесть? — весело спросила Теххи. — Всегда подозревала, что ты гораздо мудрее, чем кажешься!

Мне оставалось только кивнуть. Проблема состояла в том, что я не мог позволить себе роскошь встать на чей-нибудь след. Это было слишком опасно для жизни хозяина следа. Если я управлюсь за несколько минут, здоровый человек вполне может выдержать, но у меня не было гарантии, что я управлюсь за несколько минут, а тем более что господин Мохи Фаа, чья судьба с каждой минутой волновала меня все больше, действительно такой богатырь, каким кажется. Знаю я этих здоровенных дядек, как правило, они — довольно хилый народ! В общем, у меня был только один выход — вызвать сюда нашего штатного Мастера Преследования, леди Меламори Блимм. Я послал ей зов и попытался как можно лаконичнее обрисовать сложившуюся ситуацию. Реакция Меламори была совершенно неожиданной.

«Макс, — сурово сказала она, — дай мне честное слово, что ты не сидишь там вместе с Кимой, который жаждет со мной помириться. Интрига как раз в его стиле... Знаю я его штучки, он кого угодно может уговорить!»

«Не выдумывай! С каких это пор я у тебя на подозрении? — сердито ответил я. — Я действительно не слишком уверен, что с Мохи что-то случилось, собственно говоря, у меня есть только довольно неопределённые предчувствия... Но никаким дядей Кимой здесь пока и не пахнет. Впрочем, я могу встретить тебя на улице... Кстати, имей в виду, я отвратительно выгляжу. Теперь у меня маленькие глазки и курносый нос, зато моя новая нижняя челюсть — самая крупная в Ехо».

«Ты изменил внешность? — удивилась Меламори. — Ладно, я уже выхожу. Будет лучше, если ты действительно встретишь меня на улице: я не очень-то знаю, в какую подворотню нужно сворачивать... Ладно, но почему ты изменил внешность? Ты что, с самого начала догадывался, что может произойти какая-нибудь пакость?»

«Да нет, это Теххи меня изуродовала! — гордо объяснил я. — Наверное, испугалась, что ко мне начнут приставать незнакомые женщины!»

«Да? Экий ты роковой, кто бы мог подумать!» — огрызнулась Меламори.

«Ладно, кончай издеваться. Лучше приезжай скорее. Отбой».

Я закончил этот в высшей степени увлекательный разговор, вытер вспотевший лоб и виновато посмотрел на Теххи:

— А вот теперь я все-таки пойду. Сейчас сюда явится Меламори, а мне нужно проследить, чтобы она не забрела в другую подворотню. Они все так похожи!

— А Мохи так до сих пор и не вернулся, — задумчиво сказала Теххи. — Думаю, что твои предчувствия, к сожалению, начинают сбываться.

— Ты действительно переживешь мое отсутствие? — осторожно уточнил я.

— Переживу, — беззаботно утешила она, — пережила же я твое присутствие! Тоже не сахар, если задуматься! Не волнуйся, милый: у меня есть две газеты и почти полная бутылка осского аша. Когда ты вернешься, я буду гораздо умнее... и гораздо пьянее, чем сейчас. Если честно, у меня давно не было возможности так хорошо отдохнуть!

— Ладно, уговорила, — кивнул я. — Ты кого хочешь уговоришь!

— Нет, только тех, кто очень хочет, чтобы их уговорили! — усмехнулась Теххи. Несмотря на кукольные глазки и аккуратный точеный носик, сейчас она была так похожа на себя настоящую — дальше некуда!

На улице я оказался в тот самый момент, когда амобилер Меламори лихо вынырнул из-за угла. Дождь лил как из ведра — не лучшая погода для приключений, но у меня не было выбора.

— Здорово! — сказал я Меламори. — Ты ездишь все быстрее и быстрее!

— Ох, Макс, какой ты смешной! — расхохоталась она, вглядываясь в мое лицо. — Это тебя Теххи так разукрасила? Она действительно умеет пошутить!

— Еще как умеет! — проворчал я. — Ладно, давай все-таки поищем Мохи.

— Давай... Ты извини, что я подумала про Киму... Наверное, у меня началась мания преследования. В последнее время моя очаровательная семейка из кожи вон лезет, чтобы помириться со мной. Они так обрадовались, что Алотхо уехал... Как будто это что-то меняет!

Тем временем мы добрались до «Джуффиновой дюжины». Меламори разулась, немного потопталась на пороге и встревоженно посмотрела на меня:

— Думаю, я нашла то, что нам нужно. Знаешь, этот твой Мохи... Он ведь простоял на пороге чуть ли не полчаса и только потом куда-то пошел. Ничего, сейчас мы его обнаружим!

Мои дурацкие сердца глухо стукнулись одно о другое, — во всяком случае, мне так показалось.

— Скажи мне, Меламори, ведь рядом со следом Мохи есть другой след, да? — спросил я. Мои предчувствия успели превратиться в какую-то неопределенную, но скверную уверенность, что дело плохо.

— Есть, — кивнула Меламори.

— Это след могущественного колдуна? — осторожно уточнил я.

— Да нет, кажется... Простой человеческий след. Есть в нем что-то нехорошее, но это не сила. Не могу сказать точно...

— Ладно, — кивнул я, — в любом случае сейчас нас интересует Мохи. А все остальное... Там видно будет!

— Мохи уехал отсюда на амобилере, — через несколько секунд сообщила Меламори. — Но он не сидел за рычагом, это точно... Давай сделаем так, Макс. Ты подгонишь сюда мой амобилер, сядешь за рычаг, а я буду говорить тебе, куда ехать. Так мне будет легче.

Очень трудно управлять амобилером, когда стоишь на следе пассажира, а не возницы!

— Конечно. — И я бегом пересек подворотню. Через минуту Меламори уже устроилась на заднем сиденье и начала командовать.

— Сначала нужно выехать на улицу, теперь направо... Хорошо, что ты так быстро едешь, Макс, но я не успеваю говорить повороты, так что лучше немного помедленнее, мы все равно их догоним, минутой раньше, минутой позже... Теперь еще раз направо.

— А что у тебя случилось с Кимой? — спросил я. — Вы же никогда не ссорились! И вообще он показался мне симпатичным, я бы сам не отказался от такого дядюшки!

— Вообще-то ты прав... теперь налево... Мы с Кимой были настоящими друзьями, или мне так казалось... пока едем прямо, Макс, я скажу, когда нужно будет поворачивать... В общем-то, именно поэтому я так на него и обиделась! Выходки моего драгоценного родителя были вполне в порядке вещей, я от него ничего иного и не ждала. Другое дело, что он меня достал, но и это вполне нормально! А Кима делал вид, что все в порядке... теперь поворачиваем направо, Макс... Да, Кима делал вид, что все в порядке. И незаметно пытался научить меня уму-разуму. То есть ему только казалось, что он делает это незаметно, а меня в конце концов это взбесило!

— Смотри-ка, мы, кажется, выезжаем из города! — удивленно заметил я.

— Да, выезжаем. Но они уже близко, можешь мне поверить!

— Отлично. Так чему же Кима пытался тебя научить?

— У него спроси. Наверное, ему казалось, что он учит меня мудрости... Знаешь, в тот день, когда Алотхо уехал на свой грешный Арварох, я поехала к Киме. Я с детства привыкла идти к нему, когда в моей жизни происходит что-то не то... Лучше бы я сразу отправилась поболтать с тобой! Одним разочарованием у меня было бы меньше!

— Грешные Магистры, да что же он такое тебе сказал? — изумился я.

— Наверное, ничего особенного. Но мне показалось, что хуже нельзя было и придумать! Он начал издалека:

«Меламори, девочка моя, я прекрасно понимаю, что с тобой происходит». Кстати, ты заметил, что этот Мир полон людей, которые совершенно уверены, что прекрасно понимают, что происходит с остальными?.. А потом он и заявляет: «Тебе кажется, что с тобой происходит нечто необыкновенное. Но можешь мне поверить: с тобой случилось самое банальное событие, какое только могло с тобой случиться! Любовь — всего лишь уловка природы, с помощью которой она заставляет людей производить потомство». Вот что он мне выдал! Мне трудно объяснить тебе, Макс, почему, но эта фразочка меня доконала...

— Довольно цинично, — согласился я. — Нормальный влюбленный человек совершенно не в силах спокойно пережить сообщение, что с ним случилось нечто банальное... Попробовал бы мне кто-то такое сказать пару лет назад! Я бы умер на месте... или, по крайней мере, обиделся на всю жизнь.

— А сейчас? — осторожно спросила Меламори. — Что, теперь ты спокойно относишься к подобным высказываниям?

Я пожал плечами:

— Просто теперь мне плевать на чужие высказывания... Хотя, может быть, я просто переоцениваю собственную терпимость, потому что мне уже давно не говорили никаких гадостей...

— Скорее всего, — печально улыбнулась Меламори. — Видишь огонек впереди? В этом амобилере сидит твой драгоценный Мохи, я совершенно уверена!

— Вот и отлично. Что будем делать, незабвенная? Я ведь еще так и не решил.

— А, там видно будет! — легкомысленно отмахнулась Меламори. Мои проблемы ее пока не беспокоили, и я прекрасно понимал почему. Когда Мастер Преследования приближается к концу следа, его волнует только одно — сделать последний шаг, а там хоть трава не расти! Так уж все устроено, и ничего не попишешь... Мне предстояло выкручиваться самостоятельно.

Хуже всего, что я до сих пор не был окончательно уверен, что не сую свой любопытный нос не в свое дело: у этого Мохи вполне могло быть какое-нибудь важное деловое свидание, ради которого и любимый трактир можно временно бросить на произвол судьбы... Впрочем, отступать было слишком поздно. Поэтому я сделал первое, что пришло мне в голову, — просто прибавил скорость, на полном ходу пронесся мимо интересующего нас амобилера, лихо развернулся и рванул ему навстречу. Я спиной чувствовал, как Меламори сжалась в комочек на заднем сиденье. Кажется, она даже не дышала. Мне оставалось только надеяться, что возница мчащейся навстречу машины не окажется каким-нибудь камикадзе...

Он не был камикадзе, этот очкарик в красном лоохи. Но он здорово испугался. Поэтому вместо того, чтобы просто остановиться, он попытался свернуть. Дорога была мокрая и скользкая, а гонщик из него — совсем никудышный. Через несколько секунд его амобилер лежал в придорожной канаве. Проклиная все на свете, я резко затормозил и прыгнул в канаву. Сейчас меня интересовала только одна вещь на свете — здоровье господина Мохи Фаа. Мне очень не хотелось обнаружить, что моя дурацкая выходка угробила этого чудесного сердитого дядьку. Поэтому я сразу же кинулся к пассажиру на заднем сиденье. Мокрая от дождя кожа лоохи не оставляла сомнений: это действительно был Мохи. И он был без сознания... или еще хуже.

— Мохи, не вздумайте умирать! — дрожащим голосом сказал я. Конечно, это было глупо, но подействовало самым удивительным образом. Мохи открыл глаза.

— Как скажете! — покорно согласился он.

Я перевел дыхание. Такого невероятного облегчения я уже давно не испытывал!

— Вы в порядке?

— Не знаю, — спокойно ответил Мохи. Только теперь я с ужасом заметил, что его лицо было в крови.

— Я так хочу, чтобы вы были в порядке! — в отчаянии сказал я. — Больше всего на свете! — Я, конечно, понимал, что мету чушь, но остановиться уже не мог.

— Да, я в порядке, — неожиданно согласился Мохи. — Я даже могу встать.

— Вот и отлично. Сейчас мы с вами поедем к Джуффину, он кого угодно способен на ноги поставить! — радостно забормотал я.

— Ладно, поедем к Джуффину, если хотите, — равнодушно кивнул Мохи. Он действительно поднялся на ноги и медленно пошел к амобилеру Меламори. Только тут я вспомнил, что должен быть еще и возница.

Я посмотрел на переднее сиденье. Но там уже никого не было. Наверное, я так сосредоточился на Мохи, что парень успел удрать или...

Далеко он не удрал, этот бедняга в красном лоохи. Он просто вылетел из амобилера при падении. Я нашел его в той же канаве, в нескольких шагах от машины. Парень был мертв, это сразу бросалось в глаза: ни один живой человек не может лежать в такой неестественной позе! Видимо, бедняга свернул себе шею.

По идее, я должен был бы распереживаться. Но мои сердца отреагировали на происшествие совершенно равнодушно. Почему-то я был совершенно уверен, что смерть этого человека в красном — не такое уж плохое событие. Я пожал плечами и пошел к амобилеру.

— Что с возницей, Макс? — спросила Меламори.

— Он умер, — спокойно сообщил я. — Но плохо не это. Гораздо хуже, что я совершенно не расстроен этим происшествием. А ведь я даже не знаю, был ли он хоть в чем-то виноват... — Я повернулся к Мохи, который уже успел удобно устроиться на заднем сиденье: — Как вы себя чувствуете?

— Спасибо, хорошо. Только я почти ничего не вижу. Мои очки...

— Конечно, какой я идиот! Мне следовало поискать ваши очки. Хоть это я должен был для вас сделать!

И я пошел обратно. Спустился в канаву, подошел к амобилеру, внимательно огляделся. Одну пару очков я увидел почти сразу же. Они лежали на мокрой траве, возле передней дверцы. Я подобрал их и еще раз огляделся: в амобилере ехали двое людей в одинаковых очках, и я не был уверен, что нашел именно те очки, которые принадлежали Мохи. Вторые очки действительно обнаружились между передним и задним сиденьями. К моему изумлению, все четыре стекла были целехоньки, только у одной из пар слегка согнулась дужка. «Мы, люди, удивительно хрупкие существа, но нас окружают чертовски живучие вещички! — ошеломленно подумал я. — Здесь только что погиб один человек, чуть не погиб другой, а с их очками все в полном порядке!»

Я вернулся к нашему амобилеру, торжественно размахивая обеими парами очков:

— Вот, Мохи. Только я не могу понять, какие тут ваши.

Мохи примерил одни очки и отдал их мне.

— Во всяком случае, не эти, в них я вижу еще хуже, чем без них...— Он надел вторые и удовлетворенно кивнул: — Да, а это мои.

Я задумчиво крутил в руках ненужные очки, имущество мертвого незнакомца в красном, милый сувенир на память о моем идиотизме, смертельно опасном для жизни ни в чем не повинных людей... Мне почему-то пока не хотелось возвращаться в город. Что-то говорило мне, что это может подождать, кроме того, я уже был уверен, что Мохи не очень-то нужна медицинская помощь. Меламори смотрела на меня со спокойным любопытством. Видимо, она считала, что все происходящее — в порядке вещей... Наконец я решился задать тот самый вопрос, который хотел задать с самого начала:

— А почему вы вообще поехали с этим человеком, Мохи? Ваше исчезновение здорово меня напугало, поэтому я и затеял всю эту кутерьму... гонки с преследованием и так далее. Что он вам сказал?

— Он сказал: «Пошли со мной»,— объяснил Мохи.— Велел подождать его у входа. Я вышел, подождал, он тоже вышел, и мы поехали...

— Погодите, — перебил его я, — это же чепуха какая-то получается! Мало ли что он там сказал! Он вам, между прочим, и вчера говорил то же самое, а вы его послали подальше... И правильно сделали! Вы можете объяснить, что произошло?

— Не могу, — равнодушно пожал плечами Мохи.

— Подожди, Макс, — тихо сказал Меламори. — Надо не так...— Она повернулась к Мохи и решительно приказала: — Объясните нам, почему вы пошли с этим незнакомым человеком!

— Я постараюсь,— кивнул Мохи.— Просто сегодня... Сегодня я никому не могу сказать «нет». У меня такое ощущение, что, если я не выполню чью-то просьбу, я умру или сойду с ума, хотя это не так, наверное... Я понятно объясняю?

— Более или менее, — озадаченно кивнула Меламори, скорее просто для того, чтобы его успокоить.

«Как ты догадалась, что его нужно спрашивать именно в такой форме?» — Я решил воспользоваться Безмолвной речью — мне показалось, что обсуждать проблемы Мохи вслух будет несколько бестактно.

«Ха, тут любой бы догадался! После того как ты велел ему ожить и он ожил...»

«Что ты сказала?» — потрясенно переспросил я.

«Ты не ослышался. Я ведь еще стояла на его следе, когда они перевернулись, так что можешь мне поверить: Мохи действительно умирал, а потом ты велел ему „не умирать", и он послушался... А потом ты велел Мохи „быть в порядке", и теперь он действительно в полном порядке. Нам даже не придется везти его к Джуффину. У него была ужасная рана на голове, а теперь там свежий шрам... И не потому, что ты — такой уж великий исцелитель, а потому, что этот парень дисциплинированно делает то, что ему велят. Я знаю, что говорю: когда стоишь на чьем-то следе, очень легко ощутить, что происходит...»

— Так... — сказал я вслух, усаживаясь на траву и закуривая сигарету — счастье, что они оказались при мне! — Приехали. Не с моей бы дурацкой башкой нарываться на такие головоломки, но тут уж ничего не попишешь. — Я повернулся к Мохи: — Ладно, но ведь вчера вы не испытывали настоятельной необходимости выполнять чью-то просьбу, верно? И вообще, насколько я успел вас узнать, это — не ваш стиль, да? Ответьте мне, ладно?

— Да, конечно, я отвечу, — покорно кивнул Мохи. — Разумеется, такие вещи происходят со мной не каждый день, хвала всем Магистрам!

— Но это случилось не впервые? — уточнил я.

— Нет, конечно, не впервые,'— кивнул Мохи. Честно говоря, такие вещи случаются со мной с раннего детства, по нескольку раз в год, но до сих пор обходилось без неприятностей. Видите ли, Макс, это никогда не длится дольше одного дня. Думаю, что мои домашние бывают очень довольны, когда я...

— Могу их понять! — Природа взяла свое, и я весело расхохотался. Мохи тоже улыбнулся, но как-то вяло. Меламори тем временем успела отобрать у меня очки покойного незнакомца и принялась крутить их в руках.

— Ладно, — отсмеявшись, вздохнул я, — что мы теперь будем делать, Меламори? Мне ужасно хочется узнать, куда направлялся наш мертвый друг. Это возможно?

— Я даже не могу узнать, откуда он пришел, — сказала Меламори. — Для меня след мертвеца перестает существовать очень быстро, он просто исчезает — и все... Только с ожившими мертвецами иногда что-то получается, а этот парень пока что не ожил. Может быть, у тебя получится, Макс? Ты же вечно доказываешь, что нет предела человеческим возможностям! — Она забавно наморщила нос. — Во всяком случае, тебе стоит попробовать. Но для этого нам все равно надо вернуться в «Джуффинову дюжину», поскольку нужный тебе конец его следа — именно там, если он вообще еще существует, его след...

— Ладно, значит, возвращаемся! — кивнул я. — В любом случае, Мохи давно пора быть дома, после такого-то приключения!

— Только нам, наверное, следует взять с собой этого мертвого человека, — напомнила мне Меламори. Вид у нее был какой-то виноватый. Ну да, конечно, заниматься-то этим малоприятным делом предстояло мне!

Я обреченно вздохнул и отправился в проклятую канаву. Разыскал труп, сделал привычный жест левой рукой. Уменьшившийся до неправдоподобных размеров мертвец занял положенное место между большим и указательным пальцами моей руки. Дело было сделано, теперь я мог без проблем доставить его хоть на край света, а не только в Ехо, в маленькое пустое помещение на нашей половине Дома у Моста, служившее моргом. Мне сразу же захотелось помыть руки... Все-таки нервы у меня до сих пор были ни к черту!

— Поехали, ребята, — бодро сказал я, усаживаясь за рычаг амобилера.

— Поехали! — Как ни странно, Меламори выглядела вполне довольной, видимо, наш неожиданный ночной рейд был вполне в ее вкусе. — Поздравляю, Макс! — улыбнулась она. — Теперь ты опять похож на себя.

— Правда? Вот это хорошая новость! Ну конечно, Теххи полагала, что в это время мы уже будем дома... Ясновидящая из нее не выйдет, тоже мне дочка Лойсо Пондохвы!

— Ясновидение никогда не было сильной стороной членов Ордена Водяной Вороны, — совершенно серьезно возразила мне Меламори. — Они другим брали... Я вот все думаю, Макс, может быть, и мне обзавестись очками? — Она до сих пор крутила в руках найденные мною очки, от которых отказался Мохи. — Некоторые люди начинают выглядеть очень умными, как только на их носу оказывается это украшение. Знаешь, это могло бы здорово мне пригодиться при общении с родственниками...

— А ты примерь, — посоветовал я. — Если я тут же не врежусь в какое-нибудь дерево с перепугу, значит, все в порядке, тебе идет...

— Самый простой способ решения этого вопроса! — энергично кивнула Меламори. Она нацепила очки и потянула меня за полу лоохи. — Ну как, Макс? Смотри-ка, ты действительно не врезался ни в какое дерево! Значит, хорошо?

— Очень хорошо, — кивнул я, — только теперь ты стала похожа на господина Мохи. Его жене и детям предстоит сделать трудный выбор — понять, кто из вас их кормилец...

— Мохи, этот ужасный человек говорит, что я на вас похожа! Это правда? — Меламори повернулась к Мохи, задремавшему было на заднем сиденье. — Ой, что это с вами? Макс, останови амобилер, пожалуйста!

Я сначала затормозил, а уже потом испугался. Хорошо, что не наоборот! Повернулся к Мохи. Да нет, вроде бы он был в полном порядке: живой, здоровый, изрядно удивленный. Меламори уже смотрела на него поверх очков, с явным облегчением.

— Извините, ребята, — виновато улыбнулась она, — с господином Мохи как раз все нормально. Это с моими нервами что-то не так... или с этими очками! — добавила она, снова посмотрев на трактирщика. Теперь она смотрела сквозь стекла очков. — Посмотри сам, Макс!

Очки оказались на моем носу, я уставился на Меламори.

— Да нет, с очками все нормально, правда, они без диоптрий, насколько я могу судить.

— Без чего они? — удивилась Меламори.

— Без диоптрий... Я имею в виду, что у них обыкновенные стекла, они не увеличивают и не уменьшают, в общем, совершенно не способствуют улучшению зрения. Наверное, этот бедняга носил их исключительно для того, чтобы выглядеть умнее, по твоему собственному выражению.

— «Диоптрии» какие-то... Ну и словечки у тебя, с ума сойти! — фыркнула Меламори. — Да ты не на меня смотри, а на Мохи.

Я послушно посмотрел на Мохи и обалдел. Его лицо слегка светилось в темноте каким-то печальным голубоватым сиянием. Это было красивое и в то же время довольно неприятное зрелище.

— Так, — вздохнул я, снимая очки, — чем дальше, тем любопытственнее... — К сожалению, мои собеседники не могли оценить уместность этой цитаты, поскольку они не были знакомы с полным отчетом Алисы о путешествии по Зазеркалью. Опять я ублажал исключительно себя, любимого.

— Ты когда-нибудь сталкивалась с чем-то подобным? — спросил я Меламори. Она помотала головой.

— А что, собственно, случилось с моим лицом? — осторожно поинтересовался Мохи.

— С вашим лицом ничего не случилось, это точно! — успокоил его я. — А вот с этими очками происходит нечто непонятное... Ничего, Джуффин с ними разберется. Хорошо, когда есть сэр Джуффин, который может разобраться с чем угодно!

— А тебе здорово хочется разобраться самому, да? — понимающе спросила Меламори.

— Ну да, — смущенно ответил я, извлекая из кармана лоохи крошечный кинжальчик, в ручку которого был вмонтирован своего рода «индикатор». Нужно было выяснить, не использовалась ли при изготовлении проклятых очков какая-нибудь запредельная ступень магии. Уж это-то я точно мог сделать сам!

Стрелка индикатора тут же задергалась и поползла на белую половину круга.

— Странно, да? — сказала Меламори. — Мы как-то привыкли думать, что при изготовлении всяких волшебных вещиц люди используют Черную магию — это вполне логично, но тут...

— Но тут использовали Белую! — кивнул я. — Всего-то восемнадцатая ступень, между прочим! Она, конечно, тоже под запретом, но с тех пор, как наши повара получили разрешение заниматься магией до двадцатой ступени...

— Мы перестали обращать внимание на такие пустяки! — вздохнула Меламори. — И совершенно напрасно:

та же восемнадцатая ступень годится не только для приготовления какого-нибудь «великого пуша»...

— Ну да, — согласился я, — и вот оно, доказательство!

— В любом случае поехали в город, — улыбнулась Меламори. — Я, конечно, сама попросила тебя остановиться, но не навсегда же!

— А я уже забыл, что мы куда-то ехали, — признался я. — Молодец, что напомнила!

Через несколько минут я притормозил возле «Джуффиновой дюжины». На этот раз я нашел нужный поворот с первой попытки.

Теххи все еще была здесь, к моему неописуемому восторгу. Ее лицо тоже успело стать прежним, как и мое собственное, но ее это совершенно не огорчало. Теххи вела активную светскую жизнь: за нашим столиком уже сидели три симпатичных джентльмена. Если бы они сменили пол, я бы мог сказать, что все они были «бальзаковского» возраста. Один из них оказался моим старым знакомым — сегодня сэр Рогро Жииль, очевидно, решился бросить утренний выпуск «Королевского голоса» на произвол судьбы... или уже успел сделать все, что от него требовалось. Двух других я, кажется, не знал, хотя, безусловно, уже где-то видел, возможно, именно здесь, в «Джуффиновой дюжине», два дня назад. Вся компания заливалась смехом, пустая бутылка из-под крепкого осского аша свидетельствовала о том, что нашему драгоценному Мохи предстояло немного поработать.

— Вы очень вовремя нашлись, Мохи! — весело заявила Теххи. — А то я уже собиралась занять ваше место. Должен же кто-то подавать напитки! Ох, Макс, ты такой молодец, что нашел этого милого человека, вот теперь я наконец-то понимаю, с кем связалась!

— А это я его нашла! — ехидно заметила Меламори. — Что касается Макса, он развлекался тем, что устраивал дорожные происшествия. И тут ему действительно нет равных!

— Святые слова, леди!.. Спасибо, что все-таки дождались меня, господа. — Кажется, к Мохи постепенно возвращались прежние ворчливые интонации. — Чтобы посетители сами копошились в моих погребах — такого, хвала Магистрам, до сих пор еще не было!

— А вот теперь и я не отказался бы выпить! — устало сообщил я, опускаясь на стул рядом с Теххи. — Хорошая ночь, господа. Простите великодушно, я как-то забыл, что людям свойственно здороваться... И найдите для меня выпивку, Мохи. Я хочу чего-нибудь крепкого, но очень мало: так чтобы согреться, но не заснуть... Только не вздумайте опять бегать под дождь за какими-нибудь изысками! Меня вполне устроит содержимое ваших собственных подвалов.

— Ладно, — кивнул Мохи, — вообще-то, в это время я уже закрываю, но поскольку меня не было... Сколько меня не было, господа?

— Часа три, я думаю...

— Не три, а три с половиной, — уточнила Теххи.

— Ладно, в таком случае я обязан возместить вам свое отсутствие, хотя бы отчасти... Леди Теххи, а что тут происходило? Я имею в виду свою жену: она меня искала?

— Да, но я ее успокоила. Сказала, что вы ушли с сэром Максом, поскольку ему понадобилась ваша помощь в каком-то темном деле... Как ни странно, она решила, что в его компании вы не пропадете, успокоилась и накормила нас какой-то вкуснятиной, я уже не помню, как это называется, но тоже из туланской кухни.

— Она здорово меня недооценивает! — усмехнулся я. — Моя компания — самый верный способ пропасть. Правда, Мохи?

— Знаете, Макс, у меня такое ощущение, что вы очень близки к истине, — добродушно проворчал трактирщик. Кажется, Мохи быстро приходил в норму. Он стремительно скрылся в глубине подсобных помещений, потом вернулся с маленькой бутылкой желтого стекла.

— Это «Бомборокки», Макс. Настоящее пряное бомборокки с островов Укумбийского моря. Признаться, я держал его для себя, но меня не покидает смутное ощущение, что сегодня вечером мне есть что отпраздновать. Кажется, я чудом избежал смерти, я не ошибаюсь?

— Нет, вы не ошибаетесь, — кивнул я. — Осталось только понять: одной смерти вы избежали или двух... Может быть, это слишком самонадеянно, но я склоняюсь ко второй версии. Не нравятся мне эти очки...

Я залпом выпил содержимое своей рюмки, так и не разобравшись в его вкусе, поднялся с места и пошел к дальнему столику, за которым в начале вечера сидела несчастная жертва затеянного мной дорожно-транспортного происшествия. Мне очень хотелось распутать эту странную историю, чем скорее, тем лучше. Никогда не подозревал, что могу быть таким азартным... или мне просто хотелось окончательно увериться в том, что, угробив этого невезучего очкарика, я не сделал ничего непростительно плохого?

След мертвеца — это совершенно особенная штука. Он не похож на след живого человека, он вообще ни на что не похож. Найти его оказалось легко, а вот стоять на нем было крайне неприятно. У меня началось что-то вроде сокрушительной депрессии: вокруг меня было пусто, и внутри меня было пусто, и каждая клеточка моего тела знала, без тени сомнения, что я когда-нибудь умру и все когда-нибудь умрут, так что все бессмысленно — абсолютно! Промучившись так несколько секунд, я призвал на помощь знаменитые дыхательные упражнения, которым меня научил Шурф Лонли-Локли — хвала Магистрам, что он оказался таким занудой и довел свое дело до конца, — уже после первых вдохов я понял, что могу справиться и с этим. Не то чтобы мне удалось избавиться от омерзительного настроения, но я перестал придавать ему значение. Можно было нормально функционировать, вести себя так, словно ничего особенного со мной не происходит. Наверное, это и есть отрешенность...

— Макс, ты что, все-таки нашел след этого мертвеца? — удивленно спросила Меламори. — Знаешь, когда я сказала, что у тебя может получиться, это было что-то вроде шутки... Как тебе это удалось? Представить себе не могу! Как у тебя все легко получается! Научишь?

— Знаешь, — тихо сказал я, — лучше и не пробуй. Передать тебе не могу, как это мерзко! Помнишь, как ты себя чувствовала на следе Джифы Саванхи? Ну так вот, это гораздо хуже!

— Да? — встревоженно спросила она. — Может быть, тогда тебе не стоит этим заниматься?

— Стоит, — с облегчением вздохнул я, сходя со следа, — должна же и от меня быть какая-то польза... И вообще, человек — это такая скотина, которая ко всему привыкает... Вот только сначала мне нужно зайти в Дом у Моста. У меня ведь до сих пор труп в кулаке, не могу же я его таскать за собой! Нет, я могу, конечно, но не хочу. И потом, было бы здорово, чтобы Джуффин на него посмотрел: может быть, хоть он знает этого парня... Отвезешь меня в Дом у Моста, Меламори?

— Спрашиваешь! Конечно отвезу. А потом обратно?

— Нет, обратно не нужно. Я возьму служебный амобилер, а к тебе у меня будет еще дюжина просьб, одна другой обременительнее.

— Работа у тебя такая! — понимающе усмехнулась Меламори. — Если ты не возражаешь, я бы пропустила еще одну рюмочку, на дорогу. Да и тебе не помешает.

— Что мне сейчас действительно не помешает, так это хороший глоток бальзама Кахара, — вздохнул я. — Кажется, у меня остался всего один порок, зато какой стойкий!

— Не переживай, все не так страшно, — вмешалась Теххи, — их у тебя несколько больше, в смысле — пороков!

— Правда? Вот и хорошо, а я-то переживал! — подмигнул я ей. Теххи улыбалась, но ее черные глазищи были печальными и встревоженными.

— Я вернусь через полчаса, поскольку конец этого мерзопакостного следа все равно находится здесь! — во всеуслышание объявил я. А потом послал зов Теххи и добавил: «Вот когда я опять смоюсь, можешь начинать волноваться. А пока еще рано!»

«А с чего ты взял, что я вообще собираюсь волноваться?» — тут же огрызнулась она.

«Да так... Чего только спьяну не померещится!» — Я снова ей подмигнул, улыбка Теххи стала еще обворожительней, а глаза — еще печальнее. Я вздохнул. Это только со стороны кажется, что человеку должно быть приятно, когда за него кто-то переживает...

Меламори добралась до Управления всего за пять минут. Я не был уверен, что у меня самого получилось бы быстрее.

— Здорово! — в очередной раз восхитился я. — Подожди меня в кабинете, ладно?

— Ладно, — спокойно кивнула она. И я пошел в морг. Встряхнул кистью левой руки, мертвец принял свои нормальные размеры и грохнулся на пол. Все-таки я пошел мыть руки: разумом я понимал что они не могли испачкаться, но все мое существо настоятельно требовало санитарной обработки конечности, соприкоснувшейся со смертью.

Вымыв руки, я поднялся в свой кабинет. Меламори задумчиво гладила сонного Куруша. Он не показался мне самой счастливой птицей в мире, но во всяком случае помалкивал. Первым делом, я полез в стол, извлек бутылку с бальзамом Кахара, отпил небольшой глоток. Самое эффективное тонизирующее средство всех Миров немедленно начало действовать: я почувствовал себя почти новорожденным, вот только пачкать пеленки меня, к счастью, не тянуло.

— Что ты собираешься делать, Макс? — спросила Меламори.

— По-моему, это и так понятно. Вернусь в «Джуффинову дюжину», встану на этот мерзкий след и постараюсь выяснить, откуда пришел наш загадочный мертвец в красном...

— А может быть, нам лучше подождать Джуффина? — нерешительно спросила Меламори. — Покажем ему эти странные очки, кроме того, у нас имеется покойник... Может быть, сэр Джуффин его знает? И в любом случае он наверняка знает, с какой стороны следует браться за дело.

— Ты совершенно права! — согласился я. — Но мне жаль терять время. У меня такое чувство, что чем скорее мы разберемся с этой историей — тем лучше. Поэтому мы сделаем так: я все-таки отправлюсь заниматься своей неприятной работой, а ты свяжешься с Джуффином, все ему расскажешь. Пусть приезжает сюда, изучает очки, труп и новые страницы нашей с тобой биографии, в любой последовательности. Если шеф решит, что я дурак, — пусть пошлет мне зов, и я немедленно прекращу свою бурную деятельность. А если выяснится, что я все делаю правильно, к тому времени полдела будет сделано, и мне останется только получить инструкции касательно своего дальнейшего поведения и продолжить начатое... Ты согласна?

— Разумеется, я согласна, — угрюмо кивнула Меламори. — Ты все правильно говоришь. Просто мне не очень-то хочется, чтобы ты опять становился на этот мертвый след. У тебя было такое лицо, как будто ты сам готов умереть... или еще хуже, не знаю!

— Ну уж нет! Не дождетесь! — беспечно отмахнулся я. — И не забывай: это — моя работа, в конце концов!

— Ладно, тогда не будем откладывать, — кивнула Меламори. — А ты не хочешь переодеться, Макс? В конце концов, ты уже на работе.

— Молодец, что напомнила. — Я быстро снял с себя насквозь мокрое темно-синее лоохи и закутался в черно-золотую Мантию Смерти. Она была теплая и сухая — о лучшем я сейчас и мечтать не мог! Я немного подумал и благоразумно сунул маленькую керамическую бутылочку с бальзамом Кахара в карман Мантии Смерти: я был твердо уверен, что это зелье помогает от всего на свете — кто знает, может быть, оно поможет мне справиться с предстоящими неприятными ощущениями? В комплексе с дыхательными упражнениями Лонли-Локли это должно было сработать!

— Все, я пошел.

Меламори была такой мрачной — дальше некуда.

— Эта затея нравится мне все меньше и меньше! — буркнула она. — Если с тобой ничего не случится, я помирюсь с Кимой, честное слово!

— Это ты мне обещаешь? — удивился я. — Но я и не собирался вас мирить. По мне, так хоть голову ему откуси, Меламори!

— Это я не тебе обещаю, это я себе обещаю! — объяснила Меламори. — Вернее, не себе, а неизвестно кому... То есть даю зарок. Когда я была маленькая, это всегда помогало. Главное — пообещать что-нибудь, чего здорово не хочется делать...

— Спасибо, — улыбнулся я, — вот теперь со мной уж точно ничего не случится! — А потом я вышел из кабинета, потому что надо же было мне когда-нибудь из него выйти...

В «Джуффиновой дюжине» уже было почти пусто. Рядом с Теххи все еще сидел отчаянно зевающий сэр Рогро Жииль — этот герой войны за Кодекс оказался самым галантным джентльменом на обоих берегах Хурона: засыпал, но не покидал даму в одиночестве.

— Посидишь с нами немножко? — робко спросила Теххи. — Или твое дело не может ждать?

— Вообще-то, дело действительно не может ждать, но кто его будет спрашивать? — улыбнулся я. — Посидеть с тобой, выпить чашечку камры... В конце концов, я планировал это в течение трех дней! Надеюсь, у Мохи хватит сил сварить мне камру?

— Мохи уже пошел спать, но перед тем, как уйти, он предусмотрительно оставил нам этот кувшин, — улыбнулась Теххи. — А мы с Рогро нашли в себе мужество оставить порцию для тебя.

— Вы такие хорошие, что я сейчас заплачу! — благодарно вздохнул я. — Рогро, какой вы молодец, что не бросили эту леди в одиночестве!

— Ха, я всегда готов оказать такого рода услугу! — подмигнул мне сэр Рогро. — Кокетничать с дамами — это же мое основное хобби!

— А как же астрология? — усмехнулся я.

— Астрология, шмастрология... — неожиданно фыркнул сэр Рогро. — Астрологией я занимаюсь, когда рядом нет ни одной дамы...

— Кстати, об астрологии! — Меня осенило совершенно внезапно. — Вчера я решил, что луна уже полная, а вы сказали мне, что полнолуние будет сегодня... Скажите, это только я такой болван, или кто угодно мог перепутать?

— Ну что вы, Макс, она была такая круглая, странно было бы, если бы вы не решили, что полнолуние уже наступило! Я же вам говорил, что фазы луны отличаются непостоянством. Ошибиться мог кто угодно, кроме людей, искушенных в астрологии, а нас не так уж много!

— Здорово! — обрадовался я. — Значит, этот парень в красном тоже мог ошибиться... Еще вопрос, ребята. На этот раз к вам обоим. Теххи, сегодня ты пошутила, что на меня влияет полнолуние, помнишь? — Она кивнула, и я продолжил: — Скажи, ведь это была не просто шутка? Я имею в виду, что с некоторыми людьми в полнолуние действительно творятся странные вещи, да?

Теххи и сэр Рогро энергично закивали.

— Разумеется, в полнолуние чего только не происходит! — сказала Теххи. Я не удовлетворился этим общим объяснением и повернулся к своему главному «научному консультанту»:

— Рогро, сегодня я выяснил кое-что очень странное о хозяине этого трактира. Оказывается, время от времени господин Мохи впадает в несколько необычное для него состояние: никому не может отказать, о чем бы его ни попросили. Дело заходит так далеко, что... Ладно, мне лучше заткнуться, пока я не разболтал какую-нибудь страшную тайну! Во всяком случае, я хотел спросить: такого рода вещи могут быть связаны с фазами вашей... то есть нашей сумасшедшей луны?

— Скорее всего, — невозмутимо кивнул Рогро, — как правило, именно так и происходит. Все периодически повторяющиеся необычные состояния так или иначе связаны с фазами луны... Что, я сумел вам помочь, Макс? Вы выглядите как кот, только что сожравший индюшонка!

— А что, именно так они и выглядят? — весело спросила Теххи. — Какая прелесть! Макс, теперь я буду кормить твоих кошек только индюшатами, и у тебя будет целых два заместителя!

— Элла — девочка, так что на твоем месте я бы рассчитывал только на Армстронга! — фыркнул я. — Спасибо, Рогро! Думаю, вы мне здорово помогли... Слушайте, а может быть, мне стоит попросить отпуск и взять у вас несколько уроков астрологии? Всю жизнь мечтал обзавестись какой-нибудь по-настоящему полезной профессией, а то взрослый мужик — и до сих пор всего лишь чье-то Ночное Лицо, а если верить сэру Мелифаро, так и не лицо вовсе, а просто «ночная задница», стыд какой!

— Вот в таком настроении можешь отправляться на любые подвиги! — Теххи смотрела на меня очень внимательно, но она больше не казалась встревоженной.

— Взаимно! — улыбнулся я. — Твое новое настроение мне тоже нравится гораздо больше. Так что я, пожалуй, вполне могу отпустить тебя домой, даже в компании незнакомого мужчины.

— Я и сама могу добраться! — Теххи независимо тряхнула кудрявой головкой. — Тоже мне, подвиг!

— Конечно, ты можешь! — вздохнул я. — Но сэр Рогро — джентльмен старой школы, он все равно не даст тебе одиноко уйти в эту зловещую мокрую темноту, а дерется он здорово в отличие от меня, об этом до сих пор легенды ходят... так что сопротивляться бесполезно.

— Макс, вы просто ясновидящий! — галантно поклонился издатель. — Вам даже астрология ни к чему. Впрочем, если надумаете, я к вашим услугам!

— Ты не очень-то выпендривайся с этим мертвым следом, Макс, — тоном школьной учительницы сказала Теххи, поднимаясь со стула. — Будет обидно, если с тобой случится какая-нибудь пакость!

— Одной пакостью больше, одной меньше... Я постараюсь ни во что не влипнуть, — усмехнулся я. — И мой тебе совет: просто ложись спать, ладно? Никаких экспериментов с томительным ожиданием, нервами и прочей чепухой такого рода!

— После того количества выпивки, которое я умудрилась в себя влить, у меня просто нет другого выхода! — пожала плечами Теххи. — Поэтому даже не надейся, что я буду скорбно сидеть у окна, ждать тебя и курить одну трубку за другой!

— Это — самая лучшая новость, на которую я мог рассчитывать. — Я помахал им рукой и пошел к дальнему столику. Рано или поздно я должен был это сделать...

Я встал на след мертвого незнакомца в красном, и мое прекрасное настроение испарилось, как роса в пустыне. Я тут же применил свой убойный «антидепрессант»: сделал большой глоток бальзама Кахара и старательно задышал так, как следовало дышать всегда, по мнению безупречного Шурфа. Через несколько секунд жизнь стала вполне преодолимой штукой. Я сделал несколько шагов, а потом пошел все быстрее и быстрее.

«Хорошее утро, Макс!» — Зов сэра Джуффина Халли был как нельзя более кстати. Я как раз усаживался в служебный амобилер, поскольку мертвый хозяин следа тоже приехал сюда на амобилере. Закономерная идентичность наших с ним действий была только в интересах дела: черт его знает, откуда он сюда приперся! Во всяком случае, Мохи он увозил за город.

«А что, уже утро?» — спросил я Джуффина.

«Ну, если уж меня подняли с постели и заставили ехать в Управление, значит, утро! Терпеть не могу работать по ночам».

«Логично... Вы уже что-то знаете об этом человеке?»

«О нем пока ничего. Но его очки... Знаешь, Макс, ты действительно везучий! Думаю, ты раскопал очень интересное дело. Можно сказать, легендарное. Но об этом потом. Чем ты сейчас занимаешься? Опустошаешь мою бутылку с бальзамом?»

«Сижу в амобилере. Вообще-то, я уже стою на следе этого неопознанного покойника, так что мне очень трудно с вами общаться. Вы мне лучше просто скажите, что я должен делать».

«Хотел бы я сам это знать... Ладно, иди по этому следу, если можешь! Никогда бы не подумал, что ты уже и на это способен!»

«Наверное, дело в том, что я тоже был мертвым. — Собственная логика показалась мне железной. — Мы с ним — родственные души, вот и все!»

«Ну и шуточки у тебя... Ладно, когда куда-нибудь придешь, сходи с этого грешного следа и дай мне знать, где ты находишься. Не суйся ни в какие помещения, пока не поговоришь со мной, ладно? Учти, в данной ситуации лучше переборщить с осторожностью. Меня настораживают забытые легенды, — на мой вкус, с ними вообще лучше не связываться...»

«Я обожаю осторожность, поскольку жизнь прекрасна, а умирать я уже пробовал, и мне не понравилось! — заверил я Джуффина. — Передавайте привет Меламори. Отбой».

«Сам передашь ей свой привет: я успел отправить ее спать. Отбой!» — попрощался Джуффин.

Я сделал еще один глоток бальзама Кахара: занятия Безмолвной речью были настолько несвоевременны, что чуть меня не доконали! А потом я взялся за рычаг и рванул с места: чем скорее все это закончится, тем лучше!

К моему удивлению, за город мне ехать не пришлось. Я пересек Гребень Ехо — самый большой из мостов — и запетлял по узеньким улочкам между роскошных садов Левобережья. Немного покружив, я уперся в довольно ветхие ворота. Кажется, я приехал.

Я вышел из амобилера и совершил безумный неуклюжий прыжок в сторону — самый верный способ сойти со следа, на котором стоишь. Впрочем, некоторым счастливчикам вроде Меламори достаточно просто обуться. Но со мной бы это не сработало: я нахально становился на любой след, не расставаясь со своими сапогами.

Предрассветные сумерки вокруг меня засияли неописуемо. За какую-то четверть часа, проведенную на следе мертвеца, я успел забыть, что чувствуют нормальные, не обремененные смертной тоской люди... Быть живым, легкомысленно верить в собственное бессмертие, стоять в мокрой траве под лиловеющим утренним небом — что может быть лучше! Я сел прямо на мокрую землю и закурил. Меня трясло — не то от пережитой мерзости, не то от невыразимого облегчения. Заниматься дыхательной гимнастикой с сигаретой в зубах — что может быть глупее! Тем не менее это я и сделал. Очевидно, именно идиотизм ситуации так быстро привел меня в чувство. И я послал зов Джуффину, как мы и договаривались.

«Думаю, что я приехал, — сообщил я, — сижу возле какого-то дома на Левом Берегу, никуда не суюсь, поэтому с вас пирожное за хорошее поведение!»

«Да хоть дюжина! — пообещал Джуффин. — Ты мне скажи лучше: где именно ты сидишь? Левобережье большое...»

«Это недалеко от Зеленого кладбища Петтов, — объяснил я. — Всего в нескольких кварталах... Я не так уж хорошо знаю Левобережье, а названий улиц здесь не доищешься!»

«Твоя правда. В любом случае мне это ничего не говорит. Не знаю ни одного подозрительного места в этом районе... кроме дома Мабы Калоха, конечно... Тем не менее у меня есть все основания не позволять тебе заходить туда в одиночестве. Я уже попросил сэра Шурфа составить тебе компанию. Надеюсь, он тебя быстро разыщет».

«Вот здорово! — одобрительно откликнулся я. И тут же поинтересовался: — А что, это настолько опасное мероприятие?»

«Очень может быть. Так что один никуда не суйся».

«Не сунусь, не сунусь! — пообещал я. — Почему вы так сомневаетесь? Тоже мне, нашли великого героя!»

«А кто тебя знает!» — ответил Джуффин. Некоторое недоверие в его голосе, признаться, здорово мне польстило, поскольку героем я никогда в жизни не был: ни «великим», ни «мелким»!

«Расскажите мне пока, что там с этими очками и с этим мертвецом», — попросил я.

«Знаешь, что касается очков, мне еще многое предстоит выяснить и еще больше вспомнить, — задумчиво ответил Джуффин. — И вообще, эта история может подождать, тебе она сейчас ни к чему... Могу сказать только одно: этот парень, которого ты угробил, — самый обыкновенный человек, никаким могуществом там и не пахнет. Но я учуял запах его хозяина. Вот это серьезный противник! Какой-то очень могущественный маг; его сила имеет темное, но вполне понятное мне происхождение... И я почти уверен, что никогда не встречал его раньше, — вот что самое странное! Знаешь, ведь по роду своей прежней деятельности я был просто обязан перезнакомиться со всеми могущественными людьми эпохи Орденов, во всяком случае, почти со всеми...»

«Ну да, вы же на них охотились! — с удовольствием вспомнил я. — На всех по очереди...»

«Ну, не на всех, не все так страшно! — с не меньшим удовольствием поправил меня Джуффин. — Да, теперь что касается твоего дальнейшего поведения... В этом доме, куда ты пришел, скорее всего, никого нет. Я в этом почти уверен, поскольку этот бедняга в красном вез Мохи за город. Значит, интересующий нас объект тоже должен находиться за городом, хотя все может быть, конечно... В общем, если он все-таки в доме, вы с Шурфом с ним разберетесь. Можете не слишком стараться сохранить его жизнь: я уже примерно знаю, что это за фрукт, так что плакать о нем я не буду... Но, скорее всего, никого там нет, а посему тебе придется найти его след и встать на него. Мне не хотелось бы, чтобы этим делом занималась Меламори: она слишком безопасна для интересующего нас типа. А ты — в самый раз! Если он не выдержит это неземное наслаждение и умрет — тем лучше. Но я здорово сомневаюсь, что он от этого умрет, сам убедишься!»

«Что, такой могущественный дядя?» — уважительно поинтересовался я.

«Более чем... Он копил свою силу довольно долго и очень интересным способом, можешь мне поверить... Ладно, Макс, у меня куча дел: хочу заняться этими грешными очками и попытаться раздобыть какие-то сведения о делах такого рода. Наш Большой Архив, сам понимаешь, еще дрыхнет, только на Куруша и надежда!

Если будут проблемы, свяжись со мной немедленно. Отбой».

«Куда я от вас денусь... Отбой», — согласился я. И полез в карман за следующей сигаретой. Что-то я разнервничался после этого разговора! А закурив, я подумал, что пока Лонли-Локли не приехал, я могу попытаться открыть ворота, чтобы потом не терять драгоценное время.

Открыть ворота оказалось проще простого: они были заперты символически, на крошечный деревянный засов. Впрочем, это было в порядке вещей: жители Ехо не очень-то привыкли превращать свои жилища в несгораемые сейфы, хотя иногда следовало бы: квартирные кражи случаются и здесь, впрочем, не слишком часто — дома столичных жителей нередко охраняются какими-нибудь охранными талисманами, оставшимися у хозяев со времен эпохи Орденов. Я отодвинул засов и пошел обратно: больше никакой работы для меня здесь не было, только сидеть и терпеливо ждать Шурфа! Сзади что-то скрипнуло, я оглянулся, почти машинально... и обомлел: из-за ворот на меня уставилась морда огромной собаки. Я был готов к чему угодно, но только не к встрече с этим чудовищем! Вообще-то, я обожаю собак — всех или почти всех, — но некоторых собак я боюсь больше, чем всех мятежных Магистров и живых мертвецов, вместе взятых, даже больше, чем крыс, а это дорогого стоит! Собака, уставившаяся на меня из-за ворот, принадлежала к немногочисленной последней категории, вне всяких сомнений!

— Фу! — неуверенно сказал я. Конечно, это было идиотизмом высшей пробы, но в мою бедную пустую голову больше не пришло ни одной идеи. Потом я смутно вспомнил, что главное — не поворачиваться спиной к собаке и вообще не делать никаких резких движений. Впрочем, это тоже вряд ли могло мне помочь: передо мной была собака-убийца, совершенно равнодушная к поведению жертвы. Такие собаки нападают не потому, что они злы, а потому, что их обучили нападать, можно сказать, запрограммировали... Пока я разбирался со своими сумбурными мыслями, собака вышла из-за ворот — это было настоящее чудовище, размером чуть ли не с медведя. Она выглядела совершенно спокойной, даже не рычала, но я знал без тени сомнения: сейчас эта зверюга на меня прыгнет, я и плюнуть не успею!

Только тут до меня наконец дошло, что я уже давно перестал быть обыкновенным испуганным мальчиком, беспомощным и беззащитным. Справиться с собакой было легче легкого — раз плюнуть, точнее не скажешь! И я плюнул в собаку. Самое ужасное, что сначала я промахнулся. Небольшая рваная дыра появилась на деревянной обшивке ворот, и все. Отличный повод впасть в истерику, развернуться и побежать, но я взял себя в руки и просто плюнул снова. Не знаю, как я вообще умудрялся испытывать какие-то чувства: все происходило быстро, так быстро, что собака так и не успела прыгнуть. Наверное, все дело в том, что из нас двоих только я осознавал, что моя жизнь висит на волоске. Пес был слишком спокоен, слишком уверен в своих силах. Это его и подвело... Забавно: эта собака была вторым живым существом, погибшим от моего знаменитого яда. Если учесть, что безумного горбуна Итуло я убил почти нечаянно, было бы из-за чего шум поднимать и напяливать на меня эту зловещую Мантию Смерти!

Собака умерла мгновенно. Она просто ткнулась мордой в пыльную придорожную траву — никогда не видел более лаконичного и одновременно трагического жеста! Я получил возможность внимательно разглядеть огромного пса и испугаться по-настоящему. Потом я вернулся к своему амобилеру, уселся на место возницы и с облегчением вздохнул: тут мне было спокойнее!

— Проклятие рода Баскервилей меня, кажется, миновало! — сказал я вслух и полез в карман за сигаретами: та, которую я успел закурить незадолго до появления собаки, исчезла неизвестно куда, возможно, даже в другое измерение. Впрочем, это была не та проблема, которой мне сейчас хотелось заниматься...

Откуда-то из предрассветных сумерек вынырнул амобилер. Я равнодушно удивился тому, что машина не производила никакого шума. Вообще-то, это было ненормально: амобилеры должны шуметь, дребезжать и пофыркивать, но, наверное, это не касается амобилеров, которыми управляет сэр Шурф Лонли-Локли...

— Хорошее утро, Макс. — Внимательный взгляд Лонли-Локли на секунду задержался на мертвой собаке. —

До сих пор я был уверен, что ты любишь животных, — невозмутимо заявил Мастер Пресекающий ненужные жизни, аккуратно снимая свои огромные защитные рукавицы. Его смертоносные руки засияли каким-то особенно невыносимым светом, словно Шурф пытался хоть частично компенсировать отсутствие солнца на пасмурном утреннем небе.

— А я до сих пор был уверен, что животные любят меня, — пожаловался я. — Как видишь, людям свойственно заблуждаться. Куруш был бы доволен этой фразой, ты не находишь?

— Этот зверь хотел на тебя напасть? — сухо уточнил Шурф. — Интересное начало... Ладно, пошли посмотрим на дом. Сэр Джуффин говорил, что здесь, скорее всего, никого не будет, тем не менее держись позади меня. Хватит с тебя подвигов на сегодня.

— С удовольствием! — Я спрыгнул на землю и улыбнулся своему коллеге. — Честно говоря, даже если ты пойдешь туда один, я тоже не обижусь.

— Боюсь, что твое присутствие там необходимо. — Лицо Лонли-Локли показалось мне вполне сочувствующим, насколько вообще может быть сочувствующей эта каменная физиономия.

— Да знаю я, знаю! Пошли уж, — вздохнул я.

Оказалось, что вздыхал я совершенно напрасно: огромная собака была единственным и неповторимым защитником запущенного холостяцкого жилища. Никого здесь не было. И следов «могущественного колдуна», обещанных мне Джуффином, не было тоже.

— Дерьмо! — угрюмо сказал я, сердито пнув старое кресло в центре гостиной. Кресло грохнулось на пол, я вздрогнул. Мои нервы уже были на пределе.

— Что с тобой, Макс? — спокойно спросил Лонли-Локли. — Впервые в жизни вижу тебя в таком состоянии.

— И как, нравится? — усмехнулся я. Честно говоря, мне уже полегчало: стоило только выместить зло на несчастной мебели!

— Не очень. Думаю, этот мертвый след не пошел тебе на пользу. На твоем месте я бы занялся дыхательными упражнениями. Между прочим, ты сам просил меня напоминать тебе об этом время от времени... А я пока еще раз обойду дом. Мы ведь так и не проверили, есть ли здесь какая-нибудь тайная дверь. Вполне может быть... — И Шурф отправился вниз, а я последовал его мудрому совету. Как бы я не иронизировал по поводу его помешательства на дыхательной гимнастике, а она работала, да еще как!

Через несколько минут я был в самом благодушном настроении, даже слишком благодушном для данных обстоятельств. Но в таком деле иногда и палку перегнуть не мешает!

— Макс, тебя не затруднит спуститься ко мне? — вежливо спросил Лонли-Локли откуда-то снизу.

— Куда, в уборную? — весело уточнил я.

— Нет, еще ниже. Я нашел тайную дверь под лестницей, совсем маленькую. Тут есть кое-что, заслуживающее пристального внимания...

— След? — спросил я, торопливо спускаясь вниз. Через несколько секунд я уже протиснулся в маленькую низкую дверцу, размеры которой куда больше подошли бы для форточки.

— Нет.

— А что же?.. — начал я и тут же заткнулся, поскольку сам все увидел. — Ох, что это, Шурф?

— Ты хочешь сказать, что никогда прежде не видел человеческие кости? Или ты даже не знал, что люди из них состоят? — сдержанно спросил Шурф. Кажется, он не подшучивал надо мной, а искренне предполагал такую возможность.

— Я знаю, что человек состоит из костей... правда, не только из них, но из них в том числе. — Я невольно улыбнулся, поймав себя на том, что копирую лекторские интонации самого сэра Шурфа. — Но я действительно еще никогда не видел такого! Что здесь происходило? Пир людоедов?

— Думаю, что ты совершенно прав, — невозмутимо кивнул Лонли-Локли. — Что-то в этом роде здесь и происходило. Только людоед, скорее всего, был один. Ты сам разве не замечаешь? Здесь же нет ничьих следов.

— Вернее, здесь довольно много следов, но все они — следы мертвых, — уныло кивнул я. — И мне это здорово действует на нервы... Так этот тип в красном был людоедом, вот уж действительно, жизнь богата сюрпризами! Мерзость какая... Ладно, как я понимаю, у нас только один выход. Я опять стану на след этого дохлого ублюдка, рано или поздно он приведет нас к его хозяину, о котором говорил Джуффин. А может быть, это никакой не хозяин, а просто очередная жертва? И этот тип его съел...

— Иногда ты меня поражаешь, — вздохнул Шурф. — Ну где это видано, чтобы могущественный маг дал себя съесть просто так ни с того ни с сего?! Кроме того, я уже успел послать зов сэру Джуффину. Он велел нам ненадолго вернуться в Дом у Моста.

— Зачем? — удивился я. — Что, что-нибудь еще случилось?

— Ничего не случилось. Просто сэр Джуффин считает, что существует более простой способ найти того, кого мы ищем.

— Да? — удивился я. — И как это?

— Он оживит мертвого незнакомца, которого ты привез ночью, а ты заставишь его говорить. У тебя ведь легко получаются подобные вещи. Твои Смертные Шары могут вместо того, чтобы убить жертву, подчинить себе ее волю, как это было в Магахонском лесу.

— Да уж, чего только там не было... Ладно, в любом случае пошли отсюда, и чем скорее, тем лучше!

— Да, нам следует поторопиться, сэр Джуффин нас ждет, — кивнул Шурф. Кажется, в отличие от меня он остался совершенно равнодушен к чудовищным объедкам людоедских пиршеств...

— Что, вы так и не нашли след этого загадочного колдуна, ребята? — бодро спросил нас сэр Джуффин Халли. — Что ж, значит, он оказался немного умнее, чем нам хотелось бы. И никогда не появлялся в доме своего слуги... С другой стороны — а что он там забыл, в самом-то деле?! Наши шансы обнаружить его след в городе с самого начала были не так уж велики... Макс, я уже не раз тебе говорил, что скорбное выражение лица не гармонирует с формой твоих ушных раковин!

— Оно не скорбное, а... я и сам не знаю какое! — вздохнул я. — Видели бы вы эти кости!

— В своей жизни я видел немало человеческих костей, можешь мне поверить! Не нахожу в них ничего особенного: кости как кости, — фыркнул Джуффин. — Ладно уж, посиди здесь, выпей камры, съешь что-нибудь, в конце концов... Шурф, постарайся поднять настроение этого страдальца, возможно, у тебя получится.

А я пошел в морг. Я уже начал оживлять этого типа, думаю, что через полчаса он будет готов к беседе. Так что тебе следует быть в хорошей форме, сэр Макс: кроме тебя, его разговорить некому!

— А вы? — удивился я.

— Кого угодно, Макс, хоть самого Магистра Нуфлина! Но только не мертвеца! Оживить мертвого — это раз плюнуть, а вот разговорить... Честно говоря, до тебя это еще никому не удавалось: ожившие мертвецы равнодушны к любым вопросам, их можно снова убить, но только не заставить вести себя так, как это нужно нам, живым.

Я растерянно посмотрел на своего шефа:

— Вот это новость!

— Нравится? — ехидно спросил Джуффин.

— Скорее нет, — вздохнул я, — уж слишком велика ответственность!

— Вот и привыкай понемногу! — усмехнулся Джуффин и исчез в коридоре, оставив нас с Шурфом в обществе подноса из «Обжоры Бунбы». Очень мило с его стороны: никакие некрореалистические впечатления не могли испортить мой аппетит.

— А ты что-нибудь знаешь об этой истории, Шурф? — с надеждой спросил я.

— Об этой? Об этой истории я не знаю почти ничего, я же присоединился к тебе всего час назад.

— Не будь таким занудой, — устало попросил я, — я имею в виду не эту конкретную историю. Я имею в виду все связанные с ней странности. Сам посуди: живет себе в Ехо некий симпатичный господин Мохи Фаа, который иногда испытывает непреодолимую потребность выполнять чужие просьбы... кстати, знаешь, я почти уверен, что такие вещи происходят с ним именно в полнолуние, и наш горемычный людоед в красном знал об этом, вот только он был плохо образован, бедняга, — совершенно не разбирался в астрономии или в астрологии, что в данном случае одно и то же! Поэтому он попытался командовать Мохи днем раньше, чем следовало, Мохи возмутился, я обратил внимание на то, как он крутил пальцем у виска, и вспомнил этот эпизод на следующий день, к счастью... А потом еще какие-то странные очки, через стекла которых лицо Мохи показалось мне сияющим...

— Подожди, Макс, не тараторь. Ты же можешь подавиться! — хладнокровно остановил меня Лонли-Локли. — Я понял, что ты имеешь в виду. Да, я знаю эту легенду.

— Так это легенда? — обрадовался я. — А ведь действительно, и Джуффин говорил что-то насчет «забытых легенд»...

— Боюсь, он не совсем точно выразился. Эту легенду скорее можно назвать малоизвестной, чем забытой.

— Рассказывай, не тяни!

— Ты же знаешь, я — никудышный рассказчик, — пожал плечами Шурф.

— Зато я сейчас — самый лучший слушатель, поскольку умираю от любопытства!

— Не преувеличивай, ты еще ни от чего не умираешь, хвала Магистрам! — усмехнулся Шурф. — Ладно уж, я могу рассказать, но ты много теряешь. В изложении сэра Джуффина эта история...

— Но Джуффин сейчас занят, так что на тебя вся надежда!

— Как хочешь. Собственно, сама легенда состоит в том, что когда-то давно, до рождения короля Мёнина или еще раньше, в Мире существовал могущественный клан Лунных Быков. Как они жили и чем занимались, я не очень-то себе представляю, тем не менее они как-то процветали, пока не прогневали свою покровительницу Луну. Если я ничего не перепутал, Луна требовала от них исполнения каких-то специальных церемоний, которыми эти господа почему-то начали пренебрегать.

— Обленились, наверное! — прыснул я.

— Ты напрасно смеешься, Макс, нередко обыкновенная человеческая лень становится причиной непоправимых трагедий. Так было и с кланом Лунных Быков: в конце концов их настигло проклятие Луны, они рассеялись по свету, смешались с другими людьми, утратили свое могущество и свою мистическую связь с разгневанным светилом... Считается, что многочисленные потомки клана Лунных Быков по-прежнему удачливы, сильны и упрямы, но это не настолько бросается в глаза, чтобы отличить их от прочих людей... Но в полнолуние с ними творятся странные вещи: они становятся вялыми и покорными, поскольку... — Шурф задумчиво наморщил лоб. — В общем-то, я не согласен с этой версией, но не я ее придумал, так гласит легенда... Считается, что эти люди ждут, когда их хозяйка луна сменит гнев на милость и скажет: «Пойдем со мной» — и тогда, дескать, их клан восоединится и обретет былое могущество. Но заметь: даже те потомки клана Лунных Быков, которые не знают ни о своем происхождении, ни об этой легенде — а они ничего и не знают, как правило, — даже они в полнолуние повинуются любому приказу... Я думаю, что это больше похоже на проклятие, а не на возможность прощения, на которую намекает легенда...

— Ты просто отличный рассказчик, Шурф! — благодарно сказал я. — Лучше не бывает. Коротко и ясно! А очки? Что ты знаешь про очки?

— Про очки я действительно ничего не знаю. Но логика подсказывает, что кто-то нашел простой способ отличать потомков клана Лунных Быков от прочих людей, вот и все.

— Зачем? Чтобы их съесть? — мрачно спросил я, снова вспомнив покоробившее меня зрелище.

— Да, это довольно веская причина, — спокойно кивнул Лонли-Локли. — Съесть другого человека — значит легко завладеть некоторой частью его силы. Есть обыкновенных людей совершенно бесполезно, а вот могущественных колдунов... Знаешь, иногда это имеет смысл! В эпоху Орденов такая процедура считалась вполне обычным делом, хотя практическая польза от нее все же не так велика, как думают невежественные люди... Вполне может оказаться, что сила потомков клана Лунных Быков показалась кому-то весьма соблазнительной, во всяком случае, я не очень удивлюсь, если ты окажешься прав!

— Ну и ну! — Я изумленно покрутил головой, пытаясь справиться с нахлынувшим на меня потоком информации. Мне ужасно хотелось спросить Шурфа, доводилось ли ему лично лакомиться мясом каких-нибудь могущественных колдунов, но я решил воздержаться от вопросов: у меня было слишком мало шансов получить отрицательный ответ. Перед моими глазами уже возник образ «Безумного Рыбника» в незамысловатом бикини фиджийского вождя с берцовой костью какого-нибудь очередного Великого Магистра в зубах... Ох, зачем мне новый повод для переживаний?!

— Что, тебя это шокирует? — спокойно спросил Лонли-Локли. — Совершенно напрасно! Сам подумай: какая разница, что делать с мертвым телом после того, как оно уже стало мертвым?.. Или ты боишься, что тебе самому придется кого-нибудь съесть? Не переживай: во-первых, эпоха Орденов давно закончилась, а во-вторых, есть много разных способов увеличить свою силу. Описанный мной — только один из многих...

— А что, так заметно, что я шокирован? — виновато улыбнулся я.

— Уже нет. Но только что было заметно.

«Макс, твой пациент готов! Добро пожаловать в морг!» — Не лишенная некоторой бравады Безмолвная речь Джуффина прервала мои мучительные попытки выбросить свой дурацкий устав на пороге чужого монастыря.

— Пойдем со мной, Шурф, — попросил я. — С тобой мне будет спокойнее, а мне сейчас очень нужно быть спокойным... хотя бы для того, чтобы не перестараться со своим Смертным Шаром!

— Хорошо, пошли. Мне даже любопытно, — невозмутимо кивнул Лонли-Локли. И мы отправились в крошечную пустую комнатушку, служившую моргом.

Джуффин сидел на полу, скрестив ноги.

— Присаживайтесь, мальчики! — гостеприимно предложил он. — И полюбуйтесь на ужасное творение моих рук... Я-то надеялся, что мне больше никогда не придется этим заниматься!

Мертвец в измятом темно-красном лоохи неподвижно лежал в дальнем углу помещения.

— Я оживлял его не очень старательно, — объяснил Джуффин, — хорошая работа отняла бы несколько дней. У парня большие проблемы с опорно-двигательным аппаратом, впрочем, нас это вполне устраивает: только гоняться за ним по всему Управлению нам и не хватало! Но говорить он будет, если захочет, конечно. Со мной он общаться не пожелал, знали бы вы, как мне обидно!

— Захочет, — сердито сказал я. — Куда он денется!

В глубине души я был уверен, что мне сейчас начнут дуэтом читать очередную лекцию о разрушительной силе моих Смертных Шаров, которые тупо следуют моим самым потаенным желаниям, и будут настаивать, чтобы я окончательно успокоился и крепко взял себя в руки. Я даже открыл рот, чтобы ответить, что я и без того совершенно спокоен (уж не знаю почему, но это было именно так). Но рот пришлось захлопнуть: возражать было некому. Джуффин и Шурф спокойно ждали, когда я займусь своим делом. Они не собирались давать мне никаких советов; давно мог бы понять, что мои коллеги доверяют мне куда больше, чем я сам...

Я аккуратно прищелкнул пальцами левой руки, маленький пронзительно-зеленый шарик опасного света сорвался с кончиков моих пальцев, ударился в грудь мертвеца, на мгновение стал большим и прозрачным, а потом исчез, как ему и положено.

— Я с тобой, хозяин, — вяло заявил труп.

— Вот и славно. — Признаться, я вздохнул с видимым облегчением. Сэр Джуффин насмешливо на меня покосился, но ничего не сказал. Я обернулся к нему: — Джуффин, я не могу сообразить. Кроме адреса его хозяина, нас что-нибудь интересует?

— Во всяком случае, это — в первую очередь. А потом просто прикажи ему отвечать на мои вопросы. Я думаю, что вам с Шурфом стоит отправиться туда как можно скорее.

— Гениально! — Я снова посмотрел на мертвеца. — Куда ты вез трактирщика? Мне нужен точный адрес.

— Нужно выехать из города через ворота Кагги Ламуха. Потом ехать прямо, никуда не сворачивая, миновать пригород, потом дорога идет через большую рощу. Когда минуешь рощу, слева от дороги увидишь заброшенную деревню, я так и не знаю, как она называется, но она там одна, перепутать невозможно. Нужно проехать через деревню, за ней начинается лес. Человек, который нанял меня, живет в этом лесу, но найти его дом очень просто: там есть только одна дорога, по которой может проехать амобилер. Когда она станет непроезжей, выйдешь из амобилера и пойдешь налево. Его дом — в нескольких минутах ходьбы от этого места; если будет светло, ты его увидишь издалека. Вот и все.

— Он живет там один? — спросил я.

— Да, один. Есть еще люди, которых он нанял, как и меня, но они появляются там только время от времени.

— А собаки? — Этот вопрос был мне подсказан горьким опытом.

— Бакки Бугвину не нужны собаки. Он не боится чужих людей, он никого не боится.

— Бакки Бугвин, так вот чем закончилась эта романтическая история! — задумчиво протянул Джуффин. — Кто бы мог подумать...

— «Романтическая история»? — удивленно переспросил я.

— Да, вполне романтическая... Бакки был такой вдохновенный мальчик! В свое время его с треском выгнали из Ордена Потаенной Травы: парень писал гениальные стихи, в которых нахально разглашал страшные тайны своего Ордена. Хотел бы я знать, как он их разнюхивал: в то время Бакки был всего лишь послушником... Его счастье, что Великий Магистр Хонна обожал хорошую поэзию: вообще-то, за такие штучки даже такие милые люди, как адепты Ордена Потаенной Травы, убивали на месте! Так что, мальчики, если Бакки начнет читать вам свою новую поэму, постарайтесь не расслабляться.

— Ну, меня этим не проймешь! — усмехнулся я. — Чем-чем, но только не стихами! Наверное, из меня мог бы выйти неплохой литературный критик...

— А что это за профессия? — тут же спросил Лонли-Локли.

— Самая бесполезная профессия во Вселенной! — Я уже окончательно развеселился. — Критики читают то, что написали другие люди, а потом пытаются объяснить, почему им это не понравилось. Иногда они умудряются прилично на этом заработать!

— Странная профессия! — озадаченно кивнул Лонли-Локли. — Но может быть, это действительно не лишено смысла?

— Ну, скажешь тоже... — Я был готов поспорить, но сэр Джуффин очень вовремя напомнил мне, что сейчас нас интересуют несколько другие вещи.

— Макс, — вежливо спросил он, — ты уже выяснил все, что тебе необходимо? Время, парень!

— Наверное, все, — растерянно сказал я. — А как вам кажется?

— Мне кажется, что самое важное ты уже действительно знаешь. В конце концов, я собираюсь продолжить беседу, поэтому просто пошлю вам зов, если узнаю что-нибудь актуальное.

— Сэр Джуффин, может быть, Максу вовсе не нужно никуда ехать? — сухо спросил Лонли-Локли. — Вы сами знаете, что я могу справиться и в одиночку. Собственно, так оно всегда и происходит.

— Твоя правда, сэр Шурф. И все же я придерживаюсь мнения, что в одиночку хорошо только посещать уборную... А почему ты не хочешь, чтобы Макс с тобой ехал?

— А зачем? — невозмутимо спросил Лонли-Локли. — Мне кажется, что он не должен рисковать жизнью, когда этого можно избежать.

— Когда этого можно избежать, он и не рискует, можешь мне поверить, — усмехнулся Джуффин. — Только — когда невозможно. И не наша с тобой вина, что возможность не рисковать выпадает так редко... Между прочим, он вполне может остаться со мной, а потом пойти наверх, подскользнуться на лестнице и сломать себе шею! Никогда не знаешь, где начинаешь рисковать жизнью, это вообще непрерывный процесс... Так что поезжайте вдвоем, ладно?

Все это время я озадаченно переводил взгляд с одного на другого. Наконец я не выдержал.

— Прекратите меня пугать, ребята! — решительно заявил я. — Я и так уже испугался — дальше некуда. Но насколько я понимаю, мне просто придется закончить это грешное дело, поскольку я же его и начал, да?

— Правильно соображаешь, — весело кивнул Джуффин. — Между прочим, я не собирался тебя пугать, а просто посмотрел на проблему, как философ. Никаких дурных предчувствий касательно твоего падения с лестницы у меня не было, честное слово!

— Все равно я буду держаться за Шурфа, поднимаясь по этой грешной лестнице! — грозно пообещал я. — Знаете, какой я впечатлительный?

— Боюсь, что даже не догадываюсь! — рассмеялся Джуффин. — Ладно уж, поезжайте и привезите мне голову безумного поэта Бакки. — Он подмигнул мне и доверительно сообщил: — Я собираюсь ее съесть, Макс!

Я покосился на своего шефа с суеверным ужасом. Злодей Джуффин хохотал так, что штукатурка со стен сыпалась.

— Даже мне смешно! — Лонли-Локли укоризненно покачал головой. — Где твое хваленое чувство юмора, Макс?

Я демонстративно пошарил по карманам и покачал головой:

— Понятия не имею! Но я же брал его с собой, когда выходил из дома, я точно помню!

— Вечно ты что-то теряешь! — тоном сварливой спутницы жизни заявил Джуффин, потом махнул рукой и рассмеялся снова. — Кстати, ты не забыл о нашем собеседнике?

— Забыл, — удрученно признался я. И повернулся к мертвецу: — Ты должен остаться с этим человеком и отвечать на все его вопросы. Когда он разрешит тебе умереть, ты должен его послушаться.

— Хорошо, хозяин, — флегматично согласился труп.

И мы с Лонли-Локли покинули морг. Я честно выполнил свою угрозу: пока мы поднимались по лестнице, Шурфу пришлось-таки держать меня за руку.

Я сел за рычаг амобилера, Лонли-Локли устроился рядом. Можно было ехать, что я и сделал с превеликим удовольствием.

— А почему ты так хотел отправиться за головой этого типа в одиночку? — осторожно спросил я. — Что, видеть меня уже не можешь?

— Ты прекрасно знаешь, что это не так, — равнодушно возразил Шурф. — Могу.

— Что, у тебя какое-то предчувствие?

— Представь себе, нет. Никаких дурных предчувствий. Просто мне кажется, что смерть следит за тобой пристальнее, чем за другими людьми... Я не хочу, чтобы мои слова тебя испугали, во всяком случае, это не значит, что ты непременно скоро умрешь. Как раз наоборот...

— А что это значит, в таком случае? — тихо спросил я.

— Только то, что, заполучив тебя, смерть обрадуется несколько больше, чем обычно. Поэтому тебе не следует ее дразнить, вот и все.

— Ладно, учту... Никогда бы не подумал, что кто-то будет читать мне лекции о пользе осторожности! Я ведь — довольно трусливый парень и очень осторожный, даже слишком, разве ты не заметил?

414

— Тебе так только кажется, — на этот раз Шурф усмехнулся с заметной иронией, — люди, знаешь ли, часто преувеличивают свои достоинства!

Тем временем мы выехали из города и понеслись через пригород. Несколько минут — и я уверенно свернул налево, в сторону маленькой деревеньки.

— Странное местечко! — заметил я. — Я ведь уже не раз бывал за городом, и мне всегда казалось, что деревни в Угуланде выглядят побогаче. Там всегда такие симпатичные домики — сам бы в таком жил, а тут какие-то халупы...

— Это не удивительно. Деревня-то пустая, — пожал плечами Шурф. — Здесь никто не живет со Смутных Времен.

— Да? А почему ее не отстроили заново? — удивился я.

— Зачем? Земли, хвала Магистрам, и так всем хватает. Никто не станет без особой нужды селиться на месте, с которым однажды уже случилась беда!

— Логично, — вздохнул я, — выходит, этот Бакки Бугвин поселился в очень глухом и безлюдном месте, да?

— Разумеется. Любой в его ситуации постарался бы сделать то же самое, — кивнул Лонли-Локли. — Думаю, в людном месте ему было бы несколько неспокойно — при его-то образе жизни... Наверное, нам нужно ехать по этой узкой тропинке.

— Не могу сказать, что она так уж пригодна для езды на амобилере, но ничего лучшего я все равно не вижу! — согласился я. — Значит, попробуем!

Когда ехать дальше стало совершенно невозможно, я остановился, и мы молча вышли из амобилера. Шурф снова снял свои защитные рукавицы, уже второй раз за это беспокойное утро. Передать не могу, с каким удовольствием я покосился на его смертоносные ладони.

— Ты бы, наверное, здорово удивился, если бы узнал, как меня успокаивает это зрелище! — улыбнулся я. — Я имею в виду твои перчатки.

— Почему «удивился бы»? Они меня самого успокаивают, — заметил мой потрясающий коллега. — Знаешь, мне кажется, я что-то вижу слева от нас, за деревьями. Ты не помнишь, дом Бакки Бугвина должен быть в этой стороне?

— В этой! — решительно кивнул я. — Если, конечно, мы с самого начала ехали по нужной тропинке...

Найти дом оказалось легче легкого, как и обещал мертвец. Этот Бакки Бугвин не слишком-то старался спрятать свое жилище. Видимо, он действительно никого не боялся или просто слишком рассчитывал на то, что в эту глухомань все равно никто не припрется, кроме его гостей, конечно...

— Не забывай, что тебе полагается идти следом за мной, а не рядом, — педантично напомнил Лонли-Локли.

— Не забуду... А если он нападет сзади? Хороши мы с тобой будем!

— Не говори ерунду, Макс. Меня не очень-то легко застать врасплох. Честно говоря, это практически невозможно... А знаешь, он ведь здесь не один!

— Какой-нибудь вассал привез сэру Бугвину завтрак из человеченки? — мрачно усмехнулся я. — Интересно, нас пригласят за стол? Законы гостеприимства, и все такое...

— Нет, Макс. Все не так просто. Этот второй — не человек. Я пока не знаю, кто он, но не человек. Так что соберись. — Лонли-Локли выглядел довольно встревоженным, насколько он вообще мог выглядеть встревоженным. Мы вошли в большой одноэтажный дом. Там было пусто и тихо, такая абсолютная тишина не присуща человеческому жилью.

— Здесь никого нет, да? — шепотом спросил я.

— Внизу, — кивнул Шурф, — я чувствую их у себя под ногами. Думаю, этот джентльмен редко покидает свой подвал. Пошли вниз, Макс.

— Вниз так вниз, — вздохнул я. — Как романтично!

Мы спустились по узенькой лесенке и оказались в абсолютной темноте. Но мои глаза уже давно стали глазами угуландца: я прекрасно видел в темноте, хотя всякий раз ужасно этому удивлялся.

— Еще ниже, — лаконично сообщил Шурф, и мы пошли еще ниже, по еще более узкой и ненадежной лесенке. Я мертвой хваткой вцепился в перила и не переставал проклинать этого шутника сэра Джуффина Халли с его «философскими рассуждениями» касательно падений с лестниц и прочих роковых бытовых травм... Но с лестницы я так и не свалился.

Я так сосредоточился на узеньких ненадежных ступеньках, что совершенно не заметил опасности. Невыносимый белый свет ослепил меня, я успел увидеть, как поднимается вверх левая рука Лонли-Локли... К тому моменту, когда я наконец-то сообразил, что на моих глазах происходит некая великая битва героев древности, все уже было закончено: Шурф опустил руку, кучка серебристого пепла осела на пол в том месте, где только **что** стоял Бакки Бугвин.

— Что, уже все? — весело спросил я. — Так быстро?

— Как всегда, — сухо заметил Шурф. — Но это еще не все. Ты что, забыл о втором?

— Который не человек вовсе? — уточнил я. — Думаешь, с ним будут проблемы?

— Там увидим. Для начала нам нужно его найти, а еще лучше — заставить прийти к нам, если получится... Макс, сейчас я его позову, будь наготове.

Сияющие руки Лонли-Локли взмыли вверх и заплясали в темноте, вычерчивая замысловатые узоры. Белый огненный след какое-то время рассеивал тьму и только потом гас. Это зрелище завораживало меня, я чуть не поддался этому гипнотическому ритму. Магистры знают, что я мог бы натворить в состоянии транса, но у меня хватило сил отвернуться...

— Он не придет, — неожиданно сказал Лонли-Локли. — Мне удалось заворожить разве что тебя, да и то не слишком успешно. Нам придется отправиться на его поиски, Макс. Не очень-то заманчивая перспектива — бродить по этому подвалу, но я не вижу другого решения.

— Пошли, — сказал я. — А что это за существо, ты не догадываешься?

— Нечто мне незнакомое. Возможно, даже не слишком опасное, но совершенно неизвестное... Там увидим!

И тут мое второе сердце, происхождение которого было до сих пор не вполне понятно мне самому, настойчиво стукнулось о ребра.

— Ого! — хмыкнул я. — Подожди-ка, Шурф! Кажется, сейчас я буду чревовещать, как сказал бы Мелифаро... — Неожиданно теплая волна чужих ощущений накрыла меня, и на несколько минут я перестал быть самим собой, ну разве что остался кто-то знакомый в самом дальнем уголке моего сознания. Этому пареньку было одиноко и страшно, он не хотел никаких чудес, он хотел только одного — снова стать самим собой, — но его слабенький голос было очень легко игнорировать, что я и сделал. А потом все встало на свои места, быстро и легко, даже подозрительно легко, но я был доволен. Я посмотрел на невозмутимую физиономию Лонли-Локли и с облегчением рассмеялся. Теперь мне все было ясно, абсолютно все!

— Что? — озабоченно спросил Шурф. — Что тебя так насмешило?

— Этот «второй», как ты выразился, — совершенно безобидное существо, — объяснил я. — Это какой-то волшебный зверек, во всяком случае — не из этого Мира... Я еще не знаю, как он выглядит, но ему немножко страшно, очень одиноко, и он... он хочет, чтобы его погладили!

— «Погладили»? Ты уверен, что он хочет именно этого? — сдержанно уточнил Шурф. — Ладно, погладим... Но где он?

— Где-то близко... — Я прислушался к своему загадочному сердцу, но оно неожиданно решило, что пора отдохнуть. — Ладно, давай просто поищем. Я забыл направление!

Примерно через полчаса блужданий в темноте — блуждания казались хаотическими, но были подчинены какой-то непонятной мне, но, безусловно, логичной системе, изобретенной Шурфом Лонли-Локли, — мы нашли то, что искали. Из дальнего угла маленькой комнатки с низким сводчатым потолком на нас испуганно смотрело странное светящееся существо. Оно хотело «кушать и к маме», особенно «к маме». Мне не пришлось прилагать никаких усилий, чтобы разобраться в его простых чувствах, вот только боюсь, что никакой «мамы» у него не было — никогда!

Осторожно ступая по неровному земляному полу, спотыкаясь обо что-то твердое — к счастью, я только потом понял, что это были обыкновенные человеческие кости, — я направился к существу.

— Макс, куда ты поперся? — сурово спросил Шурф.

— Он совершенно безопасен, — уверенно сказал я, — поэтому не убивай его, ладно? По-моему, это очень симпатичная зверушка!

— Ты уверен? — недоверчиво спросил мой коллега.

— Ага! — Я уже стоял рядом с этим странным сияющим существом и с любопытством его разглядывал. — Ты очень удивишься, Шурф, но это бычок... Вернее, теленок. Честное слово!

Теленок уже пытался лизнуть мою руку сияющим полупризрачным языком. У него не очень-то получилось: мы с ним были из разного материала. Я-то был нормальным человеком, а он — чем-то вроде призрака, хотя я не так уж хорошо себе представлял, из чего сотканы тела призраков...

— «Бычок», ты говоришь? — усмехнулся Шурф. — Ну тогда мне все ясно! Счастье, что он еще маленький, Макс! Если бы мы пришли сюда несколькими годами позже...

— Что тебе ясно? — удивился я, пытаясь погладить туманную спинку теленка. Ощущения были самые странные: прикосновение — но не к плоти; больше всего это было похоже на струю теплого воздуха, хотя чувствовалось и еще что-то, совершенно незнакомое.

— Это же — Лунный Бык, Макс! — объяснил Лонли-Локли. — Настоящий Лунный Бык, вернее, Лунный Теленок, на наше с тобой счастье... Существо из легенды. Легенда гласит, что он рождается из лунного света, его кормят сердцами лучших из лучших... Теперь я понимаю, что под «лучшими из лучших» — подразумевались просто потомки клана Лунных Быков... И когда-нибудь это создание обретет настоящую плоть. Легенда говорит, что после этого Мир должен рухнуть: нет существа более опасного для равновесия Мира, чем настоящий Лунный Бык. Так что мне все-таки придется его убить. Ты же не собираешься откармливать его сердцами «лучших из лучших» или я ошибаюсь?

— Делать мне больше нечего! — фыркнул я. — Этот Мир меня вполне устраивает, и незачем ему рушиться... Знаешь, теперь я верю, что этот Бакки Бугвин был хорошим поэтом: любой настоящий поэт в глубине души мечтает собственноручно устроить какой-нибудь апокалипсис! Подожди, не торопи меня, ладно? Я хочу разобраться...

— Разбирайся, — согласился Лонли-Локли. — А я пока сообщу о нашей находке сэру Джуффину.

— Ох, Шурф, как хорошо, что ты такой умный! — вздохнул я. — Интересно, через сколько часов я бы додумался до того же самого?!

Потом я снова погладил нашу находку. Бычок тихо фыркнул и доверчиво потерся призрачным носом о мою Мантию Смерти. И тут меня осенило: ему же просто нужно вернуться домой, как и всякому малышу, заблудившемуся в чужом мире! Я не стал обдумывать эту идею, а просто прищелкнул пальцами левой руки. Мой Смертный Шар тут же растворился в сияющем теле удивительного теленка. Я был готов поклясться, что ему это здорово понравилось! Зверь, разумеется, не заговорил, но уставился на меня внимательно и серьезно. Он явно ждал инструкций.

— Ты должен отправиться туда, откуда пришел! — сказал я ему. — Думаю, что твой дом на Луне, но тебе виднее... Одним словом, в нашем Мире тебе делать нечего, а дома тебе будет хорошо. Так что давай, малыш!

Бычок начал стремительно уменьшаться, через несколько секунд я получил неповторимую возможность созерцать крошечное, но непереносимо сияющее создание. Его формы были совершенны, и только теперь я понял, что сходство с быком было не так уж и велико...

— Передай сэру Джуффину, что я отправил этого Лунного Быка туда, где ему и положено находиться! — гордо сказал я Шурфу, направляясь к лестнице. Мне ужасно хотелось наверх, на свежий воздух. Теперь, когда симпатичное светящееся существо исчезло, я вдруг понял, что не могу оставаться в этом грешном подвале ни минутой дольше!

Дело кончилось тем, что я все-таки подскользнулся на лестнице, но, разумеется, никакую шею не свернул, просто ушиб коленку. Описать не могу, с каким колоссальным облегчением я ржал, сидя на земляном полу, пока Лонли-Локли не протянул мне свою смертоносную ручищу, уже в защитной рукавице, чтобы помочь подняться. Мне показалось, что он тоже улыбается, одним уголком рта, но я не настолько хорошо вижу в темноте, чтобы говорить наверняка...

Всю обратную дорогу я трещал без умолку. В основном мой монолог был посвящен поэтам вообще и безумному Бакки Бугвину с его мечтой об апокалипсисе в частности. Как Шурф все это выдержал — понятия не имею! Наверное, он все-таки святой.

— Все хорошо, что хорошо кончается! — Сэр Джуффин Халли помахал нам из окна своего кабинета. — Заходите скорее.

В кабинете нас уже ждал поднос из «Обжоры Бунбы».

— Здорово! — улыбнулся я. — Камра, пирог и никакой человечины!

— А почему ты так уверен? — расхохотался Джуффин. — Нет, далась же тебе эта человечина!

— Насчет человечины вы мне вот что объясните, — нахально заявил я, откусив такой огромный кусок пирога, что он еле поместился у меня во рту, — этот ваш Бакки Бугвин, он что, действительно кормил своего теленка сердцами потомков клана Лунных Быков? Интересно, как это у него получалось? Я ведь его и погладить толком не мог, этого зверя. Он же ненастоящий, вернее, нематериальный!

— Ну нельзя же мыслить так прямолинейно! — вздохнул Джуффин. — Легенда — она на то и легенда, чтобы приукрашивать действительность... Разумеется, их сердца он съедал сам, это давало ему совершенно особую силу, без которой все это предприятие не могло бы даже начаться. А его питомцу доставались сердца их теней. Вроде того, которое я добыл для тебя. Между прочим, именно поэтому между вами возникла такая внезапная взаимная симпатия... В общем, это очень сложно, мальчик. Ты уверен, что я должен продолжать объяснение? В Мире есть много вещей, рассказать о которых почти невозможно: любые объяснения покажутся туманными и неопределенными, с этим просто нужно смириться.

— Ладно, считайте, что я уже смирился! — со вздохом сказал я. — Но снимите камень с моего сердца, Джуффин: я правильно сделал, когда велел этому бычку убираться домой? Или нужно было его убить?

— Ты сам прекрасно знаешь, что все сделал правильно! — улыбнулся Джуффин. — И в любом случае советоваться со мной нужно было до того, как начать действовать, а не после. Так что не подлизывайся!

— Сэр Джуффин, я боюсь, что мне тоже не все пока ясно в этой истории. — Шурф Лонли-Локли поставил на стол свою кружку и внимательно посмотрел на нашего шефа. — Что касается сэра Бакки Бугвина и этого странного существа, которое мы нашли у него в доме...

Для того чтобы понять эту часть истории, мне вполне хватает знаний, почерпнутых из книг. Но этот мертвый человек, его слуга, в доме у которого мы с Максом побывали на рассвете, он что, тоже был посвящен в тайну? Он не слишком-то похож на посвященного...

— Сейчас расскажу, — усмехнулся Джуффин. — Я с ним очень доверительно побеседовал, прежде чем позволил ему опять умереть, поэтому я теперь в курсе его нехитрой истории. Кстати, беднягу звали Чун Матлата, если вам интересно... Их было полдюжины ребят, веселая компания бывших студентов, у которых не хватило ума найти себе приличную службу. Бакки познакомился с ними лет сорок назад, в каком-то загородном трактире, и нанял их на работу. Платил он по-царски, работа была несложная: разгуливать по Ехо в очках, которые смастерил для них Бакки, разыскивать людей, чьи лица кажутся светящимися, если смотреть на них через стекла очков, а потом, дождавшись полнолуния, увозить их на кухню к хитрецу Бакки Бугвину, благо в полнолуние эти бедняги готовы согласиться на любое предложение, даже самое экстравагантное...

— Ох, а как же остальные? — встревоженно спросил я. — Их же надо найти!

— Разумеется, надо! Я уже послал Мелифаро. Думаю, это будет самое легкое задание за всю его горемычную жизнь: господин Матлата не поленился сообщить мне адреса своих коллег...

— Но я по-прежнему не понимаю, почему в подвале дома этого господина Матлаты было столько человеческих костей, — настойчиво сказал Шурф.

— А это отдельная история, специально для сэра Макса! История о неумеренном поедании человеческого мяса, — невесело рассмеялся Джуффин. — Настоящий гимн сочетанию человеческого невежества с нечеловеческими амбициями... Этот идиот — я имею в виду Матлату — каким-то образом узнал, что́ именно Бакки Бугвин проделывает с теми ребятами, которые попадают к нему в подвал. И решил, что он тоже не лыком шит. Матлата начал «прикарманивать» часть «добычи», то есть иногда он отвозил этих бедняг не к своему хозяину, а на Левобережье, в дом своих покойных родителей, где, на его счастье, был роскошный подвал...

— И что? — с отвращением спросил я.

— А ничего. Этот болван думал, что ему просто достаточно обожраться человеческим мясом до икоты — и сила сама его найдет! Ни о каких обрядах и заклинаниях он и представления не имел.

— Чему его только в школе учили! — неожиданно для себя рассмеялся я. Сэр Джуффин выглядел очень довольным.

— Самое интересное в этой истории — этот ваш Лунный Теленок. Настоящая ожившая легенда! Нужно быть поэтом, чтобы не только поверить в подобную ерунду, но и заставить ее стать реальностью... Ну и очки конечно! Для того чтобы их изготовить, недостаточно быть просто хорошим колдуном. Знаете, как он добился такого эффекта? Он отливал стекла в полнолуние, под открытым небом, для того чтобы в сплав попал лунный свет. Только человек с незаурядным воображением может всерьез заниматься подобной чепухой... и добиваться успеха! Хорошо, что ты убил его, Шурф: такой парень вполне мог растрогать стены Холоми своими стихами, от него всего можно ожидать!

— А его старые стихи, ну те, из-за которых его выперли из Ордена Потаенной Травы, они сохранились? — с любопытством спросил я.

— Ну что ты, Макс. Их сожгли по приказу Великого Магистра Хонны, и правильно сделали... Но некоторые люди до сих пор помнят их наизусть, так что у тебя есть шанс... Хочешь домой?

— Пожалуй, — улыбнулся я, — если вы не помните ни одной строчки...

— Я?! Грешные Магистры, Макс, хорошего же ты обо мне мнения! Засорять голову всякой ерундой — делать мне больше нечего... Кроме того, ни один идиот не станет читать хорошие стихи в моем рабочем кабинете. Не та обстановка. Вот приходи ко мне в гости как-нибудь вечерком, может быть, я что-нибудь вспомню...

— Я так и знал! — улыбнулся я. — Вы помните их все до последней строчки, Джуффин!

— Ну, не до последней строчки, это уж точно... Идите отдыхать, ребята. Мир от разрушения вы уже спасли, на сегодня с вас вполне достаточно.

— Спасибо, сэр, — вежливо сказал Лонли-Локли. — Я давно собирался зайти в библиотеку Королевского

Университета, они обещали отложить для меня одну редкую книгу...

— Вот и лови свою удачу, парень! — подмигнул ему Джуффин. — Что касается сэра Макса, он наверняка пойдет в трактир, уж я-то его знаю!

— Твоя редкая книга подождет тебя еще час, Шурф? — с надеждой спросил я. — В том трактире, в который я собрался, варят лучшую камру в Ехо. Да ты же и сам знаешь!

— Это приглашение? — церемонно спросил Лонли-Локли.

— Разумеется.

— Насколько мне известно, библиотекарь не уходит до заката, а еще и полдень не наступил, поэтому я с благодарностью принимаю твое предложение. — Шурф даже слегка поклонился. Иногда его манеры меня просто потрясают!

— Джуффин, а вы не хотите составить нам компанию? — спросил я, уже стоя в дверях.

— Очень хочу. Но не могу, поскольку сейчас заявится Мелифаро, приведет мне толпу начинающих каннибалов и все начнется сначала, — вздохнул наш шеф. — Хорошего дня вам, господа.

Уже сидя в амобилере, я послал зов Меламори.

«Боюсь, что теперь тебе все-таки придется помириться с Кимой, — виновато сказал я, — поскольку со мной ничего не случилось. Я очень старался нарваться на неприятности, но ничего не вышло».

«Не страшно, — ответила Меламори. — Помирюсь; раз уж дала зарок, значит, придется. Все равно Киму не переделаешь... Пригласишь меня как-нибудь в „Джуффинову дюжину" — и будем в расчете».

«Уже приглашаю! Бедняга Мохи решит, что я самый легкомысленный молодой человек в этом грешном городке и побьет меня какой-нибудь поварешкой... Всю жизнь мечтал заработать такую репутацию, но до сих пор ничего не получалось! Завтрашний вечер тебя устроит?»

«Устроит. Если ничего не случится, что...»

«Что маловероятно, поскольку со мной всегда что-нибудь случается, — закончил я за нее. — Но все равно — до завтра».

«До завтра, — согласилась Меламори. И добавила: — Отбой».

— Макс, может быть, ты считаешь, что мы уже едем? — с убийственной иронией спросил Лонли-Локли. — Можешь мне поверить, что это не так!

— Правда? — Я постарался сделать удивленное лицо. — А я-то думал, что мы уже приехали! — Я так и не понял, удалось ли мне его разыграть...

Трактир «Армстронг и Элла» был уже открыт. А я-то, дурак, поверил в обещание Теххи спать чуть ли не до вечера! И даже не пытался с ней поговорить, чтобы не будить зря.

Сама Теххи в обнимку с пушистым Армстронгом клевала носом за стойкой, но, увидев нас с Шурфом, сразу же стряхнула с себя сон.

— Я сделала удивительное открытие, господа, — тараторила она, склонившись над крошечной жаровней, — если человек не может заснуть лежа, он должен попробовать сделать это сидя. Результаты просто ошеломительные! Правда, Макс, меня пытался разбудить один молодой человек, этот твой смешной журналист, он очень хотел пообщаться, но я отделалась от него кувшином крепкого осского аша... Да он до сих пор здесь сидит! И Элла там же!

— А где ей еще быть?! — усмехнулся я — Это же ее любимчик... Андэ, ты там еще жив? — Я подошел к его столику и с изумлением уставился на совершенно пустой кувшин. — Ты уже все выпил, душа моя? И не лопнул? Еще же и полудня нет!

Андэ уставился на меня своими прекрасными миндалевидными глазами. В данный момент они были совершенно стеклянными.

— Одна капля — солнце, другая — луна, два глаза на дне чаши... Стригу я нити засохших струй и тку свое хрупкое счастье...

— Что?! — расхохотался я. — Стихи?! Еще один поэт? Какой ужас! Пиши прозу, Андэ, друг мой, у тебя это отлично получается, а поэзия чревата апокалиптическими настроениями, я только что в этом убедился!

— Вы не впилили. — Андэ скорбно клюнул носом. — А я думал, что вы впилите! Хочу в Ташер. Там тепло, и там любят поэтов...

— Это очень хорошие стихи, — неожиданно вмешался Лонли-Локли. — Я никогда не предполагал, что вы так талантливы, молодой человек!

— Все равно я хочу в Ташер! — Андэ явно заклинило.

— Если вы хотите в Ташер, вам следует туда поехать, — посоветовал ему Лонли-Локли. — Это весьма любопытное место, а дорожные впечатления могут весьма благоприятно сказаться на развитии вашего таланта.

Я улыбнулся Теххи. Она тут же ответила понимающей улыбкой — отразила мою быстрее, чем зеркало.

— Завтра я поведу к Мохи леди Меламори, милая, — шепнул я ей.

— Да? И что из этого следует? — удивленно спросила она.

— То, что тебя я поведу туда сегодня, — объяснил я. — Надеюсь, что сегодня он все-таки на тебя поворчит. Так что плакал твой бизнес.

— Ты — ужасный человек, — вздохнула Теххи. — Жаль, что мне не удалось тебя отравить! — Она толкнула меня локтем и показала на столик у окна. Шурф Лонли-Локли сидел рядом с Андэ.

— Вы впиливаете: стригу я нити засохших струй! — картаво восклицал Андэ. — Не просто «пью», а «стригу нити засохших струй»! Вы действительно впиливаете?

— Да, думаю, что я впиливаю, — важно подтвердил Лонли-Локли.

Волонтеры вечности

Макс

Махи Аинти

Теххи Шекк

ведьмы

Король Менин

Гуриг VII

Мелифаро

-Вообще-то, людям иногда свойственно стричься... — задумчиво сказал Джуффин. — Для тебя это новость, Макс?

Честно говоря, это было не такой уж великой новостью, у меня просто руки не доходили до визита к какому-нибудь столичному цирюльнику. А посему я просто связывал отросшие патлы в довольно неаккуратный хвост, который по большей части все равно находился под тюрбаном.

— А это имеет значение? — вяло спросил я. — У сэра Манги вон какая коса, и никто пока не тащит его за это в Холоми...

— Я просто подумал, что тебе должно быть довольно хлопотно с этими перьями, — пожал плечами Джуффин, — а вообще, дело хозяйское... Ладно, Магистры с ней, с твоей прической! Ты газеты-то читаешь?

— Читаю, — вздохнул я. — Читаю и скорблю. Эти сумасшедшие кочевники, которым кажется, что я должен быть их царем, все-таки победили своих мудрых, но немногочисленных противников. И что они теперь собираются делать, хотел бы я знать? Меня опять похитят, я опять от них сбегу, и это приключение будет тупо повторяться до конца моих дней?

— Владыка графства Вук, старый граф Гачилло, успел прислать зов мне и Его Величеству Гуригу. Он сообщил, что в Ехо уже отправилась официальная делегация твоих неугомонных подданных. Они собираются валяться в ногах у бедняги Гурига и умолять его отпустить тебя к ним... если честно, они надеются, что Его Величество прикажет тебе отправиться на «родину» и напялить на себя корону. У Темного Мешка хватило ума обрадоваться: он решил, что теперь ты составишь ему компанию. А то в столицу он, видите ли, ехать ленив, а в его владениях скучновато...

— Какой ужас! — искренне сказал я. — И что, эта идея пользуется успехом? Учтите, я все равно сбегу!

— Не говори ерунду, Макс. Ну как такая дурацкая идея может пользоваться успехом? — успокоил меня Джуффин. — Никто тебя из Ехо не отпустит, даже если сам захочешь... Правда, у Короля родилась другая идея, и мне кажется, что она может устроить абсолютно всех.

— Да? — недоверчиво спросил я. — И какая?

— Представь себе: ты соглашаешься стать их царем, надеваешь на свою лохматую голову эту грешную корону, после чего назначаешь кого-нибудь из делегации своим «первым министром» или «визирем» — уж не знаю, как это у них называется, — а сам остаешься в Ехо и продолжаешь спокойно ходить на службу... Гуриг предоставит тебе какое-нибудь симпатичное помещение, которое может сойти за царский дворец, раз в год твои подданные будут являться к тебе за приказами... По-моему, забавно!

— По-моему, тоже, — мрачно кивнул я. — Но не для меня. Извините, Джуффин, но я собираюсь все испортить. Я просто вообще не хочу быть царем, ни на каких условиях!

— Ну, не хочешь — не надо, — пожал плечами Джуффин. — Значит, представление отменяется... А жаль: хорошая была шутка. Между прочим, Гуриг так радовался! Он сказал, что это — его единственный шанс заполучить такого симпатичного коллегу: остальные известные нам монархи — люди с весьма тяжелым характером.

— Мой характер тоже очень быстро станет тяжелым, при такой-то профессии! — усмехнулся я. И тут же жалобно спросил: — Джуффин, вы правда меня не заставите?

— Как же это, интересно, я могу тебя заставить? Ты — свободный человек. Не хочешь быть царем — не надо! Но ты все-таки подумай: это может оказаться неплохой сделкой, Макс. И самой грандиозной шуткой в твоей и без того нескучной жизни...

— А я как раз решил стать серьезным. Как Лонли-Локли. — Я уже вполне успокоился и улыбался до ушей.

— Вот оно что... Думаешь, получится? — ехидно спросил Джуффин.

— Разумеется, нет. Но я буду стараться... И вообще, мне уже давно пора домой, вам так не кажется?

— Кажется, — кивнул Джуффин. — А почему ты туда не идешь?

— Потому что я разговариваю с вами. А вы сидите здесь, — объяснил я. — И говорите мне всякие ужасные вещи, между прочим!

— Ладно, больше не буду. Но если ты когда-нибудь передумаешь насчет короны...

— Никогда! — с пафосом заявил я. — Ну, если бы я действительно был потомком владык Фангахра, я бы еще подумал... А так — самозванец какой-то, срам один!

— Так в этом-то вся прелесть! — устало улыбнулся Джуффин. — Ничего-то ты не понимаешь в дворцовых интригах!

— Не понимаю, наверное, — вздохнул я. — Ладно, пойду домой. Спать хочу ужасно.

— Думаешь, у тебя получится? — ядовито улыбнулся Джуффин. — Ты же не домой пойдешь, могу спорить на что угодно!

— Куда бы я ни пошел, я буду там спать. Больше я просто ни на что не способен, — лениво проговорил я. — А потом попрошу Техи отрезать эти грешные патлы, а то действительно ерунда какая-то получается...

— Заодно сэкономишь на парикмахере, — кивнул Джуффин. — Иногда ты очень здорово соображаешь! Идите уж, ваше величество!

— Прекратите надо мной издеваться, — жалобно попросил я. — Я уже предвкушаю предстоящую беседу с Мелифаро... и пытаюсь придумать хоть один достойный ответ.

— Не советую. Импровизация — твоя сильная сторона, так что никаких домашних заготовок, мой тебе совет.

— И то верно, — улыбнулся я, спрыгивая с подоконника на мозаичный тротуар улицы Медных Горшков, — буду импровизировать. Хорошего утра, Джуффин!

— Ты бы все-таки не очень увлекался прыжками в это окно! — озабоченно сказал мой шеф. — Смех смехом, но знал бы ты, какие страшные заклинания я использовал, чтобы сделать его абсолютно непроницаемым! Будет обидно, если однажды они все-таки сработают против тебя, так — ни с того ни с сего...

— А что, и такое бывает? — испуганно спросил я.

— Все бывает. Поэтому в следующий раз не выпендривайся без особой необходимости, ладно?

— Ладно, — вздохнул я. — Больше не буду. — И пошел к своему амобилеру, поскольку действительно засыпал на ходу. Жалких остатков меня с трудом хватило на то, чтобы добраться до дома Теххи и выдавить из себя нечто, слегка напоминающее нежную улыбку. После этого я, кажется, заснул, стоя на пороге спальни, бедняжке только и оставалось, что откатить мое бесполезное тело в дальний угол кровати и махнуть на меня рукой. Разумеется, она так и поступила...

— Макс, просыпайся! — Голос показался мне знакомым, но я отказывался верить в то, что среди моих друзей нашлась такая беспросветная сволочь, которая сочла возможным меня разбудить.

— Какого черта? — страдальческим голосом спросил я, пытаясь спрятать голову под подушку. — Я же только что закрыл глаза!

— Не преувеличивай, Ночной Кошмар. Только что я вошел в эту комнату, и твои глаза уже были закрыты, можешь мне поверить!

Удивление было достаточно веским поводом, чтобы проснуться. Я изумленно уставился на Мелифаро, который удобно уселся по-турецки на моем одеяле и, кажется, собирался снова меня трясти.

— Какой ужас! — искренне сказал я. — Что ты тут делаешь?

— Живу! — Мелифаро сделал страшное лицо. — Я серьезно поговорил с Теххи, заставил ее надеть очки, и она наконец-то согласилась с тем очевидным фактом, что я гораздо красивее, чем ты. Поэтому теперь на этой кровати буду спать я. А тебе нужно срочно лететь к Джуффину.

Я взялся за голову, немного за нее подержался, понял, что это совершенно бесполезно, и начал командовать:

— Отлично, теперь возьми мою бутылку с бальзамом Кахара, кажется, она стоит на подоконнике... Ага, молодец, можешь дать ее мне. А теперь спустись вниз и скажи Теххи, что без чашки камры я умру безотлагательно. Принесешь мне камру, только очень быстро, чтобы она не успела остыть, я ее выпью, а после этого ты повторишь все сначала. Сейчас я все равно ничего не соображаю! — Я сделал большой глоток бальзама Кахара, который был способен не только разбудить меня до полудня, но и воскресить из мертвых, и снова упал на подушку. Между прочим, не так уж я и притворялся!

— Все, начались царские замашечки! — Мелифаро чуть не умер на месте от такого нахальства, тем не менее он все-таки послушно пошел вниз за камрой — наверное, от неожиданности. Через несколько минут он вернулся с маленьким подносом. Вид у бедняги был самый обескураженный.

— А почему только одна кружка? — сердито спросил я.

— А что, тебе нужно две? — изумился Мелифаро. — Я знал, что ты жадный, но не настолько же!

— Вторая кружка нужна не мне, а тебе, — вздохнул я. — Я, знаешь ли, отличаюсь патологическим гостеприимством... Кто из нас только что проснулся, душа моя?

— Вот, — мрачно сказала Теххи, входя в спальню с еще одним подносом, — камра для сэра Мелифаро и прочая утренняя жевательно-глотательная дрянь. Мелифаро, ты как-то умудрился убежать наверх раньше, чем я это приготовила... Я всегда подозревала, Макс, что рано или поздно ты попытаешься превратить мою спальню в филиал трактира. Так оно и вышло! Больше мне не будет тоскливо по ночам: меня будут ласково щекотать оставленные тобой крошки, так мило с твоей стороны!

— Я тебя с самого начала предупреждал, что я — чудовище! А ты не верила. — Я постарался призвать на помощь все свое обаяние. Теххи внимательно посмотрела на мою виноватую физиономию, расхохоталась, махнула рукой и убежала вниз.

— Ну и что там у вас случилось? — Мое настроение уже успело подняться, как-то само собой, без моего активного вмешательства в его непостижимую жизнь.

— Джуффин уходит, — с набитым ртом сообщил Мелифаро. Меня чуть кондрашка не хватила.

— Как уходит?! — выдавил я.

Мелифаро посмотрел на мою перепуганную рожу, все понял и злорадно расхохотался. Я тут же сообразил, что все не так страшно, и терпеливо подождал, пока он досмеется.

— Джуффин и Шурф уходят держать Дух Холоми. На дюжину дней или что-то около того, — наконец объяснил Мелифаро. — И у меня ужасное предчувствие, что командовать жалкими остатками нашего Малого Тайного Сыскного войска в их отсутствие предстоит тебе. Заодно и потренируешься перед тем, как водрузить свою задницу на престол! Могу себе представить...

— Давай еще раз. Только теперь с самого начала, ладно? — мягко попросил я.

— Ох, какой ты дотошный, Макс! Не знаю, как сэра Джуффина, а вот Лонли-Локли ты нам заменишь, это точно! — фыркнул Мелифаро. — Ладно уж, Магистры с тобой, с начала так с начала... Час назад Камши прислал зов сэру Джуффину. И сообщил, что камни Холоми начали стонать. А это — верный признак того, что Дух Холоми опять собрался повеселиться. В последний раз это происходило в самом начале эпохи Кодекса, тогда была такая паника! Никто и не надеялся, что сэр Джуффин сможет его усмирить, но он смог...

— А что это за «Дух Холоми» такой? — с любопытством спросил я.

— Макс, ты бы лучше одевался. Джуффин просил, чтобы ты приехал так быстро, как только сможешь. Мы с ним сначала пытались просто послать тебе зов, но ты не просыпался. Через полчаса я плюнул на это гиблое дело и послал зов Теххи, попросил ее тебя разбудить, но она сказала, что пока еще не сошла с ума: будить тебя через два часа после того, как ты заснул, — это же, дескать, чистой воды самоубийство! И только потом я понял, что единственное, что я могу сделать, — это приехать сам, а время-то не стоит на месте... Поехали скорее, времени совсем нет. — Мелифаро говорил так серьезно, что я ушам своим не верил. Поэтому оделся я очень быстро, вот уж не ожидал от себя подобной прыти!

— Я уже готов, — с некоторым удивлением сообщил я. — Можем ехать.

— Можем! — Мелифаро залпом допил свою камру и поднялся. Я внимательно посмотрел на постель. Никаких крошек! Зря Теххи надеялась на «ласковую щекотку»...

Она сидела за стойкой, уткнувшись в утренний выпуск «Королевского голоса». В трактире было пусто, как всегда по утрам: Теххи не держала повара, а пить не закусывая с утра — мало охотников.

— Правда, мы с тобой чудесно провели время этим утром? — Я ей подмигнул. А для всего остального существовала Безмолвная речь: нечего этому злодею Мелифаро подслушивать!

В награду за усилия мне досталась самая мечтательная из всех ее улыбок. Теперь можно было жить дальше, что бы там ни происходило с этим буйнопомешанным Духом Холоми, который каким-то образом собирался повеселиться... До меня дошло, что я пока так ничего и не понял из этой истории.

— Давай так: я буду ехать очень быстро, а ты попытаешься объяснить мне, что это за «Дух Холоми» и что из всего этого следует, — предложил я, садясь за рычаг своего амобилера.

— Ты хочешь сказать, что ничего об этом не знаешь? — Мелифаро изумленно поднял брови. — Ну и образование у тебя! Не совсем то, что требуется особе царских кровей... Ладно уж, поезжай, расскажу, поскольку твое невежество бросает тень на всю нашу горемычную организацию, и без того уже скомпрометированную — дальше некуда... Новость номер один: Королевская тюрьма Холоми находится точнехонько на том самом месте, которое наши ученые мужи именуют «Сердцем Мира». Ты ведь и этого не знал, могу спорить на что угодно!.. В отличие от тебя, первый король Древней Династии Халла Махун Мохнатый знал об этом, а потому и построил на острове Холоми свой дворец. С самого начала выяснилось, что дворец — существо вполне самостоятельное, можно сказать, разумное. Он прекрасно мог отличить своих от чужих и не впускал посторонних, поэтому Халла Махун и его потомки были отлично защищены от многочисленных сумасшедших магов, что было довольно актуально: ребята из кожи вон лезли, чтобы умостить свои зады в Королевское кресло... Это только ты, дурак, от дармовой короны отказываешься!

— Не отвлекайся, — попросил я, — сам же говорил, что времени мало, а мне не хотелось бы обременять своими вопросами Джуффина. Думаю, ему сейчас не до того!

— Не до того, это точно! — серьезно кивнул Мелифаро. — Прошли века, все было хорошо — лучше некуда. А потом родился наш легендарный король Мёнин, но дворец Холоми его почему-то не принял... Вернее, после воцарения Мёнина это место просто стало чем-то совершенно другим, непригодным для обыкновенной королевской жизни. Мёнин недолго плакал. Он просто построил известный тебе замок Рулх, упаковал вещички и переехал... При Мёнине и первых Гуригах на этом веселеньком островке была Высокая Школа Холоми, там обучали могущественных магов. Предполагалось, что впоследствии они будут служить не Орденам, а королю. Насколько я понимаю, в стенах Холоми тогда был другой отсчет времени: ребята проводили там целое столетие, становились взрослыми и невыносимо мудрыми, а в Мире проходило всего полгода... Но короли зря старались: сначала их любимцы, выпускники этого заведения, действительно покончили с большинством Древних Орденов, а потом основали новые Ордена, свои собственные, и все началось сначала. Между прочим, знаменитый Лойсо Пондохва тоже там учился, что, безусловно, является лучшей рекомендацией Высокой Школе Холоми!

— А как это место стало тюрьмой? — с любопытством спросил я.

— Все по порядку, не перебивай! Один из Гуригов, не то четвертый, не то пятый, прикрыл это антигосударственное учебное заведение, после чего наши короли снова переехали в Холоми. На какое-то время место опять стало таким, каким было при Мохнатом: туда никто не мог войти, и никакая магия извне не действовала на людей, скрывшихся за этими удивительными стенами. Очень практично: времена были те еще... А уже в начале эпохи Кодекса Холоми стало тюрьмой, между прочим, опять по собственному решению: место снова изменило свои свойства. О его новых причудах ты, хвала Магистрам, лучше меня знаешь: ты же там сам сидел, было дело!

— Было, — кивнул я, лихо затормозив у входа в Управление Полного Порядка. — Но ты так ничего и не рассказал о Духе Холоми.

— Понимаешь, я сам не очень-то знаю, что он из себя представляет! Думаю, что никто этого толком не знает, — удрученно признался Мелифаро. — Ты уже сам понял, что Холоми — это не просто место, даже не просто волшебное место. Скорее уж живое существо, только очень не похожее на остальные живые существа... У него есть душа или Тень, — как ни назови, а она есть. И время от времени дает о себе знать, что совершенно не нравится нам, людям: мы же такие капризные создания, нам подавай спокойную жизнь...

— Да ты философ, парень! — усмехнулся Джуффин. Он вышел нам навстречу, веселый и хмурый одновременно. Потом шеф повернулся ко мне, его взгляд был теплым и тяжелым, таким тяжелым, что я начал сутулиться.

— Пойдемте в кабинет, ребята. Значит так, сэр Макс: время от времени Дух Холоми просыпается и хочет поплясать, — на ходу говорил Джуффин. — Если он когда-нибудь действительно попляшет, от Холоми камня на камне не останется, и я не уверен, что уцелеет все остальное... Поэтому его надо держать, пока он не уснет снова. Именно этим мы с сэром Шурфом и собираемся заниматься. Мы уже совершили подобный подвиг лет девяносто назад, не так уж это сложно, но утомительно чрезвычайно... Макс, сделай, пожалуйста, вид, что тебе все ясно. Я понимаю, что это не так, но мне будет приятно! — Джуффин не стал усаживаться в свое кресло, а присел на краешек стула. — Я тороплюсь, Макс, поэтому давай поговорим о более важных вещах.

— Давайте! — покорно вздохнул я. — О важных так о важных!

— Нас с Шурфом не будет дюжину дней. Или чуть больше, не знаю. Проблема состоит в том, что послать нам зов тоже будет невозможно. Когда пытаешься удержать на месте Дух Холоми, это требует концентрации всех твоих сил без остатка... Впрочем, у меня есть все основания полагать, что вы отлично справитесь и без нас. Правильно я говорю, Макс?

— Поживем — увидим. — Я пожал плечами.

— Самый лучший ответ! — усмехнулся Джуффин. — Ничего особенного от тебя не требуется, но кто-то должен время от времени принимать решения. Особенно в таком деле как наше. Правильные или неправильные, это уже не так важно, главное, чтобы кто-то их принимал. Мне бы очень хотелось, чтобы ты взял на себя эту ответственность.

— Но почему именно я? — Я не собирался спорить или кокетничать. Мне действительно было очень интересно, почему Джуффину взбрела в голову такая странная идея. — А разве сэр Кофа Йох...

— Сэр Кофа терпеть не может заниматься подобными вещами. Они ему смертельно надоели, пока он был Генералом Полиции Правого Берега. Когда я позвал его к себе на службу, Кофа согласился при одном условии: он больше никогда не будет начальником. Я дал ему страшную клятву, а мое слово — закон!

— Ладно, — растерянно кивнул я, — но учтите: я тут такого наворочу!

— Хотелось бы верить, — усмехнулся Джуффин. — Ладно, а теперь, Макс, отвези меня в Холоми. Сейчас твоя любовь к большим скоростям действительно может принести пользу: я уже здорово опаздываю.

— Вам с самого начала следовало сделать меня своим возницей. Это то немногое, что мне по-настоящему удается. — Я быстро встал со стула и пошел на улицу. Джуффин не отставал ни на шаг.

— Не переживай, Макс, — сказал он, усаживаясь на заднее сиденье амобилера, — у тебя все отлично получится... Если кому-то из ребят понадобится какая-нибудь невыразимая медицинская помощь или еще что-нибудь в таком роде, обращайся к Сотофе, она всегда готова тебя выручить, да ты и сам это знаешь! С более приземленными вопросами иди к Кофе... Да что я тебе лекции читаю, ты и сам сообразишь, если понадобится! Кстати, ты уже не раз принимал решения, не советуясь со мной. И они мне нравятся, чем дальше — тем больше.

— Вы имеете в виду нашего Лунного Теленка? — улыбнулся я.

— И многое-многое другое. Можешь попытаться вспомнить на досуге, сколько уже накуролесил... Вообще-то, дело не только в этом.

— А в чем же? — ехидно спросил я. — Вы решили, что мне стоит немного потренироваться, перед тем как занять царский престол?

— Дался тебе этот престол! — рассмеялся Джуффин. — Тем не менее тебе действительно не мешает «потренироваться», как ты сам выразился... Когда-нибудь пригодится.

— Смотрите, — фыркнул я, притормозив возле готового к отплытию парома, — вам же потом все расхлебывать!

— Ничего, и не такое расхлебывали! — Джуффин спрыгнул на гладкие доски парома. — Надеюсь, что сэр Шурф уже сидит в кабинете у Камши... Можешь не провожать меня, Макс: паром не пойдет быстрее, даже если ты будешь на нем находиться!

— «Могу не провожать» или «не могу провожать»? — уточнил я, и сам не узнал свой голос. Честно говоря, я был не в своей тарелке, сам не понимая почему: вроде бы ничего страшного не случилось, но мне казалось, что Мир вокруг меня вот-вот рухнет. Чего-то не хватало в той картине Мира, к которой я привык, или наоборот, в ней появилось что-то лишнее...

— Что с тобой, Макс? — Сэр Джуффин наконец-то заметил, что со мной происходит что-то неладное. — Разумеется, проводи меня, если хочешь... Что, еще вопросы появились?

Я шагнул на паром и помотал головой:

— Нет, наверное. Мне просто здорово не по себе от того, что я не смогу даже послать вам зов. Как-то слишком одиноко я себя почувствовал...

— Смотри-ка, Макс, а ведь паром идет гораздо быстрее обычного! Я здорово ошибся, когда сказал что твое присутствие ничего не изменит, — удивленно заметил Джуффин.

— Шутите?

— Боюсь, что нет: это сооружение несется как сумасшедшее... Знаешь, Макс, в свое время мне пришлось еще хуже. Когда этот шутник Махи ни с того ни с сего заявил, что ему пора попутешествовать и добавил: «Не посылай мне зов, Джуф, от этого у тебя только голова разболится», — мне показалось, что все вокруг рушится. Однако из меня получился вполне сносный шериф Кеттари, ничего никуда не рухнуло, и я тому живой свидетель... А у тебя вообще другой случай. Какая-то дюжина дней, было бы о чем волноваться... Ого, мы уже приехали! Хорошего дня, Макс. И постарайся получить от всего этого максимум удовольствия, ладно?

Не дожидаясь моего ответа, Джуффин спрыгнул на землю и стремительно понесся к старинным воротам крепости, которая, оказывается, была не просто Королевской тюрьмой, а неким «волшебным местом». Я растерянно смотрел ему вслед, а паром уже медленно отчаливал от берега острова Холоми, который, оказывается, был еще и «Сердцем Мира»...

— Ладно, — тихо сказал я, наблюдая, как серебристое лоохи моего невероятного босса исчезает за воротами. — Я постараюсь получить удовольствие.

«Вот это уже лучше! — Безмолвная речь сэра Джуффина обрушилась на меня так внезапно, что я чуть в воду не свалился от неожиданности. — Приятно знать, что хоть одну мою просьбу ты собираешься выполнить!»

После этого важного сообщения сэр Джуффин Халли замолчал, как и грозился.

Я вернулся в Дом у Моста несколько более растерянным, чем мог себе позволить. Зашел в наш с Джуффином кабинет, уселся в свое кресло, на спинке которого, как всегда, дремал Куруш, хотел было загрустить, но мне не дали.

— О, па-а-а-ачетнейший начальник! О, великий буривух! — Желтое лоохи Мелифаро замелькало перед моими глазами. — Что изволите приказать своему верному рабу?

— Сейчас обижусь и не поведу тебя завтракать! — пригрозил я.

— А я уже завтракал! — гордо сказал Мелифаро.

— Тогда я не поведу тебя обедать.

— А это уже хуже! — пригорюнился Мелифаро. — Может быть, все-таки поведешь?

— Может быть. — Я пожал плечами. — А что еще делать?

— А меня? — В дверях показалась леди Меламори, она выглядела вполне проголодавшейся.

— Тебя — в первую очередь! — галантно сообщил я. — Или нет, никуда я вас не поведу, а пошлю зов в «Обжору»: пусть приносят наш обед прямо сюда, не буду же я нарушать старые добрые традиции!

— Как здорово, что ты консерватор! — улыбнулась Меламори. — А то мадам Жижинда до сих пор боится Лелео; мне пришлось бы оставить его в Управлении, а он этого не любит.

Мохнатое паукообразное существо, уютно устроившееся на плече Меламори, нежно мурлыкнуло. Голосок у хуба был такой сладкий, что сердце замирало!

— А я его тоже боюсь! — Мелифаро изобразил на своем лице панику и юркнул под стол. — А посему буду обедать прямо здесь... В следующий раз твой сладкий мальчик привезет тебе гнездо арварохских ос, просто на добрую память, попомни мои слова, леди!

— Вот тогда-то вы все у меня и попляшете! — мечтательно протянула Меламори. Впрочем, я все-таки заметил, что глаза у нее были грустные, как и требуется по законам жанра... Она поймала мой внимательный взгляд и беспомощно пожала плечами — дескать, грустим помаленьку, что уж тут поделаешь!

Мелифаро все-таки выкарабкался на свет Божий из своего укрытия, уселся в кресло и даже положил ноги на стол: сказывалось мое пагубное влияние. Курьер из «Обжоры Бунбы» робко постучал в дверь и начал загромождать наше с Джуффином рабочее пространство подносами с едой. Кажется, я очень неплохо начал!

За едой Мелифаро и Меламори обменивались колкостями. Их диалог не казался мне таким уж безобидным, но я помалкивал. В конце концов Меламори даже развеселилась, а это была роскошь, на которую я не слишком-то рассчитывал! Мелифаро, напротив, слегка скис, но это как раз было очень даже поправимым делом! Мелифаро, хвала Магистрам, не из тех ребят, которые способны страдать дольше получаса, что бы там ни случилось.

— И чем мы теперь будем заниматься? — ворчливо спросил он, демонстративно стукнув по столу пустой кружкой из-под камры. — Приказывайте, сэр Ночной Кошмар, я жажду ваших мудрых инструкций!

— Цыц! — грозно сказал я. — Я думать буду!

— Правда? А ты умеешь? — изумился Мелифаро.

— Ага. Будешь много выступать, и тебя научу, — сурово пообещал я и повернулся к хихикающей Меламори: — Ты сегодня уже носила своего хуба на половину Городской Полиции?

— Нет, не успела. — Меламори сделала виноватое лицо.

— Это очень плохо! — строго сказал я. — То-то я смотрю, у них там слишком тихо. Генерал Бубута не орет, капитан Фуфлос вообще куда-то подевался... Безобразие, одним словом! Городскую Полицию следует держать в страхе. Поэтому немедленно отправляйся туда, и чтобы через пять минут все визжали, ясно?

— Ясно, сэр Макс! — Теперь Меламори выглядела совершенно счастливой.

— А если леди Кекки Туотли упадет в обморок, пригласи ее в свое любимое кафе на площади Побед Гурига Седьмого, — добавил я. — Если Бубута ее не отпустит, скажешь, что я велел ей нам помочь. Посидите, поболтаете... Вы же с ней подружились, я ничего не перепутал?

— Не перепутал, — улыбнулась Меламори. — Слушай, Макс, ты прелесть! Может, ну его, этого сэра Джуффина Халли? Ты лучше!

— Ничего-то ты не понимаешь! — вздохнул я. — Если бы Джуффина не понесло в Холоми, я бы мог сам пойти с тобой пощебетать хоть на край света. А теперь я, кажется, занят...

— Логично, — кивнула Меламори, — но мне все равно нравится!

— Еще бы тебе не нравилось! — завистливо протянул Мелифаро, глядя ей вслед. И возмущенно обернулся ко мне: — Так, а какие радости ждут меня?

— Никаких радостей. Ты, друг мой, рожден для вечной скорби! — патетически провозгласил я. — А посему оставайся страдать в этом кабинете. Только постарайся сделать умное лицо, ладно? Если что-то случится, пошлешь мне зов.

— А куда это ты собрался? — возмущенно поинтересовался Мелифаро.

— В Иафах! — Я скорчил страшную рожу, Мелифаро посмотрел на меня и непочтительно прыснул.

— Ты что, серьезно?

— Абсолютно серьезно, — кивнул я. — Думаю, что я скоро вернусь, так что постарайся не умереть от тоски, ладно?

— Ладно! — пообещал Мелифаро. — Но чтобы выжить, мне понадобится много камры и, возможно, что-нибудь покрепче. Я закажу в «Обжоре» и попрошу их записать расходы на твой счет, да?

— На твоем месте я бы с этим не слишком экспериментировал. — Я попытался изобразить на своем лице оскал вампира. — Сам же говорил, что твой отец уже привык к тому, что у него целых три сына. Мне бы не хотелось огорчать сэра Мангу, но...

— Ладно, тогда я попрошу их записать расходы на счет сэра Джуффина, — примирительно кивнул Мелифаро. Я погрозил ему кулаком и вышел из кабинета, на этот раз — через дверь.

Я действительно решил воспользоваться поводом и навестить леди Сотофу: я ей давно обещал. Разумеется, я надеялся, что хоть она сможет удовлетворить мое любопытство... и рассеять мои сомнения касательно собственной профпригодности заодно.

Через несколько минут я уже стоял под неприступными стенами Резиденции Ордена Семилистника — в том месте, где по моим смутным представлениям находилась одна из Тайных Дверей. Справившись с неожиданным, но тяжелым приступом застенчивости, я все-таки послал зов леди Сотофе Ханемер.

«Это ты, мальчик? — удивилась она. — Еще же и трех часов не прошло, как старый лис Джуффин скрылся в Холоми, а ты уже умудрился попасть впросак? Не верю!»

«Правильно делаете. Я просто воспользовался возможностью смыться со службы и пришел выпить с вами чашечку камры, я ведь обещал, что когда-нибудь это случится».

«И выведать у меня тайну-другую заодно? — насмешливо спросила леди Сотофа. — Ладно уж, подожди, сейчас я тебя проведу».

Через несколько секунд ее легкие шаги зашуршали у меня за спиной, я обернулся.

— Вы меня насквозь видите! — виновато улыбнулся я. — Обожаю сочетать приятное с полезным, но именно в такой последовательности, заметьте!

— Не подлизывайся, мальчик: ко мне подлизываться бесполезно, поскольку я тебя и так люблю! — звонко рассмеялась пухленькая старушка, демонстрируя мне и пасмурному белесому небу очаровательные ямочки на своих круглых щечках. — Давай лучше руку, я тебя проведу через дверь... Между прочим, мог бы уже и сам научиться, фокус как фокус! — Она решительно взяла меня за руку и потянула к стене. — Попробуй не закрывать глаза, Макс, а вдруг получится?

Я решил послушаться, не закрыл глаза и стал свидетелем в высшей степени поучительного зрелища: бело-голубое лоохи леди Сотофы растворилось в темном камне стены, как сахар в чашке с кофе. Потом стена оказалась так близко от моего лица, что я уже не мог разглядеть почти ничего или, наоборот, видел слишком много: почти незаметные царапины на темном камне, мельчайшие пылинки и еще что-то крошечное, совершенно непостижимое, но показавшееся мне живым... У меня мелькнула дикая мысль, что это и есть микробы. Леди Сотофа расхохоталась, тоненькая ветка хлопнула меня по носу, и я понял, что уже оказался по ту сторону стены, в саду Иафаха.

— Ох, не могу! — стонала леди Сотофа. — «Микробы»! Одним Темным Магистрам ведомо, скольких новичков я научила проходить через Тайную Дверь, но такое слышу впервые!

Я тоже рассмеялся. Разумеется, я спорол глупость, но был доволен собой: иногда я даже люблю говорить глупости, это здорово способствует созданию теплой дружеской атмосферы.

— Правда, хорошо, что я пришел? — гордо спросил я.

— Еще бы! — Леди Сотофа вдруг перестала смеяться и внимательно посмотрела на меня. — Знаешь, Макс, если тебя что-нибудь и погубит, то это твое обаяние! Не дразни Вечность своей милой улыбкой!

— Что? — ошеломленно переспросил я.

— Ничего! — твердо сказала леди Сотофа и снова улыбнулась. — Так, померещилось. Не бери в голову... Потом.

— Потом так потом, — растерянно кивнул я. — Все равно я ничего не понял.

— Вот и хорошо! Пошли в мой кабинет, угощу тебя паршивой камрой, сваренной по рецепту покойной прабабушки нынешнего хозяина «Деревенского дома». Ты же заходил туда, когда был в Кеттари?

— Еще бы! — улыбнулся я. — Безумец Шурф оставил все наши деньги в задней комнате этого притона: ему, знаете ли, неожиданно приспичило поиграть в крак... Но камра там просто отличная, так что не клевещите на свою прекрасную родину!

— Подумать только, какой патриотизм! — изумилась леди Сотофа. — Ну да, конечно, в чужую родину гораздо легче влюбиться, чем в свою собственную!

— Да уж, роман с собственной родиной у меня не очень-то получился, — горько усмехнулся я.

— Как и у многих других, не переживай! — беспечно отмахнулась леди Сотофа, открывая передо мной дверь симпатичного садового домика. — Большинство людей рождается в таком месте, которое им совершенно не подходит, судьба просто обожает такие шутки... Садись, Макс, и попробуй эту камру, хвала Магистрам, она уже готова! И когда я успела?

— Что, некоторые чудеса вы творите машинально? — спросил я, с удовольствием пробуя густой горячий напиток. — Леди Сотофа, я что-то не помню: а у вас здесь можно курить?

— Только табак из другого Мира! — строго сказала очаровательная старушка. — Табачный дым нашего Мира представляется мне совершенно невыносимым.

— Да? Мне тоже, — улыбнулся я, доставая из кармана своей Мантии Смерти пачку сигарет. Мои кеттарийские запасы, щедрый подарок старого шерифа Махи Аинти, постепенно подходили к концу, но меня это больше не пугало: я успел хорошо усвоить уроки сэра Мабы Калоха, так что достать пачку сигарет из Щели между Мирами мне будет несложно... У меня даже хватало нахальства надеяться, что со временем я научусь извлекать из небытия не просто какие-нибудь сигареты, но только любимые сорта!

— Так какие тайны ты хотел у меня выведать? — спросила леди Сотофа, усаживаясь напротив.

— Ничего особенного, — смущенно улыбнулся я, — вы, наверное, на смех меня поднимете!

— Ой, пусть это будет твое самое большое горе! — фыркнула леди Сотофа.

— Я так и не понял две вещи, — признался я. — Во-первых, что это за Дух Холоми, почему он собрался «поплясать» и каким образом Джуффин с Шурфом будут его держать?

— За голову и за ноги, — совершенно серьезно объяснила старушка. — А как же еще?

— А у него есть голова и ноги? — обалдел я.

— У Духа Холоми есть и голова, и ноги, и многое другое, что требуется всякому уважающему себя Духу, который в кои-то веки решил сплясать, — равнодушно кивнула леди Сотофа. — Что касается всего остального... Знаешь ли, Макс, Дух Холоми можно увидеть, можно наблюдать его разрушительные действия, можно даже противостоять ему, что этот старый хитрец Джуффин и его Безумный Рыбник уже однажды проделали. Без сомнения, они проделают это и теперь! Между прочим, короли древности усмиряли Дух Холоми совершенно самостоятельно, не прибегая к посторонней помощи... Но все это не означает, что кто-то способен взять и объяснить тебе, что такое Дух Холоми и почему ему время от времени приходит блажь порезвиться... и не оставить камня на камне от собственного жилища и от всего Ехо заодно. Некоторые вещи просто невозможно объяснить. Думаю, что я — не первая, кто сообщает тебе эту тоскливую истину. Ты разочарован, да?

— А что, это действительно так опасно? — испуганно спросил я. До сих пор до меня как-то не доходило, что дело может оказаться так плохо. — А вы уверены, что Джуффин и Шурф смогут?..

— Да смогут они, смогут! Мне бы твои заботы! — рассмеялась леди Сотофа. — Ты еще плохо знаешь Джуффина: если бы он сомневался в своих силах, он бы просто туда не сунулся. Шмыгнул бы в какой-нибудь другой Мир, а уже оттуда посмотрел бы, чем все закончилось...

— Да? — удивился я.

— Да, можешь мне поверить, — неожиданно строго кивнула леди Сотофа. — Между прочим, я не сказала ничего удивительного. Лучше уж выкладывай свое «во-вторых»... Впрочем, можешь ничего не говорить: я и сама знаю. Ты хотел спросить, что тебе, бедненькому, теперь делать, после того как этот злодей Джуффин взвалил на тебя такую ответственность, да?

— Ну, что-то в этом роде, — признался я. — Но на фоне всего, что вы мне только что выложили, это уже как-то неактуально... Знаете, мне ведь и в голову не приходило, что в этом прекрасном Мире что-то может рухнуть, вот так, ни с того ни с сего! По сравнению с этим мои гипотетические служебные проблемы...

— Любой Мир может рухнуть в любую минуту, причем именно «ни с того ни с сего», об этом лучше вообще никогда не забывать, — заметила леди Сотофа. — Когда задумываешься над этим, все остальные проблемы перестают быть такими уж важными, правда?

— Правда, — вздохнул я. — Умеете вы, однако, поднять настроение, леди Сотофа, кто бы мог подумать!

— Ну вот, теперь этот смешной мальчик будет страдать до позднего вечера! — рассмеялась леди Сотофа. — Было бы из-за чего... Пей камру, милый, она же остывает!

Минуты через три мне надоело скорбеть о судьбах Мира, и я рассмеялся. Это было немного неожиданно, даже для меня самого.

— Знаете, теперь мне понятно, почему Джуффин решил оставить меня своим заместителем. Если уж Мир все равно может рухнуть в любую минуту — какая разница, что там я наворочу за эту дюжину дней!

— Какой ты умный! — восхитилась леди Сотофа. — Примерно так я и собиралась ответить на твой второй вопрос, в том случае, если бы ты его задал!

С этого момента леди Сотофа щебетала как птичка, но ни одной опасной темы мы с ней больше не затронули. А еще через полчаса она проводила меня до невидимой Тайной Двери в стене, окружавшей Иафах.

— И не вздумай волноваться о судьбе нашего весе-ленького городка! — решительно заявила она на про-щание. — Если бы с Ехо действительно могла случиться беда, я бы тебе так и сказала с самого начала! Что тебе действительно следует сделать, так это поберечь свою собственную лохматую голову... И смотри, не дразни Вечность, она и так косится на тебя с преувеличенным интересом!

— Что? — Я вздрогнул. Уже второй раз эта могуще-ственная ведьма с замашками любящей бабушки вспо-минала о какой-то там «вечности», которую я не должен «дразнить».

— Ничего, ничего... — вздохнула леди Сотофа и вдруг обняла меня, как всегда, совершенно неожиданно. — Иди на свою смешную службу, мальчик. И не переживай, ты не пропадешь. Нигде!

Я ехал в Управление в самых смешанных чувствах. Впервые разговор с леди Сотофой Ханемер оставил ма-ленький, но ощутимый камень на моем сердце... на каком из двух сердец, хотел бы я знать?!

— А, вот и сэр па-а-а-ачетнейший начальник явил-ся! — Мелифаро спрыгнул с моего стола и уставился на меня смеющимися глазами. — Докладываю обстановку: никаких происшествий! Вообще никаких, даже Город-ская Полиция бездельничает. Заходил Кофа, он утвер-ждает, что горожане уже в курсе насчет того, чья именно задница теперь протирает кресло сэра Джуффина Халли. И они почти уверены, что ты будешь убивать всех на месте за любой проступок. Поэтому господа преступники решили подождать Джуффина и только потом возвращаться к делам: все-таки ему они доверяют немного больше, чем такому непостижимому чудовищу, как ты.

— Вот и хорошо. Пусть пока съездят за город или сводят своих детишек в какой-нибудь зоопарк, если он тут есть, в чем я здорово сомневаюсь... Должен же и у них быть отпуск! — удовлетворенно кивнул я. Проклятый камень немедленно свалился с моего сердца, мне даже показалось, что я услышал стук... Лучшее средство от депрессии: два взгляда на сэра Мелифаро перед едой, желательно запить чем-нибудь покрепче! Наулыбавшись, я вяло поинтересовался: — А что, Кофа уже ушел?

— Разумеется. Наш Мастер Кушающий-Слушающий, как всегда, на боевом посту: наверное, уже хрустит какими-нибудь деликатесами в очередном трактире. Уж не знаю, какие там тайны он выведывает, а жует так, что стены дрожат, будь уверен!

— А чем мы хуже, да? — И я таинственно поманил его пальцем. — Пошли.

— Куда? — Мелифаро уже бодро кутался в свое кошмарное желтое лоохи.

— В «Джуффинову дюжину». Хочу привести грозному Мохи нового клиента, может быть, тогда он не побьет меня своей ужасной поварешкой... Более того, я рассчитываю, что этот бука выставит мне бесплатную выпивку, за такую-то услугу!

— Ого, да ты заводишь новые порядки! — Мелифаро восхищенно покачал головой. — Подумать только, уйти в рабочее время, да еще и не в «Обжору Бунбу»! Смело, очень смело!

— А ты думал! — усмехнулся я. — Я же — величайший герой всех времен и народов, разве незаметно?

Эта не лишенная некоторой допустимой бравады выходка свидетельствовала, что мое знаменитое легкомыслие снова было при мне. Честно говоря, меня это устраивало как нельзя больше!

В Дом у Моста я вернулся часа через три, к тому же один. Мелифаро я отпустил «порезвиться», по его собственному выражению. Немного подумав, я понял, что начальник из меня вышел хреновый: все подчиненные шлялись невесть где, а я сам сидел на службе. Вроде бы полагается наоборот, но я ни о чем не жалел!

— Как дела, умник? — спросил я Куруша, вручая ему сверток с пирожными. — Ничего не стряслось?

— Ничего, — лаконично ответил Куруш, принимаясь за пирожные. Через полчаса я сам себя проклял, пытаясь оттереть от липкого крема его многострадальный клюв. А еще через час явился сэр Кофа. Он мгновенно оценил ситуацию и добродушно рассмеялся:

— Дай тебе волю, ты бы еще и Городскую Полицию домой отпустил и постарался бы сделать их работу самостоятельно. Экий ты человеколюбивый, смотреть противно!

— Неужели так противно? — обиженно спросил я.

— Разумеется. Хочешь хороший совет? Прикажи мне занять твое кресло, а сам ступай домой. Тебя же ждут, наверное...

— Наверное, — мечтательно вздохнул я. — Что, мое человеколюбие оказалось настолько заразно?

— Выходит, что так, — задумчиво кивнул сэр Кофа. — Впрочем, могу сказать тебе правду: я просто собираюсь составить компанию леди Кекки Туотли. Она сегодня ночью дежурит, так что вы, сэр «почтеннейший начальник», мне здесь только помешаете!

— Вот это да! — восхитился я. — Что, я оказался таким хорошим сводником?

— Да, вполне... Честное слово, Макс, ты можешь отправляться домой с чистой совестью. Джуффин, между прочим, тоже иногда покидал свое кресло!

— Ваша правда! — благодарно улыбнулся я, направляясь к дверям. — Хорошей ночи, Кофа!

В трактире «Армстронг и Элла» было очень людно, я даже удивился. А потом вспомнил, что мне давненько не удавалось попасть сюда в это время суток: обычно после заката я как раз приступаю к работе. На табурете за стойкой клевал носом мой пингвинообразный приятель Андэ Пу: в последнее время он стал здесь настоящим завсегдатаем. Странно, если учесть, что у Теххи не подают никакой еды, — похудеть он пытался, что ли? Парень был уже вполне готов: его нормальное состояние.

— Ты мне не мерещишься? — улыбнулась Теххи. — Вот это сюрприз!

— Для меня тоже, — кивнул я, устраиваясь на высоком табурете рядом с источающим дивные сивушные ароматы Андэ. — Думал, что доберусь к тебе не раньше чем через дюжину дней. А оказалось, что все не так страшно... Жалко, что у тебя так много народу! Честно говоря, у меня были немного другие планы на сегодняшний вечер...

— А они сейчас рассосутся, — усмехнулась Теххи. — Вот увидишь! Ребята приходят сюда каждый вечер с одной целью — собственными глазами увидеть, как ты со мной кокетничаешь. И вот сбылось наконец-то... Но я здорово сомневаюсь, что твое длительное присутствие будет так уж способствовать их приятному времяпрепровождению.

Она была права: примерно через полчаса трактир опустел. Мы остались наедине с мирно похрапывающим Андэ.

— Этот парень может проспать до утра, если его не трогать! — вздохнула Теххи. — Не удивительно, если учесть, что он начал издеваться над своим телом сразу после полудня...

— И чего ему неймется?! — удивился я. И потряс Андэ за круглое плечо. — Чего тебе неймется, потомок укумбийских пиратов? Жизнь прекрасна: и жизнь как таковая, и твоя в частности. Сколько можно «зажигать», а, Морган-младший?

— Вы все время придумываете мне какие-то потусторонние имена, Макс! — печально буркнул Андэ откуда-то из сонного далека. — Ничего вы не впиливаете!

— Я врубаюсь! — рассмеялся я. — Что, опять тоска загрызла?

— Макс, вы бы не надорвались подарить мне билет до Ташера? — печально спросил Андэ. Он уже вполне проснулся, к моему невероятному удивлению. — Я хочу на юг. Там тепло, и там...

— И там любят поэтов, знаю, ты говорил! — улыбнулся я. — Хотелось бы верить, что хоть где-то любят поэтов!.. А почему ты сам не купишь себе этот грешный билет? Насколько я знаю, сэр Рогро платит тебе сумасшедшие деньги. Думаю, что его газета скоро вылетит в трубу: разорится на твоем жалованье.

— А, они все время куда-то деваются, эти маленькие кругляшки, я не впиливаю — куда! — вздохнул Андэ. — Полный конец обеда!

В общем, Андэ проснулся, разговорился, и нам с Теххи пришлось угробить еще часа три нашей драгоценной жизни, чтобы твердо усвоить одну-единственную немудреную истину: господин Андэ Пу желает уехать на юг, в Ташер, поскольку там тепло, а здесь, в Ехо, «никто ничего не впиливает»... Не самая оригинальная программа вечера, но мы выжили!

А на рассвете меня разбудил зов сэра Кофы Йоха. Честно говоря, мне опять совершенно не удалось поспать как следует, но Кофа оказался очень настойчивым.

«Я знаю, что нет мне прощения, — виновато сказал он, — но чем раньше ты приедешь в Дом у Моста, тем лучше».

«Ладно, если вы так говорите, значит, так оно и есть, — сонно вздохнул я. — Закажите в „Обжоре" камру, дома мне сейчас ничего не светит!»

«Уже заказал. Давай, сэр Макс, покажи, на какую скорость ты способен! Отбой».

— Ладно, сейчас покажу! — это я сказал уже вслух, обращаясь к бутылке с бальзамом Кахара, которая в очередной раз спасла мне жизнь: на моей «исторической родине», где к моим услугам был только черный кофе, я бы уже давно скончался от хронического переутомления, при таком-то сумасшедшем режиме!

А потом я оделся и помчался вниз. Сел в амобилер, рванул с места и только тогда понял: что-то случилось! Не стал бы сэр Кофа надо мной просто так измываться...

— Так что случилось-то? — с этими словами я и вошел в свой кабинет.

Сэр Кофа посмотрел на меня с искренним восхищением:

— Восемь минут всего-то, я засекал! А ведь ты из Нового Города ехал, да? Ну ты даешь, мальчик!

— И учтите: из них пять минут я приходил в себя. Выспавшись как следует, я могу добраться сюда еще быстрее, — гордо заявил я, наливая себе камру. — И все-таки что стряслось?

— На Зеленом Кладбище Петтов появились живые мертвецы, — самым будничным тоном сообщил мне сэр Кофа. — Мне прислал зов тамошний сторож, бедняга почти в обмороке. Сам не знает, как ноги унес... Ничего особенного, но с этими мертвецами нужно что-то делать, и чем скорее — тем лучше. Нечего этой нечисти шляться по Левобережью!

— А они шляются? — озабоченно спросил я.

— Пока нет, но скоро начнут разбредаться, я полагаю...

— А их много?

— Если бы их было мало, я бы и будить никого не стал, сам бы с ними разобрался, — вздохнул сэр Кофа. — В том-то и дело, что их там уже несколько дюжин, да еще новые все время подползают...

— А где Мелифаро и Меламори? Вы их вызвали?

— Конечно вызвал. Просто в отличие от тебя ребята передвигаются с нормальной человеческой скоростью... Ничего, скоро появятся.

— Если я все правильно понял, нам просто следует туда отправиться и разнести их в клочья, да? — с некоторым сомнением спросил я. Но сэр Кофа энергично закивал:

— Разумеется, именно это от нас и требуется... И откуда они берутся, эти бедняги?

— Из могил, это однозначно! — усмехнулся я.

— Что — «из могил»? — испуганно спросила Меламори. Она торопливо вошла в кабинет и теперь стояла передо мной в ожидании ответа. В отличие от меня, леди выглядела просто великолепно: наверняка ей удалось отлично выспаться.

— Все — «из могил»! — машинально ответил я. Через несколько секунд мы оценили идиотизм собственного диалога и рассмеялись.

— У нас, как всегда, весело. Это же пошло — так ржать на рассвете, господа! — мрачно заметил заспанный Мелифаро. Его ярко-лиловое лоохи изумительно сочеталось с темными кругами под глазами. Вот кому было еще хуже, чем мне. Пустячок, а приятно! Я молча протянул ему бутылку с бальзамом Кахара: не столько во имя человеколюбия, которым до полудня я обычно не страдаю, сколько в интересах дела.

— Ладно, — вздохнул я, залпом допивая свою камру. — Меламори, ты остаешься здесь: мало ли что еще стрясется! А мы поедем на Зеленое Кладбище Петтов, быстренько прикончим этих несчастных зомби, вернемся сюда и позавтракаем.

— А почему это я должна здесь оставаться? — начала было Меламори. Иногда она становится жуткой занудой, надо отдать ей должное!

— Потому что я так сказал. А я — это закон, во всяком случае, так утверждают некие сумасшедшие жители границ, официальная делегация которых в данный момент приближается к столице... — Я подмигнул Меламори. — Нам же не нужно становиться ни на чей след, душа моя! А заставлять тебя просто бездарно драться с этими дохлыми бедолагами — все равно что забивать гвозди микроскопом.

— А что такое «микроскоп»? — Меламори явно перестала обижаться, — кажется, мне в очередной раз удалось придумать комплимент в ее вкусе!

— Это такая специальная хитрая штука, которой ни в коем случае не следует забивать гвозди! — объяснил я. — Кофа, мне будет спокойнее, если вы не бросите нас с Мелифаро на произвол судьбы. Я очень боюсь кладбищ, поэтому меня надо держать за ручку и всячески успокаивать...

— Разумеется, я поеду с вами, — удивленно кивнул сэр Кофа Йох, — а почему ты вообще мне это все говоришь? Я и так собирался...

— Я говорю все это потому, что вы еще сидите в кресле, — объяснил я. — А я уже еду в сторону Левобережья.

— Ну и темпы у тебя! — усмехнулся сэр Кофа, неохотно поднимаясь с места. — А я-то надеялся отдохнуть от этого шустрого Джуффина и знаменитого шила, которое с древних времен сидит в его тощей заднице.

— А он мне его оставил попользоваться! — объяснил я.

— Как это мило с его стороны! — Наконец-то подал голос Мелифаро. Он выглядел заметно ожившим.

Через несколько минут я уже остановил амобилер у кладбищенских ворот.

— Ребята, вы ведь тоже умеете убивать всякую нелюдь, да? — нерешительно спросил я, вылезая из машины.

— Не переживай, мальчик, мы еще и не такое умеем! — добродушно улыбнулся сэр Кофа Йох. — Так что тебе не придется делать это грязное дело в гордом одиночестве. Неужели ты сомневался?

— Ну, в общем-то, нет. Но решил уточнить, поскольку жизнь так богата сюрпризами, что я уже ни в чем не уверен. — Я виновато пожал плечами. — Глупый вопрос получился, да?

— Не глупый, но довольно неожиданный, — отозвался сэр Кофа. — Догадался же ты как-то, что из нас троих именно Меламори не умеет этого делать...

— Честно говоря, я просто подумал, что кто-то должен остаться в Управлении. В другое время я мог бы усадить в свое кресло Луукфи, но он все равно не появится на службе раньше полудня: порочное влияние наших буривухов, парня уже не переделаешь! А поскольку нам действительно не нужен Мастер Преследования...

— Скажи уж честно: ты просто дрожишь над нашей прекрасной леди не меньше, чем ее драгоценный дядюшка Кима! — ехидно вставил Мелифаро.

— Ну «дрожу», и что с того? — огрызнулся я. И тут же обомлел. — Ох, ничего себе!

Зрелище действительно вполне стоило моего восклицания. Зеленое Кладбище Петтов — одно из самых старых в городе, поэтому оно куда больше похоже на парк, чем на настоящее кладбище. На фоне этого роскошного парка толпа голых темнокожих людей казалась особенно неуместной. Впрочем, людьми-то они не были, это сразу бросалось в глаза: у людей не бывает таких пустых глаз и так неестественно вывернутых суставов, и кожа у них не висит лоскутами, как обрывки пергаментной бумаги. Живые мертвецы неподвижно сидели на древних могильных плитах, нас они словно не замечали, а может быть, их мутные глаза действительно ничего не видели...

— Не самое аппетитное зрелище во Вселенной, — фыркнул Мелифаро. — Макс, тебе лучше заранее смириться с мыслью, что сегодня вечером я напьюсь как сапожник, после такого-то зрелища.

— Это твои проблемы! — усмехнулся я. — Измывайся над своим телом хоть с утра до вечера, дорогуша, только не на моей территории... Ладно, вы как хотите, а я приступаю: чем раньше мы с этим покончим — тем лучше!

Я щелкнул пальцами левой руки, ослепительно зеленый Смертный Шар сорвался с кончиков моих пальцев, мгновение — и он бесшумно взорвался, соприкоснувшись с телом одного из странных существ. Существо упало на землю. Оно умерло немедленно, я даже немного удивился: до сих пор мои Смертные Шары вели себя куда более непредсказуемо... Помню, что больше всего меня потрясло абсолютное равнодушие остальных мертвецов — они совершенно не заинтересовались происходящим. Я ощутил какую-то болезненную щемящую жалость пополам с брезгливым отвращением; очень похоже на то чувство, которое испытываешь, убивая таракана, когда хрупкая хитиновая оболочка с отвратительным хрустом лопается под ногой... Краем глаза я заметил, что Мелифаро приподнялся на цыпочки, сделал несколько странных танцующих шажков, с силой размахнулся — и несколько маленьких шаровых молний одна за другой полетели в сторону отвратительной компании флегматичных зомби. Это было здорово похоже на то, как Фред Флинстоун играл в боулинг, жаль только, что никто в этом Мире не видел мультфильмы про семейку Флинстоун, так что мне пришлось восхищаться в одиночку.

— Красиво, парень! — Я даже рассмеялся от своей неожиданной ассоциации и снова щелкнул пальцами: уж очень много было этих мертвых бедняг! Мой Смертный Шар достался высокому тонкому существу, в ухе которого мерцала большая серьга из незнакомого мне красноватого металла. Это украшение делало его несколько похожим на человека, и я не слишком обрадовался своей очередной легкой победе...

— А вот так вы никогда не пробовали, мальчики? — добродушно усмехнулся сэр Кофа. Я обернулся к нему и успел заметить, что Кофа несколько раз бесшумно хлопнул в ладоши. Это было похоже на бурные аплодисменты, предназначенные каким-то глухонемым исполнителям.

— Да ты не на меня смотри! Это работает на расстоянии.

Я послушно уставился на группу мертвецов. Несколько темных тел неуверенно привстали с травы; они выглядели довольно удивленными, насколько такого рода существа вообще могут выглядеть удивленными. Потом они рухнули на землю.

— Старинный фокус, никаких визуальных эффектов, зато убивает наповал кого угодно... или почти кого угодно, — деловито объяснил сэр Кофа. — Правда, с Джуффином этот прием не сработал ни разу, он всегда успевал как-то увернуться... Хвала всем Магистрам, что это я за ним гонялся, а не наоборот!

— Сколько раз слышал от вас об этих головокружительных погонях, но все равно как-то не верится! Вы,

Кофа, сломя голову несетесь за Джуффином, да еще и с твердым намерением убить его при первой же возможности... Представить себе не могу! — Я огорченно покачал головой и снова защелкал пальцами. Толпа мертвецов редела на глазах, они и не пытались ни убежать, ни как-то защищаться. Честно говоря, меня это здорово нервировало.

— Плохо, что они не сопротивляются, — буркнул я, наблюдая за очередной танцевальной разминкой Мелифаро, — хотел бы я знать почему!

— Только их героического сопротивления нам и не хватало! — сердито проворчал сэр Кофа. — Мало того что мы должны делать работу Лонли-Локли... Тебе что, уже стало скучно, Макс?

— Мне стало противно, — объяснил я. — Если бы они вели себя более активно, наши действия не казались бы мне настолько негуманными.

— Между прочим, мы поступаем более чем гуманно, — вздохнул Кофа. — Ты и представить себе не можешь, насколько тягостно подобное существование!

— В общем-то представляю, наверное. Джифа Саванха успел мне кое-что рассказать, уж он-то был в курсе, бедняга! — Я снова щелкнул пальцами, не переставая удивляться тому, что создание такой непостижимой штуки, как Смертный Шар, не требовало от меня никаких усилий, даже концентрация внимания тут не требовалась.

— Все, меня можно выбрасывать на свалку. А еще лучше — просто уложить в постель. — Мелифаро опустился на траву, вытирая вспотевший лоб полой своего новенького лоохи. — На сегодня я исчерпал свои скудные возможности.

— Мог бы и раньше остановиться, — сочувственно вздохнул я. — Их уже меньше дюжины осталось, мы с сэром Кофой и сами справимся.

— С другой стороны, когда еще мне выпадет шанс угробить столько народу? — устало усмехнулся Мелифаро. — Это ты у нас развлекаешься без перерыва, а моя жизнь невыносимо скучна и наполнена исключительно добрыми поступками...

Несколько смертоносных бесшумных аплодисментов сэра Кофы стали отличным финалом нашего тоскливого приключения.

— Пошли, мальчики, — вздохнул Кофа. — Хорошо, что все когда-нибудь кончается! Теперь здесь осталась работа только для кладбищенского сторожа. Надеюсь, он с ней справится и без нас: рытье могил — не моя специализация.

— Ладно, тогда мы с вами едем в Управление, а Мелифаро...

— А я тоже еду в Управление! — возмущенно заявил Мелифаро.

— Да? А мне казалось, что ты собирался посетить свалку и еще чью-то постель, я только не помню, в какой последовательности...

— Успеется. Сначала ты будешь кормить нас завтраком, сам грозился!

— Ну раз грозился, значит, буду, — согласился я. — Хотя тебя легче убить, чем прокормить, это уж точно!

— Кто бы говорил! — вяло огрызнулся Мелифаро. Все-таки он здорово устал: обычно подобные заявления вызывают у него гораздо более бурную реакцию... Как бы там ни было, мы сочли за благо немедленно убраться в Дом у Моста.

— Зеленое Кладбище Петтов — слишком древнее, чтобы быть спокойным местом, — задумчиво говорил сэр Кофа Йох, налегая на завтрак. — Вот сторож кладбища Кунига Юси может спать спокойно: на его территории подобное безобразие просто не может случиться!

— А оно новое? — спросил я.

— Новое, новое — еще новее, чем сам Новый Город... А эти бедняги, которых мы были вынуждены успокоить, Магистры их знают, сколько столетий провели в своих могилках. И какая древняя сволочь затеяла это несмешное представление?! Самое обидное, что виновника вряд ли можно привлечь к ответственности: скорее всего, он скончался от старости еще при короле Мёнине... Никогда не видел таких древних оживших мертвецов, честное слово!

— Их заколдовал какой-нибудь кошмарный Темный Магистр из тоскливой старинной легенды, дырку в небе над его серьезной рожей! — буркнул Мелифаро.

— Ну и настроение у вас! — вздохнула Меламори. — Все-таки хорошо, что мне пришлось остаться...

— А тебе бы как раз понравилось, незабвенная! — ухмыльнулся Мелифаро. — Столько голых мужчин сразу и таких красавчиков, пальчики оближешь! Так что наш штатный изверг лишил тебя колоссального удовольствия.

— Действительно обидно! — невозмутимо кивнула Меламори. — Ну да ничего, еще насмотрюсь: если разобраться, голый мужчина — не самое недоступное зрелище в этом Мире... К тому же они все равно были мертвые, я ничего не перепутала?

А дальше все опять пошло как по маслу. Мелифаро все-таки отправился домой. На нем и правда лица не было: слишком много Смертных Шаров с утра пораньше — это никому не идет на пользу! Мы с Меламори мило пробездельничали до вечера, сэр Кофа успел прогуляться по городу — так, на всякий случай, — а потом вернулся в Управление и решительно отправил меня домой. Это было так мило с его стороны! На этот раз я твердо решил выспаться как следует. К моему огромному удивлению, мне удалось даже это: я заснул еще до полуночи и спал чуть ли не до полудня. Грандиозное переживание!

В Дом у Моста я приехал в самом изумительном настроении. В моем кабинете сидел сэр Луукфи Пэнц, вид у него был довольно растерянный.

— А, вот вы и пришли, Макс, все-таки сэр Кофа зря не стал вас ждать! — застенчиво улыбнулся он. — Сэр Кофа велел мне здесь подежурить и просил вам передать, что все началось сначала...

— Что?! — Я непонимающе уставился на Луукфи, потом до меня начало доходить. Я не стал тратить времени на ненужные расспросы, а просто послал зов сэру Кофе.

«Что, опять живые мертвецы? Но почему вы меня не вызвали?»

«А зачем? — бодро отозвался сэр Кофа. — Мне показалось, что мы с Мелифаро и сами справимся. Эти мертвецы — самые безобидные существа в нашем Мире. С другой стороны, надо же тебе спать, хоть иногда».

«Спасибо конечно. Но это здорово попахивает грандиозным свинством с моей стороны... А вы уже закончили или еще не начали?»

«Я как раз заканчиваю, осталось еще трое... Так, а вот теперь больше никого не осталось! Не переживай, мальчик, сегодня я вообще прикончил их в одиночку, а Мелифаро просто стоял рядом, так, на всякий случай».

458

«Вы такой молодец, Кофа! — с искренним восхищением сказал я. — Он вчера и так здорово переусердствовал, бедняга... А Меламори? Она с вами?»

«Ага. Решила полюбоваться на голых мужчин, Мелифаро их вчера здорово разрекламировал... Ладно, Макс, накрывай на стол, готовься к встрече усталых героев. Отбой».

Они приехали через полчаса, на лице сэра Кофы не было и следа усталости. Видимо, его странный способ убивать не требовал большого расхода сил или просто у нашего Мастера Слышащего имелся неисчерпаемый запас этих самых сил. Нам такое и не снилось...

— Вот теперь ты стал настоящим начальником, поздравляю! — с порога заявил Мелифаро. — Мы работаем, ты спишь... Так и надо, ваше величество!

— Да, мне тоже понравилось, — согласился я. А потом укоризненно посмотрел на сэра Кофу. — Нет, в самом деле, могли бы и разбудить...

— В следующий раз разбужу, — мрачно кивнул Кофа. — Чует мое сердце, что он не за горами, этот «следующий раз»... Что-то не нравится мне эта история, ребятки! Какой-то у нее идиотский привкус, вы не находите?

— Во всяком случае, они омерзительно выглядят! — заметила Меламори. Тон у нее был такой обвиняющий, будто это мы сами, всем коллективом, произвели на свет Божий уродливых зомби и только с ней забыли посоветоваться.

— Ребята, а это были те же самые покойнички, что и вчера? Или новые? — задумчиво спросил я. У меня на сердце дружно скребли кошки, это немного мешало наслаждаться вкусом отличных лакомств из «Обжоры Бунбы».

— Те же самые?! — удивился сэр Кофа. — Надеюсь, что нет! Вчерашних мы довольно качественно убили, честно говоря, мне и в голову не приходило, что сегодняшние мертвецы могут быть просто недобитыми вчерашними... Но ты прав, все может быть!

— В любом случае так не годится! — вздохнул я. — Это грешное кладбище надо как-то изолировать. Кто их знает, наших мертвых приятелей: может быть, следующая партия окажется более резвой и захочет прогуляться по Ехо... Полицейских там поставить, что ли?

— Ты гений, Ночной Кошмар! — прыснул Мелифаро. — Я уже представляю, с каким громким визгом эти бравые ребята будут оттуда разбегаться, в случае чего! Все-таки ты умеешь придумать хорошее развлечение, надо отдать тебе должное!

— Если уж ребята своего Бубуту не боятся, им не страшны никакие другие существа, живые или мертвые... И в любом случае несколько дюжин перепуганных полицейских — более надежная охрана, чем один перепуганный кладбищенский сторож! — рассудительно заметил я. — А посему отправляйся на территорию генерала Бубуты за подкреплением.

— Ага, он мне даст подкрепление, пожалуй! А потом догонит и еще раз даст! — усмехнулся Мелифаро.

— Даст, даст, — вздохнул я, — просто не забудь сказать Бубуте, что я его очень прошу, даже умоляю... Давай не рассиживайся!

— Слушаю и повинуюсь, ваше дикое пограничное величество! — Мелифаро неохотно слез со стола, на который только что успел взгромоздиться и отвесил мне гротескный поклон до земли. — Не гневайся, о грозный повелитель голозадых пожирателей конского навоза! Какой ты великий человек, с ума сойти можно!

— Разобьешь полицейских на две или три группы, в зависимости от того, сколько народу тебе удастся собрать. Пусть дежурят посменно, но мне бы хотелось, чтобы на Зеленом Кладбище Петтов ошивалось как можно больше народу в форме, — невозмутимо продолжил я. — А потом проводи их на кладбище и проинструктируй, хотя какие уж тут инструкции!.. Ну ничего, пока будете бродить по кладбищу, придумаешь что-нибудь высокопарное, чтобы они ощутили ответственность за судьбы Мира.

— Если ты сохранишь для меня жалкие объедки своей царской трапезы, я залью слезами благодарности полы твоей мантии, чудовище! — Мелифаро сделал скорбное лицо и пулей вылетел в коридор. Кажется, предстоящая возможность покомандовать целой оравой полицейских доставляла ему ни с чем не сравнимое удовольствие.

— Не так уж плохо, мальчик! — одобрительно сказал мне сэр Кофа. — Теперь я удивляюсь, что не сделал это сам. Иногда ты все-таки отлично соображаешь!

— Ага, но только когда высплюсь, — улыбнулся я. — И не моя вина, что это случается так редко...

— А что мы будем делать с этой пакостью? — брезгливо спросила Меламори. Кажется, хваленые «голые мужчины» ей здорово не понравились!

— Истреблять! — вздохнул я. — Я потому и попросил Мелифаро поставить там охрану: по крайней мере, мы можем быть уверены, что нас вызовут безотлагательно, если что-нибудь случится... Жаль, что нет Шурфа: его левая рука так мило испепеляет все, что встречается на ее пути! Сэр Кофа, а вы не умеете испепелять, часом? Это как-то гигиеничнее!

— Убивать — пожалуйста, а вот испепелять... Знаешь, мальчик, боюсь, что это — не моя стезя!

— И не моя, к сожалению! — виновато усмехнулся я.

— Вы все утро говорите на такую печальную тему, господа! — неожиданно вмешался Луукфи. — Что, кто-то умер?

Мы с Меламори расхохотались, сэр Кофа только головой покачал.

— Если бы! — сквозь смех выговорил я. — Если бы кто-то умер! Дело гораздо хуже: у нас все время кто-то воскресает, самым неаппетитным образом!

— А, это очень плохо, я знаю, — понятливо кивнул Луукфи. — Я вырос на кладбище, правда, ничего такого, хвала Магистрам, при мне не случалось, но я слышал столько историй об оживших мертвецах...

— Вы выросли на кладбище? — изумленно спросил я.

— Признаться, я выразился не совсем точно, — серьезно сказал Луукфи, — но большая часть моего детства действительно прошла на кладбище. Мой дядя, сэр Лукари Бобон, знаете ли, хотел, чтобы я унаследовал семейный бизнес. Когда я поступил в Королевскую Высокую Школу, он был очень огорчен, так огорчен, что до сих пор со мной не разговаривает... Впрочем, я не могу сказать, что потерял такого уж интересного собеседника! Ему несколько не хватает эрудиции.

— Дядюшка нашего Луукфи — похоронных дел мастер, между прочим, самый преуспевающий в Ехо! — улыбнулся сэр Кофа. И подмигнул Луукфи: — Ты сделал хороший выбор, мальчик: с буривухами куда веселее, чем с покойниками!

— Да, разумеется! Спасибо, что напомнили, сэр Кофа, они же меня ждут! — Луукфи заторопился, встал, путаясь в складках своего дорогого лоохи, разумеется, опрокинул кружку — хвала Магистрам, она была уже пустая — и, наконец, одарил нас своей милой улыбкой. — Спасибо за ужин, господа! — И наш Мастер Хранитель Знаний поспешно удалился в Большой Архив.

— Какой ужин? — Я изумленно покачал головой. — Я-то был уверен, что мы завтракали!

— Можно подумать, ты первый день знаком с Луукфи! — хихикнула Меламори. — Вообще-то, в это время суток люди обычно обедают, так что ты тоже хорош, если разобраться!

— Я хорош, даже если ни в чем не разбираться! — гордо заявил я.

Мелифаро вернулся часа через полтора, сияющий, как только что отчеканенная корона.

— Получилось просто великолепно! — с порога отчитался он. — Форменные лоохи Городской Полиции изумительно сочетаются с кладбищенским пейзажем. Это поучительное и величественное зрелище, советую вам немедленно поехать туда и полюбоваться!

— Еще налюбуемся! — вздохнул я. — Чует мое сердце, нас еще стошнит от этого пейзажа...

— Не сгущай краски, Макс. Так уж и стошнит... — Сэр Кофа задумчиво уставился в окно, а потом заметил: — Кстати, я хотел тебе сказать, что сегодня ночью я не смогу остаться в Управлении, Макс. Такие новости лучше сообщать заранее, да?

— Какие могут быть вопросы, Кофа?! — прочувствованно сказал я. — Вы меня и так балуете... Разумеется, я сам здесь останусь. Буду ощущать себя единственным хранителем общественного спокойствия, получу море удовольствия... В конце концов, с самого начала считалось, что именно в этом и заключается моя работа — бездельничать по ночам в нашем уютном кабинете!

— А я-то все время думал: на кой ты нам здесь нужен?! — ехидно заулыбался Мелифаро. — А оказывается, вот оно что!

— Вот так-то! — миролюбиво кивнул я.

Сэр Кофа ушел прогуляться по городу и на радостях развил там невероятно бурную деятельность, даже собственноручно поймал за шиворот какого-то бородатого карманника, хотя охота за подобной мелочью не входит в компетенцию Тайного Сыска. Несчастный карманник был отдан на растерзание лично генералу Бубуте Боху — сэр Бох честно заслужил этот подарок.

— Ты у меня будешь шарить по сортирам, а не по карманам! И все, что там найдешь, запихаешь в свою задницу! — Бубутины вопли доносились даже до моего кабинета, но я по ним даже соскучился!

— У тебя лицо провинциала, который всю жизнь мечтал попасть на выступление Екки Балбалао и наконец попал! — насмешливо заметил Мелифаро.

— А я и есть провинциал! — гордо заявил я. — Простой необразованный иноземный монарх, который даже понятия не имеет, кто такой этот ваш Екки Балбалао.

— Дырку над тобой в небе, парень, это же лучший тенор в Соединенном Королевстве! — Мелифаро озадаченно покачал головой. — Я — не самый заядлый меломан в столице, но не знать, кто такой Екки Балбалао... Это уж слишком, даже для тебя! Что ты вообще делаешь в свободное время, чудовище?!

— Как это — что? Шляюсь по трактирам и с высунутым языком бегаю за девушками! — тут же объяснил я. Немного подумал и добавил: — Кроме того, у меня вообще нет свободного времени, поскольку я сгораю на работе... А что, он действительно так здорово поет?

— Да, ничего, — равнодушно кивнул Мелифаро. — Честно говоря, я сам коротаю досуг примерно так, как ты описал, правда, мой язык не вываливается изо рта ни при каких обстоятельствах, чего и тебе желаю... Поэтому сладкий голос господина Балбалао редко достигает моих ушей.

— Какие мы с тобой некультурные и бездуховные! — фыркнул я. — Кому сказать — не поверят!

— Поверят, поверят! — успокоил меня Мелифаро. — У нас же это на лице написано!

Через некоторое время Мелифаро ультимативным тоном заявил, что ему, дескать, пора! Мне оставалось только недоверчиво уставиться на темнеющее небо и покориться судьбе — день пролетел удивительно быстро. Теперь мне предстояло пережить длинную, скучную, одинокую ночь: Луукфи, как всегда, ушел домой на закате, а Меламори улизнула еще раньше, Магистры ее знают куда...

Около полуночи, когда я с изумлением понял, что начинаю клевать носом, меня настиг зов Теххи.

«Макс, — жалобно сказала она, — все просто ужасно! Этот твой господин Андэ Пу...»

«Что, опять напился и спит на табурете?» — весело спросил я.

«Если бы! Он действительно вполне напился, но, к сожалению, не спит, он со мной общается. И постоянно пытается поцеловать мне руку, это просто ужасно! Знаешь, честно говоря, мне не составит труда испепелить его на месте, но тогда меня посадят в Холоми. Ты же сам и посадишь!»

«Не выдумывай! — строго сказал я. — Я буду укрывать тебя от правосудия, рискуя жизнью, недельным жалованьем и всем прочим... Но это — не лучший способ проводить время, что правда, то правда! А ты действительно можешь его испепелить?»

«Конечно могу! — спокойно сказала Теххи. — А что?»

«Мне бы твои способности! — вздохнул я. — Знаешь, мы как раз сегодня выяснили, что никто, кроме Лонли-Локли, не может испепелить этих грешных оживающих покойников. А Шурф ушел с Джуффином, так что нам приходится их убивать и закапывать, а потом снова убивать и снова закапывать, это так утомительно!»

«Ну, живых мертвецов, положим, и я не испепелю, — виновато призналась Теххи. — Это такие твари, их и Белый Огонь не берет!»

«Белый Огонь? — удивился я. — А что это за штука?»

«Самый простой и надежный способ испепелить кого бы то ни было, сто тридцать седьмая ступень Белой Магии, один из любимых фокусов моего знаменитого папочки, а в общем, ерунда! — скороговоркой объяснила Теххи. — Ты мне лучше вот что скажи: можно я отправлю этот говорливый мячик в Дом у Моста? Тебе же, наверное, скучно, да?»

«Ну, не слишком весело, если честно, — вздохнул я. — Ладно уж, отправляй. Ты же, думаю, спать хочешь?»

«Хочу, — тут же согласилась Теххи. — А если учесть, что ты можешь заявиться на рассвете...»

«Не очень-то верится! — мрачно сказал я. — Тем не менее ты имеешь полное право жить с необслюнявленными руками. Пусть уж этот неугомонный Андэ идет ко мне, аллах с ним!»

«Ты так и не объяснил мне, кто такой этот твой загадочный аллах, — заметила Теххи. — Я уже столько раз спрашивала!»

«Да я и сам толком не знаю, — признался я, — просто слово хорошее...»

Не прошло и получаса, как в дверь моего кабинета поскребся заспанный курьер.

— Ко мне посетитель: маленький, кругленький, здорово подвыпивший и очень нахальный, да? — тоном пророка заявил я.

— Да, сэр Макс. — Бедняга уже ничему не удивлялся. — Ему можно зайти?

— А что еще с ним делать? — улыбнулся я. — Раз уж пришел, значит, можно!

— Макс, мне грустно! — с порога сообщил Андэ. — Вы, наверное, не впиливаете, как это бывает...

— Представь себе, впиливаю! — усмехнулся я. — Я проделываю это упражнение по дюжине раз на дню, можешь мне поверить!

— Какое упражнение? — Андэ удивленно уставился на меня своими прекрасными миндалевидными глазами.

— Грусть, что же еще! — Я налил камры в его кружку. — Не совсем то пойло, которое ты предпочитаешь в это время суток, да и в любое другое тоже, но ради разнообразия...

— А вам тоже бывает грустно? — изумленно спросил Андэ. У него было лицо средневекового мистика, которому внезапно сообщили, что Бога нет — никакого! Устав пребывать на грани обморока, Андэ одобрительно добавил: — Тогда вы все впиливаете, Макс! Извините.

Я так и не понял, почему он извинялся, но решил не уточнять: в этом случае поднадоевший мне вопрос «впиливания» мог снова появиться на повестке дня.

— Макс, когда вы меня встретили, я был голодный, — мрачно сообщил Андэ, осуждающе заглянув в свою опустевшую кружку. — А сегодня я сытый. Но это ничего не меняет: мне нужно отсюда уехать.

— В Ташер? — устало спросил я.

— Можно и в Ташер, — вяло согласился Андэ, — вообще-то, там действительно хорошо: тепло, фрукты растут прямо на улице... И почти никто не умеет ни писать, ни читать. Поэтому все впиливают, что это круто...

Вы не надорветесь выйти со мной ненадолго? Могу показать вам фокус.

— Фокус? — растерянно переспросил я. — А ты не можешь показать его прямо здесь?

— Здесь не получится. Этот фокус можно показать только в Квартале Свиданий, — объяснил Андэ.

— Знаешь, ты мне лучше просто расскажи, — попросил я. — Не хочется мне отсюда уходить: ночка сегодня та еще...

— Рассказать невозможно! — покачал головой Андэ. — Если рассказать, вы не впилите. Это надо видеть.

Я немного подумал, а потом ко мне вернулось мое обычное легкомыслие. Уж очень было любопытно: что за фокусы такие можно показывать только в Квартале Свиданий?! К тому же до утра еще оставалась целая вечность...

— Ладно, можем доехать туда на амобилере, это минутное дело! — решительно сказал я. — Полчаса тебе хватит на твой фокус, капитан Флинт?

— Хватит... Знаете, Макс, когда вы называете меня этими странными именами, я перестаю впиливать, что со мной происходит. Есть такой анекдот, может быть, вы слышали: человек приходит к знахарю и говорит: «Сэр, у меня провалы в памяти». Знахарь все впиливает и спрашивает: «И давно это с вами происходит?» — «Что, сэр?» Полный конец обеда! Вы впилили?

Мне оставалось только покачать головой: этот анекдот я знал уже много лет. Как и многие другие забавные истории, которые мне довелось услышать в Ехо, он слово в слово повторял один из анекдотов моей родины...

— Куруш, я вернусь через полчаса, — извиняющимся тоном сообщил я. — И принесу тебе пирожное, ладно?

— Значит, мне следует ждать тебя через час, — рассудительно заметила мудрая птица. — Ты всегда опаздываешь.

— Но только не сегодня, — пообещал я. — Честное слово!

— Мне все равно, — сонно сказал Куруш, — это ты почему-то волнуешься. Вы, люди, такие противоречивые существа!

— Твоя правда, умник, — нежно согласился я. Спорить с Курушем совершенно бесполезно: он всегда прав, как ни крути!..

Я остановил амобилер в самом начале Квартала Свиданий. Андэ Пу тут же спрыгнул на мозаичный тротуар и быстро пошел к ближайшему Дому Свиданий, на той стороне, куда заходят Ищущие мужчины.

— Эй, парень! — весело сказал я. — Тебе что, просто требовался бесплатный возница? Ну так бы и сказал, а то интригуешь, дергаешь занятого человека...

— Идемте со мной, Макс. Сейчас будет этот мой фокус. Вы все сами впилите, — мрачно пообещал Андэ. Терзаемый жестоким приступом любопытства, я пошел за ним.

Андэ остановился на пороге Дома Свиданий, пошарил в карманах и смущенно повернулся ко мне:

— У вас найдется две короны, Макс? Я опять растерял все эти блестящие штучки...

— Найдется, — вздохнул я, роясь в карманах своей Мантии Смерти, они были предусмотрительно набиты мелочью: я же помнил, с кем связался!

— Заплатите за меня, пожалуйста, я вам отдам, завтра или еще когда-нибудь... — Судя по голосу, этот гордый потомок укумбийских пиратов сам не очень-то верил в возможность подобного исхода.

«В прошлый раз этот сумасшедший изамонец, теперь пьяный Андэ Пу... Хорошо же я посещаю Квартал Свиданий! Кому рассказать — не поверят!» — насмешливо подумал я. Андэ тем временем топтался у входа.

— Держи. — Я протянул ему монеты и укоризненно покачал головой. — Слушай, чудо, в следующий раз имей в виду, что меня совершенно не обязательно тащить на край света, чтобы вытрясти из меня две короны!

— Вы не впилили, Макс! — упрямо заявил Андэ. — Зайдите со мной и посмотрите, что будет.

— А я-то тебе там зачем? — вздохнул я. Впрочем, мне уже было ясно, что я пойду: любопытство — моя ахиллесова пята!

— Просто постойте на пороге, — настойчиво сказал Андэ, открывая дверь Дома Свиданий. Он отдал хозяину деньги и засунул руку в огромную напольную вазу с номерками. Вытащил керамический квадратик и, не глядя, показал его мне.

— Пустышка, да?

— Пустышка, — согласился я. — Подожди, ты хочешь сказать, что угадываешь номера? Или тебе всегда выпадают пустышки?

— Второе, — мрачно кивнул Андэ. — Вы уже впилили... Хорошей ночи, сэр. — Он с подчеркнутой вежливостью раскланялся с хозяином Дома Свиданий, который все это время озадаченно пялился на мою черно-золотую Мантию Смерти: моих жалких умственных способностей не хватило, чтобы догадаться переодеться. Думаю, что все дамы из числа Ждущих вздохнули с облегчением, когда я наконец-то исчез в темноте за дверью, там, откуда пришел.

— Вам не жалко еще двух корон, Макс? — осторожно спросил Андэ. — Я хочу, чтобы вы убедились...

— Вообще-то жалко! — усмехнулся я, шаря в кармане. — Но еще один контрольный сеанс действительно не помешает. Ну и талантик у тебя, однако!

Андэ ничего не ответил, взял у меня две монетки и понуро поплелся к следующему Дому Свиданий. Результат был в точности тот же, включая выражение лица хозяина, созерцающего мою Мантию Смерти, — такое же ошеломленное, как и у его коллеги из соседнего заведения.

— Можешь не продолжать. Разорюсь я с тобой... — озадаченно сказал я Андэ, когда мы снова оказались на улице. — Но я бы тебе и на слово поверил, так что можно было не хлопотать!

— На слово вы бы просто поверили, а я хотел, чтобы вы впилили! — мрачно пояснил Андэ. — Есть же разница!

— Есть, — сочувственно улыбнулся я. — Слушай, а ты никогда не пробовал стать Ждущим?

— Пробовал неоднократно. — Андэ Пу уморительно пожал круглыми плечами. — Тот же результат! Да Магистры с ними, с этими Домами Свиданий! Я все время вытаскиваю пустышку по жизни... Вы впиливаете?

— Поехали, — проворчал я, — не сгущай краски, капитан Флинт!

— Поезжайте сами, Макс, — вздохнул Андэ. — А я пойду прогуляюсь до заведения Чемпаркароке: после его супа даже я успокаиваюсь... Подарили бы вы мне все-таки билет до Ташера, не надорветесь! У вас рука легкая, Макс. Вы-то небось ни разу в жизни пустышку не вытягивали!

— Не вытягивал, — мрачно согласился я. — Зато не раз вытягивал кое-что похуже пустышки, можешь мне поверить... Дался тебе этот Ташер! Ладно уж, хорошей ночи, Андэ.

— А за ночью придет утро, которое станет концом еще одного трудного дня. — Эти слова Андэ Пу явно адресовал не мне, а лиловому ночному небу над своей набитой всякими печальными глупостями головой...

Я пожал плечами и поехал в Управление. Мне очень хотелось перевернуть все представления Куруша о себе и хоть раз явиться вовремя. Оказалось, что я зря старался: бурlivух мирно дремал на спинке моего кресла, и никакое хлопанье дверью его не побеспокоило. Я решил последовать его примеру: устроился поудобнее и тоже задремал. В течение нескольких часов мне упорно снился сэр Морган (не пингвинообразный потомок укумбийских пиратов, а самый настоящий сэр Морган), который довольно занудно пытался мне втолковать, что господин Андэ Пу не является его родственником...

Спал я, в отличие от Куруша, не очень крепко, поэтому тихий скрип половиц разбудил меня мгновенно. На пороге застыл молоденький паренек в форменном лоохи Городской Полиции.

— Сэр Макс, — испуганно сказал он, — меня за вами послали. Там, на кладбище...

— Что, опять начинается? — Я подавил жалобный стон в самом зародыше: еще успею постонать, сейчас у меня найдутся дела поважнее!

— Начинается, — дрожащим голосом подтвердил паренек.

— А зачем ты сюда приперся? — ворчливо спросил я. — Могли бы просто послать мне зов, это было бы гораздо быстрее.

— Мне приказали поехать, — промямлил полицейский. — Я не сам...

— Догадываюсь! — Я успел сделать глоток бальзама Кахара — черт, жизнь моя в последнее время складывалась так, что это зелье приходилось пить чаще, чем камру, — потом я закутался в Мантию Смерти и пошел к амобилеру. Уже на ходу я послал зов сэру Кофе. Он отозвался мгновенно.

«Что, опять?» — обреченно спросил он.

«Ага. Я еду на кладбище, присоединяйтесь, как только сможете... Думаю, Мелифаро лучше вообще не трогать: подобные развлечения слишком пагубно сказываются на его драгоценном здоровье, а я очень рассчитываю, что он сможет подменить меня днем».

«Я его все-таки вызову, пусть просто поприсутствует — мало ли что...» — задумчиво возразил сэр Кофа.

«Ладно, я вас жду».

Я попрощался с Кофой и сел за рычаг своего амобилера, молоденький полицейский растерянно переминался с ноги на ногу.

— Садись рядом, прокачу,— вздохнул я,— да не бойся ты, я же не кусаюсь!

Паренек поспешно взобрался на заднее сиденье, и мы стартовали.

— Так почему тебе велели за мной поехать? — без особого любопытства спросил я.

— Лейтенант Чекта Жах решил, что посылать вам зов будет нарушением субординации, — почти шепотом сообщил полицейский. — Подчиненный не имеет права прерывать размышления начальника своей Безмолвной речью.

— «Размышления», говоришь? — Я изумленно покачал головой. — Ну-ну... Из парня получится достойный продолжатель традиций капитана Фуфлоса. Для того чтобы продолжить традиции генерала Бубуты, он все-таки недостаточно смешной... — Я строго посмотрел на юношу. — Запомните, сэр, и передайте вашим коллегам: по делу мне можно посылать зов в любое время суток, и никакой там «субординации», даже если вас разжалуют в уборщики... Ох, только не берите в голову, никто вас не разжалует, я с утра всегда отвратительно шучу!

— Я запомню, сэр Макс,— кивнул полицейский, совершенно обалдевший — не то от моего ужасного пророчества, не то от того, что я сказал ему «сэр».

— Вы мне лучше расскажите, что там творится, на этом грешном кладбище, — попросил я, глядя на медленно светлеющее предрассветное небо. — Что-то рано они сегодня зашевелились!

— Там появился один... одно... Я не знаю, как это называется. И лейтенант Чекта Жах сразу же велел мне ехать за вами, так что я ничего толком не успел разглядеть...

— Ладно, — вздохнул я, — сейчас все сам увижу.

Я остановил амобилер у ворот Зеленого Кладбища Петтов и почти бегом направился к предполагаемому месту происшествия.

— Сэр Макс, они здесь! — Впервые в жизни я видел лейтенанта Чекту Жаха таким растерянным: обычно его рожа казалась мне самоуверенной, на мой вкус даже чересчур. — Я приказал открыть огонь из бабума, но это не помогает! — Он робко указал мне на толпу живых мертвецов, их неопрятный вид вызывал у меня не только отвращение, но и скуку: сие зрелище ничем не отличалось от того, что я уже видел два дня назад.

— Конечно не помогает! Какой уж тут бабум... — согласился я, с трудом превозмогая зевоту. — Кстати, в следующий раз, если я вам понадоблюсь, просто пришлите мне зов, ну что это за придворные церемонии, Чекта! А если бы они начали разбегаться?

— А они и так... — начал было Чекта, но тут же запнулся.

— Что — «и так»? Разбегаются? — с ужасом уточнил я.

— Да нет, просто иногда встают с места и бродят вокруг своих могил. — Тон лейтенанта Чекты был каким-то уж очень нерешительным, но я был слишком занят, чтобы обращать внимание на подобные мелочи...

— Ладно, теперь всем отойти мне за спину, — решительно сказал я. — И чем быстрее, тем лучше!

Повторять приказ, хвала Магистрам, мне не пришлось: через несколько секунд две дюжины полицейских топтались где-то далеко позади меня, по-моему, они даже несколько переусердствовали, могли бы не отходить чуть ли не на добрую сотню метров! Но я не стал оспаривать их право на простые человеческие страхи: на их месте я бы и сам предпочел оказаться подальше от театра военных действий. Когда какой-то «ужасный сэр Макс» собирается истребить не менее ужасную толпу оживших покойников, нормальным здравомыслящим людям вообще лучше просто пойти домой...

Но мне пойти домой пока все равно не светило, так что я в очередной раз защелкал пальцами левой руки. Крошечные шаровые молнии действовали безупречно: бедняжки зомби падали на древние могильные плиты как миленькие! Боковым зрением я заметил блеск красноватого металла в лучах восходящего солнца, он показался мне каким-то смутно знакомым. Я пригляделся и узнал, нет, не человека — я вряд ли смог бы отличить одно из этих странных существ от другого, — а большую серьгу в его ухе.

— Те же самые! — удрученно сказал я сам себе. — Те же самые, я так и знал!

Но мне было не до внутренних монологов, я щелкал и щелкал пальцами левой руки: уж слишком много работы досталось сегодня на мою долю!

— Прошу прощения, мальчик, кажется, я здорово опоздал! — Сэр Кофа Йох наконец-то появился за моей спиной. — Грешные Магистры, да ты уже почти закончил! Как жив-то еще?

— Не знаю, — хрипло ответил я и сам испугался своего нового голоса. А потом тяжело осел на траву: сэр Шурф Лонли-Локли в свое время утверждал, что три дюжины Смертных Шаров за один присест — это чуть ли не предел человеческих возможностей, а мне пришлось выпустить никак не меньше четырех дюжин, а то и больше.

— Ну и зачем ты так торопился? — вздохнул сэр Кофа. Он несколько раз бесшумно хлопнул в ладоши, вальяжно прогулялся до холмика неподвижных тел и вернулся обратно, вполне довольный результатом.

— Что, все? — тихо спросил я.

— Все, все... Хотел бы я знать, когда это закончится?!

— Возможно, что никогда, — вздохнул я. — Знаете, сегодня я точно выяснил, что это те же самые парни, что и в первый раз. Так что и вчера, наверное, были те же...

— Как, действительно те же самые? — озабоченно спросил Кофа. — Вот это новость! А почему ты так уверен? Неужели ты их запомнил?

— Во всяком случае, в первый раз я запомнил одного из них. И сегодня он здесь тоже был... — К этому моменту я понял, что мне больше не хочется сидеть на мокрой траве: лежать гораздо лучше!

— Да ты совсем раскис! — огорченно заметил Кофа. — А вот и сэр Мелифаро, как вовремя, с ума сойти можно!

— И получаса не прошло! — возмущенно огрызнулся Мелифаро. Его голос доносился до меня откуда-то издалека. — Просто я живу довольно далеко отсюда, вы никогда над этим не задумывались?.. Макс, ты что, любишь спать на природе? Ну да, у вас в Пустых Землях так, наверное, принято! Укладываешься на голую землю, укрываешься собственной юной наложницей, и дохлая кляча вместо подушки...

— Не смешно! Лучше просто отвези его домой, — посоветовал сэр Кофа. — По крайней мере, там не так мокро...

— Подождите, ребята. — Я сделал над собой грандиозное усилие и постарался встать. Получилось не очень хорошо, но по крайней мере теперь я лежал, опираясь на локоть. — С этими мертвыми телами надо что-то делать. Сжечь их, что ли?

— Я уже понял, мальчик, — мягко улыбнулся сэр Кофа. — Не думаю, что... Хотя почему бы не попробовать... В любом случае с этим я как-нибудь справлюсь: вот у меня сколько помощников! — Он кивнул в сторону полицейских, совершенно ошеломленных всем случившимся.

— Это здорово! — кивнул я. — Тогда делайте со мной что хотите... какой я идиот, что не взял с собой бальзам Кахара! Знал же, куда иду...

— Вы позволите мне прикоснуться к вашему вельможному телу, сэр? — подобострастным тоном спросил Мелифаро. — Я бы никогда не допустил подобной вольности, но вы валяетесь на грязной немытой земле, словно мешок с милым вашему царственному сердцу конским навозом...

— Земля-то как раз мытая, — вяло возразил я, — иначе отчего бы ей быть такой мокрой?

В конечном итоге я все-таки устроился на заднем сиденье амобилера, а Мелифаро уселся за рычаг.

— Отвези меня домой, — попросил я, — на улицу Желтых Камней. Теххи однажды уже видела меня мертвым, еще решит, что это мое нормальное состояние...

— Домой так домой! Но ты выглядишь вполне живым! — утешил меня Мелифаро.

— Это временно! — пообещал я и отрубился. Просто заснул, крепко, как спят только очень пьяные люди. Мелифаро оказался настоящим тяжелоатлетом: каким-то образом ему удалось допереть меня на второй этаж, вместо того чтобы просто бросить на пороге.

Вскоре после полудня я проснулся. Через несколько минут мне даже удалось встать и отправиться в ванную. Ничего страшного со мной не происходило — просто тошнотворная слабость, как во время сильной простуды. Но и она прошла после первого же глотка бальзама Кахара, так что можно было продолжать функционировать.

На столе в гостиной стоял кувшин с камрой, ее запах не оставлял никаких сомнений: это Теххи каким-то образом успела мне ее прислать, такие пряности имелись только на ее кухне. Теперь мне оставалось только разогреть этот божественный напиток, что я и сделал. А потом послал ей зов: мама всегда мне твердила, что нужно говорить людям «спасибо», должен же я был рано или поздно последовать хоть одному из ее многочисленных мудрых советов!

«Не ожидала, что ты объявишься так рано. Сэр Мелифаро сказал мне, что к тебе приехал твой царский гарем в полном составе и тебя не следует беспокоить до вечера, — тут же сообщила мне Теххи. — Кстати, передай ему, что я поверила. Получишь море удовольствия!»

«Лучше уж я скажу ему, что гарем действительно приехал, сразу после его ухода, — мечтательно протянул я. — И пусть лопается от зависти!»

«Тоже дело, — согласилась Теххи. — Ты до меня-то сегодня доползешь?»

«Если сэр Кофа и мой гарем отпустят, доползу непременно! — пообещал я. — Но я пока даже не очень-то знаю, на каком свете нахожусь...»

«А, ну этого никто толком не знает!» — успокоила меня Теххи.

Потом я оделся и отправился в Дом у Моста. Хорошо, что у кого-то хватило ума подогнать к дому мой амобилер: вызывать служебный было как-то лень. Безмолвная речь в последнее время успела мне надоесть смертельно.

— Еще один покойник ожил! — испуганно заорал Мелифаро, проворно прячась от меня под креслом. — Сколько можно!

— И еще один живой сейчас станет покойником! — грозно пообещал я. — Что это за нездоровые фантазии о «царском гареме», дорогуша? А если бы моя девушка не понимала шуток?

— Ну это, положим, невозможно! — улыбнулся Мелифаро. — Чтобы твоя девушка не понимала шуток — представить себе не могу!

— Тем не менее было со мной и такое в свое время! И не раз к тому же, — грустно усмехнулся я.

— Прекрати меня пугать, страшных историй и без тебя с головой хватает! — легкомысленно отмахнулся Мелифаро.

— А Кофы здесь нет? — спросил я.

— А что ему здесь делать? — завистливо вздохнул Мелифаро. — Он ушел еще рано утром, сейчас небось жует «индейку Хатор» в каком-нибудь «Распоясавшемся скелете»... Правда, Кофа все-таки обещал вернуться. Можешь послать ему зов.

— Успеется. Я просто хотел узнать, как прошла кремация.

— Насколько я знаю, нормально. Их облили красной смолой Йоки и сожгли, как дрова, а пепел закопали. Запашок, говорят, был тот еще. Чекта до сих пор ходит по Управлению с перекошенной рожей.

— Наверное, это красиво! — прыснул я.

— Еще бы!

— А где Меламори? — Я изо всех сил старался быть в курсе текущих дел.

— А, каким-то ребятам на Сумеречном рынке продали древнюю статуэтку, которая через полчаса исчезла. Так что наша первая леди идет по следу таинственного продавца, под надежной охраной трех здоровенных полицейских. Какое-никакое, а развлечение! Можешь не делать серьезное лицо: у нее все в порядке, мы только что общались. Скоро вернется.

— Макс, на твоем месте я бы все-таки продолжал отдыхать, — сердито сказал сэр Кофа, внезапно возникший на пороге кабинета. — Все равно у нас ничего не происходит. Глупо получится, если завтра утром ты будешь не в форме!

— А вы думаете, что завтра утром все начнется сначала? — с ужасом спросил я. — Вы же их сожгли!

— Да, но если тот, кто превратил этих бедняг в то, что нам пришлось сжечь, был мастером своего дела, это не сработает, — пожал плечами сэр Кофа. — А я здорово подозреваю, что данную гнусность совершил великий мастер!

— Слушайте, а что же нам тогда делать? — растерянно спросил я.

— А ничего. Я велел полицейским продолжать дежурство. Если наши покойнички опять захотят порезвиться, нам придется повторить все сначала. И так мы будем развлекаться до возвращения сэра Шурфа. Уж он-то их успокоит!

— А Большой Архив? — осенило меня. — Кто-нибудь справлялся в Большом Архиве? Может быть, наши буривухи знают...

— За кого ты меня принимаешь! Неужели у меня такие глупые глаза? — возмутился Мелифаро. — Мы с Луукфи начали искать информацию еще вчера, да и сегодня все утро пытались что-нибудь разузнать. Бесполезно! Ничего подобного в этом веселеньком городке до сих пор не происходило.

— Ладно, значит, будем ждать Шурфа, и Джуффина заодно. — В глубине души я уже смирился с мыслью о том, что занудная отвратительная процедура истребления зомби будет повторяться каждое утро как своего рода утренняя зарядка. — Тогда я, пожалуй, действительно пойду приводить себя в порядок.

— Эта ночь у меня совершенно свободна, так что я могу опять поспать в твоем кресле, — улыбнулся сэр Кофа. — Если что, приму огонь на себя.

— И обязательно позовите меня, — попросил я. — Мне будет как-то спокойнее, если я приму личное участие в очередном жертвоприношении!

— Ладно, позову, — пообещал Кофа.

Я сел за рычаг амобилера и поехал в сторону Нового Города.

— Живые мертвецы — это самый бездарный сюжет! — сообщил я своему отражению в маленьком зеркальце. — И фильмы о них всегда были какие-то скучные! И какого черта я должен ежедневно заниматься ерундой, которая мне еще дома по телевизору надоела?!

Этот возмущенный монолог явно пошел мне на пользу: я тут же развеселился. Кроме того, у меня мелькнула одна смутная сумасшедшая мыслишка, которая, впрочем, так и не успела оформиться в настоящую идею...

Я «приводил себя в порядок» долго и со вкусом. Нет ничего лучше, чем корчить из себя утомленного героя — дай мне волю, только этим бы и занимался! Что мне не удалось — так это снова улечься спать: на этот раз сэр Кофа прислал мне зов сразу после полуночи.

«Макс, опять!» — обреченно сказал он.

«Еду, — вздохнул я, — слушайте это же ерунда какая-то получается: каждый день все раньше и раньше!»

«Вот именно!» — согласился Кофа.

К воротам Зеленого Кладбища Петтов мы приехали одновременно. На этот раз там дежурила другая группа полицейских, и нам еще пришлось их успокаивать: ребята испугались гораздо больше, чем их вчерашние коллеги, видимо, потому, что дело происходило ночью. При свете ущербной луны толпа голых человекообразных созданий действительно казалась какой-то особенно ужасной, даже меня передернуло.

— Макс, ты лучше побереги свои силы, — посоветовал мне сэр Кофа. — Ты вчера и так несколько перестарался... Я отлично справлюсь и один.

— Не сомневаюсь, — согласился я. — Ваш способ вообще лучше, чем мой. Научили бы...

— Всему свое время, научу когда-нибудь, — пожал плечами сэр Кофа. — Знаешь, фокусам, которые не отнимают силу, довольно трудно обучиться...

— Ничего, я старательный! — фыркнул я.

— Да? Сколько у тебя достоинств, мальчик, кто бы мог подумать! Но сегодня я, пожалуй, попробую поступить с ними немного иначе, думаю, этот фокус понравится тебе еще больше... К тому же он может оказаться более действенным. — Сэр Кофа достал из кармана лоохи маленькую курительную трубку, внимательно ее осмотрел и закурил.

Несколько минут он спокойно курил, я даже удивился такой неторопливости. А потом до меня дошло, что Кофа только затягивается дымом, за все это время он не выдохнул ни разу. Наконец он решительно направился к вяло шевелящейся группе живых мертвецов, остановился в нескольких шагах от них и только тогда выдохнул. Дыма было так много, словно в груди у сэра Кофы горело целое кукурузное поле; он был густым и мерцал каким-то невыносимым красноватым светом. От неожиданности я сначала зажмурился, а потом открыл глаза и стал наблюдать, как живые мертвецы перестают быть живыми: за несколько минут волшебный дым сэра Кофы справился почти со всеми.

— Опять этот, с серьгой! — Я заметил знакомый блеск металла. — Кофа, вы были абсолютно правы: сжигать их совершенно бесполезно!

— Хуже всего, что это происходит все чаще, да ты и сам заметил, — устало вздохнул сэр Кофа. Он вытер пот со лба. — Все-таки этот фокус с дымом отнимает слишком много сил, и все это только для того, чтобы через несколько часов убедиться, что все пошло насмарку... Надо придумать что-нибудь пооригинальнее, иначе через несколько дней мы будем вынуждены поселиться на этом кладбище! А наши всемогущие коллеги вернутся не так уж скоро, к сожалению...

— Я могу обратиться к леди Сотофе Ханемер, — нерешительно предложил я.

— Боюсь, что именно в этом деле она нам не помощник. Орден Семилистника не любит иметь дело со смертью и мертвецами... не любит и не умеет, что особенно неприятно! Кажется, это их единственное слабое место.

— Не везет так уж не везет! Есть еще сэр Маба...

— Маба Калох? — удивился сэр Кофа. — Он и Джуффину-то помогать не слишком рвется, хотя они вроде бы приятели... Ну попробуй, чего только не бывает!

И я послал зов сэру Мабе Калоху.

«Не суетись, Макс. Твоя проблема — это не проблема вовсе, — тут же отозвался сэр Маба. — Через несколько дней ты в этом убедишься».

«Если я не буду суетиться, по Ехо начнет бродить толпа живых мертвецов, — сердито сказал я. — Горожане будут просто счастливы, я полагаю!»

«Ты говоришь в точности как Джуффин! — обрадовался сэр Маба. — Вы оба на дух не переносите этих несчастных горожан, но даже мысль о том, что их сытой икоте что-то угрожает, вызывает у вас нервный тик... В общем, если хочешь суетиться — суетись. Кто я такой, чтобы лишать тебя права на ошибки?!»

После этого непостижимый сэр Маба Калох замолчал. Это было вполне в его духе. Мои дальнейшие попытки «наладить связь» оказались совершенно безуспешными, я только вспотел.

— Вы — ясновидящий, Кофа! — горько вздохнул я. — Великолепный сэр Маба предлагает нам «не суетиться», поскольку наша проблема — это «не проблема вовсе». И это все.

— Маба Калох никогда ничего не говорит просто так, — задумчиво протянул сэр Кофа. — Обычно он здорово темнит, а в данном случае он темнит как никогда, но... Хотел бы я знать, что он имеет в виду!

— Может быть, он хотел сказать, что нам вовсе не следует их убивать? — нерешительно предположил я. — А просто дать им спокойно погулять в Ехо в свое удовольствие? И тогда они исчезнут совершенно самостоятельно?

— Боюсь, что это не тот эксперимент, который мы можем себе позволить, — покачал головой сэр Кофа. — Хотя «не суетиться» — это звучит так соблазнительно!

Мы вернулись в Дом у Моста, дождались Меламори, торжественно усадили ее в кресло сэра Джуффина, взвалили на ее хрупкие плечи ответственность за все на свете и отправились по домам. По всему выходило, что теперь нам следует использовать любую возможность расслабиться.

Логика нас не подвела: новый вызов пришел уже на закате. На этот раз мы посетили кладбище в обществе Мелифаро. Я имел все основания полагать, что мне снова доведется полюбоваться на его завораживающие танцующие пробежки, такие неуместные в данных обстоятельствах... Глаза бы мои их не видели: наши совместные занятия вгоняли меня в смертную тоску!

— Подождите, ребята! — Мне показалось, что я внезапно нашел выход из положения. — А что, если попробовать с ними поговорить? Почему мы с самого начала этого не сделали?

Мелифаро усмехнулся, довольно невесело. Сэр Кофа пожал плечами:

— Потому что... Да ты лучше сам попробуй!

Я нерешительно приблизился к группе живых мертвецов, поискал глазами того парня с красной серьгой: он уже казался мне почти старым приятелем.

— Почему вы оживаете, ребята? — мягко спросил я. — Может быть, мы можем вам помочь?

Мой «приятель» с серьгой равнодушно пялился куда-то мимо меня. Его товарищи по несчастью тоже никак не отреагировали на мои приставания.

— Ну сказали бы хоть что-нибудь! — нервно рявкнул я.

Один из покойников слегка вздрогнул, повернулся в мою сторону, открыл свой безгубый рот...

— Ы-ы-ы-ы-ы-ы! — совершенно серьезно сообщило мне это несчастное существо.

— Спасибо за разъяснения! — Я уже не знал, смеяться мне или плакать.

— Думаю, первый раунд дипломатических переговоров на этом может считаться закрытым! — ехидно сказал Мелифаро. — А теперь займемся делом...

Разумеется, мы «занялись делом», и через несколько минут все было в который раз закончено, а толку-то!

«Похоже, меня заставляют участвовать в затянувшихся съемках какого-то идиотского кинофильма, — сердито думал я, увозя своих коллег на Правый Берег, прочь от опостылевшего нам Зеленого Кладбища Петтов. — Хватит с меня воскресших мертвецов, этой никчемной ожившей хлопотной нечисти! Где мои серебряные пули? Впрочем, это, кажется, помогает только от оборотней... А какие средства подходят для живых мертвецов? Святой водой их полить, что ли?..»

Последняя мысль показалась мне настолько удачной, что я чуть не врезался в раскидистое дерево вахари, которое росло у входа в Дом у Моста. Благодаря этому небольшому потрясению, дурацкая идея временно покинула мою сумасшедшую голову.

— Идите отдыхать, ребята, — решительно сказал я. — Сегодня ночью я подежурю, должна же и от меня быть какая-то польза...

— Не хочу я отдыхать, — проворчал Мелифаро, — настроение не то!

— Ладно, тогда оставайся. Закажем себе что-нибудь вкусненькое, пожуем, погрустим! — согласился я. — Вы с нами, Кофа?

— Лучше навещу парочку трактиров, послушаю, что там болтают. Мертвецы мертвецами, но жизнь-то продолжается... Мало ли что еще может случиться в Ехо!

— Ладно, — вздохнул я, — без вас мы, чего доброго, действительно загрустим, но вы правы.

Сэр Кофа Йох небрежно провел рукой по своей роскошной физиономии, и она тут же послушно превратилась в нечто куда менее выдающееся, но тоже вполне симпатичное. Его новое лицо несколько секунд оставалось неподвижным, потом он лукаво приподнял бровь:

— Приятного аппетита, мальчики. Не скучайте.

— Соскучишься здесь, как же! — невесело усмехнулся Мелифаро. И тут меня осенило, как всегда, ни с того ни с сего.

— Скульптуры... — задумчиво протянул я. — А из чего в Ехо делают скульптуры?

— Из самых разных материалов! — пожал плечами сэр Кофа. — Дерево, глина, металлы, камень... и, наверное, есть еще куча возможностей, честно говоря, никогда над этим не задумывался...

— Что, ты решил, что тебе пора ставить памятник? — язвительно спросил Мелифаро. — Да уж, самое время!

— Так, — решительно сказал я. — Кофа, ваши трактиры могут подождать. Идемте, немного поболтаем. Мне пришло в голову, что...

— Ладно, пошли поболтаем. — Сэр Кофа Йох покосился на меня с заметным любопытством. — Пока оно не ушло из твоей головы!

— Слушайте, — начал я уже на ходу, — нам же не обязательно их уничтожать, да? Главное, чтобы эти шустрые покойнички не разбрелись по городу, правильно?

— Правильно, — равнодушно пожал плечами сэр Кофа, — я думал, что ты и без меня это знаешь...

— Знаю, знаю! — Я нетерпеливо махнул рукой. — Мне пришло в голову, что мы можем превратить их в скульптуры. Залить расплавленным металлом или еще какой-нибудь дрянью... Люди, которые занимаются изготовлением скульптур, наверное, сами знают, что лучше выбрать... И пусть себе лежат, ждут Шурфа, который их благополучно испепелит.

— Гениально! — расхохотался Мелифаро. — Но зачем же испепелять такую очаровательную скульптурную композицию? Она станет прекрасным украшением Левобережья! А еще лучше продать их с аукциона!

— Подожди ржать, Девятый Том, — попросил я, — дай мне пообщаться с рассудительным человеком! Кофа, как вы думаете, это возможно?

— Во всяком случае, надо попробовать, — удивленно пожал плечами сэр Кофа. — Довольно дикая идея, но... Дырку над тобой в небе, Макс, почему бы и нет?! Как я понимаю, нам понадобится помощь специалистов...

Следующие несколько часов я ощущал себя настоящим начальником: мои коллеги носились по мастерским Ехо, собирая добровольцев, я припахал даже сэра

Луукфи, деятельность которого обычно ограничивалась сводчатыми стенами Большого Архива. А я сам бездельничал, задрав ноги на стол: сэр Кофа решил, что моя Мантия Смерти не будет способствовать установлению теплых доверительных отношений с нашими будущими помощниками. Впрочем, одно дело для меня все-таки нашлось: Меламори оставила на мое попечение своего хуба — нам показалось, что его внешний вид тоже может отпугнуть добровольцев. Первые часа два Лелео грустил и отказывался от крошек, потом природа взяла свое: мохнатое паукообразное создание съело мое угощение и благодарно мурлыкнуло. Это маленькое достижение доставило мне ни с чем не сравнимое удовольствие.

Я слушал сладкоголосое бормотание хуба и предвкушал сокрушительную победу своего могучего интеллекта. Но дурацкие мысли о святой воде по-прежнему бродили по темным закоулкам моей бедной головы. Проблема состояла в том, что в Соединенном Королевстве попросту не было святой воды, поскольку здесь нет ни церквей, ни священнослужителей, ни религиозных суеверий...

«Если не сработает эта идея насчет скульптур, можно просто порыться в Щели между Мирами, вдруг добуду какое-нибудь дурацкое распятие, чем черт не шутит... — лениво думал я. — А то и домой смотаться, уж там-то этого добра больше, чем требуется... Зря я, что ли, учился шляться между Мирами, целый год угробил на эту запредельную науку? Должна же быть хоть какая-то общественная польза от моих грандиозных достижений на поприще Истинной магии...» — Эти мысли казались мне безобидными фантазиями, легкомысленными планами, которые никогда не осуществятся, но строить их на досуге бывает довольно занимательно...

— Макс, я уже вернулась. — В дверях показалось встревоженное лицо Меламори. — Как тут мой Лелео? Не затосковал?

— Рядом со мной? Обижаешь! — улыбнулся я. — Он еще и поел, между прочим!

— Предатель! — рассмеялась Меламори. — Я-то думала, он ест только из моих рук...

— Он сам сначала тоже так думал. А потом понял, что хубам свойственно заблуждаться, равно как и людям, — объяснил я. — Ну что, тебе удалось кого-нибудь уговорить?

— Разумеется! Я привела тебе всех подмастерьев господина Юхры Юккори, в полном составе. Сам Юхра тоже обещал подойти, когда закончит свою работу, но могу тебя уверить: это случится не раньше чем через дюжину лет! Сэр Юхра — самый неторопливый человек во Вселенной. Однажды он выполнял заказ моего отца. Полгода он пытался объяснить Корве, что у него ничего не получится, Юхра всегда так начинает. Потом он работал года два и сделал нечто невероятное, но совершенно не то, что от него требовалось. Но отцу так понравилось, что он согласился оставить скульптуру себе. После чего Юхра Юккори заявил, что эта работа очень дорога ему самому, и он не хочет с ней расставаться ни за какие деньги... Дело кончилось тем, что мой бедный папа заплатил раза в три больше, чем они сначала договаривались, чтобы стать счастливым владельцем скульптуры, которая все равно не поместилась в нашем доме: этот гений даже не счел нужным придерживаться заданных размеров!

— Настоящий художник! — восхитился я. — Это же классика, так и надо!.. Знаешь, Меламори, это даже хорошо, что сэр Юхра Юккори, скорее всего, не придет: у нас и без него проблем куча. Надеюсь, его подмастерья более вменяемы?

— Еще бы, он же держит бедняг в черном теле! — расхохоталась Меламори. — Знаешь, Макс, именно из всяких там гениев обычно получаются самые безжалостные тираны!

— Есть такое дело, — улыбнулся я. — Забирай своего хуба и иди домой. С ног небось валишься?

— Вообще-то, не очень валюсь. Но дома хорошо, там можно полежать, почитать что-нибудь, — кивнула Меламори. — А если вы уедете на это грешное кладбище, кто останется в Доме у Моста? Куруш?

— Не знаю пока, — вздохнул я. — Может быть, Куруш, а может быть, и Мелифаро. Там видно будет...

— Хорошо, что мне не приходится таскаться на это кладбище! — вздохнула Меламори. — Уж чего я терпеть не могу, так это мертвецов. Те, из Магахонского леса, хоть на людей были похожи!

— Были, — согласился я. — Думаю, эта неприязнь к покойникам у тебя наследственная. Сэр Кофа мне говорил, что твоя родня из Семилистника видеть их не может.

— Что правда, то правда. — Меламори бережно усадила Лелео на свое плечо, и они ушли домой. Я чувствовал себя настоящим добрым дядюшкой.

А еще через полчаса вернулись сэр Кофа и Мелифаро в сопровождении наших будущих помощников. Луукфи прислал мне зов, сообщил, что ему удалось отправить в Дом у Моста несколько «настоящих мастеров» — можно подумать, что я собирался заказывать им отливку собственного бронзового бюста! — и робко поинтересовался, нельзя ли поехать домой. Разумеется, я его отпустил: бедняга и так здорово задержался на службе, чего с ним, по словам сэра Кофы, уже лет семьдесят не случалось! А людей у нас теперь хватало: многочисленным скульпторам даже стало тесно в просторной комнате для посетителей. Мне нравилось, что их собралось так много, по мне — чем больше, тем лучше!

— Пожалуй, придется угостить их ужином за счет Управления! — задумчиво протянул я. — Что скажет сэр Донди Мелихаис?! Я же опустошаю казну Управления с невероятной скоростью! Одна только оплата труда наших умельцев чего стоит...

— Донди Мелихаис скажет тебе спасибо, мальчик! — усмехнулся сэр Кофа. — Между прочим, он живет на Левом Берегу, в нескольких минутах ходьбы от Зеленого Кладбища Петтов, так что, можно сказать, в первую очередь мы охраняем покой нашего Донди!

— Да? Ну тогда другое дело, конечно, — понимающе кивнул я.

Поужинать наши многочисленные волонтеры, увы, так и не успели. Лейтенант Апурра Блакки прислал мне зов: все началось сначала!

— Казна временно спасена, да? — озабоченно спросил Мелифаро.

— Спасена, — вздохнул я, — этого следовало ожидать! Все чаще и чаще, кошмар какой-то!

Мы снова отправились на Зеленое Кладбище Петтов, мне уже чертовски надоел этот маршрут! За нами следовал целый караван служебных амобилеров Управления Полного Порядка, их еле-еле хватило, чтобы рассадить всех скульпторов, да еще и распихать тюки с необходимыми материалами.

— Останься с ними, — попросил я Мелифаро, — нечего ребятам соваться за ограду, пока эти покойнички не утихомирились! Когда мы закончим, я вас позову... Подними им настроение, ты это умеешь.

— Умел когда-то, — вздохнул Мелифаро. — Что-то я не в форме в последнее время!

— Не верю! — решительно сказал я, и мы с сэром Кофой пошли на все то же проклятое место. Все начиналось сначала.

Мы с Кофой взялись за дело, лица у нас при этом были не только брезгливые, но и самые скучающие, я полагаю. Через несколько минут все было закончено, и я послал зов Мелифаро. Он тут же явился во главе толпы скульпторов. Ребята выглядели скорее заинтересованными, чем перепуганными, к моему величайшему удовольствию.

— Кажется, мы все-таки будем забивать гвозди микроскопами! — виновато вздохнул я. — И как я дошел до жизни такой? Приступайте, господа, и да помогут вам Темные Магистры!

— Без них здесь не обойдешься, это уж точно, — тоном знатока подтвердил сэр Кофа, устало усаживаясь рядом со мной на заросшую травой могильную плиту.

— Дались тебе эти микроскопы, Ночной Кошмар! — весело удивился Мелифаро. — Все время о них твердишь. Мне уже стало интересно, как они все-таки выглядят...

— О, это страшная тайна! — таинственно протянул я. — Я вот все думаю: если мы пошлем зов в «Обжору Бунбу» и попросим мадам Жижинду прислать наш ужин прямо на кладбище, это будет уже чересчур или как?

— Гениальные идеи из тебя сегодня так и сыплются! — одобрительно заметил сэр Кофа Йох. — Сейчас проверим...

Оказалось, что мадам Жижинда — женщина мужественная и возможность хорошо заработать ценит превыше всего: через полчаса мы уже ужинали. Это был самый странный пикник в моей нескучной жизни: мы втроем уютно устроились на могильных плитах, через несколько минут к нам присоединился улыбчивый лейтенант Апурра Блакки, за ним робко подтянулись остальные полицейские. Наши героические скульпторы то и дело отрывались от работы и подходили к нам, чтобы съесть пирожок или выпить стаканчик «Джубатыкской пьяни»: ребята не только быстро освоились со своим кошмарным занятием, но и изрядно развеселились.

— Смотрите, какой красавчик получился! — Время от времени кто-то из них с гордостью показывал нам свое очередное чудовищное произведение. Облитые быстро застывающим жидким камнем, зомби так и просились на какое-нибудь адское биеннале.

— А этот жидкий камень — прочная штука? — нерешительно спросил я у одного из скульпторов.

— Крепче, чем настоящий природный камень, сэр Макс! — успокоил меня мастер. — Останетесь довольны!

— Там видно будет,— вздохнул я. Почему-то мне было неспокойно — чем дальше, тем неспокойнее.

— Что, тебе разонравилась собственная идея? — сочувственно спросил сэр Кофа.— Так часто бывает, не переживай... Но я почти уверен, что это выход.

— В том-то и дело, что «почти»! — задумчиво сказал я. — Ладно, поживем — увидим...

К утру работа была закончена, наши помощники разъехались по домам.

— Пошли? — весело спросил Мелифаро.— Все хорошо, что хорошо кончается! Кажется, мы сделали отличный подарок любимому городу, господа, сюда же туристы валом повалят! Похоже на сувениры эпохи Орденов, теперь так не умеют!

— Выходит, что умеют! — усмехнулся сэр Кофа.— Если обстоятельства сложатся соответствующим образом...

Нашим глазам действительно открывалось потрясающее зрелище: причудливые каменные тела неугомонных покойников составляли фантасмагорическую скульптурную композицию. Мне она здорово не нравилась: я все время ждал, что эти красавчики начнут шевелиться.

— Вы действительно идите, а я, пожалуй, еще немного тут посижу, — вздохнул я. — Что-то у меня сердце не на месте. Даже оба... В конце концов, это была моя идиотская идея, мне и расхлебывать!

— Что это с тобой, Макс? — удивился сэр Кофа.— Идея была просто отличная. Кстати, по моим подсчетам, им уже давно пора оживать, а они...— Он подошел поближе к лежащим на земле причудливым фигурам и очень внимательно на них уставился. Через несколько бесконечных минут Кофа удивленно повернулся ко мне: — Грешные Магистры, а ведь ты прав!

— Что, шевелятся? — с ужасом спросил я.

— Опять все сначала?! Дырку в небе над всем этим Миром, я сейчас умру от скуки! — с неожиданной злостью сказал Мелифаро. И куда только девалась его довольная улыбочка?!

— Одно из двух: или мне показалось, или... Да нет, они действительно начали шевелиться! Не пялься ты на них так старательно, мальчик, это почти незаметно человеческому глазу. А этот жидкий камень действительно ничего!

— А вы не слишком-то огорчились, Кофа! — удивился я.

— А чего мне огорчаться? Мы ведь и не рассчитывали, что нам удастся с ними покончить. Конечно, бедняги опять ожили, но они почти не могут пошевелиться, и это прекрасно!

— Вообще-то, вы правы, — с облегчением кивнул я. Мелифаро немедленно заулыбался, его плохое настроение, хвала Магистрам, — самая недолговечная вещь на свете!

Я еще раз все взвесил и решительно сообщил:

— Все-таки я тут пока посижу. Не бросать же ни в чем не повинных ребят из полиции наедине с этими сомнительным результатами нашего творчества! Мало ли что может случиться... А вы имеете полное право отдохнуть. В Управлении пока посидит Меламори, а вы к ней присоединитесь, когда почувствуете, что это в ваших силах.

— Мне вполне достаточно поспать часа два, ты же знаешь, — кивнул сэр Кофа. — А потом я ей помогу.

— А мне двух часов сна недостаточно! — тут же встрял Мелифаро. — Поэтому я ухожу в отпуск, с меня хватит!

— В отпуск так в отпуск, — миролюбиво согласился я. — Но только до полудня!

— Экий ты тиран и деспот! — усмехнулся Мелифаро. — Бедные твои подданные!

— Вот-вот, когда эти сумасшедшие кочевники приедут в столицу, будь другом, не сочти за труд прочитать им краткую лекцию о моей чудовищной жестокости. Пусть поймут, как им повезло, что моя голова слишком велика для их короны! — фыркнул я. — Хорошего утра, ребята!

Мои коллеги ушли, а я остался клевать носом на могильной плите. Полицейских как раз сменили их коллеги во главе с лейтенантом Чектой Жахом. Теперь новая смена с ужасом таращилась на скульптурную композицию, автором которой я в глубине души считал себя.

Тут меня в очередной раз осенило.

— Чекта, — сказал я, — пошлите кого-нибудь из своих ребят в город. Нам понадобится веревка, очень много веревки... или какая-нибудь металлическая проволока, это еще лучше!

После этого гениального распоряжения я все-таки задремал. Никогда не предполагал, что буду спать на кладбище, тем не менее и это со мной случилось. Я спал, и мне снились странные сны о том, как я еду обратно, в тот Мир, где когда-то родился, на том самом запредельном трамвае, который привез меня сюда, вот только на этот раз меня просят заплатить за проезд, а я понятия не имею, куда делись все эти «кругляшки», как выражается мой приятель Андэ Пу...

Меня разбудил шум: господа полицейские приволокли мотки веревки и проволоки. Мне понадобилось несколько минут, чтобы вспомнить, зачем я их об этом просил. В тот момент мне было совершенно ясно, что от живых мертвецов есть только одно действенное средство — святая вода, что аргументированно доказывалось в каком-то малобюджетном фильме ужасов (в свое время он мне настолько не понравился, что я даже забыл его название)... Наверное, я здорово перегрелся на солнце. Впрочем, дело обстояло еще серьезнее: моя навязчивая идея становилась многообещающим началом настоящего сумасшествия.

Но в то утро я все-таки благополучно пришел в себя и все вспомнил.

— А теперь связывайте эти скульптуры, — решительно сказал я. — По рукам и ногам, как настоящих живых преступников... И учтите: я собираюсь оставить вас наедине с этими произведениями искусства, так что в ваших же интересах сделать свою работу как можно лучше!

Полицейские вяло приступили к работе. Лейтенант Чекта Жах разгуливал среди них с недовольным лицом, время от времени отпускал какие-то идиотские замечания. Я хотел было вмешаться, а потом передумал: какое мне дело до лейтенанта Чекты и его взаимоотношений с подчиненными?! Все равно парня не переделаешь! Это была довольно здравая мысль, но она здорово не походила на обычные мысли того сэра Макса, которым мне так нравилось быть... Я немного помаялся самоанализом, а потом махнул рукой и на него. Все и так было ясно: я просто устал, так устал, что уже ни на что не годился...

— Она шевельнулась! — испуганно взвизгнул какой-то молоденький паренек. — Эта статуя...

— Заткнись, — рявкнул на него Чекта, — делай свое дело и не мели всякую чушь!

— Это не чушь, — тихо сказал я, — скульптуры действительно иногда шевелятся. Именно поэтому вы их и связываете, а вовсе не для того, чтобы доставить мне извращенное удовольствие. — После этого заявления я снова улегся на траву. Лейтенант Чекта Жах покосился на меня довольно недоверчиво, но промолчал.

Как бы там ни было, через час работа была закончена. Окаменевшие тела живых мертвецов, связанные по рукам и ногам, лежали на густой кладбищенской траве, я мог спокойно отправляться домой, что и сделал с огромным удовольствием.

По дороге я нашел в себе силы заехать в Дом у Моста. К моей величайшей радости, сэр Кофа Йох уже был на месте.

— Я велел их связать! — с порога сообщил я. — Пусть теперь себе шевелятся, сколько влезет... А через неделю вернутся Джуффин и Шурф, они им покажут!..

— «Неделя»?! А что это такое? — с интересом спросил сэр Кофа.

— Это просто семь дней, — вздохнул я. — Есть одно странное место, где люди считают время именно таким образом...

— Только не говори мне, что так принято в Пустых Землях! — улыбнулся Кофа. — Мне нет дела до чужих тайн, но я так устал притворяться идиотом!

— Ладно, тогда я, пожалуй, действительно не стану говорить вам, что так принято в Пустых Землях! — согласился я.

— Вот и славно... Иди спать, Макс. На тебе лица нет. Думаю, что теперь, после того как господа полицейские любезно связали наших жизнелюбивых друзей, ты действительно можешь попробовать расслабиться.

— Но если что-то случится...

— Если что-то случится, я пришлю тебе зов, честное слово! А теперь брысь под одеяло, сэр Макс!

И я поехал домой, на улицу Желтых Камней. Мне показалось, что Теххи вряд ли имеет отношение к таинственному происхождению загадочных неистребимых покойников, а посему будет довольно несправедливо заставлять ее страдать от созерцания моей угрюмой рожи, в данный момент не слишком обаятельной.

К своему бесконечному изумлению, уснуть я так и не смог, хотя с ног валился. А я-то думал, что с бессонницей покончено раз и навсегда! Я ворочался с боку на бок и думал о своей маленькой спальне в доме на улице Старых Монеток: уж там-то я бы уснул как миленький, стоит только лечь и закрыть глаза, и моя Дверь между Мирами откроется для меня, и я... Горячечный туман с лихвой заменял мне дальнейшие размышления, меня начало лихорадить, если разобраться, мои дела были довольно плохи... Проворочавшись так часа три, я отправился вниз и принял ванну, а потом выпил целую рюмку бальзама Кахара — явная передозировка, — но чувствовал я себя слишком хреново, я уже успел забыть, что человеку может быть настолько плохо, и с этим нужно было как-то бороться.

Бодрость, на которую я не смел и надеяться, вернулась, как миленькая. Я с удовольствием закурил и послал зов сэру Кофе.

«Не смог уснуть, — пожаловался я. — Совершенно на меня не похоже! Как обстоят дела на кладбище?»

«Можно сказать, что хорошо, — успокоил меня Кофа. — Наши окаменевшие покойники время от времени пытаются пошевелиться, но совершенно безуспешно. Так что ты вполне можешь расслабиться».

«И рад бы, да не получается! Лучше уж поеду в Дом у Моста, хоть какая-то польза...» — И я начал одеваться.

В Доме у Моста было тихо и спокойно. Мелифаро, болтая ногами, сидел на рабочем столе сэра Джуффина, но даже эта идиллия не способствовала моей релаксации, я сидел как на иголках.

— Ты бы все-таки иногда вынимал шило из своей задницы, Макс. Надо же его проветривать! — насмешливо заметил Мелифаро.

— Надо, — рассеянно согласился я. — Съезжу на кладбище, посмотрю, как там дела...

Я даже не расслышал, что ответил Мелифаро, а это уже ни в какие ворота не лезло! Все мои мысли куда-то ушли, в пустой голове крутилась одна-единственная навязчивая идея: проклятая святая вода, привезти которую можно было только с моей «исторической родины»... Далась мне эта «родина», я же ее и в страшном сне видеть не желал!

На Зеленом Кладбище Петтов действительно было спокойно: каменные скульптуры, связанные по рукам и ногам, лежали на том же месте, где мы их оставили. Я с ужасом подумал о том, что должны испытывать эти несчастные существа. Вообще-то, мое воображение могло бы быть и посдержаннее! Мне опять пришло в голову, что я просто обязан провести этот безумный эксперимент со святой водой, и чем скорее, тем лучше, хотя бы просто для того, чтобы прекратить их страдания! Я сам не замечал, как становился одержимым...

Зеленое Кладбище Петтов я покидал с твердым решением: я должен отправиться домой, в уже полузабытый и не слишком-то уютный мир. Несколько литров святой воды я смогу раздобыть в ближайшей церкви, это не проблема! «Избитые сюжеты любят развиваться по собственным классическим законам, — упрямо думал я, — а я — единственный человек в Соединенном Королевстве, которому хорошо известны эти законы, так уж получилось. Поэтому я должен собственноручно поставить пошлейшую точку в конце затянувшейся мистической истории... Заодно порадую ребят хорошим подарком: я уже давно мечтал показать им парочку классных фильмов: единственное, чего не хватает этому почти совершенному Миру, так это хорошего кино!»

К этому моменту я настолько утратил контроль над собственными действиями, что не стал посылать зов ни мудрой леди Сотофе, ни тому же сэру Мабе Калоху. Думаю, что я и Джуффина не стал бы спрашивать, даже если бы имел такую возможность. Мне не нужны были мудрые советы, больше всего на свете я боялся, что кто-то сможет отговорить меня от этого безумного путешествия... Тогда я искренне верил, что идиотская идея кратковременного визита домой принадлежала мне самому, мне и в голову не пришло, что меня-то как раз никто не спрашивал...

— Что с тобой, Ночной Кошмар? Что, на кладбище дело плохо? — встревоженно спросил Мелифаро. Я с изумлением понял, что уже как-то умудрился доехать до Управления и зайти в свой кабинет.

— Да нет, во всяком случае, не хуже, чем утром, — рассеянно ответил я. — Но пока я ездил, мне в голову пришла одна идея... В общем, я, кажется, знаю, как избавиться от этих несчастных дохлых бедняг, раз и навсегда.

— Здорово! — одобрительно кивнул Мелифаро. — И как же?

— Да ничего особенного, просто для этого понадобится одно специфическое зелье, так что мне придется за ним отправиться. Думаю, что такое дело лучше не откладывать...

— И далеко ты собрался? — подозрительно спросил Мелифаро.

— Далеко, — кивнул я, — но я скоро вернусь. Думаю, не позже чем завтра утром, а может быть, и раньше... Хотя, конечно, тут никогда не знаешь наверняка!

— Ты уверен, что это так уж необходимо? — осторожно спросил Мелифаро. — Все-таки ситуация не критическая!

— Она критическая, — упрямо возразил я. — Просто мы к ней уже привыкли... Так что хорошего дня, парень!

— Макс, но ты действительно скоро вернешься? — Мелифаро выглядел совершенно ошеломленным.

— Что, думал, от меня так легко избавиться? И не надейся! Ты и соскучиться не успеешь! — И я решительно вышел из Управления. Мой амобилер остался стоять у служебного входа: до маленького домика на улице Старых Монеток было рукой подать, всего-то десять минут быстрым шагом, а я летел как угорелый, словно за мной гнались орды каких-нибудь мятежных Магистров или еще чего похуже...

Моя первая квартира, успевшая превратиться в довольно странное место, абсолютно не казалась нежилой, хотя за последние полтора года я был здесь всего один раз, да и то очень недолго. Но ни затхлого воздуха, ни гнетущей атмосферы — даже пыли там почти не было.

Я бегом поднялся на второй этаж, в свою маленькую уютную спальню и решительно разделся. Если я в свое время правильно понял лаконичные объяснения сэра

Джуффина Халли, эта спальня стала моим входом в абсолютно непостижимое место, которое Джуффин называл «Коридором между Мирами». Оттуда я мог попасть куда угодно, в том числе и в тот Мир, где меня угораздило родиться и откуда я не так давно улизнул, педантично следуя мудрым инструкциям того же сэра Джуффина, правда, тогда мне пришлось воспользоваться обыкновенным трамваем... Я здорово надеялся, что год блужданий по невероятному лабиринту незнакомых Миров, о которых я почти ничего не мог вспомнить, не прошел для меня бесследно. И я почему-то был совершенно уверен, что смогу разыскать дорогу туда, куда мне требуется попасть, а главное — обратную дорогу... Так что я сунулся в этот капкан совершенно добровольно: улегся в постель, закрыл глаза и наконец-то расслабился. Грешные Магистры, где была моя голова?!

А потом случилось то, что случилось: я свернулся калачиком под пушистым одеялом и сладко заснул, в полной уверенности, что сейчас мне приснится таинственный Коридор между Мирами, место, где нет абсолютно ничего, где не будет даже меня, хотя я буду именно там, где же еще! И среди бесконечных входов в бесчисленные Миры я найду Дверь в тот Мир, который мне нужен, а потом войду в нее...

Действительность оказалась проще и грубее: я проснулся на своем диване под тонким клетчатым пледом, мне было чертовски холодно, потому что осень уже заканчивалась, а отопление, как всегда, барахлило. Я натянул плед на голову, чтобы согреться и попытался вспомнить свой сон: мне снилось что-то хорошее, что-то невероятное и головокружительное, но я забыл, что именно... Теперь я понимаю, что это внезапное пробуждение под стареньким клетчатым пледом могло бы стать глупейшим концом моей странной биографии: я действительно забыл абсолютно все, что успело со мной случиться. Мне казалось, что я недавно заснул в этой самой постели, уже под утро, как обычно, и поэтому здорово не выспался; правда, мне что-то снилось...

Но я не любил забывать свои сны: эта часть жизни всегда казалась мне такой же важной, как бодрствование, и у меня с детства был свой собственный способ вспомнить ускользающий сон. Я просто расслабился и позволил себе задремать, не заснуть, а именно задремать, оказаться на хрупком неосязаемом пороге между сном и явью... И это сработало, черт, еще как сработало! Память о моей жизни в Ехо обрушилась на меня, это было похоже на купание в водопаде: все воспоминания нахлынули на меня одновременно, в них можно было захлебнуться по-настоящему, их было слишком много для моей бедной головы, и они были такими реальными, такими сладкими...

Но я не только вспомнил свою жизнь в Ехо. Хуже другое: я осознал, что она была сном, всего лишь замечательным и невероятно длинным сном, который уже закончился... Я никогда не бродил по мозаичным мостовым Ехо и не сидел в «Обжоре Бунбе» с сэром Джуффином Халли, которого попросту никогда не было, впрочем, не было и остальных ребят. Было только мое бесконечное одиночество и моя бесконечная нежность к этим несуществующим персонажам, именно «персонажам»: не зря же сэр Шурф Лонли-Локли, Мастер Пресекающий ненужные жизни, бывший Безумный Рыбник, мой невозмутимый товарищ по самым невероятным и опасным приключениям, был похож на знаменитого Чарли Уотса, а сэр Кофа Йох — на комиссара Мегрэ, даже трубка у него имелась... А в каком старом голливудском фильме я видел красивую боксерскую физиономию Мелифаро? Даже леди Меламори — мой бредовый, несбывшийся, но головокружительный роман, — кажется, она немного походила на английскую актрису Диану Ригг... Все правильно, Макс, как ты любишь хорошее кино и какой ты тривиальный парень, смотреть на тебя противно! А Теххи... Что ж, если разобраться, она была здорово похожа на меня самого. Не знаю уж, из какого ассоциативного погреба я извлек ее черные глаза и серебристые кудряшки, но манера выражаться у нее была моя собственная, даже интонации... А остальные, откуда я взял остальных? Да какая разница, пути воспаленного воображения неисповедимы, особенного моего воспаленного воображения! Что только не снится людям, но людям свойственно просыпаться, рано или поздно! Моя правая рука судорожно вцепилась в жесткую поверхность дивана, я сломал несколько ногтей, но тогда мне показалось, что болят не мои пальцы, а грубая кожа несчастной, ни в чем не повинной мебели... Что касается меня, я скорчился, как умирающий зародыш, но совсем от другой боли. Что испытывает человек, когда рушится его Мир? Или еще хуже — что испытывает какой-нибудь горемычный демиург, когда по созданному им Миру угрюмо галопирует великолепная четверка вестников Апокалипсиса? Кажется, для меня настало время получить подробную информацию по этому вопросу, даже слишком подробную, на мой вкус...

До сих пор не понимаю, как мне удалось справиться с безумной грызущей болью в груди. Я вспомнил боль в сердце, от которой я умер где-то ближе к концу своего длинного чудесного сна (было со мной и такое, когда милая девушка со странным именем Теххи напоила меня приворотным зельем), но даже с той болью, кажется, было легче справиться, во всяком случае, от нее можно было просто умереть... Я тихо завыл и сам испугался диких звуков собственного голоса.

А потом я внезапно успокоился. Тогда я так и не понял, как мне это удалось, теперь-то я знаю, что мое мудрое тело, не дожидаясь команды пошедших вразнос мозгов, само занялось знаменитой дыхательной гимнастикой Лонли-Локли, — грешные Магистры, сколько шуточек я отпустил в свое время по ее поводу!

— Давай договоримся, дорогуша, — сказал я вслух, — сначала ты пойдешь и умоешься, потом сваришь себе кофе, выпьешь чашечку-другую, покуришь, соберешься с мыслями, а потом можешь продолжать выть, если тебе так уж приспичило, ладно? — На этот раз звук собственного голоса оказал на меня самое успокаивающее воздействие. Более того, я решил, что этот странный парень дело говорит...

Я попытался встать. Ноги были ватными, меня шатало из стороны в сторону — лучше, чем агония, но гораздо хуже, чем тяжелое похмелье, — но я добрался до ванной и даже залез под душ. Только через несколько минут до меня дошло, что я открыл холодную воду. Я взвыл и изо всех сил крутанул горячий кран... В конечном итоге выходило, что все к лучшему: добровольно я бы ни за что не согласился принимать контрастный душ, а так само собой получилось!

Потом я закутался все в тот же клетчатый плед — никаких там банных халатов у меня в жизни не водилось — и дисциплинированно пошел на кухню, чтобы выполнить оставшиеся пункты собственной инструкции по выживанию. Некоторое время я тупо глядел на электрическую кофеварку, пытаясь сообразить, что это такое. Потом я вспомнил и это, даже понял, как ей нужно пользоваться... Когда невозмутимая машина начала пофыркивать, я вспомнил, что людям свойственно чистить зубы. Немного подумал и пошел назад в ванную: надо так надо!

Я чистил зубы, внимательно разглядывая свое отражение в зеркале. Что-то с ним было не так, вот только я не мог сообразить, что именно... Я поставил зубную щетку обратно в стаканчик, с отвращением покосился на небритый подбородок своего отражения: кошмар какой-то, недельная щетина, патлы чуть ли не до плеч, осталось только сунуть в зубы берцовую кость мамонта, и я наконец-то буду выглядеть как настоящий мужчина! И тут до меня дошло, что именно «не так» с моим отражением: волосы! Они действительно отросли почти до плеч, а этого не могло быть, никак не могло, потому что неделю назад я заходил к Виктору, а у него недавно появилась замечательная машинка для стрижки, так что я основательно поработал над своей прической. У меня был аккуратный коротенький «ежик», и за неделю он не мог так отрасти, это уж точно! «Вообще-то, людям иногда свойственно стричься», — кажется, именно так говорил сэр Джуффин Халли в самом конце моего удивительного длинного сна, и еще была очаровательная старушка, могущественная ведьма, леди Сотофа Ханемер, она советовала мне «поберечь свою собственную лохматую голову», именно «лохматую», какую же еще?!

— Марш на кухню! — строго сказал я себе. — Мы же договорились: сначала ты пьешь кофе, а уже потом сходишь с ума, если это действительно так уж необходимо.

И я пошел на кухню. По дороге мне пришло в голову, что я вполне мог побывать у Вика не неделю, а целый год назад, просто потом у меня был провал в памяти, как у главного героя приснившегося мне анекдота. Идея показалась мне не такой уж невероятной на фоне всего, что со мной творилось этим утром. Я машинально взял со стола газету с программой телевидения. Нет, смотри-ка, даты были именно те, какие и должны были быть, а вчера показывали последнюю серию «Твин Пикс» — все правильно — после фильма я как раз собирался прогуляться на Зеленую улицу, потому что сэр Джуффин, этот великолепный сэр Джуффин из моих снов, говорил, что...

Я упал на кухонный табурет, обливаясь холодным потом. Все правильно: вчера ночью я действительно отправился на Зеленую улицу, а потом туда приехал этот сумасшедший трамвай, хотя по Зеленой улице никогда в жизни не ходили трамваи, и я уехал на этом трамвае, уехал в другой Мир, где мне было так хорошо. Впрочем, дело не в том, что мне было там хорошо, там было ПРАВИЛЬНО, я был там на своем месте, и без меня там просто невозможно обойтись — кому сказать, не поверят! Обычно обойтись без меня легче легкого, все только это и делают, если разобраться...

— Пей кофе! — грозно рявкнул я сам на себя. Встал, взял чашку, налил кофе, сделал глоток и чуть не выплюнул: кажется, я действительно успел отвыкнуть, даже забыл, что обычно кладу в кофе сахар, то-то мне так не понравилось! Потом я все-таки нашел сахарницу, бросил в чашку несколько смешных маленьких белых кубиков, теперь кофе действительно стал божественно вкусным, у меня голова кругом шла от его позабытого аромата! Я закурил и уставился на свое лохматое отражение в тусклом экране старенького телевизора. Оно дарило мне смутную надежду. «Надежда — глупое чувство», — кто-то говорил мне эти слова; да не кто-то, а сэр Махи Аинти, старый шериф Кеттари, еще одного полюбившегося мне города, которого никогда не было на самом деле...

Первая чашка кофе подошла к концу, я налил себе еще и решил, что пришло время начать расследование. Если уж все равно приходится мыслить, лучше делать это, придерживаясь хоть какой-то логики! В конце концов, разобраться с отросшими патлами я мог прямо сейчас: телефон стоял приблизительно в одном метре от меня, впрочем, в этой крошечной квартирке все находилось приблизительно в одном метре от меня, в какой бы угол я не забился... Я немного посомневался, предвкушая предстоящий диалог, а потом махнул на все рукой: Вик и сам — тот еще персонаж, да и моими эксцентричными выходками никого особенно не удивишь, если разобраться!

Я снова подлил себе кофе и решительно снял телефонную трубку: чем раньше я покончу с этим бредовым делом, тем лучше. На мое счастье, Вик был дома, он снял трубку сразу же, словно вот уже полчаса ни на шаг не отходил от телефона, дожидаясь моего звонка.

— Алло, кто это? — удивленно спросил он, выслушав мое машинальное бормотание насчет «доброго утра».

— Это Макс, — сообщил я.

— Ничего себе, тебя не узнать! Что у тебя с голосом?

— Не знаю, наверное, какой-нибудь злой микроб укусил, — вяло отшутился я. — Знаешь, я хотел спросить...

— Хотел? А сейчас что, больше не хочешь? — невозмутимо поинтересовался он. Я не сдержал улыбку, хотя мне было совсем не до того...

— Вик, ты ведь стриг меня неделю назад своей чудовищной газонокосилкой?

— Что, тебя совесть замучила и ты решил оплатить мой труд? По каким расценкам, хотел бы я знать?

— Как за стрижку газонов, разумеется. Так что ты не очень-то разбогатеешь, если учесть ничтожную площадь поверхности моей головы, — машинально огрызнулся я. — Так было дело?

— Было, было... Но я не согласен с твоим мнением о расценках...

Я перевел дыхание и вытер вспотевший лоб. Вик что-то там бубнил, по ту сторону трубки, понятия не имею, что именно...

— Макс, что с тобой случилось? — Голос моего приятеля показался мне не в меру озабоченным. — Я говорю, а ты молчишь. Обычно все происходит наоборот... Этот твой «злой микроб», он что, действительно имеет место?

— Не думаю! — искренне сказал я, сам удивляясь странному смешению счастливых и истерических ноток в собственном голосе. — Спасибо, Вик. Я тебе позвоню попозже, ладно?

— Ладно, — невозмутимо отозвался он, — звони на здоровье, кто я такой, чтобы лишать тебя этого невинного удовольствия?

Я положил трубку на рычаг. Один из хрупких постулатов моей несформулированной теоремы был доказан, что правда, то правда! Мой удивительный сон начинал все больше смахивать на реальность, хотя все это не укладывалось в моей голове, да и ни в одной человеческой голове такое не может уложиться...

— Прекрати ныть, дорогуша! — строго сказал я собственному растрепанному отражению в пыльном сером экране. — Кроме твоей несравненной прически есть еще кое-что, правда? Сколько сердец колотилось о твои несчастные ребра, когда ты набирал номер Вика? Одно или два? Лично я настаиваю на последнем варианте...

Разговаривать вслух с самим собой — это уже готовый диагноз, во всяком случае, так принято считать. Но мне это здорово помогает взять себя в руки. Наверное, я просто настолько болтлив, что необходимость молчать дольше нескольких минут кряду выбивает меня из колеи быстрее, чем самые невероятные события. А стоит открыть рот — и все становится на свои места.

Я допил остывший кофе и угрюмо уставился на потемневший от времени линолеум. А потом я плюнул себе под ноги и некоторое время с нездоровым интересом разглядывал уродливую черную дыру на сероватой поверхности: свежий след от моего плевка. Мой знаменитый яд, из-за которого мне даже пришлось напялить на себя Мантию Смерти, по-прежнему оставался при мне! «Надо бы выйти на улицу и провести испытания на ком-нибудь из прохожих! — с нервным смешком подумал я. — Если подопытный умрет мгновенно — значит, все правда, а если просто даст мне по морде...»

За неимением потенциальной жертвы, я снова плюнул на пол. Еще один маленький черный ожог появился на многострадальном линолеуме. Потом я прищелкнул пальцами левой руки, почти машинально: а как там поживают мои Смертные Шары? Крошечный шарик ослепительного зеленого света тут же разбился о стену. Все правильно: убивать на моей кухне ему было некого, разве что тараканов, но они благоразумно попрятались... Все мои опасные талантики оставались при мне, можно было не продолжать испытания: нормальные люди не разбрасывают по кухне шаровые молнии и не прожигают линолеум своими плевками! И тогда я с облегчением и ужасом смог честно признаться себе: никакого «меня» давным-давно не было, на моей крошечной кухне сидел сэр Макс из Ехо, самый настоящий «грозный сэр Макс», вот только его Мантия Смерти осталась валяться на полу спальни на улице Старых Монеток, и, вообще, парень здорово влип, но в отличие от моего старого знакомого Макса, того самого, который неделю назад обкорнал свою сумасшедшую голову в ванной у хорошего человека по имени Виктор, сэр Макс из Малого Тайного Сыскного Войска города Ехо был вполне способен справиться с чем угодно, во всяком случае, я здорово на это надеялся...

Мое потрясение было так велико, что я просто не стал обращать на него внимания, это был единственный способ сохранить остатки рассудка. Я просто снова достал с полки пакет с кофе, налил воды в кофеварку и включил телевизор. Наверное, в эпицентре многочисленных чудес, среди которых я так долго жил, я как-то умудрился научиться отрешенности... Какой-то несимпатичный человек средних лет с умным видом сообщил мне, что президент США зачем-то вылетел в Японию.

— Какой мудрый поступок! — одобрительно кивнул я, закуривая еще одну сигарету. — Подумать только, в Японию! Самое время...

Диктор сделал ответный ход. Он напрягся и попытался выбить меня из колеи прочувствованной речью о понижении курса доллара по отношению к немецкой марке.

— Да ну! — усмехнулся я. — А как насчет курса куманской унции? Что-то у меня с утра оба сердца не на месте!

Пока я ругался с телевизором, мои мысли изо всех сил пытались прийти в порядок. Получалось не очень-то, но лучше, чем ничего. К тому моменту, когда жизнерадостная дама в свитере принялась вываливать на меня фантасмагорические новости спортивной жизни, я более или менее уяснил для себя две вещи. Во-первых, я действительно довольно долго жил в Ехо: отросшие волосы, ядовитые слюни и прочие оставшиеся при мне маленькие милые новые привычки не оставляли места сомнениям, что бы там ни вопила по этому поводу какая-то непробиваемо тупая здравомыслящая часть моей личности... И во-вторых, я очень хотел туда вернуться, вернее, не просто хотел, это было единственным устраивающим меня выходом из невыносимой ситуации. Моим шансом выжить, в конце-то концов!

Я решительно поставил на стол пустую чашку и пошел одеваться. Мне нужно было прогуляться и подумать. Честно говоря, я не очень-то способен соображать, сидя на месте, на ходу у меня это получается гораздо качественнее.

Уже в коридоре я сообразил, что у меня нет теплых ботинок. Ну разумеется: свои единственные и неповторимые ботинки я надел, когда отправлялся прокатиться на трамвае, который привез меня в прекрасную столицу Соединенного Королевства. Теперь они лежали в каком-то из моих многочисленных шкафов, этакий ностальгический сувенирчик, память о родине, можно сказать. Так что мне пришлось надеть летние туфли — не совсем то, что требуется человеку, который собирается побродить под мелким ноябрьским дождиком, но у меня не было выбора... В последний момент мне пришло в голову, что я могу просто купить себе новые ботинки. В этом Мире я был не таким уж богатым человеком, скорее, наоборот, но я больше не чувствовал необходимости экономить. Я понятия не имел, как отсюда выберусь, но был твердо уверен, что оставаться не собираюсь: ни за что! Кроме того, мои благоприобретенные таланты внушали опасную уверенность, что мне светит блестящая уголовная карьера, в случае крайней нужды...

Пока я добрался до ближайшего обувного магазина, мои ноги успели превратиться в две никчемные ледышки. Поэтому ботинки я выбирал, руководствуясь исключительно одним-единственным принципом: теплые, как можно теплее! Выложив за них чуть ли не половину своих сбережений, я сунул размокшие старые туфли в мусорный контейнер и усмехнулся: вот уж к чему я теперь никогда не смогу привыкнуть, так это к собственной бедности! Я попытался прикинуть, сколько же мне платили в Ехо за мою службу Его Величеству Гуригу Седьмому? Несколько минут я путался в эквивалентах, мучительно соображая, какова покупательная способность короны Соединенного Королевства. В конечном итоге у меня вышла какая-то совершенно неземная сумма: мое жалованье составляло то ли миллион зеленых в год, то ли еще больше... «Самая веская причина вернуться туда как можно скорее! Где еще тебе будут столько платить, да еще и за любимую работу, парень?!» — ехидно подумал я, выходя под моросящий дождь.

Я шел куда глаза глядят. Город, в котором я прожил несколько лет, казался мне очень странным местом: высокие дома, гладкий асфальт тротуаров — ерунда какая-то... Особенно поражали лица прохожих, мне было очень трудно понять, в чем, собственно, состоит разница, но она была огромной: совсем другие типажи, совсем другие выражения... В конце концов, я уже успел привыкнуть к лицам обитателей другого Мира!

В какой-то момент мне стало совсем паршиво. Я как раз спустился в подземный переход, один из великого множества подземных переходов, через которые я проходил, пока мотался как угорелый по бесконечному незнакомому городу, который в свое время — вчера или два года назад — был моим городом. Но, именно ступив на грязный бетонный пол этого убогого подземелья, на фоне щербатого светлого кафеля стен, окруженный толпой озабоченно несущихся куда-то людей, я внезапно осознал весь ужас своего положения: я понятия не имел, каким образом мне удастся вернуться в Ехо, поскольку в этом Мире у меня не было никакой Двери между Мирами. Я купил билет в один конец, прощайте, мои милые, передайте сэру Джуффину Халли, что он связался с идиотом, а теперь, будьте любезны, постарайтесь не слишком шуметь, заколачивая гвозди в мой новенький гроб, господа! Знакомая боль в груди снова напомнила о себе, — кажется, два моих сердца сошли с ума и набросились друг на друга, как бойцовые петухи. Наверное, я плакал, во всяком случае по щеке медленно ползла какая-то мокрая дрянь. Толстая тетка в серой куртке покосилась на меня, как на сумасшедшего... Грешные Магистры, да я и был самым настоящим сумасшедшим!

Не так уж долго все это продолжалось — возможно, всего несколько секунд, — а потом до меня дошло, что я, кретин, умудрился забыть о главном: в этом Мире, и даже именно в этом городе находилась моя собственная Дверь между Мирами, запредельный трамвай, курсирующий по Зеленой улице, где никогда не было никаких трамвайных рельсов! Сэр Маба Калох говорил, что эта дверь осталась открытой. Еще бы: однажды ею умудрился воспользоваться какой-то совершенно посторонний тип, мы с Джуффином еще как намаялись, разыскивая этого маньяка по всему Ехо... Но если это смог сделать он, я-то уж тем более смогу: эта Дверь создавалась именно для меня, так что никаких проблем у меня не должно возникнуть!

Я рассмеялся от облегчения, это здорово смахивало на истерику. Думаю, что прохожие получили море удовольствия, но я не обращал внимания на подобные мелочи. Чья-то великодушная рука на моих глазах стирала надпись над вратами Ада: «Оставь надежду, всяк сюда входящий»; оказалось, что ужасное предостережение было написано обыкновенным мелом, а вовсе не огненными буквами... Мне даже пришлось присесть на корточки: этот приступ хохота совершенно меня обессилил.

— Что с вами, молодой человек? — Какая-то милая женщина средних лет осторожно потрясла меня за плечо. — Вам плохо? — мягко спросила она. Ее лицо показалось мне смутно знакомым, но я так и не смог вспомнить почему.

— Не обращайте внимания, — попросил я, — считайте, что я просто сошел с ума, это бывает! — Я не выдержал и снова рассмеялся.

— Впервые вижу, чтобы человек так радовался подобному событию! Ладно, думаю, что с вами все будет в порядке, раз уж вы не теряете оптимизма, — усмехнулась женщина. Ее голос тоже был каким-то знакомым, вернее, не голос, а интонации. Кажется, они здорово напоминали мои собственные. Я поднял глаза, чтобы рассмотреть ее повнимательнее, но рядом уже никого не было. Десятки незнакомых людей торопливо проходили мимо, где-то рядом лаяла собака, кажется, она лаяла именно на меня. Сердитый мужчина в теплом спортивном костюме с трудом удерживал на поводке здоровенную немецкую овчарку, шерсть на ее загривке стояла дыбом. Я вздрогнул, поднялся на ноги и пошел дальше: наверх, на улицу. Вообще-то, я обожаю подвальные помещения, они кажутся мне такими романтичными, но это совершенно не относится к подземным переходам: они слишком похожи на морги, не знаю уж почему... Дождь почти прекратился, я медленно побрел по улице в направлении своего дома. Мне было удивительно легко и спокойно, я уже знал, что мне нужно делать, и собирался начать почти безотлагательно. Прогулка закончилась, она принесла отличные результаты, просто великолепные, а теперь я должен был вернуться домой: я же обещал Мелифаро, что он и соскучиться не успеет...

Я внезапно понял, что здорово проголодался, поэтому купил горячий хот-дог. Сосиска показалась мне слишком жирной, а булочка какой-то пресной, поэтому я съел только половину, а половину бросил на тротуар. Вокруг моей булки тут же собралась стая взъерошенных голубей, большая нахальная ворона вприпрыжку подошла поближе: кажется, птица была абсолютно уверена, что сосиска принадлежит именно ей, и теперь прикидывала, удастся ли убедить в этом голубей. Я усмехнулся и пошел дальше. В этот момент в моей душе царил абсолютный мир; это как-то не вязалось с кошмарными обстоятельствами моего «официального визита» на «историческую родину», но я честно заслужил такую передышку!

Я вернулся домой и первым делом залез в маленький обшарпанный холодильник: неудачный эксперимент с покупкой хот-дога не испортил мне аппетит. К счастью, там нашелся сыр и какие-то овощи, признаться, я успел подзабыть их вкус, но это было вполне приемлемо, гораздо лучше, чем ужасная уличная сосиска! Я снова сварил себе кофе. Вот по чему я успел здорово соскучиться, и все же я очень надеялся, что включил свою драгоценную кофеварку в последний раз.

Пока мой любимый агрегат уютно пофыркивал, я решил, что мне все-таки стоит попробовать воспользоваться Безмолвной речью. После нашего с Лонли-Локли путешествия в Кеттари я твердо усвоил, что послать зов из другого Мира не так уж невозможно: иногда это работает, если очень повезет... Но с кого начать? Больше всего на свете я хотел поговорить с Джуффином, но это было невозможно, даже если бы я находился в Ехо: сэр Джуффин сейчас боролся с таинственным Духом Холоми, они с Шурфом держали его «за голову и за ноги», по выражению великолепной леди Сотофы... Черт, так может быть, именно она мне и поможет? Но мое второе сердце, происхождение которого до сих пор было не слишком понятно мне самому, уже сжалось, предсказывая неудачу. Я мог расслабиться: моя загадочная мудрая мышца была отличным советчиком, я уже столько раз в этом убеждался! Потом я подумал про сэра Мабу

Калоха: этот могущественный отставной Великий Магистр — опытный путешественник между Мирами, почему бы ему не поболтать со мной, как коллеге с коллегой, мы могли бы обсудить несколько наших специфических профессиональных проблем... Я прислушался к своему странному сердцу. На этот раз оно молчало — видимо, само понятия не имело, чем может закончиться моя затея.

Я убил чуть ли не полчаса на бесполезные попытки послать зов сэру Мабе. Единственным результатом было равномерное распределение большого количества пота по моему телу. Я вздохнул и налил себе кофе. Единственное, чего мне по-настоящему не хватало в Ехо, — в последний раз я пил его на этой самой кухне, как раз перед тем, как... Но тут я кое-что вспомнил: был в моей тамошней запредельной жизни короткий, но запоминающийся период, когда я пил отличный кофе чуть ли не каждый день! Меня угощал им Махи Аинти, старый шериф Кеттари, он еще брезгливо называл мой любимый напиток «смолой» и спрашивал, не заболею ли я, если выпью эту гадость... Господи, как я сразу не подумал, что Махи — единственное существо, на чью помощь я могу рассчитывать, в каком бы Мире я ни оказался! Махи был... честно говоря, я так и не понял, что он из себя представляет, этот дядя с рыжеватыми усами и ускользающим из памяти лицом, но я ни на секунду не сомневался, что ему не составит труда поболтать со мной, где бы я ни находился. Единственное, что действительно имеет значение, — это его сиюминутное настроение, пути которого воистину неисповедимы!

Я сделал хороший глоток кофе, внимательно посмотрел на свое искаженное отражение в тусклом экране выключенного телевизора. Глаза моего выпуклого двойника показались мне чужими: они горели каким-то сумасшедшим холодным огнем, пугающим меня самого. Мне показалось, что это неплохо: человек с обыкновенными разумными тусклыми глазами вряд ли сумеет докричаться до обитателя несуществующего города, чтобы обсудить с ним некоторые технические детали магического перехода из одного Мира в другой... Я послал зов сэру Махи Аинти, и почти сразу же на меня обрушилась непереносимая тяжесть, словно мне вдруг срочно пришлось временно подменить одного из Атлантов, удерживающих небесную твердь. Голова кругом шла от восторга: когда я говорил с этим невыносимым Махи по дороге из Кеттари в Ехо, ощущения были примерно те же, такое не забывается!

«Что, тяжело? — В Безмолвной речи Махи мне слышались нотки сочувствия. — Ничего не поделаешь, Макс, я — довольно утомительный собеседник, но у всех свои недостатки... Ты здорово влип, да?»

«Мне не обязательно все вам рассказывать? — задыхаясь от этой непереносимой тяжести и невероятного облегчения одновременно, спросил я. — Вы и сами уже знаете?»

«Примерно. Твой Мир взял тебя обратно, так бывает».

«Ну, не то чтобы он меня „взял", вообще-то, я сам...»

«Макс, у меня нет времени выслушивать твои безумные версии. Я о твоем здоровье пекусь, между прочим... Единственное, что тебе действительно нужно усвоить: твой Мир забрал тебя обратно, что бы ты сам об этом ни думал. Все не так просто: в твоем Мире существует несколько сотен человек, которые знают, что ты живешь рядом с ними... Не могу сказать, что их это особенно интересует, но тем не менее ты — неотъемлемая часть их жизни. Они уверены, что сегодня вечером ты появишься на работе, а если не появишься, они смогут позвонить тебе домой, и ты снимешь трубку, не сегодня — так завтра или через пару лет, но ты где-нибудь объявишься; для твоих знакомых это так же очевидно, как наличие неба над головой, они даже не думают об этом, они просто знают — и все... Не так-то просто — взять и исчезнуть, их память о тебе привязывает тебя к их реальности, к Миру, в котором ты родился и, следовательно, должен оставаться, пока не умрешь. Именно так они себе это представляют, твои могущественные соотечественники, не имеющие ни малейшего представления о собственном могуществе. Их бы возможности — да в других целях... Ладно, пустое! Видишь ли, Макс, не так уж сложно вернуться в Ехо, у тебя это получится, ты выкрутишься, ты всегда можешь выкрутиться, самая живучая порода... Но твой Мир все равно когда-нибудь заберет тебя, он будет делать это снова и снова, если только ты не убедишь его, что тебя больше нет. Ты понимаешь, о чем я говорю?»

«Не очень-то, — честно признался я. — Но, наверное, это не так уж важно, да? Махи, мне действительно очень тяжело с вами говорить, да вы и сами знаете... Может быть, вы просто скажете мне, что я должен делать?»

«А я уже сказал. Тебе нужно убедить свой Мир, что тебя больше нет, хорошенько убедить всех, кого это касается... Ты правильно решил насчет трамвая. Так и поступай. Но будь готов к сюрпризу: ты ведь уже забыл о вознице... прости, я не совсем правильно выразился, да?»

«Не важно, я понял. Это существо в кабинке водителя, которое в прошлый раз так меня напугало, а потом исчезло. Сэр Маба Калох называл его „доперстом“, он еще что-то объяснял, но я...»

«Да уж, могу себе представить: Маба „объясняет“! Разумеется, ты ничего не понял. Но это не имеет значения, просто помни, что тебе не нужно его бояться. Справиться с этим существом легче легкого, при твоих-то возможностях! Но не убивай его, сначала расспроси. Это — твой шанс, Макс, ты сам разберешься почему, только будь осторожен: Доперсты — самые хитрые существа во Вселенной... или почти самые хитрые». — Последние слова Махи донеслись до меня откуда-то издалека, навалившаяся на меня тяжесть становилась невыносимой, хотя мне с самого начала казалось, что дальше уже некуда. Если учесть, что Безмолвная речь и при обычных обстоятельствах никогда не была моим сильным местом...

«Спасибо!» — это было последнее, что я смог из себя выдавить; почему-то мне показалось, что в моем положении ничего не следует откладывать на потом: это самое «потом» представлялось мне весьма сомнительной штукой.

«Ты не пропадешь, Макс. Только не забудь...» — Что именно я не должен был забыть, осталось для меня полной загадкой: невидимый самосвал размазал меня по кухонной стене, так что какое-то время меня не было ни в одном из Миров, а потом я пришел в себя. Мою одежду можно было выжимать: вообще-то люди так не потеют, наверное, у меня обнаружился какой-то совершенно особенный талант в этой странной области человеческой деятельности.

Я отправился в ванную, принял душ, равнодушно сунул промокшую одежду в мусорное ведро: теперь я был по-настоящему уверен, что она мне не понадобится, никогда! Каким бы тяжелым собеседником ни был старый шериф Кеттари, беседа с ним сняла грандиозный камень с моего сердца. Махи зря языком болтать не станет: это не относится к его любимым способам проводить время. Если уж он сказал, что со мной все будет в порядке, значит, так оно и есть. Он одобрил мое намерение попробовать снова прокатиться в Ехо на трамвае, вот и отлично! Он сказал, что мне не составит труда справиться с загадочным существом в кабинке водителя, более того, оно каким-то образом должно мне помочь — что ж, тем лучше, значит, так оно и будет, если уж Махи говорит...

Теперь я чувствовал себя как человек, только что купивший билет на самолет, билет, на который не смел и надеяться: считал часы до «отлета» и подумывал о том, что мне пора собираться. Разумеется, для того, чтобы вернуться в Ехо, мне не требовалось паковать чемоданы. Никаких ностальгических сувениров, вряд ли мне захочется вспоминать это путешествие на родину долгими зимними вечерами, скорее уж оно станет новым захватывающим сюжетом моих кошмарных снов — что правда, то правда! У меня даже не возникло желания взять с собой пачку кофе, Магистры с ним, вот поеду в Кеттари, чтобы сказать спасибо сэру Махи Аинти, он меня угостит... или не угостит, с ним никогда нельзя быть уверенным! Но в конце концов, я уже привык пить камру, отличная штука, человек имеет полное право менять одни привычки на другие...

Тем не менее здесь, на моей родине, была одна вещь, которую мне очень хотелось взять с собой в Ехо, не столько для себя, сколько для моих потрясающих коллег. Я давно мечтал показать им хорошее кино, я предвкушал выражение неземного любопытства на лице сэра Джуффина Халли, когда суровый мужской голос скажет с экрана теливизора: «Коламбия Пикчерз представляет»... В моем мире, благодарение небу, существовали видеомагнитофоны, телевизоры и симпатичные толстые кассеты с фильмами, а у меня в запасе был один маленький фокус, который мог здорово пригодиться: я был способен унести с собой все что угодно, хоть статую

Свободы, уменьшив ее до неосязаемых размеров и спрятав между большим и указательным пальцами левой руки... Вот только непонятно, что с ней потом делать, разве что водрузить ее на крышу Холоми и посмотреть, как это будет выглядеть! Словом, в моем распоряжении имелся этот замечательный фокус, одно из первых чудес, которому я научился в столице Соединенного Королевства. Я как чувствовал, что мне это пригодится!

Мне предстояли приятные хлопоты, я уже заранее предвкушал, как унесу в своей «мистической» пригоршне содержимое целого магазина... Впрочем, мне тут же пришло в голову, что грабить магазины мне пока без надобности: была в этом городе одна видеотека, которую я до сих пор считал своей, просто роскошная коллекция, даже удивительно, если учесть мои скромные финансовые возможности! Моя коллекция ушла от меня вместе с моей девушкой, примерно за год до моего сумасшедшего путешествия в Ехо, ушла самым пошлым образом... Я подлил себе кофе, закурил и задумался. Это была довольно гадкая история, ничего особенного: нормальная мерзость, из тех, что изо дня в день происходят с людьми. Мне сегодняшнему было абсолютно наплевать на эту дурацкую страницу биографии бедняги Макса: случались с ним вещи и похуже! Но меня весьма привлекала возможность отлично пошутить, просто великолепно пошутить... и заодно восстановить справедливость, которую я просто обожаю восстанавливать, это мой любимый способ коротать досуг, если разобраться!

Я посмотрел на часы, а потом на календарь. Суббота, шесть часов вечера — отлично, это именно то, что мне надо! В это время Юлия обычно сидит дома и занимается французским, потом она непременно куда-нибудь улизнет, скорее всего, к одной из своих подружек или устраивать личную жизнь (надо же и этим когда-нибудь заниматься), но она уйдет не раньше восьми: ее привычки непоколебимы, возможно, на них-то и держится мир! В свое время я успел изучить ее расписание, я угробил на это почти два года, два замечательных года, вот только финал получился не совсем тот, какой требуется для хорошей мелодрамы...

Если честно, в начале нашего романа я глазам своим поверить не мог: неужели такие изумительные барышни все еще бродят по этой планете?! Она понимала почти все мои шутки, даже самые рискованные... пожалуй, рискованные — в первую очередь, так что мы смеялись, как сумасшедшие, в те дни. И еще она безудержно радовалась, открывая мне дверь. В сочетании с очаровательной физиономией, умненькими глазками и независимым характером это дорогого стоит! Все было действительно очень здорово, жизнь казалась мне не просто сносной, а замечательной, я угрелся и расслабился, оставалось только замурлыкать... А потом моя прекрасная леди ни с того ни с сего задумчиво сообщила мне, что мы, дескать, прекрасно проводим время, но в ее жизни должен появиться какой-то там «настоящий муж», поскольку «женщине нужно думать о семье и детях», а мое постоянное присутствие здорово мешает осуществлению этих похвальных планов... Мы могли бы продолжать встречаться, но реже, чтобы у нее появилась возможность как-то заняться устройством своего будущего... Наверное, я отреагировал, как настоящий инопланетянин: можно было подумать, что я услышал подобное заявление впервые в жизни! Но мне и в голову не приходило, что человек, которому я верил, как самому себе, может променять меня, невероятного и неповторимого, на какой-то «инстинкт размножения». Думаю, что это выражение нельзя назвать самым корректным оборотом, но все остальное, что приходило мне в голову по этому поводу, было еще хуже, а молчать я никогда особенно не умел...

Короче говоря, я тогда ушел и пару месяцев приводил себя в порядок. Все мои романы рано или поздно кончались какой-нибудь плюхой в таком же роде, мог бы и привыкнуть! В конце концов, за все надо платить: уж если ты решительно отказываешься принимать некоторые аспекты бытия окружающих тебя людей, будь готов, что рано или поздно эти самые люди перестанут принимать тебя самого, они просто аккуратно извлекут тебя из своей жизни, как здоровый организм отторгает инородное тело во имя самосохранения... Но Юлия была не просто моей девушкой, мне казалось, что она была моим хорошим другом. Услышать от нее в точности то же, что и от всех остальных, — это был удар ниже пояса, и какой удар! Я всегда был неисправимым идеалистом, удивительно еще, что я умудрялся прощать всему человечеству, да и самому себе заодно, ежедневные походы в сортир...

Но через два месяца абсолютной невменяемой тоски я начал приходить в себя. Вообще-то, обычно я прихожу в себя гораздо быстрее, сэр Махи Аинти не зря говорил, что я принадлежу к самой живучей породе! Два месяца страдания — это был мой абсолютный рекорд, но роман с Юлией того стоил, во всяком случае именно так мне тогда казалось... А вернувшись к жизни, я затосковал о своей видеотеке.

Надо сказать, что до знакомства с Юлией никакой видеотеки у меня не было, поскольку я никак не мог собраться обзавестись соответствующей аппаратурой. Мои финансовые дела всегда были довольно плохи, кроме того, мне никогда не удавалось откладывать деньги. Тут я был полностью согласен со своим смешным приятелем из Ехо, потомком укумбийских пиратов Андэ Пу, который недавно жаловался мне, что «эти маленькие кругляшки все время куда-то деваются»! А вот у Юлии был отличный видеомагнитофон и всего несколько никуда не годных старых кассет: любимые мелодрамы ее мамочки, несколько дурацких боевиков и все те же уроки французского — у меня создавалось впечатление, что она учила этот несчастный французский язык всю свою жизнь и всеми возможными способами, правда, мне так и не довелось услышать, чтобы она хоть раз им воспользовалась...

Так у меня появился новый повод транжирить свои жалкие капиталы: отправляясь к Юлии, я непременно обзаводился какой-нибудь новой кассетой, а если учесть, что я в то время дневал и ночевал в ее квартире... Бедняжке даже пришлось раскошелиться и разжиться специальным сооружением для хранения этого добра, поскольку кассеты расползались по дому с невероятной скоростью. Честно говоря, я был абсолютно уверен, что покупаю их для себя: когда-нибудь к этой коллекции приложится и собственный видеомагнитофон, рано или поздно, а пока можно расслабиться и смотреть свои любимые фильмы в гостях у своей любимой девушки — что может быть лучше!

В общем, однажды я собрался с духом, позвонил Юлии и сообщил, что собираюсь забрать свою видеотеку. Она сказала «приезжай», довольно растерянно сказала, но я не обратил внимания на ее тон, не до того тогда было! Я взял свое сердце в кулак и поехал: два месяца непрерывной депрессии здорово сократили мои потребности, поэтому у меня скопилась довольно приличная сумма. Часть ее я собирался истратить на покупку вожделенного аппарата и вовсю наслаждаться непрерывным созерцанием своей коллекции — это был не самый плохой способ поднять себе настроение... Юлия встретила меня на пороге и решительно заявила, что отбирать подарки — дурной тон. Из гостиной раздавалось многозначительное покашливание ее мамочки, вызванной, как я понимаю, для моральной поддержки. «Какие подарки? — ошеломленно спросил я. — Я покупал эти фильмы, чтобы смотреть их вместе с тобой, но...» Потом мне пришлось узнать плохую новость: моя девушка собирается оставить «спорное имущество» у себя, потому что «так будет справедливо, в конце концов, ты же каждый день здесь что-нибудь ел, а это тоже стоит денег, не меньших, чем эти твои кассеты, и вообще, зачем они тебе нужны, тебе же все равно не на чем это смотреть, и никогда не будет, при твоем-то легкомысленном отношении к жизни, впрочем, это прекрасно, это — лучшее твое качество, Макс, если разобраться...» Ее мамочка одобрительно покашливала в гостиной, приглашать в которую меня сегодня явно не собирались. Все это было глупо и несправедливо: я никогда не приходил к ней с пустыми руками, я все время покупал какой-нибудь экзотический чай в маленьких бумажных пакетиках и крошечные тающие во рту печеньица к чаю или еще что-то, просто потому, что я обожаю приходить в гости с каким-нибудь угощением. Наверное, я действительно живу как во сне и не очень-то соображаю, что происходит вокруг: мне и в голову не приходило, что когда я встаю ночью и иду на кухню, чтобы сделать себе бутерброд, в голове моей любимой женщины начинает работать калькулятор. Пережить это откровение оказалось гораздо труднее, чем все остальное: это был окончательный и бесповоротный крах всех моих иллюзий, какая уж там коллекция! Я молча повернулся и пошел вниз, напрочь забыв о существовании лифта. Между мной и остальным миром вырос прозрачный непроницаемый барьер; действительность больше не соприкасалась со мной, она осталась где-то далеко, и это было не так уж плохо, во всяком случае, я наконец-то перестал чувствовать что бы то ни было. На прощание мне довелось услышать почти беззвучный вздох облегчения, который вырвался у Юлии. Да, конечно, ей удалось отстоять имущество, которое она привыкла считать своим, так и надо, а я мог за полной ненадобностью отправляться на ближайшую свалку... Впрочем, она позвонила через неделю, просила «не обижаться», потом она звонила еще несколько раз, говорила, что я мог бы заходить, хоть иногда. Я не радовался этим звонкам, но и не бросал трубку, а вежливо отвечал, что у меня сейчас нет времени, может быть, когда-нибудь потом... Ее голос не вызывал у меня никаких эмоций, я не очень-то понимал, что хочет от меня эта странная, совершенно чужая мне женщина... Но я так и не собрался купить себе видеомагнитофон, мне и думать-то о нем тогда было тошно. Впрочем, все это продолжалось не так уж долго, полгода или чуть больше, а потом в один из пасмурных ноябрьских дней мне приснился сэр Джуффин Халли, и моя здешняя жизнь закончилась раз и навсегда...

Я одним глотком допил кофе и пошел бриться. Мне показалось, что лучше всего будет, если я свалюсь на Юлию, как преждевременная кончина, без всяких там предупреждений по телефону: мало ли какие отговорки у нее найдутся, а мне было просто необходимо попасть в ее гостиную, всего на несколько минут... Я то и дело расплывался в ехидной улыбке: мне предстояло получить море удовольствия! Честное слово, я не испытывал ничего похожего на жажду мести, мной руководили холодное любопытство и какая-то странная безжалостная веселость, немного пугающая меня самого. Я собирался хорошо развлечься, только и всего. Кроме того, мое таинственное второе сердце твердило мне, что я поступаю правильно, так и надо. Не знаю, какими принципами руководствовалась эта загадочная мышца: уж у нее-то точно не было никаких счетов с Юлией, поскольку в достопамятный период упадка нашего романа я вполне обходился одним-единственным сердцем, как все нормальные люди...

Я привел себя в полный порядок: никакой щетины, волосы собраны в хвост — ничего, кажется, такая прическа считается очень стильной, — оделся и вышел на улицу. Возвращаться домой я больше не собирался. О том, что мои поиски трамвая на Зеленой улице могут закончиться полным провалом, мне и думать не хотелось, впрочем, у меня имелись все основания для оптимизма: Махи сказал, что со мной все будет в порядке, значит, тут и рассуждать не о чем! А пока мне предстояло просто прокатиться на автобусе, на последнюю трогательную встречу со своим непритязательным прошлым.

На шестой этаж я поднимался пешком: почему-то я вдруг понял, что лифты больше не вызывают у меня никакого доверия. Это было довольно странно, даже немного попахивало паранойей, но я уже успел привыкнуть к собственным странностям, а эта была вполне безобидной — от незапланированной физзарядки еще никто никогда не умирал! Покончив с занудными ступеньками, я нажал на кнопку звонка. Мне было неправдоподобно весело, даже немного слишком, но я всегда был не дурак перегнуть палку...

Юлия открыла дверь почти сразу, такое впечатление, что она уже давно стояла в коридоре, прислушиваясь к звонку. Я посмотрел на нее, и моя улыбка потеплела. Честное слово, мне было приятно ее увидеть, никакие дрянные воспоминания больше не имели значения... Но это никак не повлияло на мое решение. В Ехо должна была отправиться именно та коллекция фильмов, которую собрал я сам: мои любимые фильмы, и какая-то фигня, купленная случайно, и те фильмы, которые я так и не успел посмотреть. Только это имело значение, так было ПРАВИЛЬНО — это странное слово все чаще и чаще фигурировало в моих сумбурных мыслях. Среди многоголосого хора, все время бормочущего что-то в узких переулках моего сознания, появился новый голос, в интонациях которого никогда не было ни тени сомнения.

— Ты изменился, — тихо сказала Юлия. Кажется, она тоже была рада меня видеть, но что-то мешало ей обрадоваться по-настоящему. Ну да, все правильно: сегодня ее навестил сэр Макс из Ехо, а с этим господином Юлия никогда не была знакома.

— Изменил прическу, вот и все, — объяснил я. — К тебе можно или не очень? Я ненадолго, правда!

— Да, конечно. — Она посторонилась и дала мне войти. Я извлек из кармана пальто маленький сверточек.

— Опять какой-то дурацкий чай, — сообщил я. — Такой мы с тобой, кажется, не пили.

— Да, действительно... — Она растерянно покрутила сверточек в руках. — Пошли на кухню, я его приготовлю... Ты больше на меня не обижаешься, да?

— Я уже очень давно не обижаюсь, — искренне сказал я. — Если честно, я уже почти забыл, почему я вообще должен на тебя обижаться, так что все в порядке.

Я немного задержался в гостиной, возле новенького стеллажа, на многочисленных полках которого нашлось место телевизору, видеомагнитофону и огромному количеству кассет. Незадолго до того, как меня довольно невежливо выперли из этого рая, их было около сотни. Наверное, теперь их еще больше, но ненамного, это уж точно: Юлия — девушка экономная, она не очень-то будет тратиться на всякую ерунду! Я аккуратно вынул штепсель из розетки. Теперь этажерка с аппаратурой была готова к тому, чтобы внезапно скрыться между большим и указательным пальцами моей левой руки, но это могло и подождать: я действительно собирался спокойно выпить чаю в обществе милой девушки, а что касается проклятого «калькулятора» в ее головке — какое мне дело до проблем несчастных обитателей этого странного Мира!

— Иди сюда, Макс, здесь уютнее, — позвала из кухни Юлия. Я послушно пошел к ней. Чайник уже стоял на плите, она деловито открывала мой пакетик с чаем. На столе сидела маленькая белая крыса, вернее, еще крысенок.

— Что, обзавелась новой подружкой? — весело спросил я. Юлия тут же усадила зверька в нагрудный карман своей клетчатой рубахи, словно за мной водилась привычка ими питаться.

— Эта маленькая девочка боится чужих, — немного виновато объяснила она.

— И правильно делает! — одобрительно кивнул я. — Ну что, рассказывай, какие у тебя новости.

Юлия тут же начала рассказывать, я слушал ее краем уха. По всему выходило, что она в полном порядке, хотя мое продолжительное отсутствие пока не привело к созданию какой-нибудь очередной «ячейки общества»... И стоило ей вообще затевать всю эту кутерьму в таком-то случае!

Чай был так себе — не слишком хороший. Впрочем, может быть, я просто отвык от вкуса нормального чая.

Выпив одну чашку, я вдруг понял, что с меня хватит. Во-первых, мне было немного скучно: я никак не мог поверить в реальность происходящего, больше всего мы смахивали на героев сто восьмидесятой серии какого-нибудь тупого телесериала о любви. А во-вторых, Юлия косилась на меня как-то уж больно подозрительно. Конечно, она знала меня очень хорошо, даже чересчур хорошо, так что кому, как не ей, следовало насторожиться!

— Я пойду, ладно? — мягко спросил я.

— Ладно. — Она здорово помрачнела и спросила: — А почему ты вообще решил зайти?

— Не знаю, — соврал я. Немного подумал и выдавил из себя нечто, отдаленно напоминающее правду: — Наверное, чтобы попрощаться.

— Ты что, куда-то уезжаешь?

— Что-то в этом роде. — Я пожал плечами. — Надеюсь, что да...

— Ладно, тогда давай попрощаемся. Спасибо, что зашел. — Юлия говорила таким тоном, словно это я, подлец, ее бросил, да еще и серебряные ложки из буфета уволок. Это было довольно забавно...

Мы вышли в гостиную: она шла впереди, а я сзади. Проходя мимо вожделенного стеллажа с видеоаппаратурой, я исполнил свой коронный номер, неуловимое движение левой рукой. Вот теперь я мог считать, что собрал свои «чемоданы»: это громоздкое сооружение, полное всяких замечательных вещиц, которые сэр Джуффин Халли наверняка сочтет волшебными, уменьшилось до неправдоподобных размеров и удобно улеглось между большим и указательным пальцами моей руки. Юлия даже не обернулась, — разумеется, все случилось мгновенно и совершенно бесшумно.

— Прощай, милая, — сказал я, переступая через порог. Боюсь, что моя улыбка была уж слишком неземной: Юлия даже отступила назад. Но я дотянулся до нее и нежно поцеловал в кончик носа. Всю жизнь мечтал узнать, что именно испытывал сэр Иуда Искариот в момент своего исторического поцелуя! Судя по всему — огромное удовольствие...

Вниз я тоже спускался пешком. Честно говоря, я очень надеялся, что Юлия пулей выскочит на лестничную площадку, чтобы поведать мне и всему человечеству о своей загадочной утрате. Более того, кажется, я очень на это рассчитывал. Я предвкушал бредовые обвинения, которые обрушатся на мою бедную голову и с удовольствием представлял себе, как я предложу ей вывернуть мои карманы и проверить: а вдруг пропавшая мебель действительно там обнаружится... Но я так и не дождался. Может быть, бедняжка просто грохнулась в обморок, а может быть, решила, что все — суета сует и томление духа, кто ее знает... Наверное, все люди — довольно непредсказуемые существа, особенно когда сталкиваются с необъяснимыми вещами! На площадке четвертого этажа я обнаружил небольшое смятение, там суетились люди в рабочей одежде и заинтересованные происходящим дошкольники. Проклятый лифт умудрился застрять между этажами, оказывается, мой внезапный страх перед лифтами был обыкновенным предчувствием, я определенно делал успехи!

Потом я долго бродил по городу, немного промок и замерз, но это не мешало получать удовольствие от прогулки. Вечерний город казался мне чужим и прекрасным, я с удивлением понял, что мог бы его полюбить, если бы у меня было на это время. Может быть, все дело в том, что ночь преображает пейзажи, а может быть, в том, что я чувствовал себя совсем чужим на этих широких улицах, а любить чужие места легко: у нас нет к ним никаких претензий, мы принимаем их такими, какие они есть... Я выпил кофе с коньком в симпатичном баре, название которого так и не запомнил, согрелся и окончательно расслабился, даже решил поужинать. Это было очень похоже на ту жизнь, к которой я привык в Ехо: долгий приятный ужин в уютной забегаловке, перед тем как отправиться искать очередное приключение на свою горемычную задницу. Сегодня я тоже собирался отправиться на такую веселенькую прогулку, немного прокатиться на одном сумасшедшем трамвае, который регулярно курсирует по Зеленой улице, вопреки всем расписаниям маршрутов муниципального транспорта. Я здорово надеялся, что у этой сказки будет такой же счастливый конец, как у всех предыдущих...

Я посмотрел на часы. Дело близилось к полуночи, самое время кончать набивать брюхо и выметаться. Мне принесли счет, я расплатился и вышел. Время почти остановилось, мне казалось, что каждое мое движение не имеет шансов завершиться, нога в новом ботинке так медленно двигалась навстречу земле, словно земля была морковкой, привязанной перед мордой осла. Тем не менее я как-то умудрялся делать шаг за шагом, с ужасом ощущая на затылке холодную щекотку вечности, той самой, от которой мне следовало «поберечь свою лохматую голову». Черт, леди Сотофа могла бы выражаться яснее... Если бы она просто сказала мне: «Не вздумай уходить в свой Мир, Макс», — я бы ее послушался, во всяком случае, я бы здорово постарался ее послушаться... Самое смешное, что за весь день я так ни разу и не вспомнил о пресловутой святой воде, ради которой, собственно, и затевалась моя дурацкая экскурсия!

Когда я появился на Зеленой улице, на табло электронных часов, сияющих над зданием телефонной компании, мигали четыре нуля. Я вспомнил, что всегда считал такого рода совпадения хорошей приметой и отвернулся от часов, чтобы не стать свидетелем появления единицы: согласно тому же суеверию, это могло сделать счастливое совпадение недействительным. А потом я услышал звон трамвая, такой же пронзительно громкий, как почти два года назад... хотя, с другой стороны, это было вчера... Ох, вот чем я сейчас точно не собирался заниматься, так это наводить порядок в своих представлениях о времени, самым лучшим выходом было просто не иметь о нем никакого представления! У меня закружилась голова, но на этот раз я быстро справился с головокружением: несколько вдохов и выдохов, как учил меня Шурф Лонли-Локли... Черт, когда я вернусь в Ехо, я просто обязан угостить его хорошим ужином, с меня действительно причитается! Я снова разглядел знакомую табличку, оповещающую, что я нахожусь на остановке трамвая, следующего по маршруту № 432. Даже номер трамвайного маршрута был все тот же. Кажется, моя Дверь между Мирами отличалась некоторым постоянством. Это было скорее приятно, чем нет. Трамвай показался из-за угла и начал тормозить, приближаясь к остановке. Я рассмеялся, но это совершенно не походило на истерику, какая уж тут истерика! Все шло просто отлично, гораздо лучше, чем я смел надеяться: потрясающий экспресс, следующий по самому невероятному маршруту, был к моим услугам. Да, судя по всему, сначала мне предстояла встреча с неким странным существом, сэр Маба Калох называл его «доперст». Он еще говорил, что Доперсты приходят из ниоткуда и кормятся нашими страхами, тревогами и плохими предчувствиями. Иногда они принимают облик какого-нибудь человека и шляются по его знакомым, пугая тех самыми неожиданными выходками или просто взглядом... А еще Маба пытался мне объяснить, что Доперста, который сидит в моем трамвае, создал я сам. Хотел бы я знать каким образом, и главное: на кой мне это понадобилось?! Впрочем, за свою жизнь я наделал немало глупостей и похуже, надо полагать... Что ж, Доперст так Доперст, какая разница! Без особого удивления я ощутил, как мои губы расползаются в каком-то неожиданно хищном оскале. Это было не совсем то состояние, которое я считал нормальным, но сейчас мне все было на руку! Все еще улыбаясь, я уставился на водительскую кабинку и увидел знакомую широченную рожу, скупо украшенную тоненькими усиками. Сейчас я просто не мог поверить, что в свое время это смешное существо напугало меня до полусмерти, так напугало, что я решил, что со мной все кончено... Счастье, что он тогда так быстро исчез, почти сразу же, так что все обошлось, и я все-таки нашел в себе силы зайти в этот изумительный трамвай...

— Ты-то мне и нужен, голубчик! — криво усмехнулся я. — Сейчас мы с тобой разберемся! Будешь знать, как пугать неопытных путешественников между Мирами. Это вообще дурной тон — пугать новичков, ты об этом никогда не задумывался, милый?

Трамвай остановился, передняя дверца бесшумно открылась перед моим носом, и я влетел в салон. На этот раз существо в водительской кабинке никуда не исчезло, оно уставилось на меня с равнодушным любопытством, а потом его усатая рожа медленно расплылась в какое-то мутное пятно. Через несколько секунд пятно сгустилось в новую физиономию, на этот раз на меня смотрел Великий Магистр Махлилгл Аннох, коротконогий призрак Холоми, потом его лицо потемнело и уставилось на меня пронзительными голубыми глазами мертвого Магистра Кибы Аццаха.

— Что, ты пытаешься вспомнить, кому удавалось меня напугать в последнее время? — Я снова рассмеялся. — Это по́шло, дружок! К тому же это не сработает. Сегодня утром я потерял самого себя, а потом каким-то чудом нашёл, поэтому я не думаю, что меня теперь хоть чем-то можно напугать, радость моя! Мне просто не до того, сегодня ночью у меня слишком хорошее настроение. — Высказавшись, я поднял левую руку. Конечно, ей было далеко до смертоносной левой руки великолепного Шурфа Лонли-Локли, но я всегда старался довольствоваться тем, что имею...

— Не трать на меня свой Смертный Шар, хозяин, — тихо сказало существо. Теперь его лицо не было похоже ни на что, хотя бесконечное множество смутно знакомых мне обликов просвечивало сквозь мерцающий светлый туман, окутавший голову Доперста.

— Спасибо за совет. — Я снова расхохотался. — Я, конечно, обожаю экономить, но для тебя мне ничего не жалко, дорогуша!

— Как хочешь, хозяин. Ты дал мне жизнь, и ты можешь её забрать. Но тот, кто забирает жизнь Доперста, должен его заменить. Это закон. — Существо говорило вяло и равнодушно. Кажется, ему действительно не было дела до собственной участи. Но одно из моих сердец каким-то образом знало, что Доперст не врёт: эти странные существа просто не умеют обманывать, им это без надобности... А второе сердце пока молчало, но его молчание не показалось мне тревожным.

— Ладно, обойдёмся без Смертных Шаров. Не такой уж я кровожадный. Выходи, поболтаем. — Я внезапно успокоился. Ни смеяться, ни криво улыбаться, ни тем более хищно скалиться мне больше не хотелось. Я ужасно устал и всё время думал о том, как здорово было бы уютно свернуться калачиком на жёстком сиденье, закрыть глаза и не открывать их, пока это невероятное транспортное средство не привезёт меня домой, в Ехо... А что касается Доперста, Махи ведь говорил, что он может помочь мне убедить Мир, в котором я родился, что меня больше нет. И, кажется, я начинал понимать, что этот хитрец Махи имел в виду...

Существо вышло из кабинки водителя и уселось на переднее сиденье. В нормальных человеческих трамваях эти сиденья обычно предназначаются для инвалидов... Я увидел, что его тело тоже не имеет определённых очертаний: Доперст не был ни худым, ни толстым, вернее, он был и худым и толстым одновременно, его формы расплывались, это невероятное существо никак не могло остановиться на чем-то определенном... Двери трамвая мягко закрылись, и мы наконец-то поехали.

— Этот трамвай поедет в Ехо? — строго спросил я у своего странного собеседника.

— Он поедет туда, куда ты захочешь, — пожало почти несуществующими плечами существо.

— Ладно, это неплохо. — Я не смог сдержать вздох облегчения: черт его знает почему, но меня все еще грызли сомнения, на которые я старался не обращать внимания. Я слишком устал от неопределенности, я вообще слишком устал. — Насколько я знаю, тебе не составляет труда изменять свой облик, да? — спросил я у Доперста.

— Да. Я выгляжу так, как этого хотят люди, которые находятся рядом.

— Вернее, так, как они не хотят, — усмехнулся я. — Ты кормишься нашими страхами, да? Во всяком случае, именно так мне объясняли.

— И это правда.

— Ладно, это твое дело, — вздохнул я. — Не я, к сожалению, создавал Вселенную! Моя бы воля, все было бы гораздо проще... и привлекательнее! А теперь скажи мне вот что: если я правильно понял, ты сам не решаешь, как ты будешь выглядеть. Наши тайные страхи придают тебе какой-то конкретный облик помимо твоей воли, правильно?

— Правильно, — равнодушно кивнуло существо.

— А если я попрошу тебя стать похожим на меня? — осторожно спросил я. — Не испугаюсь собственного лица, а просто попрошу тебя стать моим двойником. Ты сможешь?

— Смогу, — ответил Доперст. Его речь звучала все так же вяло, но в глазах существа мне почудился какой-то азартный блеск. «Как этот парень любит свою работу!» — усмехнулся я про себя.

— Отлично, — сказал я, — тогда тебе следует немедленно принять мой облик и отправиться куда-нибудь в людное место. В этом городе их полным-полно, даже в это время суток... Но самое главное, дружок, потом ты должен будешь стать мертвым Максом, и чем быстрее, тем лучше. Это возможно?

— Это возможно, — подтвердил Доперст.

— Ну вот и отлично... Кстати, я думаю, что тебе следует сделать это на моем рабочем месте: в редакции в любое время полно народу, кроме того, не возникнет никаких проблем с идентификацией моей личности... Представляю, какой там начнется переполох, но так даже смешнее! — Я не сдержал злорадной улыбки. — Вот, собственно, и все. После того как меня, вернее, тебя торжественно похоронят, ты свободен на вечные времена! Ясно?

— Ты освобождаешь меня на вечные времена? — изумился Доперст. Куда девалась его меланхолия! Он пронзительно посмотрел на меня глазами, которые уже были похожи на мои собственные, и вдруг рассмеялся: — Спасибо, хозяин. На такую щедрость я и рассчитывать не смел! Я все сделаю так, как ты сказал. Моему слову можно верить, впрочем, любому слову, сказанному между Мирами, можно верить... Ты знал об этом?

Я озадаченно покачал головой. До меня как-то не доходило, с какой это стати он так воспрял духом... Тем временем неопределенное лицо существа успело превратиться в мое собственное. Я улыбнулся: все-таки я действительно довольно симпатичный парень, даже жаль, что этому новому Максу предстоит сразу же умереть. Может быть, мне следовало попросить Доперста прожить за меня мою скучную жизнь, до глубокой старости? Впрочем, это уже было бы как-то чересчур: по крайней мере, в любой преждевременной смерти есть что-то романтическое, а доверять этому непостижимому существу жалкие остатки своей репутации мне не очень-то хотелось.

Мой двойник посмотрел на меня холодно и печально.

— Тебе здорово не повезло, хозяин! — тихо сказал он. — Ты не знал, какова сила слов, сказанных между Мирами, поэтому ты нечаянно подарил мне свободу. А еще ты не знал, что тот, кто освободил Доперста, должен занять его место, потому что освободить меня или убить — это по большому счету одно и то же... Впрочем, тебе даже понравится: на тропах Доперстов тебе откроется самая легкомысленная разновидность могущества, в глубине души ты мечтал об этом всю жизнь, а теперь все сбудется... Прощай, сэр Макс, спасибо тебе.

Вот теперь оба моих сердца дружно заколотились о ребра. Они знали, что я влип, я умудрился угодить в какую-то идиотскую, нелепую ловушку, выхода из которой, кажется, не было. «Я всегда чувствовал, что мой болтливый язык меня погубит!» — пробормотал я. А потом я остался один, и мне стало все равно, потому что я больше не был сэром Максом из Ехо, я уже не очень-то знал, кто я такой, и меня это не особенно интересовало.

— Пришло время погулять! — сказал я вслух, открывая дверь в кабину водителя. Сел в жесткое кресло, и мой трамвай понесся куда-то: любовь к большим скоростям по-прежнему оставалась при мне; кажется, воздух кричал от боли, ударяясь о лобовое стекло взрезающего ночь безумного трамвая...

А потом рассвело, и я обнаружил себя стоящим на улице. Это была широкая центральная улица крошечного немецкого городка, я понял, что городок именно немецкий, прочитав надписи над магазинами... Здесь просто заканчивались рельсы, они обрывались совершенно неожиданно, вообще-то, с трамвайными рельсами такое не случается. Я стоял на гладком асфальте и равнодушно смотрел, как мой волшебный трамвай тает у меня на глазах, исчезает, как никуда не годное старое привидение. Никаких сожалений по этому поводу я не испытывал. Что-то во мне знало, что теперь я могу попасть туда, куда захочу, не прибегая к разного рода сомнительным транспортным средствам: существа, одним из которых я стал, открывают Двери между Мирами с такой же легкостью, как я когда-то открывал дверь служебного входа в Управление Полного Порядка... Я мог отправляться в Ехо хоть сейчас, но мне больше не хотелось попасть в Ехо, хотя я все еще помнил этот чудесный город, с которым меня связывали судьба, привязанность и необходимость; и даже моя щемящая нежность к людям, которых я там оставил, никуда от меня не делась, я тосковал по ним, но мои чувства больше не имели никакого значения. В то утро я знал без тени сомнения, что существа, подобные мне, обречены на одиночество, и у меня не было никаких возражений по этому поводу.

Собственное могущество кружило мне голову, но у меня не было никаких определенных желаний, только чьи-то чужие смутные мысли о том, что «пришло время прогуляться», непреодолимая потребность не оставаться на месте. И я отправился на прогулку. Я больше не принадлежал Миру, в котором родился, зато этот Мир, кажется, принадлежал мне. Выпуклые булыжники старой мостовой, по которым ступали мои ноги, все еще обутые в новые ботинки, нашептывали мне свою историю, если честно, слишком скучную, чтобы прислушиваться к их шепоту...

Я вошел в маленький бар, он назывался «Нюрнберг» или «Нюрнбержец», что-то в этом роде. Я имел довольно смутные представления о правилах игры, в которую меня втянули, так что мне предстояло изучить их на практике. Пожилая кельнерша посмотрела на меня с ужасом и смутной надеждой: хотел бы я знать, чье лицо приветливо улыбнулось ей моими губами, попросив чашечку кофе!

Выпив кофе, я вышел из бара и оказался на одной из узеньких улочек древнего Нюрнберга. Дул холодный ветер с реки, он был немного похож на ментоловый ветер Кеттари, совсем чуть-чуть, как тень бывает похожа на предмет, который ее отбрасывает, но даже это сходство не слишком меня взволновало: мне не было дела до этого бедняги Макса, влюбленного в мосты Кеттари. Сейчас меня куда больше занимало только что сделанное практическое открытие.

«Ага, — подумал я, — вот как это работает, надо запомнить...» В то утро я открыл для себя один из великого множества новых фантастических способов путешествовать: можно просто зайти в какой-нибудь бар, ресторан или кондитерскую — главное, чтобы на вывеске этого заведения присутствовало какое-нибудь географическое название. Нужно провести там какое-то время — только сидеть спиной к окну, это очень важно! — а потом ты выходишь на улицу и обнаруживаешь, что стоишь под совсем другим небом, на мостовой города, имя которого фигурировало в названии забегаловки, из которой ты только что вышел... Впрочем, с таким же успехом я мог отправиться куда-нибудь на поезде, самолете или автомобиле, если мне вдруг взбредет в голову путешествовать, как все нормальные люди. Иногда это оказывалось очень кстати: я обожаю разнообразие! В моих карманах каким-то образом обнаруживалось все, что там должно было быть: деньги, документы, билеты и еще какие-то запредельные бумажки — многочисленные нелепые фальшивые доказательства моей принадлежности к миру людей — появлялись в карманах по мере необходимости, так что я мог обмануть кого угодно, людей вообще так легко обмануть!

Это было не так уж плохо. Если честно, то, что случилось со мной, превосходило мои самые смелые представления о чудесном: можно было зайти в маленький мексиканский ресторанчик на окраине Берлина, а потом выйти оттуда на расплавленный тротуар Мехико и бродить по этому пеклу до тех пор, пока ноги не занесут меня в неуютный, но прохладный бар «Нью-Йоркер», где усатый бармен вздрогнет, всмотревшись в мое лицо; но к этому так легко привыкнуть, потому что так ведут себя все, от кого я не успею вовремя отвернуться, — и куда подевалось мое хваленое обаяние! Наплевать на этого усатого беднягу, одного из многих, в «Нью-Йоркере» можно выпить холодного пива — главное, не забывать, что я должен сидеть спиной к окну, обязательно спиной к окну! — а потом толкнуть стеклянную дверь и оказаться в настоящем Нью-Йорке, в самом сердце Гринвич-Виллидж, где можно немного задержаться, потому что там я нашел потрясающее местечко, «Клуб-88» (ровно столько клавиш у пианино — совершенно верно). По вечерам там играет тапер, а одетая в мужской костюм темнокожая леди за стойкой выпевает изумительные блюзы, дразнит меня смутно знакомой воркующей хрипотцой, пока смешивает коктейли и вытряхивает многочисленные окурки из одинаковых белых пепельниц: очаровательные посетители «Клуба-88», пол которых редко поддается точному определению — отнюдь не яппи, они дымят как паровозы, вопреки «великой американской мечте»! Жаль только, что мое переменчивое, послушное чужим тайным страхам лицо немного пугало и их, поэтому места за стойкой по соседству с моим всегда оставались незанятыми... А если надоест Нью-Йорк, оттуда, хвала Магистрам, можно отправиться куда угодно, чуть ли не все географические названия этого мира увековечены на вывесках бесчисленных нью-йоркских забегаловок. Растроганное таким вниманием к себе человечество платит Нью-Йорку полной взаимностью: бар или ресторан, в названии которого упоминается этот «центр мира», можно найти в любом захолустье. Так что Нью-Йорк стал для меня чем-то вроде промежуточной станции, я посещал его гораздо чаще, чем прочие места, правда, всегда ненадолго... Кажется, в те дни я наконец-то отдал должное Миру, в котором родился и который прежде не слишком-то любил: я понял, что это — невероятное место, один только запах цветущих лип на сонной окраине Москвы стоит всех прочих чудес. А ведь кроме запаха цветущих лип есть еще горячий ветер Аризоны, который может подхватить тебя и унести или свести с ума своими монотонными порывами; есть головокружительный влажный воздух ночного Лондона («увидеть Лондон и умереть» — я не мог вспомнить, где и когда вычитал эту почти бессмысленную фразу, но она сопровождала меня назойливым гипнотическим речитативом, пока я пересекал темные аллеи ночного Гайд-парка); есть длинные тонкие иглы сосен, устилающие белый песок на побережье холодного Балтийского моря, круглый черный глаз настороженно пятящегося от тебя сердитого лебедя, только что вырвавшего булку прямо из твоих рук... Есть многое, о чем бесполезно говорить, лучше уж засесть за работу и составить полный инвентарный список всех «чудес света». И какой идиот решил, что их — максимум восемь?!

В общем, мне пришлось признать, что с Миром, в котором я родился, все было в порядке, это со мной, болваном, что-то было не так, пока я принадлежал ему. Нет никакой разницы, где находиться. Если вообще что-то имеет значение, так это — существо, из сердца которого ты смотришь вовне. Кто ты сам — вот что действительно важно. А мне выпала ни с чем не сравнимая возможность посмотреть на свою бывшую родину глазами удивительного и странного существа...

Хотя была во всем этом какая-то фальшивая нотка, довольно пронзительная, если честно... Я упивался многообразием новых возможностей, играл в занимательную и довольно приятную игру, но что-то во мне знало, что сэр Джуффин Халли ни за что не согласился бы присоединиться к моему путешествию, если бы мне вдруг пришло в голову его пригласить. Я знал это даже в те сумасшедшие дни, когда смирился со своей странной судьбой и был почти счастлив; наверное, я был бы счастлив по-настоящему, если бы существо, которым я был, умело чувствовать себя счастливым.

В те дни я вполне мог забыть даже свое имя, если бы оно не таращилось на меня с многочисленных вывесок, рекламных плакатов и объявлений: бесконечные «Максы», «Максимы» и «Максимилианы» буквально преследовали меня, можно было подумать, что в мире не осталось других имен! Но их назойливое мельтешение не давало мне забыть о себе. В одном немецком ресторанчике, уже не помню в каком городе это было, я даже обнаружил в меню соответствующее блюдо — какой-то «штраммер-макс в зеркалах» — и заказал его, руководимый бесконечным любопытством. Пресловутые «зеркала» оказались холодной яичницей-глазуньей, кроме нее на тарелке обнаружился черный хлеб и огромное количество мелко нарезанной ветчины. Это было не так уж вкусно, но оказало на меня самое благотворное воздействие: сэр Макс из Ехо на несколько минут проснулся где-то в темной глубине меня и настойчиво сказал, что ему пора домой. «Скоро пойдем, ладно?» — виновато спросил я. И он снова отступил в темноту, хотя, кажется, его сон перестал быть таким крепким и беспробудным. Во всяком случае, именно в том ресторанчике я начал записывать все, что успело со мной случиться, пока я был сэром Максом из Ехо. Я исписал несколько салфеток и остался доволен: почему-то мне казалось, что, когда подойдет к концу моя новая странная работа, чудеса отпустят меня туда, куда хотел вернуться этот уже почти незнакомый мне парень, и тогда он будет счастлив, а я... я буду свободен на вечные времена...

Я не очень-то знаю, что успел натворить, пока меня носило по всей планете. Моя память пока не может справиться с хаосом событий, обрушившихся на меня во время этих скитаний; ей не под силу расставить по местам бесчисленные эпизоды, чтобы получилась единая, непрерывная и ясная картина, которую легко удержать при себе. Тем не менее мне гораздо проще вспоминать то, что происходило со мной после того, как я съел загадочный «штраммер-макс» и взялся за свои бредовые записи. Мозаичные мостовые Ехо снова становились реальностью, мне больше не нужно было цепляться глазами за неоновую вывеску ресторана «Максим» или витрину модного магазина «Макс» в центре Мюнхена или изумленно отшатываться от экрана телевизора, на котором мелькали титры очередной серии эпопеи о похождениях «Сумасшедшего Макса», чтобы вспомнить, что когда-то я считал это имя своим. Теперь я всегда помнил, кто я, а это уже было немало! Я все чаще обращал внимание на плохо скрытый ужас в глазах своих случайных собеседников... и получал от этого все меньше удовольствия, скорее я чувствовал, что чертовски устал от своих обязанностей. Но, кажется, у меня не было шанса отдохнуть: я занял место Доперста, которого случайно отпустил на свободу, так что теперь именно я должен был выполнять его странную работу...

Мне довелось немало узнать о человеческих страхах. Самое нелепое и забавное из моих открытий связано с велосипедистами. На собственном горьком опыте я выяснил, что подавляющее большинство велосипедистов в глубине души боится сбить какого-нибудь прохожего. Ребята редко осознают эти свои опасения, но подкармливать их тайные страхи было частью моей работы, так что стоило мне выйти на улицу, как на меня сразу же наезжал какой-нибудь велосипедист. Я не думаю, что у кого-то из людей был шанс причинить мне реальный вред, тем не менее эти регулярные столкновения чертовски действовали мне на нервы... Счастье, что подобные страхи почему-то почти не грызут автомобилистов. Вернее, такое случается и с ними, конечно, но довольно редко...

Правда, приходилось мне делать открытия и похуже. Я до сих пор не могу забыть высокую светловолосую девушку из ресторанчика «Красный слон» — хотел бы я знать, в каком городе и в какой стране я нашел это замечательное местечко! Но безумная светловолосая барышня все испортила: мне пришлось выйти следом за ней в темноту переулка, такого узкого, что два человека не могут идти там рядом, только друг за другом, след в след... Кажется, мне пришлось убить эту девушку, потому что она была одержима мыслью о том, что человек, на которого она будет весь вечер задумчиво смотреть сквозь тонкое стекло стакана, сидя за маленьким одноместным столиком на втором этаже «Красного слона», когда-нибудь выйдет следом за ней и убьет ее в этом переулке, и кровь будет отвратительно, неопрятно выглядеть на светло-зеленом ворсе ее джемпера... Впрочем, иногда мне кажется, что я остался сидеть на высоком жестком стуле, а это убийство ей просто приснилось; не знаю уж, как я забрел в ее кошмар, но так вполне могло быть. Во всяком случае, эта версия нравится мне гораздо больше.

Как бы то ни было, именно на втором этаже «Красного слона» я понял, что моя невероятная бессмысленная новая жизнь подходит к концу: я почти закончил свои записи, перечитал их и с пронзительной ясностью вспомнил все, что было со мной в Ехо, и людей, которые меня там ждали, и, кажется, я понемногу снова становился своим старым знакомым Максом. Ему еще требовалось время, чтобы окончательно стряхнуть с себя оцепенение, сладкое и опасное, но время у нас с ним было, мы могли легкомысленно транжирить это сокровище, как он — да нет, я! — транжирил звонкие короны, честно заработанные на службе у Его Величества Гурига Седьмого, бесцельно слоняясь по антикварным лавкам Правого Берега. Впрочем, к отпущенному мне времени я относился еще легкомысленнее, поскольку легче всего распоряжаться тем, что тебе не принадлежит...

А потом я снова попал в Нью-Йорк и немного погулял по вечерним улицам Сохо, заглядывая в освещенные окна картинных галерей. Я решил выпить чашечку капуччино и завернул в ближайший итальянский ресторан. Все было немного иначе в этот вечер, что-то изменилось в моей жизни, и мне нравились эти перемены. По крайней мере, черноглазый парень за стойкой посмотрел на меня с равнодушной улыбкой: мое лицо определенно не затрагивало никаких тайных струнок в его душе.

«Что я здесь делаю? — внезапно подумал я. — Сколько можно гулять, дорогуша? Пока мама не позовет обедать — так, что ли?» Я рассмеялся от восторженного удивления: мой внутренний монолог здорово напоминал сумбурные размышления сэра Макса. Кажется, этот смешной парень действительно проснулся и теперь бродил где-то поблизости!

Тут мой табурет чуть не грохнулся на пол, а я не смог удержаться на нем и мешком свалился прямо в объятия симпатичного пожилого джентльмена в элегантнейшей серой шляпе, которая самым странным образом сочеталась с пижонской курткой из темно-коричневой кожи.

— Прошу прощения, — весело сказал он, — я налетел на ваш табурет. Загляделся на свое отражение в зеркале, все пытался решить: похож я в этой куртке на летчика или нет... Но, наверное, я гораздо больше похож на сумасшедшего, да?

— Все-таки на летчика! — Я не смог сдержать смех: в голову этого симпатичного незнакомца пришла невероятно бредовая идея, как раз в моем вкусе. — Вы сбили меня, как настоящий ас, можете рисовать очередной крестик на боку вашего истребителя! Просто вам нужно сменить шляпу на какой-нибудь шлем... или что они там носят, эти летчики?

— Вы совершенно правы. Мы, пилоты, действительно не носим таких шляп! Можете забирать ее себе, с вашим пальто она смотрится гораздо уместнее! — И он решительно нахлобучил свой потрясающий головной убор на мою растрепанную башку. Я так растерялся, что только хлопал глазами... Черт, я уже успел забыть, что значит чувствовать себя растерянным, это было так странно!

— Ну вы даете! — наконец выдавил я. Незнакомец кивнул, отошел на несколько шагов и полюбовался на дело своих рук.

— А что, мне нравится! — удовлетворенно кивнул он. — Носите эту шляпу, молодой человек, она вам идет... Когда я выходил сегодня из дома, моя жена сказала мне: «Рон, я уверена, что сегодня ты что-нибудь потеряешь, а мои предчувствия никогда меня не обманывают, ты же знаешь, поэтому, черт с тобой, теряй, но постарайся потерять что-нибудь не очень нужное». Теперь она может быть спокойна, я честно выполнил ее просьбу... Прощайте, молодой человек, допивайте вашу коричневую гадость со сливками. Могу себе представить, сколько в ней кофеина, кошмар!

Я недолго смотрел ему вслед, а потом взгромоздился на высокий табурет, с которого меня недавно стряхнули, и послушно принялся за кофе. Молоденький бармен приветливо мне улыбнулся:

— Рон — очень эксцентричный парень, как все художники, но он хороший человек. — Итальянец говорил таким тоном, словно сообщал мне страшную тайну. — Он часто сюда заходит.

— И правильно делает. У вас отличный кофе, — заметил я.

— Ну что вы, он никогда не пьет кофе. Только немного хорошего вина, и все.

— Да, в вине нет никакого кофеина, это уж точно! — Я расплатился и решительно соскользнул с табурета. Вышел на улицу и обнаружил себя в предрассветном Риме; я уже забредал сюда несколько раз, к неописуемой радости местных голубей, которым я с энтузиазмом скармливал все, что под руку попадалось. «Неужели в названии этого грешного ресторанчика упоминался Рим?» — лениво удивился я. И подумал, что было бы неплохо отдохнуть — впервые за все время моих смутных скитаний я почувствовал, что здорово устал и хочу спать. Присел на скамейку напротив какого-то ленивого фонтана, закурил, а потом, кажется, задремал.

Проснулся я от холода. Огляделся и с изумлением понял, что больше не сижу на скамейке, а стою на большом каменном мосту. Холодный ветер с реки пронизывал меня до костей. Черт, только что мне было жарко: мое пальто не совсем подходило для прогулок по Риму, в любое время года оно казалось мне слишком теплым для Вечного Города... Разумеется, я был не в Риме, но вот где? Город казался мне смутно знакомым, особенно этот холодный ветер, так похожий на ветер Кеттари. «А вдруг?» — мелькнула у меня дикая надежда. Но разумеется, я был не в Кеттари, а в Нюрнберге, я уже был здесь однажды, в самом начале своей дурацкой одиссеи.

— Мне действительно пора домой, — решительно сказал я пролетающей мимо чайке. Птица крикнула что-то резким неприятным голосом. Кажется, она была со мной полностью согласна. Я оторвался от каменных перил и медленно пошел по мосту, навстречу каким-то печальным позеленевшим от времени зверюгам, которые охраняли табличку с названием. Я рассеянно уставился на табличку и рассмеялся: оказывается, я только что стоял на «Мосту Макса», если переводить дословно!

— Приятно быть таким популярным! — сказал я мрачной зеленой зверюге. — Что только в честь меня не называют!

У меня за спиной кто-то звонко расхохотался. Я обернулся и обмер: рядом со мной стояла Теххи, только она выглядела гораздо старше, но в тот момент это не имело никакого значения. У меня в голове пронесся ураган сумбурных мыслей: конечно, Теххи была дочкой самого Лойсо Пондохвы, она наверняка еще и не на такое способна! Но почему она так постарела? Неужели меня не было в Ехо так долго, сколько же, хотел бы я знать?! Двести лет? Триста? Тысячу? Я замер от ужаса, потому что это было хуже смерти: это означало, что жизнь людей, которые не могли без меня обойтись, каким-то образом прошла без меня, пока я транжирил драгоценное время, шляясь по дурацким забегаловкам и поглощая бесконечные чашечки кофе вперемешку с чужими глупыми страхами. Время отлично мне отомстило, оно уволокло от меня моих ребят, так что теперь со мной все было кончено, потому что это именно я не мог без них обойтись!

Это чудовищное потрясение оказало на меня самое благотворное воздействие, как ледяной душ на сумасшедшую голову. Кажется, холодный речной ветер уносил последние остатки непостижимого существа, которым я был так долго... Вот теперь я действительно стал прежним Максом: только этот смешной парень мог усесться на тротуар, ошеломленно разглядывая совершенно незнакомую даму, и медленно уплывать куда-то на грань жизни и смерти из-за ее случайного сходства с милой девушкой из другого Мира.

— Теххи, что ты здесь делаешь? — хрипло спросил я (удивительно, что мне вообще удалось что-то выговорить). — И... и что с тобой случилось?

— Меня зовут Тея, — удивленно сказала незнакомка. — И со мной абсолютно ничего не случилось. Ты меня с кем-то перепутал, да?

Я чуть не умер от невероятного облегчения. Конечно, это была не Теххи!

— Перепутал! — сообщил я самым счастливым голосом, на какой был способен — вне всяких сомнений, это был мой собственный голос и мои собственные сумбурные эмоции! Кажется, вечность больше не держала меня за шиворот, и мое лицо наверняка было моим собственным лицом, меня так и подмывало посмотреться в зеркало. Я совершенно не соображал, что делаю, когда требовательно поднял глаза на эту милую женщину.

— У вас есть зеркало? — Я уже улыбался до ушей, думаю, это была самая глупая из всех моих улыбок.

— Есть, — растерянно сказала она.

— Дайте мне его, пожалуйста, — попросил я. Дама довольно долго рылась в сумочке, наконец протянула мне маленькое зеркальце. Я тут же уставился на свое отражение. Из-под шикарной серой шляпы веселого нью-йоркца Рона на меня смотрел парень, здорово напоминавший сэра Макса из Ехо, ему только тюрбана не хватало!

— Знаете что? — весело спросил я. — Вы только что спасли мне жизнь. Можно угостить вас чашечкой кофе?

Вместо того чтобы вызвать доктора или просто постараться смыться подальше от незнакомого невменяемого типа, эта милая женщина решительно тряхнула короткими кудряшками, такими же серебристыми, как у моей Теххи; только в ее случае волосы были просто седыми. Впрочем, что касается Теххи, я тоже не мог быть ни в чем уверенным... Мне ни разу не пришло в голову поинтересоваться датой ее рождения: если учесть, как долго живут в моем новом прекрасном Мире могущественные колдуны, я мог услышать самую невероятную цифру!

— Знаешь, — усмехнулась моя новая знакомая, — мне кажется, что жизнь стоит немного дороже, чем чашка кофе. Поэтому я настаиваю на стакане хорошего вина. — Она растерянно посмотрела на часы. — Правда, я опаздываю, но... Ладно, если уж опаздывать, то не меньше, чем на полчаса. В пятиминутных опозданиях есть что-то бюргерское, ты не находишь?

— Нахожу! — кивнул я. Честно говоря, сейчас я мог согласиться абсолютно с чем угодно.

— Здесь рядом есть одно бистро, очень американское. Никаких букетиков с бело-голубыми баварскими ленточками... Кстати, когда мне говорят «вы», я начинаю чувствовать себя старухой, так что переходи на «ты», ладно?

— Ладно, — сказал я. — Только я не расслышал, как вас... как тебя зовут.

— Тея. — Она изумленно покачала головой. — Ну ладно, пошли, пока я не опомнилась! Вообще-то, я делаю большую глупость: мне еще надо попробовать добраться до своих друзей, поздороваться с ними — больше я уже все равно ничего не успею — и попасть на мюнхенский поезд... Кошмар, да?

— Кошмар! — Кажется все эти бурные переживания так выбили меня из колеи, что я почти утратил дар речи, только и мог, что вяло соглашаться со всеми ее заявлениями.

— Вот сюда! — Тея решительно свернула в какую-то короткую улочку. — Мы уже пришли.

Бистро действительно оказалось «очень американским», на мой вкус, даже слишком: стерильная белизна интерьера, даже взглядом зацепиться не за что.

— Здесь держат очень хорошие французские вина, единственное, чем меня можно соблазнить! — сообщила моя новая подружка.

— Вот и хорошо, — кивнул я. У меня кружилась голова, и вообще я был немного не в форме: мне никак не удавалось собраться с мыслями, хотя я должен был немедленно подумать о том, как буду добираться до Ехо. Пока я не очень-то себе это представлял.

— Закажи себе крепкий кофе, — строго сказала Тея. — Сколько ты не спал, дорогой? Эта твоя жизнь, которую я якобы спасла, кажется, она до сих пор висит на волоске!

— Ну, не все так страшно! — улыбнулся я. — Я действительно не спал довольно долго, но у меня все впереди, еще высплюсь! Просто мне нужно вернуться домой, чем скорее, тем лучше, а там...

— Тебя там ждут, — серьезно кивнула Тея, с удовольствием нюхая вино в своем стакане. Я даже вздрогнул: она говорила таким тоном, словно сам сэр Джуффин Халли только вчера вечером подробно рассказывал ей о том, как они все меня ждут... Да нет, показалось!

Мне принесли кофе, который действительно оказался великолепным, пожалуй, самым лучшим за всю мою странную жизнь. Тея одобрительно покивала по этому поводу, закурила и задумчиво уставилась в окно. Ее молчание было легким и ни к чему не обязывающим, я знаю не так уж много людей, способных молчать таким приятным образом. Потом она снова посмотрела на часы.

— Мне пора, — виновато сказала она. — Вот теперь мне действительно пора. Еще немного, и я могу просто возвращаться на вокзал: всего-то три часа до поезда осталось! Спасибо за вино, это было самое неожиданное приглашение в моей жизни!

— И в моей тоже, — улыбнулся я. — Или вы думаете, что я веду себя таким образом постоянно?

— А почему нет? Очень может быть! — звонко рассмеялась Тея. — Когда я увидела тебя возле моста, ты как раз беседовал с каменным львом.

Она помахала мне рукой и быстро зашагала в сторону реки. Я смотрел вслед своей спасительнице: она немного косолапила, совсем чуть-чуть, это ей даже шло, и вообще с такими невероятно красивыми ногами человек может позволить себе любую походку!

Я остался в бистро, заказал себе еще кофе и бутылку минеральной воды и принялся приводить в порядок свои суматошные записи, полный отчет самому себе о пребывании в столице Соединенного Королевства. Мне хотелось расцеловать каждую страничку: эти растрепанные мемуары помогли мне не исчезнуть навсегда — они, и веселый «летчик» Рон, бывший обладатель серой шляпы, и эта чудесная Тея, которая была так похожа на Теххи... Разобравшись с записями, я с изумлением обнаружил, что за окном уже давно стемнело. Я вздохнул, потребовал еще кофе, закурил и снова попытался понять, каким образом я могу попасть в Ехо. Это было возможно, сейчас это было легко и просто, как никогда, вот только что я должен сделать, чтобы отыскать нужную дверь, которая приведет меня в Коридор между Мирами, на порог моей любимой спальни на улице Старых Монеток? Я слишком устал от бесцельных шатаний, мне так хотелось сразу найти верное решение, но я даже не знал, с чего начать... А потом я чуть не упал со стула, оглушенный невероятной тяжестью, почти раздавленный невидимым самосвалом: в моей голове зазвучала Безмолвная речь сэра Махи Аинти.

«Любая дверь, открытая в темноте, приведет тебя туда, куда ты хочешь попасть, — сказал он. — Должно быть очень темно, чтобы видимый мир не мешал проявиться невидимому, вот и все. Ты бы и сам додумался рано или поздно, но мне уже смотреть тошно на твои мучения, коллега».

«Махи, как здорово, что вы меня нашли! Не исчезайте, ладно? Я готов терпеть беседу с вами сколько угодно!» — попросил я.

«Тебе только так кажется. Ты не в лучшей форме, коллега! Поэтому отправляйся домой, чем скорее, тем лучше, хватит с тебя пока чудес». — Я так и видел перед собой сочувственную улыбочку, надежно спрятанную в рыжеватых усах сэра Махи.

Потом мне резко полегчало: по-моему, Махи все-таки немного поторопился с концом связи. Впрочем, это было не так уж важно: он успел сообщить мне то самое верное решение, на поиски которого я вполне мог угробить вечность... Теперь мне требовалась одна-единственная «дверь в темноте», только и всего! Решить эту проблему было легче легкого: просто снять комнату в каком-нибудь отеле или пансионе, закрыть шторы, выключить свет, и вся темнота ночи будет к моим услугам! Я вышел из бистро, мне так и не пришло в голову посмотреть на его название... Ноги сами несли меня куда-то к реке, потом я свернул на узенькую улочку, остановился перед пансионом «Старый город» и решительно нажал кнопку звонка.

Комната для меня нашлась, содержимое моих карманов по-прежнему находилось в гармонии с необходимостью, так что через несколько минут я уже поднялся на третий этаж и вставил ключ в замочную скважину. Не включая свет, плюхнулся в кресло, закрыл глаза и с облегчением вздохнул. Я был в нескольких шагах от Ехо, оставалось только сделать эти несколько шагов, и уже сегодня вечером я буду показывать сэру Джуффину Халли мультфильмы про Тома и Джерри или еще что-нибудь, это же самый лучший способ извиниться за свое внезапное исчезновение!.. Но тут до меня кое-что дошло. Как это, интересно, я собираюсь показывать мультфильмы своему великолепному шефу?! Видеоаппаратуру, между прочим, следует включить в розетку, а потом уже... Я чуть не разревелся от досады: мой невероятный подарок, который я таскал за собой все это время, даже не вспоминая о нем, по-прежнему находился между большим и указательным пальцами моей левой руки, но он начинал казаться совершенно бесполезным: в Ехо попросту нет никаких розеток, там и электричества-то нет. По сравнению со всем, что успело со мной случиться, это были сущие пустяки, тем не менее именно сейчас я впервые был готов по-настоящему разреветься, как пятилетняя девчонка, честное слово!

А потом меня осенило, наверное, время от времени моя голова действительно на что-то годится! Я включил

536

свет и осмотрел свои апартаменты. Обнаружил две розетки возле входных дверей, это было как нельзя более кстати! А потом я тряхнул кистью левой руки, и громоздкий стеллаж с видеоаппаратурой и кассетами аккуратно встал на пол. Я подключил магнитофон и телевизор, потом подошел к окну, задвинул шторы, вернулся к дверям и снова спрятал имущество моей невезучей подружки Юлии между большим и указательным пальцами. К моему несказанному удовольствию, фокус удался. Было немного странно созерцать два черных электрических шнура, причудливо соединившие мой кулак с городской системой электроснабжения. «Интересно, как это будет выглядеть после моего ухода? — лениво подумал я. — Сколько ни в чем не повинных уборщиц грохнется в обморок, созерцая провода, уходящие в бесконечность? Впрочем, как сказала бы леди Сотофа Ханемер, мне бы их проблемы!» Почему-то я был абсолютно уверен, что моя идиотская выходка не помешает мне путешествовать между Мирами, я каким-то образом чувствовал это, а я привык доверять своим необъяснимым чувствам. Честно говоря, мне просто пришлось к этому привыкнуть... А потом я выключил свет и решительно распахнул дверь, ведущую в коридор, только это был не коридор пансиона, а Коридор между Мирами; во всяком случае, сэр Джуффин Халли называл это непостижимое место, грубо притягивающую к себе абсолютную пустоту, именно так. А найти там Дверь, ведущую в мою спальню на улице Старых Монеток было легче легкого, я даже сам удивился. «Господи, только пусть окажется, что я отсутствовал совсем недолго! Ну пожалуйста!» — жалобно подумал я, когда мой утраченный Мир нежно принял меня в свою уютную темноту.

Я открыл глаза и огляделся. Я лежал в собственной спальне на улице Старых Монеток, на мягком пушистом полу, который служил мне кроватью. Было темно, но мои глаза давно научились видеть в темноте не хуже, чем глаза коренных угуландцев. Из моего левого кулака по-прежнему торчали два коротеньких черных шнура, они уходили в никуда, таяли в воздухе — не обрывались внезапно, как обрезанные, а именно таяли, расплывались каким-то неописуемым туманом. Честно говоря, они здорово стесняли мои движения, поэтому я тут же встряхнул кистью руки. Стеллаж с видеоаппаратурой нахально взгромоздился прямо на мое одеяло — что ж, теперь в этой огромной кровати будет немного тесно, не самая большая трагедия, если учесть, что я вряд ли когда-то захочу использовать ее по назначению! В Ехо и без того полным-полно мест, где я могу поспать, а в путешествие между Мирами меня теперь потянет ох как не скоро — во всяком случае, я на это здорово надеялся...

— Что это ты приволок, Макс? Откуда такой внезапный интерес к уродливой мебели? — удивленно спросил сэр Джуффин. Я так и не смог понять: появился ли он из ниоткуда или просто воспользовался дверью, как все нормальные люди.

— Ох как это здорово, что вы есть, Джуффин! — Я чуть не умер от радости, а потом вспомнил свой давешний страх перед неумолимым временем и решил, что с ним нужно покончить немедленно: чем раньше я узнаю, как долго отсутствовал, тем лучше!

— Сколько меня не было? — Я чувствовал, как бешено колотятся друг о друга мои измученные дремучими чудесами сердца.

— Четыре дюжины дней, — усмехнулся Джуффин. — Сорок девять, если быть точным... Кошмар! Я так и знал, что стоит мне на секунду отвернуться, ты тут же смоешься в какой-нибудь незапланированный отпуск, на тебя это похоже! Ну и где тебя носило, ты хоть сам-то в курсе?

— Сорок девять дней?! Всего-то! — Я рассмеялся от невыразимого облегчения. — Грешные Магистры, а я-то думал!

— Что, испугался? — ехидно улыбнулся Джуффин.

— Не то слово! — Мой смех явно собирался перерасти во что-то недостойное настоящего мужчины, так что пришлось заткнуться и немного подышать, как учил великий Лонли-Локли. Через несколько секунд я понял, что если и опозорюсь, то во всяком случае не сейчас. — Джуффин, я вам все расскажу, только давайте куда-нибудь пойдем, — попросил я. — Я немного боюсь оставаться в этой грешной комнате — не ровен час, меня опять куда-нибудь унесет! И вообще, мне очень нужно сделать несколько шагов по разноцветным камушкам, которыми вымощены наши тротуары, и я уже почти забыл вкус камры... А потом мы вернемся сюда, и я покажу вам настоящее чудо, вам понравится, такого вы еще не видели! Но сначала мне нужно выйти на улицу.

— Нужно так нужно, — серьезно кивнул Джуффин. — Как скажешь! Я даже догадываюсь, где ты собираешься вспоминать забытый вкус камры.

— В «Армстронге и Элле», все правильно! — улыбнулся я, набрасывая на плечи свое черно-золотое лоохи, Мантию Смерти, по которой успел истосковаться не меньше, чем по всему остальному. — И непременно в вашем обществе. Это единственный известный мне способ извиниться перед Теххи за долгое отсутствие: привести к ней хорошего клиента.

— Что касается леди Шекк, она была единственным человеком, который не запаниковал по поводу твоего отсутствия, — задумчиво сообщил мне Джуффин. — Честно говоря, после того как Маба выложил мне, что тебя вообще нет нигде — ни в одном из Миров, земля немного зашаталась даже под моими ногами, чего со мной уже давненько не случалось. Но твоя подружка только загадочно улыбалась и твердила, что все будет в порядке...

— Да? — усмехнулся я. — Кто бы мог подумать! Вообще-то, по законам жанра ей полагалось бы смирно лежать в глубоком обмороке все это время... Хорошо, что Теххи плевать хотела на законы жанра!

— Хочешь пойти пешком? — спросил Джуффин, открывая передо мной дверь. — Вообще-то, до улицы Забытых Снов далековато, ты еще не забыл?

— Я бы все-таки пошел пешком, если вы не против, — признался я, осторожно ставя ногу на мозаичный тротуар. Пока я шлялся невесть где, у нас, в Ехо, наступила осень, и это было прекрасно, еще лучше, чем прочие времена года, которые тоже чудо как хороши! Порыв сердитого речного ветра чуть не сорвал с меня тюрбан, я рассмеялся от неожиданности:

— Правильно, побольше холодного ветра с Хурона на мою сумасшедшую голову, может быть, тогда до меня дойдет, что я вижу вас не во сне.

— А какая разница? Главное, что видишь, — усмехнулся Джуффин. — Ладно уж, пешком так пешком, сегодня можешь капризничать, сколько влезет! Знаешь, а ты здорово изменился... старше стал, что ли?

— Очень может быть, — вздохнул я. — Магистры меня знают, сколько я там шлялся! А еще обещал бедняге Мелифаро, что он соскучиться не успеет.

— Да, тут ты немного погорячился. Он все-таки успел... Но ты же знаешь Мелифаро, он все делает быстро!

— Святые слова! — улыбнулся я, сам удивляясь переполнившей меня гремучей смеси нежности и ехидства. И тут я кое-что вспомнил и растерянно посмотрел на своего шефа.

— А чем закончилась эта история с нашими живучими покойничками? — встревоженно спросил я. — Я ведь так и не принес эту дурацкую святую воду, забыл напрочь! Как это на меня похоже! Я же именно за ней туда и поперся...

— Ну, положим, не так уж и за ней, ты и сам это знаешь! Есть много способов сойти с ума, когда два Мира заводят спор о том, которому из них ты принадлежишь. И в любом случае это была худшая из твоих идей, сэр Макс. Эта так называемая святая вода не способна причинить вред даже той нечисти, которая обитает в твоем собственном Мире, можешь мне поверить. Что уж тут говорить о нашей!

— А в моем Мире тоже обитает нечисть? — сдуру брякнул я. Потом вспомнил, в каком качестве сам там находился, и покраснел. — Извините, кажется я спорол глупость. Где ее только нет, всякой непостижимой дряни!

— Это ты мне говоришь как крупный специалист в этом вопросе, да? — подмигнул Джуффин. — Ладно уж, но мне действительно любопытно: чем ты там занимался? И почему Маба не смог тебя найти? Если уж он берется за дело, то, как правило, делает его основательно... Что с тобой вообще произошло, ты сам-то помнишь?

— Знаете, боюсь, что меня действительно нигде не было, в каком-то смысле. И еще мне кажется, что все это время я был Доперстом, — вздохнул я. — Дело в том, что мой болтливый язык случайно даровал свободу этому существу, которое разъезжало в нашем с вами трамвае... Вы помните, сэр Маба в свое время нам о нем рассказывал и говорил, что рано или поздно я должен буду с ним разобраться.

— Еще бы я не помнил! — Джуффин озадаченно покачал головой. — Ну и новости! Ладно, Макс, можешь сменить тему, не думаю, что твой путаный рассказ сможет меня удовлетворить, к тому же это — не лучший способ скоротать досуг... У меня, хвала Магистрам, найдется дюжина других возможностей выяснить все подробности, для этого тебе просто придется переночевать у меня, как после возвращения из Кеттари. Хуф будет счастлив...

— Это здорово! — мечтательно улыбнулся я. — Только Теххи будет возражать, вам не кажется?

— Ну, повозражает немного, если захочет, — пожал плечами Джуффин. — Обожаю, когда мне возражают, это делает жизнь не такой пресной!

— Экий вы грозный! — с удовольствием отметил я. — С ума сойти можно... И все-таки чем закончилась история с этими покойниками? Мне действительно интересно: как бы там ни было, а они из меня душу вынули!

— Могу себе представить! — усмехнулся Джуффин. — Немного невовремя они на тебя свалились, да? Но ты был просто великолепен, Кофа до сих пор в себя прийти не может! Кажется, он был бы не против, если бы ты навсегда остался сидеть в моем кресле, твои методы работы произвели на него самое грандиозное впечатление, особенно все эти завтраки, обеды и ужины!

— Издеваетесь? — польщенно хмыкнул я.

— Немножко... А с покойниками, как ты выражаешься, все в полном порядке. Я вас завтра познакомлю.

— С кем, с мертвецами? — От неожиданности я врезался лбом в толстый ствол дерева вахари и тихо взвыл.

— Никакие они не мертвецы... А не так уж ты и изменился! — расхохотался Джуффин. — Узнаю старого доброго Макса... С тобой очень хочет познакомиться сэр Нанка Ёк, Великий Магистр Ордена Долгого Пути. Ему ужасно интересно, что за парень чуть было не разрушил все его планы, а потом сам же все исправил...

— Какие планы? — удивился я. — Он что-то перепутал, этот сумасшедший Магистр. Чего я точно не делал в ваше отсутствие, так это не сражался ни с какими Магистрами!

— Ты так и не понял, Макс! Куда подевалась твоя хваленая сообразительность? — Джуффин укоризненно покачал головой. — Не было никаких мертвецов, с самого начала. На Зеленом Кладбище Петтов объявились члены древнего Ордена Долгого Пути. Несколько дюжин тысячелетий назад, чуть ли не во времена Халлы Мохнатого, они добровольно ушли под землю, чтобы обрести бессмертие, — только не требуй у меня объяснить, как их угораздило, это уж пусть сам Нанка тебе рассказывает, он-то как раз очень любит поговорить на эту тему!

— Поговорить?! — возмутился я. — Когда я пытался с ними пообщаться, мне сказали «ы-ы-ы-ы». На этом наша содержательная беседа и закончилась, насколько я помню.

— Ну, разумеется, — пожал плечами Джуффин. — Этим беднягам требовалось провести несколько дней на поверхности, чтобы стать людьми. А вы их все время убивали, сжигали, закапывали, чего вы только с ними не делали! Ребятам приходилось каждый раз начинать все сначала... Но твоя идея насчет скульптур оказалась им очень даже на руку: наши клиенты спокойно полежали в своих каменных коконах, оклемались, приняли человеческий облик. Правда, сам Нанка к тому времени уже успел явиться в Дом у Моста и объяснить Кофе, что к чему...

— Как это?! — изумился я. — Он что, гулял по Ехо, залитый камнем? Вот это было зрелище, могу себе представить! Какая жалость, что я его пропустил!

— Да нет, — улыбнулся Джуффин. — Нанка сбежал от вас еще раньше, вернее, не от вас, а от Городской Полиции. Лейтенант Чекта Жах его упустил, а тебе сказать побоялся...

— Вот гаденыш! — восхищенно сказал я.

— Есть немного, — кивнул Джуффин, — я с ним уже это обсудил, так что можешь не объявлять вендетту, с него, пожалуй, хватит! Кстати, по идее, ты сам должен был разглядеть некую виноватую тайну на дне его глазенок. Ладно, это дело наживное... А сэр Нанка Ёк — действительно могущественное существо, настоящий древний Магистр! Даже в том сумеречном состоянии, в котором он тогда находился, он смог сообразить, что к чему, проскользнуть мимо перепуганных полицейских и отползти на безопасное расстояние от вашего полигона. Он полежал в кустах дней шесть, пока к нему не вернулся его нормальный облик, а потом пошел прямо в Дом у Моста.

— А откуда он узнал про Дом у Моста? — изумился я. — Насколько я понимаю, при его жизни наше веселенькое учреждение еще не существовало!

— Дырку в небе над твоей лохматой головой, сэр Макс! Мог бы и сам сообразить: такие могущественные существа, как Магистр Нанка Ёк вполне способны просто прочитать мысли слоняющихся неподалеку полицейских!

— Да, действительно, — усмехнулся я, — кажется, я не в лучшей форме, Махи дело говорил!

— А ты что, виделся с Махи? — Брови сэра Джуффина удивленно поползли вверх, под тюрбан.

— Не виделся. Я с ним говорил, даже два раза. В самом начале своего идиотского мероприятия и совсем недавно. Во второй раз Махи сам прислал мне зов и подсказал, как оттуда выбраться. Может быть, я бы и сам справился, а может — нет, не знаю. Но мне кажется, что я — его вечный должник...

— Ничего себе! — покачал головой Джуффин. — Чтобы старый хитрец Махи Аинти пришел кому-то на помощь?! Мои поздравления, Макс: его теплые чувства к тебе не поддаются описанию! Предоставлять каждого его судьбе и меланхолично поплевывать в потолок — это же основной принцип жизненной философии моего драгоценного наставника.

— Просто я везучий, — улыбнулся я. — Знаете, Джуффин, думаю, что я попал в такую странную переделку, что даже Махи стало интересно в этом поучаствовать!

— Еще бы! — фыркнул Джуффин. — Честно говоря, я сам умираю от любопытства, дождаться не могу, когда ты начнешь клевать носом и я смогу узнать все подробности твоей познавательной экскурсии...

— Ох, думаю, что скоро начну, — вздохнул я. — Вот только поздороваюсь с Теххи и сразу же отрублюсь. У меня такое впечатление, что я не спал несколько лет. Может быть, вам и это удастся выяснить...

— Что именно?

— Сколько лет я шлялся по своей бедной родине, — объяснил я. — У меня такое ощущение, что я был там очень долго, какие уж там сорок девять дней!

— Выясню, выясню... — равнодушно пообещал Джуффин. — Мы уже пришли, Макс. Ты что, не узнаешь?

— Узнаю, — улыбнулся я, почти бегом сворачивая к приоткрытой двери «Армстронга и Эллы», — еще бы я не узнал!

— Ну и в какое болото тебя на этот раз вурдалаки макали, душа моя? — Теххи улыбнулась мне из-за стойки. — Грешные Магистры, да ты под конвоем! Что, сэр Джуффин, вы уже тащите его в Холоми? Так мило с вашей стороны!

— Обойдется! — усмехнулся Джуффин. — Не дам я ему в Холоми отлеживаться, и так нагулялся — дальше некуда! Но ты можешь не слишком-то радоваться, девочка: если этот любитель долгих прогулок и будет иногда доползать до твоей забегаловки, то несколько не в той форме, на которую ты рассчитываешь...

— А вы успели подружиться, ребята! — восхищенно сказал я, обнимая Теххи.

— От тебя за милю несет какими-то потусторонними Мирами! Ладно, хорошо хоть не чужими духами... — вздохнула она, уткнувшись в мое плечо. — Конечно, мы подружились. Надо же мне было рыдать хоть на чьей-то груди, а лоохи сэра Джуффина просто создано для того, чтобы промокать от девичьих слез.

— Ага, слушай ее больше! — ухмыльнулся Джуффин, удобно устраиваясь на высоком табурете. — Если уж на то пошло, то скорее я сморкался в подол ее скабы, а мудрая леди Шекк задумчиво чревовещала, что с тобой, дескать, все будет в порядке!

— И оказалась права, как видите. — Теххи склонилась над маленькой жаровней. — Я же знаю, зачем ты сюда пришел, милый. Нужны тебе все эти объятия и поцелуи, тебе же моей камры до смерти хочется!

— Хочется, причем именно «до смерти», — подтвердил я, устраиваясь рядом с Джуффином. — Но против объятий и поцелуев я тоже не возражаю, тут ты здорово промахнулась!

— Хотелось бы верить! — улыбнулась Теххи, поднимая на меня глаза. Они были такими печальными, что земля из-под ног уходила, как бы она там ни улыбалась. На мгновение ее лицо показалось мне гораздо старше, оно было так похоже на лицо этой милой седой леди из Нюрнберга, что я чуть не свалился с табурета.

— Теххи, так это все-таки была ты? — тихо спросил я. — Это ведь ты застукала меня за дружеской беседой с каменным львом, а потом дала свое зеркальце? Мне не показалось?

Она пожала плечами, молча поставила перед нами кувшин с камрой и отвернулась. Всем своим видом она пыталась показать, что понятия не имеет, что это за чушь такую я несу.

— Я так и знал, что у тебя хватило нахальства послать за ним свою Тень, девочка! — понимающе улыбнулся Джуффин. — Я был почти уверен!

— Делать мне больше было нечего! — усмехнулась Теххи. — Какая такая «тень»?! Понятия не имею, о чем вы говорите. Вы опять путаете меня с моим знаменитым папочкой, сэр! — Но ее черные глаза смотрели на нас настороженно и даже немного сердито.

— Ладно, твои тайны — это твои тайны! — примирительно вздохнул я. — Я просто хотел сказать спасибо... тебе или твоей Тени.

— Да нет у меня никаких тайн! — Теххи опять улыбалась, никакой запредельной печали не осталось в ее темных глазах. — И вообще, как ты себе это представляешь, Макс? Я и сама — не большая любительница бегать за мужчинами, а посылать бегать за ними свою ни в чем не повинную Тень — это уж как-то слишком!

— Не за «ними», а только за мной! — обиженно возразил я.

— Ну разве что только за тобой, — неожиданно согласилась Теххи. — С другой стороны, моя Тень не настолько легкомысленна, чтобы пить вино в обществе первого встречного красавчика. Так что я думаю, что это была не она...

— Да какой из меня «красавчик»! — кокетливо отмахнулся я. Но мои сердца колотились о ребра как сумасшедшие: Теххи знала, что я угостил Тею стаканчиком хорошего французского вина, хотел бы я выяснить, откуда ей это стало известно?!

— Какие вы таинственные, господа! — ехидно вставил Джуффин. — Чем дальше, тем интереснее, как я погляжу!

— Чем дальше, тем любопытственнее, — машинально поправил я. Это вообще была моя любимая цитата, на все случаи жизни...

Я осторожно отпил глоток горячей камры из своей чашки и расплылся в улыбке. Какой уж там кофе, это было гораздо лучше! Моя голова сама собой опустилась на руки, глаза наотрез отказывались оставаться открытыми.

— Если бы вы знали, как я вас люблю, ребята! — пробормотал я, засыпая. Мог бы придумать что-нибудь пооригинальнее, честное слово!

— Ну да, и еще ты хочешь жениться, на нас обоих сразу! — Сэр Джуффин смеялся так, что стекла звенели, но даже это не помешало мне заснуть.

Сквозь сон я слышал, как Джуффин что-то говорил Теххи — кажется, сочувственно объяснял ей, что увозит меня с собой исключительно в силу необходимости.

— Исключительно по причине собственной злокозненности! — сонно проворчал я, к их великому удовольствию, а потом снова заснул, на этот раз так крепко, что бедняге Джуффину наверняка пришлось волочь меня в амобилер за шиворот, впрочем, с него станется...

Я проснулся оттого, что кто-то восторженно облизывал мой нос. «За Теххи этого вроде бы никогда не водилось! Куда же меня занесло в таком-то случае?» — лениво подумал я, открывая глаза. На моей груди восседало пушистое существо с нелепой, но милой бульдожьей мордашкой — Хуф, любимый песик сэра Джуффина. Я рассмеялся и чмокнул собачку в маленький влажный носик. Это было лучшее пробуждение в моей жизни, честное слово!

— Мало того что ты нахально занял мою собственную кровать, теперь ты еще похитил сердце моей верной собаки! — Сэр Джуффин остановился на пороге, восхищенно качая головой. — Кошмар какой-то! Без тебя мне жилось гораздо комфортнее, что правда, то правда.

— Будете знать, как увозить меня от любимой женщины, да еще после долгой разлуки! — Боюсь, что я выглядел слишком довольным для такого возмущенного заявления.

— Буду, — спокойно кивнул Джуффин.

— Ну и как вам мои приключения? Вам удалось с ними разобраться? — спросил я, изо всех сил пытаясь стать серьезным. Получалось не очень-то: я все еще не мог поверить в реальность происходящего — слишком уж хорошо!

— Приключения те еще! — задумчиво хмыкнул Джуффин. — Вообще-то, тебе уже пора бросить службу и основать свой собственный Орден — самое время! Как жаль, что эпоха Орденов ушла безвозвратно...

— Так что придется оставить все как есть, да? — обрадовался я. — У меня найдется полчаса, чтобы привести себя в порядок?

— Десять минут! — сурово сказал Джуффин. — Уже полдень близится, а я все еще тут с тобой болтаюсь. Если учесть, что без чашки камры ты откажешься выходить из дома, я вообще слабо представляю, когда мы с тобой все-таки доковыляем до Управления... А тебя там, между прочим, ждут. Думаю, Мелифаро просто жаждет поставить тебе синяк под глазом: твое исчезновение потрясло его до глубины души, он чуть ли не дюжину дней ходил с такой постной рожей, что смотреть было страшно.

— А я спрячусь за широкую спину сэра Лонли-Локли! — улыбнулся я, сбегая вниз по устланной тонким ковром лестнице. — Однажды я спас Шурфу жизнь, так что теперь его очередь...

Оказавшись в ванной комнате, я поставил невероятный, но бессмысленный рекорд, умудрившись окунуться во все одиннадцать бассейнов, имевшихся в доме сэра Джуффина, за какие-то несчастные десять минут. Потом я надел тонкую черную скабу, прямо на мокрое тело — за мной такое водилось — и внимательно уставился на свое отражение в зеркале. Ничего страшного я там не обнаружил: я действительно стал немного старше, тонкие, но заметные морщинки обозначились в уголках рта, глубокая вертикальная складка залегла между бровями, но лицо было мое собственное... или почти мое. Я пригляделся повнимательнее: кажется, в нем появилась какая-то неопределенность, незавершенность, что-то, что не позволяло сосредоточиться...

— Ну что, красавчик, ты себе нравишься? — ехидно спросил сэр Джуффин из-за моей спины. Я смущенно обернулся.

— Нравлюсь, как всегда... — гордо заявил я. И тут же испуганно спросил: — А вам не кажется, что что-то с ней не так, с моей физиономией?

— Пошли завтракать, чудо! — усмехнулся Джуффин. — Ты помнишь, как выглядит твой приятель Махи?

— Его лицо абсолютно невозможно запомнить, вы же сами знаете, — машинально ответил я, поднимаясь наверх в гостиную. А потом я начал понимать.

— Именно это я и имею в виду, — сухо кивнул Джуффин. — С твоей рожей случилось примерно то же самое... Остается предположить, что старик Махи тоже попал в подобную переделку, когда был молодым и глупым. Забавно!

— Вы мне льстите, — недоверчиво сказал я.

— Я?! С чего ты взял? Я просто над тобой издеваюсь, по мере своих скромных возможностей, — улыбнулся Джуффин, усаживаясь за стол. — Давай приступай к своим основным обязанностям, парень.

— С удовольствием. — Я сделал несколько хороших глотков камры, машинально сунул в рот какое-то печеньице. — Так сколько я там пробыл, Джуффин? Мне действительно интересно.

— Ты все время горячо интересуешься вещами, которые не имеют никакого значения, — пожал плечами мой шеф. — В том Мире, где ты слонялся, прошло почти девять лет. Впрочем, я не думаю, что время затронуло тебя по-настоящему: твои волосы, например, почти не стали длиннее, а я могу поклясться, что ты так и не добрался до цирюльника. Я прав?

— Ничего себе! — Я удрученно покачал головой. — Во всяком случае, по моим внутренним часам прошло около года, никак не больше.

— Значит, у тебя очень паршивые внутренние часы! — хмыкнул Джуффин. — У всех свои недостатки! Счастье, что ход времени в одном Мире никак не связан с ходом времени в другом... Знаешь, я думаю, что девять лет отсутствия — это немного слишком.

— Я тоже, — задумчиво кивнул я. — Но в какой-то момент я здорово испугался, что вернусь в Ехо через несколько сотен лет после того, как ушел, я тогда чуть не рехнулся... А что еще вы обо мне узнали, Джуффин?

— Все! — гордо сообщил мой шеф. — В том числе кое-что, о чем ты сам забыл напрочь. Но если ты не возражаешь, я буду выдавать тебе эту информацию по частям... и начну не сегодня. Что тебе сейчас действительно следует сделать, так это постараться какое-то время вообще не думать обо всем этом. В Мире и без того много интересных вещей. А тебе потребуется очень много времени, чтобы смириться с собственным могуществом.

— С «могуществом»? — изумленно переспросил я.

— Вот именно. Теперь я, кажется, знаю, что ты из себя представляешь... А тебе не к спеху, разве что действительно соберешься основать новый Орден, тогда конечно!

— Не соберусь, — улыбнулся я. — Просто времени не найду... И потом, вы же знаете, у меня никогда не было никаких амбиций.

— Да, уж чего у тебя никогда не было... И не будет, надеюсь!

— Джуффин, — жалобно попросил я, — вы мне просто скажите, что со мной все в порядке, и я оставлю вас в покое. Никаких дальнейших расспросов!

— С тобой действительно все в порядке, Макс, — мягко улыбнулся Джуффин. — И даже более чем... Во всяком случае, Мир, в котором ты родился, больше не претендует на обладание твоей персоной. Так что тебе вряд ли предстоит еще раз пережить подобное приключение. Разве что какое-нибудь другое, но ни один человек ни в чем не может быть уверен, а мы с тобой пока что люди... А теперь постарайся занять свою голову другими проблемами.

— Ладно, тогда нам с вами действительно пора в Дом у Моста! — кивнул я. А потом вспомнил про свой сюрприз.

— Что это за хитрющий блеск появился в твоих глазах? — с любопытством осведомился Джуффин. — Ах да, ты же еще вчера грозил мне какими-то чудесами! Они как-то связаны с этой уродливой мебелью, которую ты зачем-то притащил со своей странной родины, да?

— Вот-вот! — Я мечтательно улыбнулся. — Пожалуй, я вас все-таки помучаю до вечера, должен же я как-то вам отомстить. У вас свои секреты, а у меня — свои...

— Тебе же хуже, — с деланным равнодушием заметил Джуффин, — я-то как-нибудь потерплю, а вот ты лопнешь от своей тайны и до заката не продержишься.

— Лопну, наверное, — вздохнул я, — но до заката продержусь, вот увидите!

— Ладно, продержишься так продержишься, — согласился мой шеф. — В любом случае я не думаю, что у меня до вечера выдастся свободная минутка. Эта торжественная встреча твоей драгоценной персоны здорово выбила меня из графика... Поехали, сегодня можешь сесть за рычаг моего амобилера, с Кимпой я уже договорился.

— С ума сойти! — Я восхищенно покачал головой. — Старик согласился доверить мне ваше священное тело?

— Ага. Я сказал ему, что этого требуют интересы Соединенного Королевства, а у Кимпы очень развито чувство гражданской ответственности...

Стоило мне дорваться до рычага амобилера, как все метафизические проблемы разом вылетели из моей бедной головы. Я вовсю наслаждался жизнью вообще и быстрой ездой в частности. Сэр Джуффин, судя по всему, тоже наслаждался — во всяком случае, резкие очертания его хищного профиля всю дорогу немного размывались самой мечтательной улыбкой.

— Все-таки Ехо — самый красивый город во всех Мирах! — тихо вздохнул я, остановив амобилер у служебного входа в Управление Полного Порядка. — Даже то безобразие, которое я сотворил неподалеку от Кеттари, чуть-чуть не дотягивает.

— Подожди зарекаться, Макс, — улыбнулся сэр Джуфин, — ты еще не видел Черхавлу!

— А что это? — с любопытством спросил я.

— Заколдованный город на континенте Уандук, в самом сердце великой Красной Пустыни Хмиро, думаю, он бы тебе понравился... Ладно уж, пошли. Ты готов к медленной смерти от удушья?

— Смотря в чьих объятиях! — хихикнул я. — Леди Меламори или тот же сэр Кофа — это еще куда ни шло... Главное, чтобы на меня не набросился генерал Бубута: он немного не в моем вкусе!

— Не переживай, даже если сэр Бох попадется нам навстречу, что довольно сомнительно, он вряд ли решится к тебе прикоснуться, ты же ядом можешь плюнуть, в случае чего!

— Да, действительно. А я и забыл!

Мы прошли сквозь пустые прохладные коридоры Управления. Я наслаждался, вдыхая едва уловимый знакомый запах, неопределенный, но ни с чем не сравнимый, — запах стен Дома у Моста. Эта идиллия была разрушена самым грубым образом: что-то тяжелое внезапно обрушилось на меня сзади и крепко стиснуло шею. Я мешком грохнулся на пол под этой непереносимой тяжестью, взвыв от неожиданности и боли в ушибленной коленке. Краем уха я слышал злорадный хохот Джуффина, свидетельствующий о том, что катастрофа была запланированной.

— Теперь ты мой боевой трофей, так что я, пожалуй, повешу тебя на стене в своей гостиной! — Счастливый Мелифаро с видом победителя уселся мне на грудь и сделал вид, что собирается меня придушить. — Что, испугался?

— А ты как думаешь? — улыбаясь до ушей, спросил я. — Я еще и ушибся, между прочим!

— Я тоже! — рассмеялся Мелифаро. — Вообще-то, такой великий герой, как ты, мог бы и устоять на ногах!

— Я бы мог, конечно, — гордо сообщил я. — Но если бы я не упал, ты бы не ушибся, и мне было бы обидно. А так все в порядке... Знаешь, я, конечно, рассчитывал на бурные объятия, но не настолько же!

— Это была сладкая месть, — объяснил Мелифаро, помогая мне подняться. — Мне ужасно хотелось, чтобы ты на собственном опыте почувствовал, что случилось со мной на пороге твоей спальни. Через полчаса после твоего ухода я вспомнил, какие у тебя были безумные глазищи, все взвесил и здорово забеспокоился. Тогда мы с Меламори решили прогуляться по твоему следу, чтобы убедиться, что с тобой все в порядке. Мы приперлись в твою бывшую квартиру на улице Старых Монеток только для того, чтобы ты исчез из-под одеяла прямо у нас на глазах. Представляешь, какое удовольствие мы получили?

— Ужас! — искренне сказал я. — Но в тот момент я проводил время не намного веселее, можешь мне поверить!

— Да? Ты меня утешаешь. Пустячок, а приятно! — рассмеялся Мелифаро.

— Вообще-то, в нашем распоряжении имеются гораздо более комфортные помещения, чем этот пустой коридор, — задумчиво сказал сэр Джуффин, обращаясь к потолку. — Вы об этом знаете, мальчики?

— Да, кто-то мне уже об этом говорил! — с умным видом покивал Мелифаро. И мы наконец-то зашли на свою половину Управления.

— Макс, ты очень разумно поступил, что решил вернуться! — торжественно сообщил мне Шурф Лонли-Локли, поднимаясь из-за стола в Зале Общей Работы. — В твоем отсутствии было что-то неуместное.

— Еще бы! — кивнул я. — Грешные Магистры, Шурф, именно «неуместное», лучше и не скажешь. Как ты все-таки умеешь обращаться со словами!

— Это — результат многолетнего подчинения процесса мышления суровой самодисциплине. Лет через девяносто ты тоже так научишься, — важно сказал Лонли-Локли и вдруг усмехнулся и подмигнул мне, совершенно неожиданно.

— С ума сойти, какой ты стал ироничный, мне даже завидно! — улыбнулся я. — Ох, ребята, если бы вы знали, как с вами хорошо...

— С тобой тоже неплохо, — тихо сказала Меламори. Она умудрилась появиться у меня за спиной так бесшумно, что я вздрогнул.

— Обижаешь, незабвенная. Со мной не «неплохо», а просто прекрасно! — улыбнулся я.

— Да, действительно, бывает и хуже, — согласился Джуффин. — Учти, парень, тебе придется накормить всю эту гвардию хорошим обедом, причем за свой счет. Хватит уже издеваться над несчастной казной! После того как нам пришлось оплатить работу нанятых тобой скульпторов, сэр Донди Мелихаис дюжину дней на меня зверем смотрел... И может быть, после этого мы согласимся простить тебе свои потрепанные нервы.

— Я с детства предчувствовал, что мне никогда не удастся разбогатеть, — вздохнул я. — Теперь вот корми вас, проглотов... Кстати, о проглотах, а где сэр Кофа?

— Наш Мастер Кушающий-Слушающий заблаговременно занял место за столиком в «Обжоре» еще со вчерашнего вечера, — хихикнул Мелифаро.

— Тогда пошли! — улыбнулся я. — Кто я такой, чтобы заставлять ждать самого сэра Кофу Йоха!

Уже на пороге мы столкнулись с Луукфи.

— Сэр Макс, какая неожиданность! — засиял Луукфи. — Вас ведь не было несколько дней, правда? Вы что, простудились?

— Можно сказать и так, — задумчиво кивнул я. Иногда все чудеса меркнут по сравнению с нечеловеческой рассеянностью сэра Луукфи Пэнца, честное слово!

Дальше все было как в самом сладком сне самого безнадежного одинокого мечтателя, даже еще лучше. Вкус полузабытых фирменных деликатесов мадам Жижинды в сочетании с лицами и голосами людей, которых я почти потерял, а потом встретил снова... Я был как в тумане, но это был хороший, ПРАВИЛЬНЫЙ туман, он ни в какое сравнение не шел с тем опасным туманом, который окутывал мою голову в течение девяти лет или сорока девяти дней... признаться, мне было гораздо приятнее думать, что мои бессвязные скитания продолжались всего сорок девять дней, чем меньше — тем лучше!

А потом мы вернулись в Дом у Моста, и сэр Джуффин Халли потащил меня в приемную, где сидел какой-то синеглазый юноша в роскошном темно-зеленом лоохи. Он внимательно уставился на меня из-под черного тюрбана, его взгляд показался мне таким же тяжелым, как взгляд самого Джуффина... или еще тяжелее, если честно.

— Это и есть Великий Магистр Ордена Долгого Пути, сэр Нанка Ёк, Макс, — торжественно сказал Джуффин. — Я же обещал вас познакомить.

— Я кажусь вам слишком молодым, да? — улыбнулся незнакомец, созерцая мою растерянную физиономию. — Я уже понял, что у моей новой внешности есть свои недостатки: никто не хочет принимать меня всерьез.

— На мой вкус, это скорее достоинство, — возразил я. — Это же отлично, когда тебя не принимают всерьез: можно спокойно заниматься своим делом, никто и не подумает обратить на это внимание...

— Вы правы, наверное, — вздохнул Великий Магистр. — Тем не менее мне довольно трудно привыкнуть. Видите ли, в моей прежней жизни, до того как я увел своих людей искать силу на тропах мертвых, меня все принимали всерьез, даже более чем...

— А толку-то! — усмехнулся я. — С тех пор как мне пришлось напялить на себя Мантию Смерти, меня принимает всерьез куча народу, но это совершенно не способствует моему душевному комфорту, скорее, наоборот!

— Вот это и есть настоящий конфликт эпох! — мечтательно протянул сэр Джуффин. — Какая прелесть... Впрочем, я вынужден вас огорчить, сэр Нанка: Великий Магистр Ордена Семилистника Нуфлин Мони Мах все-таки принимает вас более чем всерьез, и это здорово осложнит вашу дальнейшую жизнь. Вчера утром я снова говорил с ним о вас. Нуфлин готов предоставить вам и вашим людям все, что необходимо для комфортной жизни, даже сверх необходимого, но при одном условии: вы должны держаться подальше от Угуланда.

— Мы и без того не собирались здесь оставаться, — холодно улыбнулся Магистр Нанка. — Нам не нужна сила Центра Мира, сэр Халли, я же говорил вам об этом с самого начала... Кроме того, мы сами не заинтересованы в том, чтобы нарушить равновесие Мира... во всяком случае, не сейчас. Нам все равно где поселиться.

— Орден Семилистника готов предоставить вам часть своих земель в Гугланде, — заметил Джуффин.

— По ту сторону залива, разумеется! Ну что ж, будем давиться дрянной иррашийской камрой. Ничего, бывает и хуже... Да, этот ваш Великий Магистр Нуфлин — просто чудо осторожности. Даже забавно, как успел измениться этот Мир. — Нанка Ёк заметно воспрял духом. Видимо, веские доказательства того прискорбного факта, что его все еще принимают всерьез, здорово подняли его настроение.

— Разумеется, — спокойно подтвердил Джуффин. — Но вам же все равно где жить, если я вас правильно понял... Сэр Макс, теперь это — твоя головная боль. Люди Магистра Нанки могут оставаться в Ехо еще в течение дюжины дней. Но если за это время они не покинут столицу...

— Мы покинем ее завтра же! — высокомерно отозвался Нанка Ёк. — Не пытайтесь меня испугать, сэр Халли, это просто не нужно. Мы не собираемся ни с кем воевать. У нас свои пути.

— Я и не думал вас пугать! — усмехнулся Джуффин. — Просто пытаюсь переложить часть своих обязанностей на сэра Макса. Извините, что мне пришлось сделать это в вашем присутствии.

— Вам не нужно притворяться! — Магистр Нанка вдруг улыбнулся нам обоим с неожиданным дружелюбием. — Ваша логика безупречна и очевидна: вы даете мне понять, что контролировать наш отъезд из Ехо будет человек, которого мои люди до сих пор считают самым опасным существом в этом городе. На вашем месте я бы и сам так поступил... Но вам действительно не следует беспокоиться на наш счет. Неужели вы думаете, что можно вернуться из путешествия, подобного нашему, и по-прежнему интересоваться такой ерундой, как номинальная власть?

— Все бывает, — пожал плечами Джуффин. — Мое дело — предупредить. Работа у меня такая, знаете ли...

— Знаю я, какая у вас работа! — усмехнулся Нанка Ёк. — Вообще-то, ваша организация гораздо больше смахивает на какой-то зловещий Орден наших времен, чем на полицию, пусть даже и «тайную».

— Почему это «зловещий»? — весело встрял я. — Мы такие милые ребята!

— Кто бы говорил, сэр Макс! — вздохнул Магистр Нанка. — Кстати, я должен вас поблагодарить за то, что вы не применили против нас всю свою силу. В какой-то момент я, признаться, опасался, что даже бессмертие, обретенное нами на тропах мертвецов, ускользнет из наших слабых рук. Эти ваши Смертные Шары... Знаете, я никогда прежде не видел ничего подобного! Стоило вам по-настоящему захотеть избавиться от нас навсегда, и у вас могло бы получиться. Нам повезло, что вы не любите убивать: всякий раз вы испытывали мимолетное сомнение — и оставляли нам шанс.

— А я-то, дурак, еще за святой водой мотался! — горько усмехнулся я. — А счастье было так близко... Ладно, в любом случае я рад, что с вами все в порядке!

— Да, ваша идея превратить нас в скульптуры была просто великолепна! — уважительно кивнул Нанка Ёк. — Моих людей это спасло, а если бы мы были настоящими ожившими мертвецами, мы действительно не смогли бы причинить жителям этого города никакого вреда... Правда, моим людям чуть не пришлось навсегда остаться обладателями каменных тел. Этот странный новый состав оказался очень крепким. Во всяком случае я очень опасался, что им придется оставаться в таком виде до возвращения сэра Халли, а это было бы не слишком хорошо: мы уже вполне бессмертны, но это не означает, что мы не способны страдать от удушья... Но мы выкрутились раньше.

— Кошмар какой! — с ужасом прошептал я. И тут же с любопытством спросил: — И как же вы выкрутились?

— Нам помог этот смешной человек... подскажите, как его зовут, сэр Халли.

— Им помог не кто иной, как господин Лукари Бобон, дядюшка нашего Луукфи, — улыбнулся Джуффин.

— Тот, который кладбищенский сторож? — припомнил я.

— Не кладбищенский сторож, а похоронных дел мастер. Хорошо, что бедняга тебя не слышит! — рассмеялся Джуффин. — Как бы там ни было, он оказался счастливым обладателем великого секрета — состава, который разрушает жидкий камень. В его работе это иногда оказывается полезным...

— Так что, Луукфи с ним помирился? — поинтересовался я.

— Да. Их примирение продолжалось дня два, а потом они опять чего-то не поделили. Полагаю, что семейные капиталы...

— Представить себе не могу, как наш сэр Луукфи с кем-то ругается! — улыбнулся я.

— Ничего, с Лукари Бобоном может поругаться кто угодно! — успокоил меня Джуффин. — Он очень темпераментный господин.

Наверное, Великий Магистр Нанка Ёк немного заскучал, слушая нашу беседу. Во всяком случае, я не удивился, когда он решительно поднялся со стула.

— Завтра утром мы уедем, — задумчиво сказал он. — В Гугланд так в Гугланд, это действительно не имеет значения... Думаю, что когда-нибудь судьба сведет нас снова. Тайные тропы всегда пересекаются в нескольких точках, если уж пересекаются...

— Это будет не худшее событие в нашей жизни, я полагаю, — задумчиво кивнул Джуффин.

— Прощайте, сэр Нанка, — сказал я. — Я рад, что не слишком хорошо справился со своей работой, честное слово!

— Ты завтра все-таки проконтролируй их отъезд, — меланхолично заметил мой шеф, когда Великий Магистр Нанка Ёк покинул просторную комнату для посетителей. — Думаю, они действительно не будут доставлять нам никаких хлопот: у ребят найдутся заботы и поважнее, но чем только Темные Магистры не шутят!

— Ага, — кивнул я. — И древние заодно...

Остаток дня сэр Джуффин Халли провел как на иголках. Я-то давно был готов сдаться и открыть ему свою «страшную тайну уродливой мебели» еще до заката, но на моего великолепного шефа все время сваливались какие-то текущие проблемы, это только я пока бесцельно шлялся по Управлению, из одного кабинета в другой, с осоловевшим от счастья лицом, как будто в гости пришел, честное слово!

Наконец Джуффин пулей вылетел из своего кабинета, на бегу объясняя какому-то типу, лоохи которого свидетельствовало о его придворной службе, что у него, дескать, случилось «совершенно неотложное дело».

— Пошли, Макс! — Он ухватил меня за полу Мантии Смерти, и мне пришлось устремиться следом, просто для того, чтобы не остаться раздетым.

— Что случилось-то? — спросил я уже на улице.

— Как это — «что случилось»? Мы идем к тебе, разбираться с твоим «чудом», солнце-то, между прочим, уже давно скрылось за горизонтом!

— Вот оно что! — рассмеялся я. — А я-то подумал...

— А, ты имеешь в виду мое «неотложное дело»? Ну так это оно и есть. Не бери в голову, парень, должен же я был как-то смыться от этого бюрократа... Пошли, пошли!

В спальню своей бывшей квартиры на улице Старых Монеток я поднимался без всякого содрогания: мое доверие к могуществу сэра Джуффина Халли было безгранично. Вообще-то, его странные приятели, с которыми я уже успел познакомиться, — что сэр Маба Калох, что невероятный старый шериф Кеттари Махи Аинти, — наверное, были гораздо старше, опытнее и могущественнее, чем мой шеф, но Джуффин, человек, которому когда-то взбрела в голову странная идея перетащить меня из одного Мира в другой и безжалостно окунуть в топкое болото чудес, навсегда стал для меня чем-то вроде среднего арифметического между Господом Богом и добрым дядюшкой, так что именно в его обществе я был готов сунуться хоть к черту на рога!

— Что это, Макс? Откуда у тебя шляпа короля Мёнина? — изумленно спросил Джуффин. Он крутил в руках серую шляпу нью-йоркского «летчика» Рона. Я смеялся так, что мне пришлось усесться на ту часть пола, которая считалась кроватью.

— Магистры с вами, Джуффин! Какой там король Мёнин! Это просто шляпа, правда, из другого Мира...

Значит, она тем более не может принадлежать вашему легендарному королю!

— Во всяком случае, шляпа короля Мёнина выглядела точно так же, — упрямо сказал Джуффин. — А если учесть, что она пропала неизвестно куда вместе с самим Мёнином... Все может быть, Макс! Во всяком случае, на твоем месте я бы не стал возражать так решительно.

— Возьмите ее себе, — внезапно решил я. — Думаю, ее прежний владелец был бы доволен узнать, что она стала вашей... кем бы он ни был, этот прежний владелец!

— Спасибо, — задумчиво сказал Джуффин. — Дело в том, что мне много лет снилась эта шляпа. Кто бы мог подумать, что именно ты ее мне притащишь! — Он снял тюрбан, надел шляпу и немного постоял, прислушиваясь к своим ощущениям. Надо заметить, что шляпа ему шла чрезвычайно! Потом Джуффин загадочно ухмыльнулся, снял шляпу и аккуратно положил ее на полку.

— Ну что? — с любопытством спросил я.

— Вырастешь — узнаешь! — Джуффин неожиданно скорчил ехидную гримасу, совсем как «большой мальчишка» из соседнего двора. — Ничего особенного... Давай показывай мне свое «чудо», я уже извелся!

— Сейчас! — Я подошел к стеллажу с видеоаппаратурой, с замирающим сердцем щелкнул пультом. Маленький зеленый огонек возвестил, что первая в истории человечества электростанция между Мирами имени меня, любимого, работает нормально. Только тут я осознал всю степень безумия собственной затеи и удивился по-настоящему. Немного поудивлявшись, я взял с полки первую попавшуюся кассету и бережно подтолкнул ее в загадочную темную глубину машины.

— Ну давай, миленькая, не подведи! — жалобно попросил я. «Миленькая» не подвела. Через несколько секунд экран покраснел, потом оттуда бархатно рыкнул мой старый знакомый: африканский лев, продавший свою кошачью душу кинокомпании «Метро Голдвин Майер». А еще через секунду я расхохотался, обнаружив, что сэру Джуффину предстоит наблюдать за приключениями Тома и Джерри. Только тогда я обернулся на своего шефа. Вне всяких сомнений, это был мой звездный час: никогда не надеялся, что мне удастся созерцать открытый от удивления рот самого сэра Джуффина Халли, кому сказать — не поверят!

— Это кино, — торжественно пояснил я. — Я же вам рассказывал, помните? Ну, когда в Ехо появился этот маньяк из моего Мира, я говорил вам, что много раз видел подобные вещи в кино... Но вам повезло, Джуффин: то, что вы сейчас будете смотреть, — это мультфильмы, а это еще круче в каком-то смысле.

— Ага, я так и понял. — кивнул Джуффин, удобно устраиваясь на моем одеяле. — Отойди, Макс, ты мне все заслоняешь...

Я устроился рядом и уставился на экран. Смотреть «Тома и Джерри», сидя рядом с сэром Джуффином Халли, — в этом было нечто сюрреалистическое, от мучительных попыток осознать, что это действительно происходит, у меня голова шла кругом!

— Думаю, мне следует позвать Кофу, — через полчаса сказал мой шеф. — Такой тайной и поделиться не грех! Тем более что подвиги этих зверушек немного напоминают мне те славные времена, когда он за мной гонялся... Кажется, я становлюсь сентиментальным!

— Зовите, — улыбнулся я. — Знаете, мне вообще кажется, что вы можете просто взять какую-нибудь страшную клятву молчания со всех сотрудников Тайного Сыска. Грех ребят такой радости лишать!

— Грех! — согласился Джуффин. — А их у тебя много, этих... «кино»?

— Много! — мечтательно улыбнулся я. — Вы себе даже представить не можете сколько... Знаете, давайте я просто научу вас пользоваться этими вещами, покажу вам, на каких кассетах находятся остальные мультфильмы, и пойду. А то свинство какое-то получается: Теххи меня ждет, а я тут с вами мультики смотрю!

— «Мультики»! — нежно повторил Джуффин. — Ладно, действительно, научи меня этим пользоваться.

— Ага. Не все же вам меня чудесам учить! — самодовольно заметил я.

— Ладно уж, не выпендривайся, — ухмыльнулся Джуффин. — Показывай.

Обучение отняло минут десять. Надо признать, что в свое время я постигал эту науку гораздо дольше — чуть ли не полчаса. А потом я оставил Джуффина в одиночестве и поехал в Новый Город, на улицу Забытых

Снов. Я очень хотел поскорее добраться до «Армстронга и Эллы», где меня ждали самые настоящие Армстронг и Элла, мои невероятно растолстевшие котята в компании главной виновницы их избыточного веса.

Компания, к моему бесконечному изумлению, оказалась гораздо более многочисленной. На высоком табурете торжественно восседал сам Шурф Лонли-Локли, его белоснежное лоохи трепетало на сквозняке, как парус. Рядом с ним сидела Меламори, ее устрашающий хуб уже оживленно ползал по стойке. Техши косилась на него немного недоверчиво, тем не менее она уже успела раскрошить для него какую-то булочку.

— Знаешь, Ночной Кошмар, нам очень понравилось гулять за твой счет! — нахально заявил Мелифаро. Он уже успел забраться на стойку и теперь сидел там, как на насесте, да еще и ногами болтал. — А поскольку мы были уверены, что ты рано или поздно сюда заявишься...

— Твои коллеги уже прокутили десять корон, — заметила Техши. — Так что давай раскошеливайся.

— Выпиши мне счет, — невозмутимо сказал я, — я не я буду, если не вытрясу эти десять корон из сэра Донди Мелихаиса! Скажу, что у нас было неотложное ночное совещание, и пусть только попробует не поверить!

— Дырку над тобой в небе, Макс, я сейчас заплачу! — проникновенно сообщил Мелифаро.

— Любопытно было бы на это посмотреть... Да нет, чудес не бывает, — вздохнул я. — Во всяком случае, не до такой же степени!

— Почему, милый? Я могу принести ему луковицу, — улыбнулась Техши. Меламори понимающе посмотрела на нее, и они ехидно захихикали.

«Нет худа без добра, — удивленно подумал я, — мое отсутствие их, кажется, очень подружило!» Кто бы мог подумать: в конце концов, леди Меламори Блимм принадлежала к клану, с древних времен связанному с Орденом Семилистника, а Техши была дочкой покойного Лойсо Пондохвы, Великого Магистра Ордена Водяной Вороны. Это покруче, чем Монтекки и Капулетти, что бы там они обе ни твердили о своем глубоком равнодушии к истории древней вражды своей могущественной родни... Меламори, вероятно, решила пополнить ряды клуба любителей чтения моих мыслей: она заметила умиление, с которым я их разглядывал, и покачала головой:

— Мы подружились гораздо раньше, Макс, просто у тебя не было времени обратить на это внимание. Куда я так шустро смывалась со службы на закате, когда ты оставался в Управлении, как ты думаешь?

— Сюда, что ли? — рассмеялся я. — А почему я ничего не заметил?

— Нам тоже было интересно почему, — улыбнулась Теххи. — Так интересно, что мы даже решили проверить, как долго ты можешь жить, не замечая, что происходит вокруг.

— Сколько угодно! — вздохнул я. — Я же живу как во сне, к тому же время от времени умудряюсь забывать, что мне приснилось.

— Я никогда не думал, что ты так четко осознаешь свои слабые стороны. Это весьма похвально! — тоном пожилого университетского профессора заявил Лонли-Локли. Мелифаро ржал так, что чуть не слетел со стойки. Я дернул его за ногу, чтобы это светлое событие все-таки произошло, немного послушал его новую шикарную подборку грязных ругательств, одобрительно кивнул и уселся рядом с невозмутимым сэром Шурфом.

— Один ты меня хвалишь хоть иногда! — скорбно заявил я, закатывая страдальческие глаза к потолку.

— Зато я пою тебя камрой, а это тоже немало, — невозмутимо заметила Теххи, ставя передо мной дымящуюся кружку.

— Ребята, — нежно сказал я, обводя глазами эту милую компанию, — если бы я мог умереть за вас, я бы ни за что не стал делать подобную глупость, потому что на том свете вас нет, я уже проверял... А без вас там слишком неуютно!

Уснуть мне удалось только через пару часов после рассвета, да и то каким-то чудом: скорее всего, это был просто глубокий обморок, плавно переходящий в некое подобие сна. А в полдень меня разбудил зов сэра Джуффина Халли. Просто классическая ситуация.

«Макс, — задумчиво сообщил мой шеф, — приводи себя в порядок и приходи ко мне... Да, только не вздумай искать меня в Управлении!»

«За кого вы меня принимаете! — сердито усмехнулся я. — Разумеется, вы на улице Старых Монеток, где же еще!»

«Какая нечеловеческая проницательность! А чего ты такой надутый? Ты что, не выспался?»

«Выспишься с вами, как же! — Я подавил скорбный вздох и потянулся за своей бутылкой с бальзамом Кахара. — Ладно, через час я у вас буду».

«Через полчаса. Я же знаю, как быстро ты можешь ехать, если нужно», — решительно заявил Джуффин.

— Ужас! — сказал я вслух, проворно выскакивая из-под одеяла. — Вот это и есть тирания в самом чистом виде, римским цезарям такое и не снилось! Кстати, о цезарях: очень может быть, что этот изверг только что посмотрел «Калигулу» и теперь у него появился ряд новых методов общения с подчиненными...

— Макс, ты уверен, что моему потолку это интересно? — ехидно осведомилась Теххи. К моему бесконечному изумлению, она вошла в комнату, бодро размахивая кувшином с камрой и моей пустой кружкой.

— За что мне такое счастье? — восхищенно спросил я.

— У меня внизу сидят посетители, не хочу, чтобы ты их распугал! — огрызнулась Теххи. — Сэр Джуффин только что прислал мне зов и предупредил, что сейчас начнется что-то страшное, поскольку он тебя разбудил...

— За моей спиной плетется страшный заговор, это же очевидно! — восхитился я. — Прикрывай свою лавочку, поехали со мной!

— А посетители? — удивленно спросила Теххи.

— Какие могут быть посетители! Приличные люди не шляются по забегаловкам вроде твоей с утра пораньше! — легкомысленно отмахнулся я. — Поехали, поехали, тебе понравится...

— Вы что, решили больше никогда не расставаться? Ты заколдовал эту бедную девочку, чудовище? — язвительно спросил нас сэр Джуффин Халли. Его лицо показалось мне невероятно счастливым и усталым одновременно. Рядом клевал носом сэр Кофа Йох. На экране телевизора мелькало лицо все того же агента Купера, который когда-то «проводил» меня в путешествие до Зеленой улицы: кажется, в жизни моего шефа началась эпоха «Твин Пикс». Было совершенно ясно, что они с Кофой не покидали мой импровизированный кинозал ни на секунду.

— Думаю, что вы теперь с ней долго не расстанетесь, — усмехнулся я. — Привел вам еще одного товарища по несчастью!

— Что это, Макс? — Теххи вцепилась в мой локоть, она показалась мне почти испуганной.

— Это — величайшее из чудес, на которые я способен. И никакой Запретной магии! — гордо улыбнулся я.

— Ну это еще как сказать! — неожиданно серьезно возразил Джуффин. — Ладно, по крайней мере Мир от этого не рухнет... Я, собственно, зачем тебя позвал...

— Догадываюсь! — фыркнул я. — Вы поняли, что уже очень давно не были в отпуске и вот теперь наконец-то пришло время. Правильно?

— Экий ты прозорливый! Да, думаю, что небольшой отпуск мне бы не помешал! — согласился Джуффин. — Тем более что в прошлый раз из тебя получился такой хороший заместитель...

— Ладно уж, не подлизывайтесь! — проворчал я. — Так и знал, что этим закончится! Насколько я понимаю, командовать я буду сам на себя: все остальное Малое Тайное Сыскное Войско, того гляди, тоже здесь осядет... Ладно, договорились, только посадите мою девушку в первый ряд, и я пойду умащивать свою задницу в ваше кресло.

— Вот и славно! — вздохнул Джуффин. — Да, и не забудь полюбоваться, как жалкие остатки древнего Ордена Долгого Пути будут прощаться с площадями Ехо. В случае чего, поступи с ними, как эта нижняя половина толстой чернокожей леди обычно поступает с несчастным котом Томом в конце чуть ли не каждой истории...

— Будет сделано! — торжественно пообещал я и пошел к дверям.

— Подожди, Макс! Смотри, как мы теперь умеем! — К моему полному изумлению, сэр Джуффин Халли извлек из воздуха гигантский мультяшный молоток, каковым тут же огрел по голове задремавшего было сэра Кофу. Тот отреагировал немедленно: его голова полностью скрылась в плечах, а безголовое туловище жизнерадостно заскакало по комнате. Теххи еще крепче вцепилась в мой локоть, да я и сам бы с удовольствием в кого-нибудь вцепился, просто чтобы заручиться моральной поддержкой. Джуффин хохотал так, что кассеты с фильмами посыпались со стеллажа.

— И это только начало! — мечтательно сообщил он мне. — Ты себе представить не можешь, как много практической пользы я извлек из этого поучительного зрелища!

— Я остаюсь, Макс! — решительно сказала Теххи. — Хотела бы я знать, какие впечатления довели этих достойных джентльменов до такого плачевного состояния.

— Я на тебя вечером посмотрю! — усмехнулся я. — Кстати, о вечере... Кофа, в вашем большом сердце найдется достаточно милосердия, чтобы сменить меня ночью, хоть на пару часов?

— Но ты же вполне можешь поспать и в кресле, мальчик! — ехидно улыбнулся сэр Кофа. — Ну ладно, сменю, только не делай такое скорбное лицо!

Следующая дюжина дней прошла примерно так, как я и предполагал с самого начала. Сэр Джуффин Халли ни разу не появился в Доме у Моста, остальные мои коллеги тоже то и дело исчезали где-то в районе улицы Старых Монеток, так что мы с несгибаемым Лонли-Локли отдувались за всех: его чувство долга было превыше любопытства. Кроме того, только у Шурфа хватило отрешенности, чтобы сообразить, что удивительное зрелище никуда от него не денется: в конце концов, моя видеотека осела в Ехо навсегда. Остальные посвященные в «тайну голубого экрана» просто не могли держать себя в руках. Даже Теххи внезапно решила, что в ее трактире может поработать одна из соседок, как будто бы это не она бурно возмущалась, когда я предлагал ей нанять какую-нибудь помощницу, чтобы иметь возможность хоть иногда спокойно прогуляться со мной по ночному городу — не так уж давно это было... Потом жизнь постепенно стала почти нормальной, хотя в моей бывшей спальне на улице Старых Монеток в любое время суток можно было застать кого-нибудь из коллег, блаженно уставившегося на экран телевизора. Шурф Лонли-Локли не переставал потрясать меня железной самодисциплиной: он был единственным, кто составил себе четкое расписание и неукоснительно его придерживался. Шурф смотрел одну выбранную наугад кассету раз в три дня — не чаще и не реже. Честно говоря, мне здорово хотелось поставить ему памятник...

Тем не менее наша жизнь настолько вошла в нормальную колею, что сэр Джуффин милостиво даровал мне целых три дня абсолютной свободы. Я провел их самым сладким образом: отправился к Теххи и наконец-то выспался. Это было несложно, поскольку дама моего сердца все еще пребывала в помраченном состоянии рассудка и не понимала, что мое общество иногда может доставить немного больше удовольствия, чем призрачные события в глубине экрана. Так что кроме созерцания сладких снов я, кажется, почти ничем и не занимался... Вечером третьего дня я продрал глаза на закате и понял, что немного перестарался. Впрочем, после долгого умывания я решил, что «ничто не слишком», и, покончив с глупыми сожалениями, отправился вниз, пугать посетителей «Армстронга и Эллы» своей хмурой рожей и варварски истреблять мегалитры камры. Внизу меня ждал сюрприз, даже целых два. Во-первых, Теххи невозмутимо стояла за стойкой, она была здесь, а не в «киноклубе», которому полагалось бы присвоить мое имя и из которого я сегодня твердо намеревался вытащить ее на свежий осенний воздух, даже за шиворот, если понадобится. А во-вторых, на высоком табурете восседал сэр Джуффин Халли собственной персоной. Других посетителей в трактире не было: видимо, в Ехо нашлось бы не так уж много желающих провести вечер в обществе самого сэра Почтеннейшего Начальника.

— Только не говорите, что вы по мне соскучились! — с порога заявил я. — Что-то случилось, да?

— Ничего особенного. Так, кое-что по мелочам... — пожал плечами мой шеф. Теххи поставила перед ним несколько крошечных рюмочек с каким-то напитками и большую пустую кружку и посмотрела на меня с видом заговорщика. Джуффин тем временем аккуратно слил в кружку содержимое рюмочек, потом немного пощелкал пальцами правой руки над этой смесью, жидкость вспыхнула красноватым огнем. Мой шеф с видимым удовольствием проглотил этот пожар, из его ушей повалил пар, тюрбан со звоном запрыгал на голове, как крышка кипящего чайника.

— Правда, эффектно? — невозмутимо спросил он.

— С вашими предпочтениями мне все ясно, — усмехнулся я. — Вы же просто помешались на мультфильмах!

— На мой взгляд, они гораздо реалистичнее, чем фильмы, в которых показывают якобы настоящую жизнь, — пожал плечами мой непостижимый шеф. — В всяком случае, мне все время попадались какие-то бредовые истории, может быть, все дело в моем везении?.. То какие-то сумасшедшие ребята пытаются добраться до других планет на всяких громоздких сооружениях, как они там называются?

— Вы имеете в виду космические корабли? — прыснул я.

— Вот-вот. Хотя они могли бы просто попытаться воспользоваться Коридором между Мирами, если им уж так приспичило, это же ясно и младенцу!.. А вчера мне довелось лицезреть трагическую историю любви какого-то симпатичного молодого человека, между прочим, твоего тезки, сэр Макс. Сначала он был не то полицейским, не то просто обладающим некоторой тайной властью узником, я так и не разобрался, а потом он подыскал себе какую-то ночную работу... Я до сих пор не могу понять: почему он и его дама сердца постоянно пытались чем-нибудь порезаться? При этом они выглядели вполне счастливыми. В общем-то, я ничуть не удивляюсь, что их в конце концов пристрелили: от обстоятельств их жизни здорово попахивало какой-то бездарной Запретной магией...

Прослушав краткое содержание «Ночного портье» в изложении сэра Джуффина Халли, я чуть не умер от восторга, честное слово! Во всяком случае, Теххи пришлось отпаивать меня холодной водой, и я ни капельки не притворялся!

— Джуффин, — вздохнул я, когда ко мне вернулась способность говорить, — из вас бы получился лучший кинокритик за всю историю человечества! И все-таки что там у вас стряслось?

— Я же говорю, что ничего особенного. Его Величество хочет встретиться с тобой завтра после полудня. Король — довольно наивный человек и надеется, что у него есть шанс тебя уговорить...

— «Уговорить»? — удивленно переспросил я. — А почему меня вообще надо уговаривать? Что он от меня хочет?

— А, ты же, наверное, забыл... Все та же история с твоими горемычными «подданными». Они все-таки доковыляли до Ехо и уже чуть ли не дюжину дней лежат в ногах у бедняги Гурига, ожидая благоприятной возможности облобызать твои царственные нижние конечности. А у Его Величества слюнки текут при мысли, что с твоей помощью ему удастся присоединить Пустые Земли к территории Соединенного Королевства. У него есть какой-то великолепный план, в соответствии с которым тебе придется царствовать всего пару лет, да и то не покидая Ехо... Но ты же принципиально против того, чтобы играть в игры такого рода, да? Не переживай, Макс, Король — парень сговорчивый, он не станет на тебя наседать, но одну беседу с ним ты все-таки должен выдержать: этого требует элементарная вежливость... Чего ты смеешься?

Смеялся я потому, что вспомнил панический ужас, который охватил меня после нашей прошлой беседы на эту тему. Признаться, больше всего меня тогда шокировала мысль, что в моей наконец-то налаженной новой жизни могут произойти какие-то перемены; чего мне тогда по-настоящему хотелось — это оставить все как есть, отойти и не трогать, даже пыль не сдувать... В итоге моя тогдашняя жизнь все равно рухнула, совершенно неожиданно и с моей же собственной помощью, между прочим.

— Просто подумал, какой я все-таки был дурак! — отсмеявшись, сказал я. — Как я тогда испугался вашего предложения немного поиграть в незнакомую игру! Ну и получил на свою задницу целую дюжину незнакомых игр, почти без всяких правил...

— Ты хочешь сказать, что можешь передумать? — Брови моего шефа изумленно поползли вверх. — Вот это новость! Неужели ты стал таким мудрым?!

— Не знаю. — Я пожал плечами. — Может быть, передумаю, может быть, нет, все зависит от того, насколько мне понравится «потрясающий» план Его Величества... Во всяком случае, раньше я был принципиально против любой новой игры, а сейчас... В общем, я сначала хочу ознакомиться с правилами, а уже потом что-то решать.

— Ну ты даешь! — улыбнулся Джуффин. — Как ты быстро взрослеешь, парень, с ума сойти можно! Отлично, значит, завтра в полдень ты заходишь за мной в Управление...

— А не на улицу Старых Монеток? — ехидно спросил я. — Вы ничего не перепутали?

— Увы, с утра мне будет не до того, — тоскливо вздохнул Джуффин. — Кофа привел мне целую компанию фальшивомонетчиков. Черная магия семьдесят второй ступени только для того, чтобы обзавестись мешком корон, представляешь? А я теперь общайся с этими ополоумевшими от жадности гениями!.. А на улицу Старых Монеток я пойду сейчас, буду смотреть эти замечательные «мультики», глядишь — еще пару фокусов освою...

— Они вам как раз пригодятся! — усмехнулся я. — Фальшивомонетчики будут в восторге, когда вы начнете бить их по головам этим своим невероятным молотком!

— Молоток — это пройденный этап, — гордо сказал Джуффин. — Теперь я предпочитаю одну безумную штуку, кажется, это называется «динамит»... но она может оказаться по-настоящему опасной для жизни окружающих, знаешь ли... Хорошего вечера, ребята! — Джуффин спрыгнул с высокого табурета, огляделся по сторонам, увидел, что в зале по-прежнему никого кроме нас нет, подмигнул нам самым легкомысленным образом, превратился в круглый полосатый мячик, подпрыгнул к потолку и исчез.

— По-моему, я все-таки немного перестарался с этой видеотекой! — жалобно сообщил я Теххи.

— Есть такое дело, — улыбнулась она. — Но мне, знаешь ли, нравится!

— Мне тоже, — кивнул я. — Пойдем куда-нибудь прогуляемся, заодно и позавтракаем! Все равно у тебя пусто: этот злодей Джуффин распугал жалкие остатки нераспуганной мной клиентуры.

— Вообще-то, на закате нормальные люди, как правило, ужинают, — рассмеялась Теххи.

— Неужели я похож на нормального человека? — спросил я.

— Вообще-то, не очень! Ладно уж, пошли. — Теххи выглядела очень довольной, кажется, сегодня мое обаяние все-таки оказалось сильнее гипнотического телеэкрана...

На следующий день мы с Джуффином отправились в замок Рулх, куда Его Величество Гуриг Седьмой успел перебраться из своей летней резиденции с первыми же порывами холодного осеннего ветра. В постоянной резиденции были свои правила: перед тем как мы вошли, на наши плечи были наброшены своего рода плащи, сотканные из тонкой металлической сетки.

— Это должно символизировать, что мы «попались», — ехидно объяснил мне Джуффин. — Впрочем, до наступления эпохи Кодекса подобные сети были отнюдь не символическими. Вообще-то, в замке Рулх разного рода ловушек и без них хватало... Оно и понятно: времена были такие!

— Знаете, — поежившись, сказал я, — у меня такое ощущение, что все эти ловушки по-прежнему существуют. Может быть, они спят сладким сном, но только до поры до времени... Я почти уверен, что они ко мне принюхиваются.

Сэр Джуффин молча покачал головой, это походило на удивленное согласие. А потом нас усадили в паланкины и прокатили до Королевской Приемной.

Его Величество Гуриг Седьмой вышел к нам через несколько секунд. Его потрясающе красивая физиономия выглядела немного взволнованной, я даже удивился. После обмена церемонными констатациями факта, что сегодняшний день не представляется нам таким уж плохим, Король гордо указал нам на маленький столик, уставленный многочисленными кувшинами и каким-то блюдцами:

— Не так давно мне удалось одержать окончательную победу над своим церемониймейстером, господа. Старик подал в отставку, а его преемник не настолько консервативен, чтобы запрещать своему Королю угощать собственных гостей в любом помещении: хоть в приемной, хоть в ванной... Признаться, теперь я совершенно счастлив: обеденный зал не представляется мне самым уютным помещением в замке.

— Ваша правда, — тоном знатока согласился Джуффин. — Всякий раз, когда я туда захожу, мне кажется, что сейчас мне придется осушить бокал чьей-то крови...

— Да, какого-нибудь непокорного вассала! — усмехнулся Король. — Подозреваю, что мои великие предки здорово с этим перебарщивали... — Он смущенно посмотрел на меня и вдруг подмигнул, как мне показалось, не без некоторого лукавства. — Ну что, сэр Макс, вы готовы стать моим новым коллегой? Джуффин предупреждал, что вы будете сопротивляться.

— До последней капли крови! — неожиданно брякнул я и сам рассмеялся от неожиданности. А потом попросил: — Расскажите мне, пожалуйста, что вы придумали. Сэр Джуффин говорил, что у вас есть какой-то замечательный план...

— Мой план весьма прост,— пожал плечами Гуриг. — Мы говорим этим милым людям, что вы согласны стать их царем, но ваши дела пока не позволяют вам покинуть Ехо, поэтому вы собираетесь вершить их судьбы, так сказать, заочно, оставаясь здесь, в столице Соединенного Королевства. Ваши некультурные соотечественники надевают на вас корону и уезжают домой совершенно счастливыми... Ну, разумеется, вам придется обзавестись чем-то вроде дворца, в котором вы будете принимать их представителей, и все такое, но это уже мои заботы. Я как раз подумал, что если вы согласитесь, я могу предоставить вам Мохнатый Дом.

— Бывшую библиотеку Королевского Университета? — понимающе кивнул Джуффин. — Хорошее местечко. Тебе понравится, Макс!

— Ладно, это прекрасно, но как я буду ими управлять? — спросил я. — За свою жизнь я с грехом пополам освоил несколько странных профессий, но царем мне быть пока не приходилось, как ни дико это звучит...

— Это пустяки, сэр Макс! — с облегчением вздохнул Гуриг. — Во-первых, это не так уж сложно, можете мне поверить! А во-вторых, вам и не придется морочить себе голову этой ерундой. Ваши подданные будут находиться невесть где вместе со своими проблемами. Насколько я понимаю, они будут просто присылать к вам гонцов, поскольку Безмолвной речью никто из них не владеет. Ну а мои служащие будут составлять для вас тексты ваших «царских указов», в конце концов, это их работа! Вот, собственно, и все... Ну, возможно, вам предстоит пережить несколько утомительных приемов, но это случается не так уж часто, в противном случае, я бы давно последовал к Темным Магистрам за своим бедным отцом... И самое главное: эта игра довольно быстро закончится, вам даже надоесть не успеет! Признаться, я рассчитываю, что уже через два года...

— А каким образом она может закончиться? — с любопытством спросил я.

— Очень просто: вы объявите, что утомлены властью, а посему дарите мне свои земли. Таким образом, Пустые Земли, эта дурацкая мозоль на моем глазу, станут еще одной провинцией Соединенного Королевства...

Гораздо гуманнее, чем позволять графу Вуку идти войной на этих бедняг. Старик там, пожалуй, такого наворотит, что Пустые Земли станут по-настоящему пустыми... А с вашей помощью мы провернем эту операцию совершенно безболезненно. И могу вас заверить, что вашим соотечественникам такой оборот дела только пойдет на пользу!

— Не сомневаюсь, — улыбнулся я. — Что хорошо для меня, то подойдет и для них, а я влюблен в Соединенное Королевство, честное слово!

— Приятно слышать, что хоть кого-то оно устраивает, — искренне расхохотался Король. — А то у всех какие-то претензии...

— А я — простой наивный варвар, — усмехнулся я, — так что со мной легко договориться!

В общем, из Королевской Приемной я вышел без пяти минут царем.

— Могу себе представить, что будет с беднягой Мелифаро! — с удовольствием сказал я Джуффину. — Он же не переживет такую новость, просто лопнет от ехидства, бедняга!

— Ну, если он лопнет, тебе же будет легче, — злокозненно заулыбался мой шеф. — Потому что в противном случае...

— Можете не продолжать, у меня богатое воображение... Слушайте, Джуффин, чего я так до сих пор и не смог понять, так это на кой Его Величеству Гуригу сдались эти грешные Пустые Земли? Там же ничего нет, кроме жалких юрт моих несчастных подданных и их хваленого конского навоза, насколько я в курсе. Наверное, я ничего не понимаю в имперской политике!

— Ничего, — согласился Джуффин. — Ладно уж, прочитаю тебе короткий курс политической географии для начинающих монархов... Смотри. — Он достал из кармана лоохи маленькую карту Мира, вышитую на кусочке потертой кожи. — Пустые Земли отделяют Соединенное Королевство от дружественного нам графства Хотта. Тамошние правители спят и видят себя верными вассалами Его Величества Гурига Седьмого. Думаю, они просто смертельно устали воевать с княжеством Кебла... А такая провинция, как графство Хотта, украсит любую империю. И вообще, нашему Гуригу дай волю, он бы весь материк взял под опеку, а потом еще парочку — просто чтобы переплюнуть своего знаменитого покойного родителя.

— А, ну да, я читал, что у детей знаменитостей всегда возникают подобные проблемы! — кивнул я. — Главное, чтобы Король не вошел во вкус, а то, избавив свою задницу от одного трона, я тут же буду вынужден аккуратно водрузить ее на другой, и эта незатейливая процедура будет продолжаться, пока нас, монархов, не останется всего трое: Его Величество Гуриг, я и Завоеватель Арвароха — на его троне, пожалуй, и я не усижу!

— Кто тебя знает, может, и усидишь... Хочешь полюбоваться на свой будущий дворец? — спросил Джуффин, когда я взялся за рычаг амобилера.

— Мохнатый Дом? Да, хотелось бы взглянуть... А почему, собственно, он «мохнатый»?

— Потому что он действительно мохнатый, сам увидишь!

Бывшая библиотека Королевского Университета располагалась в Старом Городе, как раз между зданием самого Университета и редакцией «Королевского голоса».

— Вот и славно, теперь мы с сэром Рогро будем соседями! — одобрительно заметил я. А потом посмотрел на высокий трехэтажный дом и заулыбался до ушей: это архитектурное сооружение было плотно оплетено какими-то упрямыми вьющимися хвойными растениями, так что из-за пушистых иголок на свет Божий выглядывали только окна и самая верхушка остроконечной крыши.

— Эти заросли будут отлично сочетаться с твоим небритым подбородком, — невозмутимо отметил Джуффин, — просто сердце радуется... Ну что, нравится?

— Нравится, — улыбнулся я. — Во всяком случае, здесь гораздо уютнее, чем в замке Рулх.

— Еще бы! Здесь на протяжении веков копошились симпатичные студенты и их не менее симпатичные наставники, а не дюжина поколений царственных предков, которых у тебя, впрочем, все равно никогда не было...

— И хвала Магистрам! — решительно сказал я. — А что здесь находится сейчас?

— Как что? Я же сказал, старая библиотека. Просто она уже давно закрыта, так что можно сказать, что здесь ничего не находится.

— А книги, они что, остались? — поинтересовался я.

— Кое-что осталось, насколько я знаю.

— Надо будет попросить, чтобы их не вывозили. Всю жизнь мечтал обзавестись хорошей библиотекой.

— Ага, особенно бесплатно! — понимающе кивнул Джуффин. — Ладно, можешь побродить здесь, если хочешь, а мне пора в Управление... Вы не забыли, что сегодня вечером вам надо быть на службе, ваше царское величество?

— Мое величество помнит об этом прискорбном факте! — кивнул я. — Вот стану царем, буду присылать к вам своих министров, пусть себе трудятся на благо Соединенного Королевства... И передайте Мелифаро, чтобы не слишком усердствовал. А то до конца года лишу его права смотреть мультики.

— Кажется, он больше любит эти смешные фильмы про ваших полицейских, — доверительно сообщил мне Джуффин. — Он пытается отгадать, чем все закончится. И чем быстрее у него это получается, тем больше счастья. Последний рекорд, насколько я знаю, составил полторы минуты с момента начала фильма.

— Гениально! — восхитился я. — Все-таки и этот парень на что-то годится!

Потом Джуффин уехал, а я остался на пороге своей будущей царской резиденции. Вся эта история с моим «воцарением» наконец-то показалась мне просто смешной и немного нелепой шуткой, каковой она и была на самом деле. А Мохнатый Дом мне очень понравился: я вообще люблю, когда всякие сумасшедшие растения начинают вершить произвол над делом рук человеческих. Я прошелся по пустым темным комнатам бывшей библиотеки. Старинные деревянные лестницы ворчливо скрипели под моими ногами. Поднялся на третий этаж, а оттуда на чердак, вернее, в маленькую смотровую башенку. Там пахло сыростью и пылью, поэтому я решительно распахнул окно: немного свежего ветра с Хурона не повредит этому милому местечку! Выглянув в окно, я восхищенно покачал головой: отсюда открывался изумительный вид на Ехо, все-таки Мохнатый Дом был одним из самых высоких зданий в нашей двух-трехэтажной столице! Я посмотрел вниз на мозаичные мостовые и серебристую ленту холодного Хурона — это был прекрасный волшебный город из моих давнишних снов, который каким-то чудом оказался частью моей странной жизни. Стоило потерять этот город и снова его найти, чтобы смутно начать осознавать, как мне удивительно повезло. Я был там, где мне и следовало быть, и, даже если предназначенная мне порция чудес окажется чрезмерной, это белое небо над головой не даст земле навсегда уйти из-под моих ног... Я вдруг понял, что здорово задолжал каким-то непостижимым силам, управляющим моей восхитительной жизнью, и что должен хотя бы попытаться сказать им «спасибо», и тогда я высунулся в окно и дурным голосом заорал это «спасибо», адресуя его куда-то в небо, где, по моим банальным представлениям, и должны были обитать эти гипотетические «силы». А потом я звонко чихнул — все-таки в смотровой башенке было очень пыльно — и с облегчением рассмеялся такому неожиданному финалу.

— Все правильно, дорогуша, — сказал я сам себе, — так и надо! Главное — поменьше пафоса!

СОДЕРЖАНИЕ

*Литературно-художественное
издание*

Макс ФРАЙ

СОБРАНИЕ СОЧИНЕНИЙ

ВОЛОНТЕРЫ ВЕЧНОСТИ

Художественный редактор
Вадим Пожидаев

Технический редактор
Татьяна Раткевич

Корректоры
*Анастасия Келле-Пелле
Нина Богачева
Ирина Киселева*

Верстка
Алексея Положенцева

Налоговая льгота — Общероссийский
классификатор продукции ОК-005-93,
том 2; 953000 — книги, брошюры
ЛР № 071177 от 05.06.95
ЛР № 070099 от 03.09.96

Подписано в печать с готовых диапозитивов 23.03.01.
Формат 84×108^1/$_{32}$. Печать офсетная.
Гарнитура «Таймс». Доп. тираж 5000 экз.
Усл. печ. л. 30,2. Изд. № 739. Заказ №4629.

Издательство «Азбука»
196105 Санкт-Петербург, а/я 192

Издательство «ОЛМА-ПРЕСС»
129075 Москва, Звездный бульвар, 23

Отпечатано с готовых диапозитивов
в полиграфической фирме «КРАСНЫЙ ПРОЛЕТАРИЙ»
103473 Москва, Краснопролетарская, 16